ANSICHTEN ZU EICHENDORFF

Beiträge der Forschung 1958 bis 1988

Daguerreotypie des alten Eichendorff aus dem Jahre 1857.
Kopie des Originals aus dem Eichendorff-Museum in Wangen/Allgäu

ANSICHTEN ZU EICHENDORFF

Beiträge der Forschung
1958 bis 1988

Für die Eichendorff-Gesellschaft
herausgegeben von

Alfred Riemen

Jan Thorbecke Verlag Sigmaringen
1988

CIP-Titelaufnahme der Deutschen Bibliothek

Ansichten zu Eichendorff: Beitr. d. Forschung 1958–1988 / für d. Eichendorff-Ges. hrsg. von Alfred Riemen. – Sigmaringen: Thorbecke, 1988.
ISBN 3-7995-2027-9

NE: Riemen, Alfred [Hrsg.]

Gesamtherstellung: M. Liehners Hofbuchdruckerei GmbH & Co., Sigmaringen
Printed in Germany · ISBN 3-7995-2027-9

Inhalt

Bemerkungen zu den Ansichten

Alfred Riemen

Als Paul Stöcklein seinen Sammelband *Eichendorff heute* (München 1960) zusammenstellte, hatte er das Gedächtnisjahr 1957 zum Anlaß genommen; 100 Jahre vorher war der Dichter gestorben. Im Jahre 1988 jährt sich zum 200. Male Eichendorffs Geburtstag. Als die Eichendorff-Gesellschaft anregte, aus dem Anlaß ein ähnliches Buch wie das Stöckleins vorzubereiten, nahm ich den Hinweis gern auf. Feierstunden und Festansprachen, so sinnvoll sie auch sein mögen, sind bald vergangen und vergessen; für die Nachwelt lebendig bleiben kann der Dichter nur in seinem Werk. Zudem hat sich seit 1957 das neue Eichendorff-Bild, in den Ansätzen dokumentiert durch Stöckleins Buch, gefestigt und erweitert, ohne daß es in der breiteren Öffentlichkeit selbstverständlich geworden ist. Zu häufig noch gilt Eichendorff als unbeschwerter, von problematischen Aspekten unberührter, fröhlicher Natur- und Wanderpoet oder gar als nationaler Heimatdichter. Gewiß sind derartige Klänge seinem Werk nicht fremd, aber sie sind nicht die einzigen und keineswegs die wichtigsten. Vielmehr hat die Eichendorff-Forschung die Komplexität in seinen dichterischen wie theoretischen Aussagen und in seiner persönlichen Haltung gegenüber politischen und gesellschaftlichen Fragen seiner Zeit gerade während der letzten dreißig Jahre untersucht und aufgedeckt. Namen wie Seidlin, Alewyn und Stöcklein sind als Wegbereiter dieser neuen Erkenntnisse zu nennen und mit dem damaligen Band *Eichendorff heute* verbunden.

Daher legt nicht nur die Ähnlichkeit der Anlässe es nahe, an ihn anzuknüpfen, sondern mehr noch die gemeinsame Intention, Ansichten zu Eichendorff, wie sie sich damals und wie sie sich seitdem herauskristallisiert haben, beispielhaft vorzuführen. Die scheinbare Äußerlichkeit, daß der Aufsatz des verstorbenen Romanisten Leo Spitzer »Zu einer Landschaft Eichendorffs« Stellung nimmt zu dem bekannten Essay des ebenfalls verstorbenen Germanisten Richard Alewyn »Eine Landschaft Eichendorffs«, den Stöcklein in seinen Band aufgenommen hatte, ist mehr als das: sie zeigt, daß die gemeinsame Grundtendenz eines neuen Eichendorff-Bildes durchaus unterschiedliche Ansichten zuläßt, ja daß sie erforderlich sind, um neue Erkenntnisse nicht wieder zu Klischees erstarren zu lassen. Häufigere Diskussionen über kontroverse Meinungen würden nicht nur die Forschung beleben, sondern könnten vielleicht auch ein differenziertes Bild des Dichters in der interessierten Öffentlichkeit verbreiten. Wenn dieser Band dazu beitrüge, hätte er einen wichtigen Zweck erreicht.

Jede Textauswahl ist selbst nach vorgegebenen Kriterien subjektiv; von unterschiedlichen Interessenlagen aus ist sie daher immer auf verschiedene Weise kritisierbar. Das läßt sich nicht vermeiden, und es war auch nicht möglich, die gesamte Fülle dessen, was sich empfiehlt, in den Band aufzunehmen. Zum Verständnis sei daher angedeutet, unter welchen Aspekten die vorgelegten Beiträge ausgewählt und welche Einschränkungen dabei beachtet wurden.

Ein wichtiges Forum der Forschung ist das Jahrbuch der Eichendorff-Gesellschaft *Aurora*. Seine Bedeutung braucht nicht eigens betont zu werden. Da das vorliegende Buch der Anregung nach auf die Eichendorff-Gesellschaft zurückgeht und da ohnehin jeder, der Informationen über den Dichter und sein Werk sucht, zunächst zu ihrem Jahrbuch greifen wird, habe ich die darin erschienenen Aufsätze nicht herangezogen. Ebenso unberücksichtigt blieben Arbeiten in fremden Sprachen. Die Dokumentation sollte auf die deutschsprachige Forschung beschränkt und damit die sprachliche Einheit des Buches gewahrt bleiben. Ausgeschlossen bleiben ferner Arbeiten, die hätten gekürzt werden müssen; daher fehlen Auszüge aus Monographien. Ein Teil der ausgewählten Essays ist Schriften des Dichters, die lange vernachlässigt waren, bisher wenig berücksichtigten Themen und außergewöhnlichen Gesichtspunkten gewidmet. Natürlich sollten die bekannten Werke des Dichters nicht ganz ausgeklammert, aber es sollten möglichst eigenständige und neuartige Ansichten dazu mitgeteilt werden. Von Interesse sind gewiß auch die Ausführungen zu Eichendorff-Ausgaben und zu fragmentarischen Vorarbeiten zum *Marmorbild*. Für dieses Thema mußte der vorgesehene Aufsatz über das Fragment des Freien Deutschen Hochstifts, dessen Wiederabdruck nicht gestattet worden war, durch einen ähnlichen desselben Autors ersetzt werden. Die Eigenheiten der Autoren in Sprachverwendung, Orthographie und Interpunktion sind beibehalten; nur offensichtliche Versehen der Setzer wurden beseitigt.

Zu danken habe ich dem Verlag für die Unterstützung bei den Vorarbeiten und der Herstellung des Buches. Zu danken habe ich den Autoren oder ihren Angehörigen und den Verlagen, die ohne Einwendungen ihre Einwilligung zum Abdruck der Arbeiten gegeben haben. Vorzüglich danke ich meinem Kollegen Eckhard Grunewald, der sich der unattraktiven Aufgabe unterzogen hat, die Bibliographie als Fortsetzung derjenigen von Wolfgang Kron in *Eichendorff heute* zusammenzustellen. Ein besonderer Dank gebührt auch den Sachbearbeitern der Kulturabteilung des Bundesministeriums des Innern, die seit langem die Eichendorff-Gesellschaft gefördert und sich auch für das Erscheinen dieses Buches eingesetzt haben.

Bonn, im Dezember 1987 *Alfred Riemen*

Zu einer Landschaft Eichendorffs

LEO SPITZER

Es ist eine seltene Freude für den philologisch gebildeten Leser, eine so durchaus gelungene »Übung im genauen Lesen« unter der Führung eines nie pedantischen, jedoch immer exakten Literaturkritikers mitzumachen wie Alewyns Erörterung (Euphorion 51, 1957, S. 42 ff.) über *Eine Landschaft Eichendorffs.* Die Art, wie der verehrte Gelehrte mit Unterdrükkung seines reichlichen sonstigen Belegmaterials eine kurze Landschaftsbeschreibung als für den Dichter typisch in allen ihren Besonderheiten und ästhetischen Konsequenzen darstellt und dieses Typische räsonablerweise aus der Abhebung von einer allgemein-deutschen sprachlichen und literarischen Erfahrung gewinnt, um mit der Feststellung des »erlebten Raumes« als des für Eichendorff spezifischen Erlebnisses die mikrokosmisch-makrokosmisch gedachte Einzeluntersuchung abzuschließen, scheint mir schlechthin mustergültig.

Wenn ich dennoch einige abweichende oder ergänzende Bemerkungen hier anschließe, so aus dem Gefühl heraus, daß der Dialog zwischen verschiedenen Kritikern, die manches Detail verschieden sehen mögen, notwendig ist, um dem als Ideal uns allen vorschwebenden consensus omnium schrittweise näher zu kommen. Daß ich als Romanist[1] und

1 Der an die zeitgenössische französische existentialistische Kritik gewöhnte Leser wird bei Alewyn gerade den Nachweis der künstlerischen Bedeutung des dichterischen Urerlebnisses als wohltuend empfinden, während die Franzosen gewöhnlich bei der Feststellung des existentiellen Rohmaterials, das ein Dichter verwendet, stehen bleiben, ohne dessen künstlerischer Verarbeitung besondere Aufmerksamkeit zu schenken. Für sie ist der dichterische Text nur ein Dokument für das Urerlebnis (des Raumes, der Zeit, etc.), auf einer Höhe mit Briefstellen, Gesprächen etc., nicht ist wie bei Alewyn die Verzahnung des Erlebnisses mit dem sprachlichen Ausdruck, die notwendige Verknüpfung des einen mit dem andern das wichtigste Problem des Literarkritikers.

Eichendorff-Freund, nicht -Kenner, nur Fragen stellen, nicht Entscheidungen fällen möchte, versteht sich von vornherein.

Die erste Frage gilt der Behauptung Alewyns, daß seine Probestelle:

> Draußen ging der herrlichste Sommermorgen funkelnd an allen Fenstern des Palastes vorüber, alle Vögel sangen in der schönen Einsamkeit, während von fern aus den Tälern die Morgenglocken über den Garten herauf klangen

nicht mit ihrem Fundort, der Novelle *Viel Lärmen um Nichts,* organisch verbunden sei: »Sie könnte an dieser Stelle fehlen, ohne eine Lücke zu hinterlassen. Sie könnte umgekehrt an hundert anderen Stellen von Eichendorffs Werk auftreten ... selten nur ist [bei E.] eine bestimmte Landschaft mit einer bestimmten Begebenheit der Handlung oder der Empfindung einer Person verknüpft«. Obwohl sicher richtig ist, daß Eichendorffs Landschaften nur aus wechselnden Kombinationen einer beschränkten Anzahl von Elementen bestehen, kurz daß sie nichts darstellen als Abwandlungen einer einzigen Urlandschaft, so scheint mir doch unsere Stelle mit der Novelle, in der sie steht, tiefer verbunden zu sein, und zwar nicht nur so, daß gegenüber der Szene der Morgentoilette des alten Gecken die Naturlandschaft *(Draußen aber...)* eine »Befreiung«, den Gegensatz zwischen Natur und Unnatur bedeutet, wie Alewyn sagt, sondern durch die symbolische Bedeutung solcher Landschaft für die ganze Novelle, in der die Welt der Poesie mit dem taufrischen Morgen, dem Wald, überhaupt der Natur ineinsgesetzt ist, während die Welt der Philister und künstlichen Menschen in verschiedenen Abstufungen: Herr Publikum, Prinz Romano, die »Novellisten« mehr mit Nachtszenen, mit künstlicher Beleuchtung, mit Maskenspielen und Demaskierungen (in denen »Schlafmütze«, »Schlafrock«, »Pantoffel« typische Requisiten sind, vgl. besonders den Satz: *Sie sind es, Herr Publikum? Mitten in der Nacht ohne Schlafmütze?*) verbunden ist. Das happy end unserer Geschichte ereignet sich dann auch in einer Morgenlandschaft: Der Autor sitzt im Morgenwind, nachdem Aurora ihm aufgetragen hat, ihre und Willibalds Geschichte aufzuschreiben. Ihre Worte *die Bäume blühen ja gerade und alle Vögel singen, soweit man hören kann,* bilden eine Folie zu der obzitierten Landschaftsbeschreibung. Man sollte wohl noch die folgende (dreiteilige) Periode dazunehmen: *Die Morgenluft blättert lustig vor mir in den Papieren, seitwärts weiden Damhirsche im schattigen Grunde, und indem ich dies schreibe, ziehen Aurora und*

Willibald soeben durch die glänzende Landschaft nach Italien fort. Die beiden Helden der Erzählung unternehmen sozusagen vor uns eine hochzeitliche Morgenwanderung ins Land der Phantasie, sie werden selbst Bestandteile der vom Autor betrachteten Landschaft, sie, die Vertreter der Natur und der Poesie, werden selbst Landschaft – und zwar bewegte Landschaft: Sie sind Wanderer in der Landschaft, wie so viele Helden Eichendorffscher Erzählungen. (Man vergleiche auch das ähnliche Ende der Novelle *Das Marmorbild.* Nach den wirren Gesichten des Venustempels sieht der Held seine Bianka als *ein heiteres Engelsbild auf dem tiefblauen Grund des Morgenhimmels,* der Morgen sendet ihnen seine Strahlen entgegen, *die Bäume standen hell angeglüht,* Lerchen schwirren. *Und so zogen die Glücklichen fröhlich durch die überglänzten Auen in das blühende Mailand hinunter.*)

Man beachte ferner auch den Namen der Heldin Aurora, der auf die Welt des Morgens deutet und bewußt etymologisch vom Dichter hervorgehoben wird (S. 150[2], allerdings, scheint mir, handelt es sich um die verkleidete Aurora): *Gräfin Aurora aber hatte heut in der That etwas von der Morgenröte, wie sie zwischen den leisen Nebeln ihres Schleiers ... so leicht und zierlich nach allen Seiten grüßte, und ihre Blicke zündeten, zwar nicht die Turmknöpfe, aber die Sturmköpfe ringsumher.* Wir finden hier eine sozusagen leichte Mythisierung der Heldin der Erzählung, die so den Naturphänomenen nahe gerückt wird. Interessant ist in dieser Beziehung auch eine andere Stelle (S. 144)[3], wo der Wunsch Romanos, die Gräfin Aurora zu heiraten, die Bemerkung seiner Begleiter hervorruft: *ebenso gut könnte man die Göttin Diana unter die Haube bringen – oder Thetis den Verlobungsring an den rosigen Finger stecken – oder die Phantasie heiraten – und alle neun Musen dazu* – nicht nur wegen der Identifikation von Aurora mit Phantasie und Dichtung, sondern wegen der Ausbreitung des Morgen-Motivs auf Thetis, die Meergöttin, die das ständige Epitheton der Eos »rosenfingrig« an sich zieht. Und dieselbe Ausbreitung des »rosenfingrigen Eos«-Motivs finden wir S. 183, wo Willibald von einer morgendlichen Begegnung mit einer schönen Reiterin

2 Eine auch sonst bei Eichendorff häufige Stilisierung seiner Heldinnen. Vgl. etwa in *Die Entführung* die Gräfin Diana, die diesmal nicht mit dem Morgen, sondern mit entweder einem *prächtigen Gewitter* oder einer *zauberischen Sommernacht identifiziert wird.*

3 Ich zitiere nach der Ausgabe Ameland, Leipzig 1883, Bd. IV.

erzählt, die, indem sie ihm ferne Städte und Dörfer zeigt und nennt, sie zu erschaffen scheint: *da war es als zöge ihr Rosenfinger eben erst die silbernen Ströme, die duftigen Fernen und die blauen Berge dahinter, und vergolde Seen, Hügel und Wälder, und alle rauschten und jauchzten wie frühlingstrunken zu der Zauberin herauf.*

Im Verlauf der Novelle *Viel Lärmen um Nichts* wird an verschiedenen Stellen die symbolische Bedeutung des Morgens für die Phantasie und die Jugend (sie sind eins) gefühlskräftig hervorgehoben.

(S. 165): *Schöne, fröhliche Jugendzeit, was tauchest Du wie ein wunderbares Land im Traum wieder vor mir auf! Die Morgenglocken tönen von neuem durch die weite Stille, es ist, als hörte ich Gottes leisen Tritt in den Fluren, und ferne Schlösser erst und Burgen hängen glühend über dem Zauberdufte. Wer ahnt, was das geheimnisvolle Rauschen der verträumten Wälder mir verkünden will?*

(S. 179): [Willibald sagt:] *Ich gedenke noch heute mit eigenem Vergnügen des frischen, kühlen Morgens, wie wir vor Tagesanbruch durch die stillen alten Gassen zogen... Die Jugend, sagt man, blicke die Welt anders an als andere vernünftige Leute, sehe im funkelnden Walde Diana vorüberspringen, und aus den Strömen schöne Nixen wunderbar grüßend auftauchen. Ich aber bilde mir ein, aus jungen Philistern* [dies ist die Gegenwelt Willibalds] *werden alte Philister, und wer dagegen einmal wahrhaft jung gewesen, der bleibt's zeitlebens. Denn das Leben ist ja doch nur ein wechselndes Morgenrot, die Ahnungen und Geheimnisse werden mit jedem Schritt nur größer und ernster, bis wir endlich vor dem letzten Gipfel die Wälder und Täler hinter uns versinken und vor uns im hellen Sonnenschein das andere Land sehen, das die Jugend meinte.*

(S. 147): [In einer Morgenlandschaft steht der Prinz, während Florentin – die verkleidete Aurora – ein Lied der Sehnsucht nach der fernen Heimat singt und seine zwei Freunde, Faber und Leontin] *schon fern in die glänzende Landschaft hinausziehen, und Schlösser, Türme und Berge erglühten purpurn, und ein leiser Hauch wehte den Klang der Morgenglocken und Lerchengesang und Düfte erquickend heraus, als läge das Land der Jugend in der Ferne.*

Nun muß ich sofort anmerken, daß solche Morgenlandschaften sich überall in Eichendorffs Erzählungen finden, ja ich würde sogar behaupten, ohne über genaue Statistiken zu verfügen, daß sie zahlreicher und

vielleicht auch eindrucksvoller sind als die Abend- und Nachtlandschaften. Um nur aus dem *Leben eines Taugenichts* zu exemplifizieren:
1. Kapitel: *Ich stand nunmehr, ganz wider meine sonstige Gewohnheit, alle Tage sehr zeitig auf... Da war es so wunderschön draußen im Garten. Die Blumen, die Springbrunnen, die Rosenbüsche und der ganze Garten funkelten von der Morgensonne wie lauter Gold und Edelstein. Und in den hohen Buchenalleen, da war es noch so still, kühl und andächtig wie in einer Kirche...*
2. Kapitel: *Und wenn manchmal noch vor Tagesanbruch eine Extrapost vorbeikam und ich trat halb verschlafen in die kühle Luft hinaus, und ein niedliches Gesichtchen ... bot mir einen freundlichen guten Morgen, in den Dörfern aber ringsum krähten die Hähne so frisch über die leise wogenden Kornfelder herüber, und zwischen den Morgenstreifen hoch am Himmel schweiften schon einzeln zu früh erwachte Lerchen, und der Postillon nahm dann sein Posthorn und fuhr weiter und blies und blies... es war mir nicht anders als müßt' ich sogleich mit fort, weit, weit in die Welt...*
Ebd.: *Die kühle Morgenluft weckte mich endlich aus meinen Träumereien ... alles* [sah] *so still, kühl und feierlich aus... Hin und her in den Zweigen neben mir erwachten schon die Vögel, schüttelten ihre bunten Federn und sahen, die kleinen Federn dehnend, neugierig und verwundert ihren seltsamen Schlafkameraden an*[4]*. Fröhlich schweifende Morgenstrahlen funkelten über den harten Weg auf meine Brust.*

In Kapitel 6, in dem »alten« Lied, das der Taugenichts von einem wandernden Handwerksburschen gelernt hatte und das eine Art lyrischer Verklärung des Tagesanbruches darstellt, finden wir das deutliche Bekenntnis des Dichters:

Der Morgen, das ist meine Freude!
Da steig ich in stiller Stund'
Auf den höchsten Berg in der Weite,
Grüß dich, Deutschland, aus Herzensgrund.

4 Diese allerdings vereinzelte Stelle gibt Alewyns Behauptung unrecht, daß »in Eichendorffs Werk die Vögel immer nur hörbar, nicht sichtbar« sind und daß daher *alle Vögel singen* in der Musterstelle ohne Verlust umformuliert werden könnte in »Man hörte Vogelsingen«.

Wir sehen also im *Leben eines Taugenichts* dieselbe Zuordnung von Kühle, Stille, Feierlichkeit, Frömmigkeit, Träumerei, Sehnsucht nach der Weite und Ferne, Jugend und Poesie zu Morgenlandschaften, behaupten aber, daß die betreffenden Stellen in *Viel Lärmen um Nichts* ebenso organisch wie in jenem bekannteren Werke in das Ganze der Erzählung verwoben sind, wie eine kurze Kontrastierung der Probestelle mit dem, was ihr vorangeht und was ihr folgt, zeigen wird.

Das Schloß mit seinem Garten, das sich über weiten Ebenen freundlich erhebt, war uns zuerst in dem verschwimmenden Abendduft der untergehenden Sonne gezeigt worden (S. 137). Dann sahen wir es bei Nacht in Raketenbeleuchtung und in »Konfusion«, indem der festliche Empfang des unerwarteten Prinzen Romano und der erwarteten angeblichen Gräfin Aurora durch den Hausherrn Publikum nicht zur richtigen Zeit sich entwickelt. Ich unterstreiche hier die beiden Sätze: *Jetzt sahen sie auch in dem Palaste L i c h t e r d u r c h d i e g a n z e R e i h e d e r F e n s t e r a u f u n d n i e d e r i r r e n* und *Oben aber entstand nunmehr eine große Konfusion. Durch eine glänzende Reihe h e l l e r l e u c h t e t e r G e m ä c h e r bewegte sich eine zahlreiche Versammlung in festlicher Erwartung* – die offenbar im Gegensatz zu der nächsten Szene, eben unserer Probelandschaft am Morgen nach dem mißglückten Empfangsfest, komponiert sind: *Draußen aber ging der herrlichste Sommermorgen funkelnd an allen Fenstern des Palastes vorüber.* Schon hier eröffnet sich uns der Gegensatz zwischen Maskerade und Echtheit, Unnatur und Natur, zwischen Herrn Publikum (mit seinem Fest am Vorabend), Prinz Romano (mit seiner Morgentoilette) einerseits, und der unberührten Natur andererseits, von der sich das unnatürliche Tun abhebt. Was nun folgt, ist wieder eine Art Maskerade, ein *Morgenspuk in der Rosenhecke*, wie Eichendorff sagt, indem der zu lustigen Streichen aufgelegte Graf Leontin und der dicke Dichter Faber der schönen Aurora im Vorüberziehen ein Ständchen bringen wollen, das aber wieder mißglückt, da ein Jäger, der als Führer dient, sie nicht unter Auroras, sondern unter Publikums Fenster aufstellt und auf diese Weise ein Wortwechsel mit dem beschlafmützten Philister entsteht. Wieder werden die Schloßfenster betont: *So zog das wunderliche Häufchen... durch die stille Morgenluft bis an eine Rosenhecke...* Die *S c h l o ß f e n s t e r l e u c h t e t e n w i e g l ä n z e n d e A u g e n zu ihnen herüber* (und es werden hinter ihnen zwei göttliche Augen der Gräfin Aurora vermutet) und *über dem Geschreie erhob sich durch den ganzen Palast, treppauf, treppab, ein verworrenes Rumoren, von allen Seiten fuhren Gesichter neugierig aus allen Fenstern*[5]. Erst am Ende der Szene ertönt Florentins Stimme, des hübschen Jägerbürschchens, der in Wirklichkeit die verkleidete Aurora ist – d.h. die Stimme der unverfälschten Natur und der Poesie. Deutlich ist die künstliche Beleuchtung der Schloßfenster mit Lärm und Nichtigkeit assoziiert – der Titel der Novelle ist nicht umsonst *Viel Lärmen um Nichts.* Später bei der (Pseudo-)Hochzeit Publikum – Aurora (S. 199) heißt es wieder: *Das ganze Schloß flimmerte von Kronleuchtern, Trompeten raseten, Tanzende schleiften in wechselndem Glanze an den Fenstern vorüber.* Wir stellen also fest, daß ebenso in der Darstellung der naturhaften Natur wie der maskeradenhaften Unnatur die Beleuchtung (in natürlichem oder künstlichem Licht) der ganzen Fensterreihe des Palastes eine Rolle spielt.

Hiermit sind wir zu den »pauschalen Mengenangaben« *an allen Fenstern – alle Vögel* in unserer Musterstelle gekommen, die nach Alewyn die konkrete »Greifbarkeit« oder »Genauigkeit« der Beschreibung nicht erhöhen: *alle Vögel* sei noch weniger vorstellbar als *alle Fenster.* Mir scheint, daß die erste Morgenlandschaft in unserer Novelle eben durch ihren superlativischen Charakter gekennzeichnet ist. Ich nehme also die zwei *alle,* die gleichsam anaphorisch einander verstärken, zusammen mit dem grammatischen Superlativ *der* herrlichste *Sommermorgen:* Es ist diese Superlativ-, diese Ideal-Landschaft, die, wenn kombiniert mit *Guitarrenakkorden,* den alten Gecken, der wenigstens noch ein paar echte, wenn auch literarisch kontaminierte Erinnerungen hat *(ferne blaue Berge, Reisebilder, italienische Sommernächte, erlebte und gelesene),* seine Kämme und Büchsen fortwerfen heißt und ihn in die Natur hinausruft[6]. In Eichendorffs dualistischer Welt (in der Natur gegen

5 »An allen Fenstern eines Schlosses« ist auch sonst eine Eichendorffsche Formel. Vgl. *Leben eines Taugenichts,* 1. Kapitel: *... ich faßte ein Herz und ging nun alle Morgen frank und frei längs dem Schlosse unter allen Fenstern hin.* In einem später mir zu Gesicht gekommenen Aufsatz in Neue Deutsche Hefte, 1958, S. 983, spricht Alewyn sehr einleuchtend von Eichendorffs »Fenster-Manie«: Das Fenster sei der Berührungspunkt zwischen Natur und Innenwesen, zwischen Freiheit (Leben) und Kerker (Krankheit). So könnte denn die Fensterreihe eine Bewegung vor und hinter ihr nahelegen. Etwas Künstliches oder Krankes geht drinnen, etwas Natürlich-Gesundes draußen vor.

6 Im *Taugenichts* erscheint ein besonderes Motiv, das die Raumverbundenheit des Helden ausdrückt: Er findet sein Glück darin, daß er zwischen Oben und Unten

Unnatur, Heidentum gegen Christentum, Ernst gegen Komik kämpft) sind superlativistische Stilisierungen für beide Prinzipien zu erwarten.

Aber außer dem Superlativischen in der Mengenbezeichnung *alle* scheint mir noch der Gedanke des vollen Universums vorzuliegen, des vollen erlebten Raumes. Daß wir einen erlebten Raum bei Eichendorff vor uns sehen, ist Alewyns schönster Fund: Nach ihm sind stets bei diesem Dichter die Dimensionen der Tiefe (Ferne), Breite (Täler) und Höhe (*Täler* und *herauf* in unserem Probestück) vertreten, wobei die Ferne mehr entwickelt ist als die Höhe. *Alle* gehört zweifellos (ebenso wie die Zwischenstationen im Raum *von fern ... aus den Tälern*) zur Tiefe und Ferne des Alls, das Eichendorff sieht, und bei der geringen Körperlichkeit der Körper in seinem Raum, die Alewyn ebenfalls aufzeigt, dient der pauschale Mengebegriff (in anderen Erzählungen finden wir *unzählige Vögel, unzählige Lerchen*) der Vorstellung des nicht-leeren, fülligen Raumes: nicht umsonst erscheint dies Motiv am Ende unserer Geschichte wieder: *die Bäume blühen ja gerade und alle Vögel singen, so weit man hören kann.* Die Fülligkeit der Landschaft, die zur Weite dazu kommt, entspricht der Fülle im Herzen des Eichendorffschen Helden, vgl. *Leben eines Taugenichts*, Kapitel 6 (diesmal eine Sonnenuntergangsszene): *Der Himmel war rot, die Vögel sangen lustig in allen Wäldern, die Täler waren voller Schimmer, aber in meinem Herzen war es noch viel tausendmal schöner und fröhlicher!*

Wir kommen nun zu meiner dritten Frage. Sie betrifft den Satz:

und Rechts und Links dahinfährt oder -wandert. Der Raum ist also auf seinen Standpunkt bezogen.
1. Kapitel: *Hinter mir gingen nun Dorf, Gärten und Kirchtürme unter, vor mir neue Dörfer, Schlösser und Berge auf, unter mir Saaten, Büsche und Wiesen bunt vorüberfliegend, über mir unzählige Lerchen in der blauen Luft.* (Man beachte das zugleich geo- und anthropozentrische Auf- und Untergehen von Gegenden, als ob sie Sonne und Mond wären.)
2. Kapitel: *Das Schloß, der Garten und die Türme von Wien waren schon hinter mir im Morgenduft versunken, über mir jubilierten unzählige Lerchen hoch in der Luft; so zog ich zwischen den grünen Bergen und an lustigen Städten und Dörfern vorüber gen Italien hinunter.*
4. Kapitel: *Rechts und links flogen Dörfer ... vorbei..., hinter mir die beiden Maler im Wagen, vor mir vier Pferde mit einem prächtigen Postillon, ich hoch oben auf dem Kutschbock.*
Warum findet sich solche Ausdrucksweise nicht in *Viel Lärmen um Nichts?* Vielleicht kann der Taugenichts sein Raumgefühl unmittelbarer äußern, weil er selbst in der Ich-Novelle sprechend eingeführt ist?

Draußen aber ging der herrlichste Sommermorgen funkelnd an allen Fenstern des Palastes vorüber[7]. Alewyn schließt hier die sogenannte »veranschaulichende Personifikation« unserer Stillehren aus, da jede anthropomorphe Vorstellung ausgeschlossen sei, es handle sich um eine »unvollziehbare Vorstellung«, in der nicht »Körperlichkeit« sondern eine »Komposition von ungreifbaren Elementen: ... Licht, Bewegung und Raum« angestrebt werde. Aber sollte hier nicht, zwar nicht die veranschaulichende Personifikation, wohl aber jene mythisierende Personifikation, die Wirkung und Erscheinung einer Gottheit ineinssetzt (wie z.B. Venus Liebreiz gibt, aber auch selbst liebreizend ist, Eos Rosenfinger an den Himmel zaubert und selbst rosenfingrig ist), zu erkennen sein? Wenn der sonnige Sommermorgen *funkelnd* vorbeigeht, so ist sein Funkeln nur die Rückprojektion seiner Wirkung auf ihn selbst, die Lichtquelle. Daß an ein mythisches Elementarwesen, eine Morgengottheit sozusagen, gedacht ist, scheint mir aus zwei Parallelstellen sich zu ergeben:

S. 150: *Gräfin Aurora aber hatte heut in der That etwas von Morgenröte... und ihre Blicke zündeten zwar nicht die Turmknöpfe, aber die Sturmköpfe ringsherum* – die Morgenröte zündet die Turmknöpfe, d.h. macht sie funkeln.

S. 179: [Die Jugend sieht] *im funkelnden Walde Diana vorübersprengen* – Der Wald funkelt durch Diana, die hier ihrem Namen entsprechend nicht nur als Jagd- und Mond-, sondern als Lichtgöttin gefaßt ist. Alewyn sagt ganz richtig, daß in den beiden Verben »funkelnd« und »vorübergehen« die zwei Prädikate des Sommermorgens: Licht und Bewegung auf zwei Verben verteilt sind, die sehr wohl zu einem »vorüberfunkeln« zusammengezogen werden könnten. Aber gerade die Tatsache, daß Eichendorff ein solches komposites Verbum hier nicht gebraucht – es ist auch sonst im Dtsch. Wb. nicht belegt–, zeigt, daß wir Wirkung und

7 Wir könnten ein »schon« in unserer Musterstelle einführen: »Draußen aber ging schon der herrlichste Sommermorgen...« und erhielten dann das Schema des das *Leben eines Taugenichts* eröffnenden Satzes: *Das Rad an meines Vaters Mühle brauste und rauschte schon wieder recht lustig, der Schnee tröpfelte emsig vom Dache, die Sperlinge zwitscherten und tummelten sich dazwischen* (worauf der Vater, der schon *seit Tagesanbruch in der Mühle rumort* hatte, dem Taugenichts Vorwürfe macht). Ich fühle einen solchen stillen Vorwurf der Natur gegen Prinz Romano in dem superlativischen Satze. Wir werden später sehen, daß Eichendorff gewöhnlich seine Landschaften in den zeitlichen Fluß der Geschehnisse durch ein »schon«, »noch«, »eben« einbettet.

Wesen der Gottheit, auch wenn sie sich gleich äußern, trennen müssen: selbst funkelnd zündet sie an, macht funkeln – gleichzeitig ist sie in der Bewegung des Vorübergehens (wobei der sanfte Sommermorgen nicht gerade vorübersprengt wie die Jagdgöttin Diana). Eichendorff zeigt uns nicht etwa die Morgengottheit, die, wie ein Laternenanzünder, von Fenster zu Fenster gehend das Funkeln anzündet – dies Anzünden ist schon geschehen, und die Gottheit bewegt sich nur durch ihre ganze Domäne, weil sie selbst funkelnde Bewegung ist. Dieses Zusammen von ausgeübter Wirkung und in sich bewegtem Sein ist gewiß »unvorstellbar« in unserer empirischen Welt, nicht aber in der des Mythos.

Was Alewyn als das Schwierige und zugleich Zauberische bezeichnet in der Darstellung »einer Tageszeit wie des Sommermorgens, die wir uns als eine Verfassung denken, in die die Landschaft gesetzt ist, statt dessen als Teil der Landschaft in diese versetzt wird und sich durch sie hindurch bewegt mit der gleichen Unbefangenheit, mit der dies in Eichendorffs Landschaften die Ströme und Winde und die Lichter und Klänge tun«, ist charakteristisch für alle mythischen Personifikationen: Botticellis »Frühling« schreitet in der Frühlingslandschaft einher, Blumen streuend und blumenbesäte Gewänder tragend (wie der Sommermorgen funkelt und funkeln macht)[8]. Für Eichendorff typisch ist vielleicht die halbmythische Auffassung von Begriffen wie *Sommermorgen:* Ein solches Wort wird durch die Prädikation sozusagen im Augenblick in die mythische Sphäre gehoben, wird zu einem »Augenblicksgott« (nach Useners Definition), während Begriffe wie Diana und Aurora von eh und je in ihr leben. Das Aufblitzen von übernatürlichen Wesen inmitten der uns wohlbekannten Natur hat für uns einen romantischen Zauber: Wir sahen früher die Mythisierung auch bei den Protagonisten Eichendorffs wirksam.

Eine Parallelstelle zu dem *Sommermorgen,* der *funkelnd* an den Fenstern vorübergeht, findet sich in der Novelle *Die Entführung,* nur

8 Wie weit hier Säkularisierung biblischer Vorstellungen vorliegt, steht dahin. Das dtsch. Wb., s.v. vorübergehen, g) zitiert eine Klopstockstelle, wo die Herrlichkeit Gottes (d.h. also die majestas, die gloria), die ja in den Wolken sichtbar wird, »vorübergeht«:

Ging nicht des Herrschers Herrlichkeit an uns vorüber?
Laßt uns anbetend ihr von ferne nachsehen.

Jedenfalls ist der Gebrauch des Verbs, vom Sommermorgen gesagt (unsere Stelle, die das WB s.v. unter *m)* anführt), ein Spezifikum Eichendorffs, ohne Parallele in anderem Schrifttum.

handelt es sich diesmal um den Frühling. Der junge Jäger dringt die Anhöhe hinan zu dem jetzt verwachsenen, ehemaligen Schloßgarten, an den noch einige Details erinnern: *aber rings aus den Tälern ging der Frühling, mit Waldblumen funkelnd, lustig über die gezirkelten Beete und Hänge, alles prächtig verwildernd.* Wieder ist das Funkeln von den Blumen, die die Naturgottheit angezündet hat (statt von den Fenstern), auf dieselbe selbst rückprojiziert. Das Adverb *lustig,* hier die Willkürlichkeit betonend, mit der der Frühling die alte künstliche Ordnung wild umschafft (wieder ergibt sich der Gegensatz Natur – Unnatur), dürfte auch in unserer Musterstelle stehen, wo der Sommermorgen die künstlichen Nachtverhältnisse vernichtet. Etwas vom Zauber des Elementargeistes haftet dem Frühling an, wenn im Anfang der Novelle *Das Marmorbild* der junge Florio dem älteren Fortunato gesteht: *Auf dem Lande in der Stille aufgewachsen, wie lange habe ich da die fernen Berge sehnsüchtig betrachtet, wenn der Frühling wie ein zauberischer Spielmann durch unsern Garten ging und von der wunderschönen Ferne verlockend sang und von großer, unermeßlicher Lust,* woraufhin ihn Fortunato mit dem Hinweis auf den Rattenfänger von Hameln warnt, der die Jugend in den Zauberberg (d.i. den Venusberg) verlocke (und dies ist das Thema der Geschichte von der Venus-Statue). Es mag endlich auch erwogen werden, ob Frühling und Morgen von Eichendorff nicht auch deshalb als »vorübergehende« mythische Wesen gesehen werden, weil sie Rückprojektionen des Wanderns[9] sind, das für den Dichter mit diesen Tages- und Jahreszeiten assoziiert ist: Sommermorgen und Frühling wären selbst Wanderer in der weiten Natur – wie Eichendorffs halbmythische Lieblingshelden.

Vielleicht ließe sich an unserer Musterstelle noch ein rhythmisches Element hervorheben: die Dreiteilung der Periode, in der in verschiedener Anordnung Örtliches und Zeitliches, Sichtbares und Hörbares zusammengeschlossen wird, wobei öfters das letzte Glied, das längste, das Naturbild gewichtig und voll abrundet. Dies scheint ein häufiges Schema bei Eichendorff zu sein:

In unserer Erzählung S. 139 (Die erste Beschreibung des Schlosses): (1) *Die untergehende Sonne beglänzte unterdes scharf die schönen Umrisse des Palastes,* (2) *heiter und wohnlich erhob er sich über den weiten,*

9 Und das bei Eichendorff so häufige Ständchen unter den Fenstern des Schlosses ist eine Form des Wanderns; vgl. die Stelle, wo der schönen Aurora *im Vorüberziehen* ein Ständchen gebracht wird.

fruchtbaren Ebenen, mit den Spiegelfenstern noch hell herüberleuchtend, (3) *während die Felder ringsum schon zu verdunkeln anfingen.*
S. 162: (1) *Die Wälder in der Runde rauschten noch verschlafen,* (2) *in den Thälern aber krähten die Hähne,* (3) *und hin und her blitzten schon Ströme und einzelne Dächer im Morgenlichte auf.*
S. 181: (1) *Da lag der weite, stille Kreis von Burgen im hellen Mondenscheine vor mir,* (2) *zahllose Sterne flimmerten,* (3) *und das Zirpen der Heimchen schallte von den fernen Wiesen durch die große Einsamkeit herüber.*
Leben eines Taugenichts, 1. Kapitel: *Die Sonne ging eben unter und bedeckte das ganze Land mit Glanz und Schimmer, die Donau schlängelte sich prächtig wie von lauter Gold und Feuer in die weite Ferne, von allen Bergen bis tief ins Land hinein sangen und jauchzten die Winzer.*
(Ebd.) ... *in den Dörfern aber ringsumher krähten die Hähne so frisch über die leise wogenden Kornfelder herüber, und zwischen den Morgenstreifen hoch am Himmel schwebten schon einzelne zu früh erwachte Lerchen, und der Postillon nahm dann sein Posthorn und fuhr weiter und blies und blies ...* (hier ist der letzte, zwar noch akustisch getönte Satz schon ein Teil der fortschreitenden Erzählung).
2. Kapitel: *Es war ein stiller schöner Abend und kein Wölkchen am Himmel. Einzelne Sterne traten schon am Firmamente hervor, von weitem rauschte die Donau über die Felder herüber, in den hohen Bergen im herrschaftlichen Garten neben mir sangen unzählige Vögel lustig durcheinander. Ach, ich war so unglücklich!* (Die dreiteilige Periode ist durch zwei kurze Sätze eingerahmt.)
3. Kapitel: *Der Mond schien prächtig, von den Bergen rauschten die Wälder durch die stille Natur herüber, manchmal schlugen im Dorf die Hunde an*[10], *das weiter im Thale unter Bäumen und Mondschein wie begraben lag.*

10 Alewyn erwähnt unter den häufigen Geräuschen, die in Eichendorffschen Landschaften vorkommen, das Bellen der Hunde und das Pochen eines Eisenhammers als an sich selbst »unpoetische« Elemente, die dem Dichter nur als Bewegungselemente im Raum dienen, ähnlich darin den entkörperten Körpern, die von ihm gezeigt werden. »Für die Landschaft ist es unerheblich, ob es die Nachtigallen oder Hunde sind, die man aus der Ferne hört, ob es ein Sommermorgen ist oder Windlichter, was in den Fenstern funkelt.« Ich verstehe hier den verehrten Kollegen bezüglich des unpoetischen Charakters des Rohmaterials, das der Dichter gebraucht, in folgender Weise: Wer wie ich in der ungarischen Puszta das Anschlagen der Hunde auf einem fernen Bauernhof oder das Toben der Maschinen einer vereinsamten Fabrik (oder das Krähen der

6. Kapitel: *Als ich aus dem Gesträuch wieder hervorbrach, neigte sich die Sonne zum Untergang. Der Himmel war rot, die Vögel sangen lustig in allen Wäldern, die Thäler waren voller Schimmer, aber in meinem Herzen war es noch viel tausendmal schöner und fröhlicher* (vgl. zur »Rahmung« das vorletzte Beispiel).
9. Kapitel: *Die kühle Wasserluft strich dabei durch die Zweige der Laube, die Abendsonne vergoldete schon die Wälder und Thäler, die schnell an uns* [auf dem Schiff Fahrenden] *vorüberflogen, während die Ufer von den Waldhornklängen widerhallten.*
10. Kapitel: [das Ende der Novelle, den Augenblick behandelnd, da die Hochzeit mit der schönen gnädigen Frau sicher geworden ist] ... *und von fern schallte immerfort die Musik herüber, und Leuchtkugeln flogen vom Schloß durch die stille Nacht über die Gärten, und die Donau rauschte dazwischen herauf – und es war alles, alles gut!*[11]

Diese wiederholten[12] dreifaltigen[13] Naturbilder, die, manche »ge-

Hähne) gehört hat, weiß, wie poetisch diese Geräusche wirken; sie unterbrechen die absolute Stille gerade genug, um den Eindruck der fernen Bewegung und der Weite zu erzeugen und sich von der Stille abzuheben. Im Räumlichen wären parallel die häufigen Damhirsche in Eichendorffschen Landschaften, die die Ruhe der Landschaft unterbrechen und doch betonen. Der moderne Mensch ist offenbar nicht dazu geschaffen, das absolut Negative zu ertragen.

11 Thomas Mann, in dem dem *Taugenichts* gewidmeten Abschnitt seiner *Betrachtungen eines Unpolitischen,* hat einen solchen dreiteiligen Satz zitiert, in dem das Gedicht *Schweigt des Menschen laute Lust* auf noch prosaischem Wege musikalisch vorbereitet wird:

> *Weit von den Weinbergen herüber hörte man zuweilen einen Winzer singen, dazwischen blitzte es manchmal von ferne, und die ganze Gegend zitterte und säuselte im Mondschein ...*

einen Satz, der eine Synthese des Sinnlich-Wahrnehmbaren (des Hörbaren und Sichtbaren) gibt, während in dem folgenden Gedicht (wie Alewyn in den Neuen deutschen Heften darlegt) die magische Verschmelzung von Natur und Menschlich-Unbewußtem stattfindet.

12 In dem Sinn, daß eines mehr, eines weniger von diesen Naturbildern für die Ökonomie des Ganzen der Erzählungen belanglos wäre, besteht Alewyns Äußerung zu Recht, daß die einzelne Landschaftsschilderung weggelassen werden könnte, ohne eine Lücke zu lassen. Es scheint mir, daß bei Eichendorff seitenlange Landschaftsbeschreibungen relativ selten sind, dafür aber die wiederholten »Natur-Medaillons« eine kontinuierliche Gegenwart der Natur andeuten.

13 Die dreiteilige Periode, durch et- oder tandisque-Sätze abgeschlossen, ist dem Leser aus Flaubert bekannt – mit ganz anderen Wirkungen.

rahmt«, manche auch nicht, einen vollen Augenblick in einem fülligen Naturraum in sich schließen, eignen sich offenbar vorzüglich dazu, den Eindruck des Gleichgewichts und der Harmonie über längere Erzählungen zu verbreiten. Es ist kein Zufall, daß in dreien der obigen Beispiele ein Ausruf des persönlichen Glücksgefühls des Betrachters dem Naturbild folgt *(Ach, ich war so glücklich – aber in meinem Herzen war es noch viel tausendmal schöner und fröhlicher! – und es war alles, alles gut!)*. Dies ist das Glück, das die seelisch-geistige Erfassung der Fülle und Einheit des Naturmoments in uns schafft[14]. Ich würde dies zeitliche Element vielleicht stärker betonen als Alewyn, der den Raum als das Urerlebnis Eichendorffs faßt, in das »das Bewußtsein der Zeit sich umsetze« – schließlich erscheinen alle die Landschaften an einem bestimmten Zeitpunkt der Erzählung (im Tempus der Vergangenheit), sie sind deutlich als in der Zeit sich entrollend gedacht (etwa durch Adverbia wie »noch«, »eben«, »schon« von dem Zeitfluß abgesetzt) und ihr zeitlicher

14 Im Gegensatz zu diesen poetischen Naturmomenten steht, was ich die »Anti-Landschaft« nennen möchte: der Blick auf die künstliche Welt der Industrie und Maschinen, die mit Herrn Publikum assoziiert ist. Die »Novellisten« führen Aurora zum Sitz von Publikums »Weltmacht«, dem sogenannten »praktischen Abgrund« (S. 151):

> *Indes waren sie auf einem Felsvorsprung aus dem Gebüsch getreten – da lag in einem weiten Thale zu ihren Füßen plötzlich ein seltsames Chaos: blanke Häuser, Maschinen, wunderliche Türmchen und rote Dächer zu beiden Seiten in einer Kunststraße an den Bergeshängen überragend. Es war aus dieser Vogelperspektive, als überblicke man auf einmal eine Weihnachtsausstellung, alles rein und zierlich, alles bewegte sich, klippte und klappte, zuweilen ertönte ein Glöckchen dazwischen, zahllose Männchen eilten geschäftig hin und her, daß es einem vor den Augen flimmerte, wenn man lange in das bunte Gewirr hineinsah –*

mit einem Wort, trotz der Fülle und Übersichtlichkeit des Geschehens stellt sich nicht das Gefühl der Harmonie und Einheit ein. Die Fabrik in ihrer verwirrenden Buntheit ist eine Verkörperung des Komischen, nach Bergsons Definition: »du mécanique plaqué sur du vivant«. Bezeichnend, daß das Schema der harmonischen Naturlandschaft parodiert wird in dem Sätzchen: *zuweilen ertönte ein Glöckchen dazwischen* – dies Fabriksglöckchen nimmt hier die Stelle der Nachtigallen und bellenden Hunde ein. Kulturhistorisch interessant ist, daß die Fabrik und die Maschinen noch als zierliches Spielzeug gesehen werden, mit einer Neigung zur Nachahmung des Eleganten (eine elegante Maschine verfertigt aus Lederfolianten ein »Vielliebchen« im Taschenformat), genau wie der Besitzer Publikum noch nicht die unmenschlichen Züge eines modernen Industriemagnaten zeigt, sondern Eleganz und Poesie nachäfft. Wir sind noch weit entfernt von den Darstellungen der seelenlosen, mörderischen Maschine.

Einheitscharakter wird öfters durch die Konjunktion »während« oder »und« im letzten Gliede unterstrichen. Die (dreiteilige) Satzperiode selbst versinnbildlicht geballte Zeit, den erfüllten Augenblick, der aus dem Fluß der Zeit emportaucht.

Die Gestalt des Priesters in der Dichtung Eichendorffs

Gerhard Möbus

I

Es hat immer Rätsel aufgegeben, auch den Literarhistorikern und gerade ihnen, daß die beiden Romane Eichendorffs, »Ahnung und Gegenwart« (1814) und »Dichter und ihre Gesellen« (1834), damit schließen, daß die Hauptgestalt am Ende des Geschehens enthüllt, daß sie Priester wird oder geworden ist. Man hat diesen Romanschluß so ausgelegt, als handele es sich um eine dichterische Verlegenheitslösung, durch die der Dichter im Grunde eingestanden habe, nicht in der Lage zu sein, ein Ende der Ereignisse herbeizuführen, das in der Wirklichkeit der Welt sich ereigne, sondern daß er nur eines habe herbeiführen können, das Flucht aus der Welt bedeute. Schon für sich genommen, ist eine solche Interpretation fragwürdig, die einfachhin den Entschluß zum Priestertum als Flucht aus der Welt ansieht, während er in Wahrheit zur innersten Begegnung mit der Wirklichkeit der Welt führt, die überhaupt denkbar ist. Aber diese Auslegung ist gegeben worden, und wenn wir sie ein Mißverständnis schon der Sache nach nennen, so ist sie ebensosehr ein Mißverständnis von der Dichtung Eichendorffs her gesehen. In Wahrheit ist dieses Mißverständnis über das Priestertum in den beiden Romanen Eichendorffs nichts anderes als der Ausdruck des Mißverstehens der Dichtung dieses Dichters überhaupt.

An den Anfang dieser Betrachtung sei eine Stelle aus der Schlußszene des ersten Romans Eichendorffs »Ahnung und Gegenwart« gestellt, der in der Wiener Zeit (1810–1813) begonnen und vollendet worden ist. Dort heißt es:

»Mir scheint unsre Zeit dieser weiten, ungewissen Dämmerung zu gleichen! Licht und Schatten ringen noch ungeschieden in wunderbaren Massen gewaltig miteinander, dunkle Wolken ziehn verhängnisschwer dazwischen, ungewiß, ob sie Tod oder Segen führen, die Welt liegt unten in weiter, dumpf stiller Erwartung. Kometen und wunderbare Himmelszeichen zeigen sich wieder, Gespenster wandeln wieder durch unsere Nächte, fabelhafte Sirenen selber tauchen, wie vor nahen Gewittern, von neuem über den Meeresspiegel und singen, alles weist wie mit blutigem Finger warnend auf ein großes, unvermeidliches Unglück hin. Unsere Jugend erfreut kein sorglos leichtes Spiel, keine fröhliche Ruhe, wie unsere Väter, uns hat frühe der Ernst des Lebens gefaßt. Im Kampfe sind wir geboren, und im Kampfe werden wir, überwunden oder triumphierend, untergehn. Denn aus dem Zauberrauche unsrer Bildung wird sich ein Kriegsgespenst gestalten, geharnischt, mit bleichem Totengesicht und blutigen Haaren; wessen Auge in der Einsamkeit geübt, der sieht schon jetzt in den wunderbaren Verschlingungen des Dampfes die Lineamente dazu aufringen und sich leise formieren. Verloren ist, wen die Zeit unvorbereitet und unbewaffnet trifft; und wie mancher, der weich und aufgelegt zu Lust und fröhlichem Dichten, sich so gern mit der Welt vertrüge, wird, wie Prinz Hamlet, zu sich selber sagen: Weh, daß ich zur Welt, sie einzurichten, kam! Denn aus ihren Fugen wird sie noch einmal kommen, ein unerhörter Kampf zwischen Altem und Neuem beginnen, die Leidenschaften, die jetzt verkappt schleichen, werden die Larven wegwerfen, und flammender Wahnsinn sich mit Brandfackeln in die Verwirrung stürzen, als wäre die Hölle losgelassen, Recht und Unrecht, beide Parteien, in blinder Wut einander verwechseln.«

Dieser Text allein schon bewirkt eine Begegnung mit Eichendorff, wie sie den meisten von uns weder die Schule noch die anderen Bildungsmöglichkeiten, die nach der Schule offenstehen, gegeben haben. Das aber kommt daher, daß über diesem Dichter, nicht zufällig, ein großes Mißverständnis liegt. Daß das bei einem großen Dichter der Fall sein kann, ist nicht ungewöhnlich. Wir brauchen uns nur daran zu erinnern, wie lange es gedauert hat, bis der Zeitgenosse Eichendorffs, Stifter, allmählich im Bewußtsein der Deutschen – und zuvor in der deutschen Literaturgeschichte – einen Platz gefunden hat. Denn das ist nicht so sehr abhängig von der Frage, wie groß ein Dichter als Dichter ist, sondern davon, wie eine Zeit über Dichter denkt. Wenn man sich etwa an die Äußerung eines Literarhistorikers wie Gustav Roethe erinnert, der im Rahmen einer Vortragsreihe über die Romantik die Frage stellt, wie es eigentlich kommt, daß bei Eichendorff weder von Kiefern noch vom Winter noch von Arbeit die Rede sei. Und wenn er es dem Dichter nachträgt, daß die Welt, die wir bei Eichendorff finden, eine Welt ist ohne Winter und ohne Arbeit, dann ist doch damit ein Maßstab angelegt. Der Maßstab, an dem in diesem Falle Dichtung gemessen wird, ist die Frage, wieweit sie Wirklichkeit in einem bestimmten, durchaus eingeengten Sinne zum

Gegenstand hat. Was heißt das aber, wenn Wirklichkeit in einem so verengten Sinne eben das ist, wogegen der Dichter sich gewandt hat? Für ihn also Wirklichkeit nicht nur die Wirklichkeit ist, wie sie sich etwa für viele mit dem Aufsteigen der Arbeitswelt des 19. Jahrhunderts darstellte. Eichendorff vielmehr im vollen Blick auf diese aufsteigende Arbeitswelt sich als Dichter darum bemüht hat, den Blick dafür offenzuhalten, daß die Welt nicht nur ein Arbeitshaus, sondern in ihrem letzten Wesen und ihrer letzten Wirklichkeit nach göttliche Schöpfung ist. Sollte es so sein, dann ist es verständlich, daß eine Sicht auf die Dichtung, die die Wirklichkeit nur noch erfaßt in einem eingeengten Sinne, etwa in dem Sinne, daß ihr Grundwert die Arbeit ist, daß eine solche Sicht auf die Dichtung einen Dichter wie Eichendorff durchaus mißverstehen muß. Wie sich das auswirkt auf das Priestertum, sei angedeutet. Eichendorff wendet sich ausdrücklich mehrmals dagegen, daß man diesem Stand, weil er nicht im ökonomischen Produktionsprozeß tätig ist, einen Platz einräumt, der ihn unter die Taugenichtse des Müßigganges einreiht. Der Dichter wendet sich also dagegen, daß – wie es durchaus in der Atmosphäre der neuzeitlichen Arbeitswelt liegt – alle Bereiche des Menschseins, nicht nur das Priestertum, die sich nicht in den Produktionsprozeß einbeziehen lassen, in den Verdacht kommen, sie seien im letzten Bereiche, die überflüssig sind. Das also ist das eine, was wir hinsichtlich des Mißverständnisses, das über der Dichtung Eichendorffs liegt, im Blick behalten müssen: daß dieses Mißverständnis hervorgeht aus einer verengten Vorstellung dessen, was die Wirklichkeit des menschlichen Daseins ist.

Um Eichendorffs eigene Sicht auf die Wirklichkeit des menschlichen Daseins und die Stellung des Priesters wie des Priestertums in ihr sichtbar zu machen, sei kurz versucht, im Blick auf das Leben und das Werk Eichendorffs zu erschließen, was für ihn am Leben und Dasein des Menschen Grundtatsachen sind. Wir erinnern uns: Joseph von Eichendorff ist ein Jahr vor der Französischen Revolution, 1788, geboren. Er hat selbst diese Tatsache für die Betrachtung seines Lebens und der Zeit, in der er lebte, als wesentlich hervorgehoben. Denn er war der Überzeugung, daß die Französische Revolution von 1789 zu seiner Zeit noch nicht abgeschlossen war, sondern er war vor allem auf Grund seiner Erlebnisse des Jahres 1848 überzeugt, daß das, was sich 1848 ereignete, nicht etwa ein neues Ereignis sei, vielmehr nur das Sichtbarwerden eines großen Vorganges, der in der Französischen Revolution von 1789 zum erstenmal zum

Ausbruch gekommen war. Diese Feststellung ist deswegen wichtig, weil Joseph von Eichendorff sich in seinem Selbstverständnis nicht etwa als einen idyllischen Lyriker begriffen hat. Er hat sich selbst gesehen als einen Menschen, dessen Lebenszeit hineinfiel in eine große revolutionäre Epoche. Revolution aber ist für ihn nicht allein ein Kampf, der in einer Gesellschaft um soziale und politische Positionen ausgefochten wird; vielmehr war die Revolution, die 1789 begann und zu seiner Zeit noch nicht abgeschlossen war, für ihn ein Vorgang, in dem nach seiner Überzeugung in der Geschichte Europas Dämonisches zum Ausbruch kommt. Der Dichter hat versucht, diese Dämonie der Revolution in seiner Dichtung darzustellen. Er versteht also seine Lebenszeit als eine Epoche der Revolution, und er sieht in der Revolution den Einbruch des Dämonischen in die Menschengeschichte. Eichendorff hat in dieser Sicht – Leben in der Zeit der Revolution als Leben in der Gefahr des Dämonischen, das aus den Abgründen aufsteigt – sich selbst und die Aufgabe eines Christen und eines Dichters, der katholischer Christ ist, verstanden. Das scheint weit weg von dem zu liegen, was wir von Eichendorff im allgemeinen wissen. Das scheint weit weg zu liegen vom »Taugenichts«, scheint weit weg zu liegen von den Gedichten und Liedern, die wir kennen, etwa: »O Täler weit, o Höhen«, »Wem Gott will rechte Gunst erweisen«. Es scheint jedoch nur weit weg zu liegen. Denn wir werden sehen, daß seine Dichtung und sein Denken herkommen aus der Sicht auf eine Welt, die keine Welt der Ruhe und der Idylle war, sondern in seiner Sicht eine Welt der Revolution war, gestellt in die Gefahr der Dämonie.

Wie konnte ein Mensch wie Eichendorff zu dieser Sicht kommen? Ich sagte, er ist 1788 geboren. Wir wissen über seine Kindheit aus seinen Tagebuchaufzeichnungen manches. Wir wissen also, wie sich das Leben in Lubowitz und in seinem Elternhaus abgespielt hat. Wir wissen über die Zeit bis 1804, wo er am Katholischen Gymnasium und im Konvikt in Breslau war, manches von ihm. Es ist schön, zu sehen, wie diese Kindheit und Jugend – er hat es später selbst bekundet – eingebettet war in das Glück eines Elternhauses, das im Menschlichen wie im Religiösen wie selbstverständlich das Leben der Kinder behütete. Diese Zeit im Elternhaus ist zu Ende gegangen mit dem Weg auf die Universität. Wilhelm, der zwei Jahre ältere Bruder, und Joseph von Eichendorff gingen nach Halle. Sie studierten beide dort zuerst Staats- und Rechtswissenschaft, sie wollten also Juristen werden. Das ist 1805/1806. Diese Zeit ist, wenn man ihre

Schilderung im Tagebuch nachliest und die Spiegelung des Tagebuchs in der Dichtung sieht, dadurch wesentlich bezeichnet, daß Eichendorff an der Universität Halle das Erlebnis der Freiheit gehabt hat. In Halle war damals wirklich der Student der Herr der Stadt. Eichendorff hat an dieser Universität sehr ernsthaft studiert. Er hat neben dem juristischen Studium, wie das Tagebuch zeigt, bei dem damals berühmtesten klassischen Philologen, Friedrich August Wolf, gehört. Er hat Steffens gehört, den Naturwissenschaftler. Er hat Goethe gesehen, in Halle auf dem Marktplatz und in einem Vortrag, bei dem Goethe anwesend war. Er hat Goethe, dessen Frau und Sohn, in Halle und im benachbarten Bad Lauchstedt gesehen, wo das Weimarer Hoftheater im Sommer die Bühne während der Pause in Weimar bespielte. Er ist wie in Lauchstedt so auch in Leipzig im Theater gewesen. Von Halle aus gingen Ausflüge in den Harz, bis nach Hamburg. Er ist selbstverständlich in Wandsbek gewesen, um dem Wandsbeker Boten, Matthias Claudius, seine Reverenz zu erweisen. In den Sommerferien 1806 ging es wieder zurück nach Lubowitz. Doch als die Herbstferien zu Ende waren und die Reise zurück nach Halle führen sollte, war die Universität Halle von Napoleon geschlossen worden. Nach der Schlacht bei Jena war Napoleon auf dem Wege nach Berlin durch Halle marschiert. Es hatte dort noch Kämpfe gegeben. In der Stadt hatten die Studenten vor seinem Quartier ihm ein Pereat gebracht. Die Folge dessen war, daß die Universität geschlossen wurde. Für Eichendorff erhob sich nun die Frage, wo das Studium fortgesetzt werden sollte. Es ist charakteristisch für die damalige Zeit, daß man in Lubowitz überlegte, ob die beiden Brüder nach Dorpat oder nach Heidelberg zum Studium gehen sollten. Von Lubowitz aus liegt Dorpat gleichsam so nahe wie Heidelberg; das ist nicht nebensächlich. Es ging dann nach Heidelberg, und wiederum zeigt der Blick ins Tagebuch, mit welcher Aufgeschlossenheit der Einzug in Heidelberg vor sich geht. In Heidelberg hat sich dann für Eichendorff einiges ereignet, das für ihn von ganz außergewöhnlicher Bedeutung war. Nach Heidelberg war, in der Absicht, dort eine Professur zu erhalten, aus Koblenz genau zu der Zeit, als die beiden Eichendorffs 1807/08 dort studierten, Joseph Görres gekommen. Joseph Görres, der in Heidelberg einen Lehrauftrag hatte und Vorlesungen hielt, wurde von den beiden gehört, wiederum neben ihrem juristischen Studium. Was Joseph von Eichendorff in Heidelberg erlebt hat, war seine erste große geistige Begegnung. Görres ist der erste Erwecker Eichendorffs gewesen. Neben

Görres und durch ihn lernte er dort auch Clemens Brentano und Achim von Arnim kennen, die in dieser Zeit in Heidelberg waren, um den zweiten und dritten Band von »Des Knaben Wunderhorn« herauszugeben. In den Erinnerungen, die Eichendorff im letzten Lebensjahr niedergeschrieben hat, äußert er sich über jene Begegnung mit Görres. Da heißt es, Heidelberg sei selbst eine wunderschöne Romantik gewesen:

> »Aber es trat gerade damals in Heidelberg noch eine besondere Macht hinzu, um jene glückliche Stimmung zu vertiefen. Es herrschte dort ein einsiedlerischer Zauberer, Himmel und Erde, Vergangenheit und Zukunft mit seinen magischen Kreisen umschreibend. Das war Görres. Es ist unglaublich, welche Gewalt dieser Mann – damals selbst noch jung und unberühmt – über alle Jugend, die geistig mit ihm in Berührung kam, nach allen Richtungen hin ausübte. Und diese geheimnisvolle Gewalt lag lediglich in der Großartigkeit seines Charakters, in der wahrhaft brennenden Liebe zur Wahrheit, in einem unverwüstlichen Freiheitsgefühl, womit er die einmal erkannte Wahrheit gegen offene und verkappte Feinde und falsche Freunde rücksichtslos auf Tod und Leben verteidigte. Denn alles Halbe war ihm tödlich verhaßt, ja unmöglich. Er wollte die ganze Wahrheit. Wenn Gott noch in unserer Zeit Einzelne mit prophetischer Gabe begnadet, so war Görres ein Prophet, in Bildern denkend und überall auf den Zinnen der wildbewegten Zeit weissagend, mahnend, züchtigend.«

So also schreibt Eichendorff im Blick auf die Heidelberger Zeit in seinem letzten Lebensjahr über Görres. Man spürt noch aus diesen Worten heraus, mit welcher inneren Beteiligtheit er an diese Zeit in Heidelberg zurückdenkt. Das Tagebuch bestätigt in seiner noch jugendlich-studentischen Ausdrucksweise, mit welchem Entzücken er gerade die Vorlesung gehört hat, in der Görres die Bilder von Runge über die Tageszeiten interpretierte; ein Ereignis, das für die Dichtung Eichendorffs deswegen so bedeutsam geworden ist, weil die Bilder über den Morgen, den Mittag, den Abend, denen wir bei Eichendorff so oft begegnen, geschöpft sind aus der Interpretation, die Görres in symbolischer Weise den Bildern von Runge gegeben hat. Hinzu kam aber, wie wir sehen werden, noch etwas anderes; nämlich in der Begegnung mit »Des Knaben Wunderhorn« tritt bei Eichendorff zum erstenmal der eigene Ton seiner Lyrik hervor. Die ersten Gedichte, von denen wir sagen dürfen, sie sind ganz Eichendorff, entstehen in der Heidelberger Zeit. Bis zum Jahre 1808 hat Eichendorff gedichtet im nachgeahmten Stil des Tieck und Novalis, also zweitrangig, wie das bei nachgeahmtem Stile unvermeidlich ist. Von 1809 an beginnt die eigene Stimme Eichendorffs, wie wir sie aus seinen Gedichten kennen, sich zu erheben.

Noch ein kurzer Blick auf Eichendorffs weiteren Weg: 1807/08 also Studium in Heidelberg; dann ging es wieder zurück nach Lubowitz. Über das Jahr 1809 wissen wir wenig; das Tagebuch schweigt. Was er aber aus Heidelberg mitgebracht hat, das deutet sich an in einer Stelle eines Briefentwurfs aus dem Jahre 1809. Da heißt es:

»Dieses unendliche Streben, Gott hat es nicht bloß darum in die Brust der Dichter gesenkt, damit diese wenigen daran sich erfreuen, es soll, wie es in lebendiger Freiheit triumphiert, die Welt umarmen und ihr die Freiheit wiedergeben. Das ist kein Zweck, sondern die Natur der Poesie. Ich bete allein und einzig zu Gott: Laß mich das ganz sein, was ich sein kann.«

In Heidelberg ist die eigene Stimme Eichendorffs erwacht, die seine unvergängliche Liederstimme sein wird, und gleichzeitig schreibt der Dichter mit diesem dichterischen Erwachen ein Wort wie das: »Ich bete allein und einzig zu Gott: Laß mich das ganz sein, was ich sein kann.«

Ins Jahr 1809 fällt auch eine Berlinreise; charakteristisch ist, wie sie vor sich geht. Es ist im November, und es fängt schon an zu schneien und zu frieren. Die beiden Brüder Eichendorff fahren auf einem Kohlenkahn die Oder abwärts, bis sie, weil der Kahn einfriert, aussteigen müssen und dann mit einem Leiterwagen weiterfahren nach Frankfurt. Von Frankfurt aus geht es dann mit einem offenen Lang-Wagen bis Berlin. In Berlin begegnete Eichendorff wieder Achim von Arnim und Clemens Brentano, die inzwischen beide nach Berlin gegangen waren. Er lernte Adam Müller kennen und durch Adam Müller Friedrich Schlegel und Heinrich von Kleist. Wir wissen aus Briefäußerungen von Clemens Brentano, wie ernst Brentano die beiden jungen Menschen genommen hat; Brentano, der im Unernstnehmen ja sonst ein großer Meister ist. Im Herbst 1810 finden wir dann die Eichendorffs in Wien wieder. In Wien treffen sie Adam Müller und Friedrich Schlegel. Die Eichendorffs gehen bei ihnen ein und aus, wohnen auch bei ihnen. Treffen dort Clemens Maria Hofbauer, und im Tagebuch wird die Geschichte erzählt, wie Clemens Maria Hofbauer eines Tages bei Friedrich Schlegel im Hause ist, und man, wie er weggegangen ist, bemerkt, daß er eine Torte dagelassen hat, die sogleich verspeist wird. Das Ganze spielt sich in einer ausgesprochen menschlichen und zugleich geistigen Atmosphäre ab. Joseph von Eichendorff geht in Wien ins juristische Examen und legt die einzelnen Stationen fast alle mit Auszeichnung ab. Gleichzeitig schreibt er seinen ersten Roman »Ahnung und Gegenwart«. Das Tagebuch beschwört die Unbefangenheit der

Lebensführung in der Wiener Zeit herauf, wie da für ein neues Buch gespart und gehungert wird, wie zugleich gearbeitet wird, um das Examen zu bestehen, und wie ein Tagesprogramm aufgestellt wird, um auch der anderen Aufgabe, die man sich gestellt hat, nämlich einen Roman zu schreiben, gerecht zu werden. In diese Wiener Zeit trifft im März 1813 der »Aufruf an mein Volk«. Joseph von Eichendorff bricht sofort auf, wie auch gleichzeitig Theodor Körner, der in dieser Zeit Hoftheaterdichter in Wien war und den Eichendorff dort auch kennengelernt hat. Eichendorff reist nach Breslau und meldet sich bei den Lützowern. Wilhelm, der ältere Bruder, bleibt in Wien. Es ist charakteristisch für diese ganze Zeit, daß Wilhelm, der in Wien bleibt, dann an den Kämpfen in Tirol und der Auseinandersetzung mit Napoleon auf der österreichischen Seite teilnimmt. Während Joseph von Eichendorff nach den Befreiungskriegen in den preußischen Staatsdienst eintritt, geht Wilhelm in den österreichischen Staatsdienst, so daß die beiden Brüder, die beiden schlesischen Freiherren, von da an der eine in preußischem, der andere in österreichischem Staatsdienst stehen.

Schon dieser kurze Blick auf die Biographie deutet etwas sehr Charakteristisches an: Es fehlt jede Eingeengtheit im gesellschaftlichen oder geistigen Sinne, wie auch nach der Seite des Nationalen oder gar Nationalistischen. Wenn man gesagt hat: ein Mensch habe soviele Seelen wie er Sprachen spreche, so ist es für Eichendorff nicht nebensächlich, daß er ja neben dem Deutschen von Hause aus das Polnische spricht und daß im Tagebuch wie auch im Schulzeugnis des Gymnasiums in Breslau diese Zweisprachigkeit erwähnt wird. Die Schule bringt neben den alten Sprachen das Französische und Englische hinzu und die Universität dann das Italienische; und später gilt sein Interesse noch dem Spanischen in einem solchen Maß, daß er zwei Bände Calderon-Dramen in der Übersetzung herausgeben konnte. Das ist europäische Atmosphäre: Deutsch, Polnisch, Italienisch, Griechisch, Latein, Französisch, Englisch, Spanisch.

Eine lebensgeschichtliche Wende vollzog sich schließlich durch die Tatsache, daß die Napoleonische Zeit, insbesondere die Befreiungskriege, dazu führten, daß in die wirtschaftliche Situation, in die damals Deutschland kam, auch die Familie Eichendorff hineingerissen wurde. Nach dem Tode des Vaters wurden bis auf Lubowitz alle übrigen Güter verkauft, und Lubowitz wurde nur bis zum Tode der Mutter gehalten. Die Folge war, daß die beiden Brüder nach der Rückkehr aus dem Befreiungskriege in den Staatsdienst eintraten. Joseph von Eichendorff schreibt zu diesem Zweck eine Examensarbeit, die sich mit dem Thema befaßt: »Über die Folgen von der Aufhebung der Landeshoheit der Bischöfe und der Klöster in Deutschland«, worin er die Nachteile der Enteignung in geistiger und geschichtlicher Hinsicht vom Standpunkt des katholischen Christen herausarbeitet. Eichendorff hatte das Glück – er hat das 1828 in einem Brief an Joseph Görres zum Ausdruck gebracht –, daß diese durch und durch katholische und auf geistig hohem Niveau stehende Examensarbeit in Berlin von Geheimrat Schmedding, einem Katholiken, in der Zensurabteilung gelesen und bewertet wurde, und zwar so bewertet wurde, daß er mit dieser Arbeit und dem vorausgegangenen Examen als Anwärter in den preußischen Staatsdienst eintrat. Der Dienst als preußischer Beamter führte ihn von Breslau nach Berlin, von Berlin nach Danzig und Königsberg, dann wieder nach Berlin. Im Jahre 1844 erfolgte auf sein Gesuch die Entlassung aus dem Staatsdienst. Vorausgegangen war bei ihm die Erfahrung, daß er im preußischen Staatsdienst im Verhältnis zu der Leistung und der Anerkennung, die er bei einzelnen führenden Verwaltungsbeamten, wie etwa Theodor von Schön, gefunden hatte, keine entsprechende Beförderung erfuhr, sondern ganz offenkundig die Tatsache, daß Eichendorff Katholik war, seine Laufbahn behinderte. Das hatte dazu geführt, daß er 1828 den schon erwähnten Brief an Görres schrieb und sich Hoffnung machte, Görres, der 1827 auf einen Lehrstuhl für Geschichte nach München berufen worden war, könnte ihm vielleicht eine angemessene Stellung im bayrischen Staatsdienst verschaffen. Er wollte 1828 also schon in einen Bereich – er sagt es ausdrücklich –, wo er nicht nur in jedem Verwaltungszweig als Verwaltungsbeamter tätig sein könne, was er sich zutraue, sondern sich auch als Katholik voll auswirken könne. Das ist gescheitert. 1844 brachte dann der Kölner Kirchenstreit, in dem ihm zugemutet wurde, er sollte die publizistische Vertretung des Standpunkts der preußischen Regierung übernehmen, den Anlaß zum Ausscheiden aus dem preußischen Staatsdienst. Er lebte von da an auf Reisen, bei seinen Kindern und in der letzten Lebenszeit in Neiße, wo er 1857 starb.

Das etwa ist der Umriß seines Lebens, der zu vergegenwärtigen ist, will man Eichendorff als Mensch und als Dichter verstehen. Sein Leben war kein Leben der Leichtigkeit, sondern ein Leben, das schwer war. Man hat gesagt, das eben sei die Ursache dafür gewesen, daß er eine Dichtung der

Leichtigkeit geschaffen habe, in der er gleichsam als Ersatz für die Enttäuschungen und Schwierigkeiten des Amtes in der Dichtung sich eine Welt des Traumes und der Phantasie gebildet hat. Etwa sei charakteristisch dafür der »Taugenichts«, in dem in der Tat von Beamtenhaftigkeit und von der Arbeitswelt des Beamten nichts zu finden ist. Kein Zweifel: wer als Beamter so pflichtbewußt arbeitet wie Eichendorff, hat sicher Freude an den Ferien gehabt. Aber es haben viele Freude an den Ferien, und sie werden doch nicht Dichter wie Joseph von Eichendorff. Es muß also wohl etwas anderes in dieser Dichtung sein als dichterisch gespiegelter Müßiggang oder dichterisch gespiegelte Ferienstimmung.

Hinzuzufügen ist noch: Eichendorff erlebte 1848 – es wurde schon erwähnt – die Revolution als einen Vorgang, den er nicht als zufällig ansah, sondern dessen geschichtliche Wirkung er auf die Französische Revolution von 1789 zurückführte. Aber er hat in dieser Revolution von 1848 und ihren dämonischen Elementen noch etwas anderes gesehen, und das zeigt uns Eichendorff in einer Weise, die zumeist verkannt wird. In Deutschland hatte ja bei vielen und auch bei Eichendorff 1812/13 die Hoffnung bestanden, es werde nun eine freiheitliche Zeit anbrechen, in der das, wonach man ja diese Epoche als die Epoche der Restauration bezeichnet, nämlich die Wiederherstellung der alten Zustände vor 1812/13, nicht möglich sein würde. Charakteristisch für seine Einstellung dazu ist ein kleines Gedicht, das »Wechsel« überschrieben ist und aus dem Jahre 1841, also aus der Zeit vor der Revolution, stammt. Da heißt es:

Es fällt nichts vor, mir fällt nichts ein,
Ich glaub', die Welt steht still,
Die Zeit tritt auf so leis und fein,
Man weiß nicht, was sie will.

Auf einmal rührt sich's dort und hier –
Was das bedeuten mag?
Es ist, als hört'st du über dir
Einen frischen Flügelschlag.

Rasch steigen dunkle Wetter auf,
Schon blitzt's und rauscht die Rund',
der lust'ge Sturmwind fliegt vorauf –
Da atm' ich aus Herzensgrund.

Vor uns steht ein Mann, der – was dieses dichterische Wort aussagt – in einer Enge des geistigen und geschichtlichen Raumes lebt, und der das, was er einmal erhofft hat, nicht aufgegeben hat, aber es auch nicht anders als in einem leisen Schimmer in der Ferne vor sich sieht. Es ist sehr aufschlußreich, wie er dann zur Revolution von 1848 selber Stellung nimmt. Er hat sie zum Teil verstanden aus der Tatsache eines geschichtlichen Versäumnisses der Mächtigen. Da gibt es ein Gedicht aus dem Jahr 1848, das überschrieben ist: »Kein Pardon«. Darin heißt es:

Hervor jetzt hinter euren rost'gen Gittern,
Heraus, ihr Schriftgelehrten, Hochmutstollen!
An euch ist der Posaunenruf erschollen,
Vor dem die Schlechten und Gerechten zittern.

Denn Deutschland dunkelt tief in Ungewittern,
Wo alle Quellen, Bäche, zorngeschwollen
Als Ströme donnernd von den Höhen rollen,
Und Blitze, was der Sturm verschont, zersplittern.

Die Ströme werden nimmer rückwärts stauen,
Die Blitze werden zielen nach den Kronen,
Die Stürme rastlos fegen durch die Gauen.

All' Türme brechend, wo die Stolzen wohnen,
bis all' erkannt demütig in dem Grauen
Den Einen König über allen Thronen.

Wenn es heißt: »Die Stürme werden nimmer rückwärts stauen«, so sind die Völker in der Geschichte diese Ströme. Und wenn es bei Eichendorff, dem sehr zurückhaltenden, heißt: »Die Blitze werden zielen nach den Kronen«, dann sind nicht die Kronen der Bäume gemeint, sondern jene, von denen Görres in der Schrift »Deutschland und die Revolution« (1819) schreibt: die Kronen der gekrönten Häupter, die getroffen werden von den Blitzen. Die Ereignisse der Revolution sind für Eichendorff wie für Görres im letzten nicht bloß Menschenwerk, an dem man verzweifeln könnte, auch nicht bloß Dämonengeschehen, sondern sie sind zugleich ihrem Wesen nach, wie er es hier darstellt, Gottesgericht. Eichendorff faßt die Revolution als Gottesgericht auf und will damit das Rätselhafte, für den Menschen Undurchdringliche am geschichtlichen Geschehen zum

Ausdruck bringen. Wie er es schon vorher einmal in dem Gedicht »Wacht auf« von 1837 getan hat, in dem er die Hirten – gemeint sind die Monarchen – auffordert, sich um ihre Herden zu kümmern, und wo dann die Rede davon ist, daß der Engel, der mit dem Schwerte kommt, schon bereit steht. Darin heißt es in der letzten Strophe:

»Schon bricht's so dunkelrot durchs Morgengrauen,
Ob's Blut bedeutet oder feur'ges Lieben,
Es steht in Gottes Hand, die niemand wendet.«

Das Zwiespältige und Mehrdeutige des Geschichtlichen, insbesondere der Revolution, wird hier erfaßt. Dunkelrot ist das Geschehen, blutig also. ›Ob's Blut bedeutet oder feur'ges Lieben‹, das ist, sagt der Dichter, nicht zu durchschauen. Gegeben aber ist das Ganze der Geschichte in Gottes Hand.

Damit stehen wir an dem Punkte, von dem her sichtbar wird, daß Eichendorff sowohl seiner Lebensgeschichte wie seiner bewußten Einsicht nach in seiner Zeit gestanden hat als einer Zeit voll höchster Gefährdung, vor der er sich aber nicht zurückgezogen hat, sondern in der er sich dieser Gefahr und Gefährdung geistig, menschlich und als Dichter gestellt hat. Das sei mit den Sätzen belegt, die er in einem Brief an Fouqué, – den romantischen Dichter, der das Erscheinen seines ersten Romanes »Ahnung und Gegenwart« gefördert hatte, der geholfen hatte, daß der Roman des unbekannten Dichters einen Verleger fand –, als er 1814 selber aus dem Krieg kam, geschrieben hat: »Es gibt noch so Vieles, Großes und Freudiges, zu vollbringen. Gott hat uns ein Vaterland wiedergeschenkt, es ist nun an uns, dasselbe treu und rüstig zu behüten, und endlich eine Nation zu werden, die, unter Wundern erwachsen und von großen Erinnerungen lebend, solcher großen Gnade des Herrn und der eigenen kräftigen Tiefe sich würdig beweise. Und dazu braucht es nun auch andere Kämpfer noch als bloße Soldaten. Wäre auch ich imstande, zu dem großen Werke etwas Rechtes beizutragen. Meine Kraft ist gering und noch von vielen Schlacken und Eitelkeiten getrübt, aber die Demut, mit der ich meine Unzulänglichkeit anerkenne, und der Wille, das Beste zu erlangen, ist redlich und ewig.« Fügt man diese Briefstelle zu der anderen von 1809, dann ist zu spüren, wie hier ein Christ aus tiefer Verantwortung seinem Volk und Vaterland gegenüber darum bemüht ist, dieses Christsein in der Verantwortung gegenüber Volk und Vaterland zu sehen, es also nicht nur zu sehen als einen Vollzug der persönlichen Vollendung, sondern als einen Vorgang, der für Eichendorff im letzten darin besteht, daß Geschichte zwar immer in Gottes Hand ist, auch die Revolutionen noch, die, obwohl in ihnen der Dämon hervorzubrechen sucht aus dem Abgrund, zugleich gegeben sind in die Verantwortung der Menschen. Worauf es Eichendorff ankommt, ist, wenn aufgerufen wird wie 1813, bereit zu sein, dem Ruf zu folgen, wie er es getan hat. Aber es muß, wer zurückkehrt, ebenso wissen, daß es noch anderer Kämpfer bedarf als bloßer Soldaten.

II

Es hat seinen eigenen Sinn, wenn Eichendorff in dem Brief an Fouqué sagt, es brauche noch andere Kämpfer als bloße Soldaten; denn es wird ja nicht eins gegen das andere ausgespielt, sondern es gehört das eine zum anderen, wie die Situation zeigt, aus der heraus dieser Brief geschrieben ist; denn Eichendorff ist ja Soldat gewesen und kommt eben aus dem Felde zurück. Wir sahen schon: Eichendorff hat nach 1812/13 die Erfahrung gemacht, daß in einer von den Regierungen, insbesondere unter dem Namen der Heiligen Allianz, durchgeführten Restauration die geschichtliche Entwicklung zurückgedrängt werden sollte. Zugleich hat er gesehen, wie Menschen, die 1812/13 mitgekämpft hatten, in der Gefahr waren, sich in eine Art von Ersatzreligion hineinzuflüchten. Im Roman »Dichter und ihre Gesellen« (1834) kommt eine Gestalt vor, die dafür charakteristisch ist; ein Maler, der – so beschreibt es Eichendorff – in seinem Atelier in großer Ausgestaltung das Eiserne Kreuz von 1813 hängen hat und der, wie sich herausstellt, damit geradezu einen Kult treibt und überall dort, wo sich etwas andeutet an Gegenbewegungen gegen die Restauration, mitbeteiligt ist. Diese Gestalt endet im Selbstmord. Eichendorff sagt ausdrücklich: »Der Unglückliche hatte sich mit heidnischer Tugend in sein Schwert gestürzt.« Es ist kein Zweifel, daß für Eichendorff hinter dieser dichterischen Gestalt eine andere steht, nämlich Heinrich von Kleist, dem er ja in Berlin begegnet war und der im Selbstmord geendet ist. Eichendorff hat Kleist und sein Werk verstanden als das Werk eines Dichters, der in der Verzweiflung und im Selbstmord geendet ist, weil für ihn nichts als nur noch diese heidnische Tugend Wert hatte. Das ist also die eine Gefahr, die Eichendorff abwehrt, er will keinen Kult des Nationalen. Er wendet sich dagegen, oft auch in ironischer Form, indem er ihn abtut als Vaterländerei, die sich in einer altdeutschen Weise der Kleidung und Lebensführung gibt. Das andere, wogegen er sich ebenso stellt, ist die Gefahr, die er mit der industriellen Arbeitswelt heraufkommen sah und die er so sehen gelernt hat durch Achim von Arnim und durch Friedrich Schlegel. In dem 1806 erschienenen ersten Band von »Des Knaben Wunderhorn« hatte Achim von Arnim seinen Aufsatz »Von Volksliedern« veröffentlicht. In diesem Aufsatz hat er beschrieben, wie er und Clemens Brentano gerade noch im letzten Augenblick dazu kamen, die Lieder zu sammeln, denn das Volk höre auf zu singen: und zwar höre es auf zu singen, weil immer mehr in der Welt, in der es lebt, die Arbeit vorherrscht. Die Welt, sagt Achim von Arnim ausdrücklich, wird zum Arbeitshaus, und er schreibt in diesem Zusammenhang: Der Nährstand wolle tätige Hände, wolle Fabriken, wolle Menschen, die Fabrikate zu tragen; ihm seien Feste zu lange Ausrufezeichen und Gedankenstriche; ein Komma, meint er, tue es auch wohl. Und jeder, der, wie die Wandergesellen und Studenten, einherschwärme in unbestimmtem Geschäfte, werde als Taugenichts aus dieser Arbeitswelt verbannt. Diese Sätze Arnims sind die Quelle der ersten Seiten im »Taugenichts« Eichendorffs. Mit dem Namen Taugenichts ist also nicht der Nichtstuer gemeint; sondern der Taugenichts in diesem Sinne ist der Mensch, der in den Augen derer, die nichts als nur die Arbeit als Maßstab kennen, ein Taugenichts gescholten wird. Wenn man daraufhin einmal wieder den »Taugenichts« liest, so beginnt er ja mit den Sätzen:

> »Das Rad an meines Vaters Mühle brauste und rauschte schon wieder recht lustig, der Schnee tröpfelte emsig vom Dache, die Sperlinge zwitscherten und tummelten sich dazwischen; ich saß auf der Türschwelle und wischte mir den Schlaf aus den Augen; mir war so recht wohl in dem warmen Sonnenscheine. Da trat der Vater aus dem Hause; er hatte schon seit Tagesanbruch in der Mühle rumort und die Schlafmütze schief auf dem Kopfe, der sagte zu mir: ›Du Taugenichts! Da sonnst du dich schon wieder und dehnst und reckst dir die Knochen müde und läßt mich alle Arbeit allein tun.‹«

Bei Eichendorff ist charakteristisch: Wenn rumort wird, dann ist das ein Anzeichen für ein Durcheinander, und zwar nicht nur für ein äußeres, sondern auch für das innere Durcheinander. Und die Schlafmütze ist das symbolische Requisit dessen, der steckenbleibt in der Welt und deren Geschäften. Nichts gegen die Welt und ihre Geschäfte, das sagt der

Dichter immer wieder. Es ist besser, aufs Feld zu gehen, Holz zu hacken oder zu betteln, wie es in »Dichter und ihre Gesellen« heißt, als sich etwa in Phantastereien und Poesien, die leer sind, zu verlieren. Worum geht es hier also? Es geht darum: da ist eine Welt, die arbeitet, und zwar die nur noch arbeitet; und sie nennt den, der noch etwas anderes tut, der vor allem, wie es im »Taugenichts« heißt, den »ewigen Sonntag im Gemüt« hat – Eichendorff meint damit nicht den Sonntag ohne Ende, sondern er meint wirklich den ewigen Sonntag –, die Arbeitswelt nennt eben diesen Menschen verächtlich einen Taugenichts. Auch das ist wieder eine Anspielung auf Achim von Arnim, der geschrieben hatte, es werde der Zwischenraum zwischen der Arbeitszeit nicht nur immer kürzer, sondern die Menschen wollten keinen Sonntag mehr. Sieht man daraufhin noch einmal das Lied, das so leicht von den Lippen geht, an: »Wem Gott will rechte Gunst erweisen«, dann zeigt sich, was damit gemeint ist: Wem Gott seine Gnade erweist, wem er die Gnade erweist, die Welt wieder zu sehen als das, was sie von Gott her ist, Schöpfung, göttliche Schöpfung, wem Gott diese Gnade gibt, der ist in dem Lied gemeint:

Wem Gott will rechte Gunst erweisen,
Den schickt er in die weite Welt,
Dem will er seine Wunder weisen
In Berg und Wald und Strom und Feld.

Und dann kommt die Strophe, die meistens gedankenlos gesungen wird:

Die Trägen, die zu Hause liegen,
erquicket nicht das Morgenrot;
Sie wissen nur von Kinderwiegen,
Von Sorgen, Last und Not um Brot.

Es geht nicht darum, daß der Dichter nichts vom Kinderwiegen, von Sorgen und Last und Not um Brot wissen will. Wer davon nichts wissen will, das ist der Phantast, der sich ins Leere verliert; er wird einmal an anderer Stelle von Eichendorff abgeurteilt als vornehmes Gesindel. Worum es hier geht und was hier gemeint ist, das sind die »Trägen«, die zu Hause liegen. Das sind die, die von nichts als nur vom Kinderwiegen, von Sorgen, Last und Not um Brot wissen. Das Nur ist hier das Entscheidende. Sie machen die Sorge und die Arbeit zum Maßstab ihres

Daseins. Ihr Gegenteil ist der Mensch, der in der Gnade Gottes sieht, daß die Welt noch etwas anderes ist. Wenn wir daraufhin den »Taugenichts« noch einmal lesen und dann zu dem Schluß kommen: »Und es war alles, alles gut!«, dann ist es kein Zufall mehr, daß dort dieses Wort vom siebenten Schöpfungstage steht, sondern es eröffnet den Blick dafür, daß es noch etwas anderes gibt als die Welt der Arbeit. Die Welt soll nicht Arbeitshaus sein; sie ist göttliche Schöpfung. Die »Trägen«, das sind die Arbeitswütigen, von denen es an einer anderen Stelle heißt: Sie lesen nicht, sie denken nicht, sie beten nicht, das nennen sie dann Pflichttreue. In Wirklichkeit, so meint dieser Dichter – der Ton liegt auf Wirklichkeit–, ist diese Welt als Welt Gottes, die Gott den Menschen geschaffen hat, noch etwas anderes. Von daher verstehen wir auch den Taugenichts, wie er auf das Schloß kommt. Da ist doch dieser Portier, der zugleich die Personifikation einer falschen Feierlichkeit und des Nützlichkeitsdenkens ist. Er denkt: im Garten baut man Gemüse und Kartoffeln. Und was tut dieser Taugenichts? Er rauft alles Nützliche aus, wirft es über den Zaun und pflanzt Blumen. Was dahinter steht, zeigt sich in dem Augenblick, als er die ganze spießige Nützlichkeit hinter sich läßt, die Geige nimmt und zu ihr sagt: »Unser Reich ist nicht von dieser Welt«. Wir wissen, wenn wir im Eichendorffschen Werk dieses Wort, hier zur Geige gesprochen, einmal verfolgen, daß es der Ausdruck dafür ist: es gehört zur Welt auch das Singen und Spielen, das Festliche. Es ist sehr aufschlußreich, daß sich auf der ersten Seite des »Taugenichts«Manuskriptes mehrere Notizen Eichendorffs finden, die zeigen, wie er den Titel für die Erzählung gesucht hat. Da schreibt er: »Zwei Kapitel aus dem Leben eines Taugenichts«. Dann heißt es: »Aus dem Leben eines Taugenichts«, und dazwischen: »Der graue Troubadour« und »Der moderne Troubadour«. Wer ist der Troubadour? Görres hat 1826 im »Katholik« einen Aufsatz über Franziskus, den grauen Troubadour, geschrieben. Das ist niemand anderes als Franziskus von Assisi. Im letzten ist damit angedeutet: Eichendorff sieht im »Taugenichts« nicht bloß, wie Arnim, den Menschen, der der Welt das Lied und die Muße wiedergeben soll, und den Sonntag als Tag der Muße, sondern er will dem Leser gleichsam durch diese Dichtung sagen: Du bist Geschöpf Gottes. Die Welt ist voller Wunder, weil sie göttliche Schöpfung ist. Darum sollst du in ihr und darfst du in ihr singen und mußt nicht nur arbeiten. Du sollst in dieser Schöpfung Gottes auch einmal einen Garten haben, wie Franziskus immer ein Beet wachsen ließ, in dem nur

Blumen standen und wuchsen, wie sie wollten. Das heißt also: Der Mensch soll wieder die Schöpfung sein lassen – das ist mit diesem Symbol gemeint –, was sie ihrem Wesen nach ist, in ihrer Wirklichkeit: Gottes Schöpfung. Das ist der Sinn des »Taugenichts«. Denen wird die Trägheit zugeschoben, die von sich sagen: Wir arbeiten doch immer. Und der, der von ihnen her gesehen ein Taugenichts ist, der ist bei Eichendorff der, welcher den ›ewigen Sonntag im Gemüte‹ hat und der darum von ihm dargestellt wird als eine franziskanische Gestalt, in der die Welt für den Menschen sein soll, was sie im letzten ist: göttliche Schöpfung.

Schon eine einzige solche Gestalt lehrt das Entscheidende in der Dichtung Eichendorffs zu erkennen. Die Gestalten Eichendorffs sind Sinnbilder, so leibhaft sie beschrieben sind und uns vor die Augen treten und so lebendig das ist, was sich um sie herum abspielt – und es spielt sich ja, weil er von Novalis den Gedanken übernommen hat, das Märchen sei die höchste Dichtungsform, in seiner Dichtung alles gern wie ein Märchen ab; weil er meinte, Novalis habe recht, das Märchen sei höchste Kunstform, suchte er als Dichter in der Form und in den Gestalten dem Märchen nahezukommen. Das bewirkt eine einzigartige Atmosphäre. Aus dem geistigen Sinngehalt aber kommt die Sinngebung, durch die seine Dichtung zu einer Dichtung der Sinnbilder wird. Es sei noch auf ein Beispiel hingewiesen: Die zweite Prosadichtung Eichendorffs war »Das Marmorbild«. Diese Erzählung wirkt beim ersten Lesen beinahe unverständlich. Sie entschlüsselt sich aber, wenn wir wissen, daß das Marmorbild für Eichendorff das Sinnbild für die Wiederkunft der Antike in der Gestalt des deutschen Humanismus Goethes und Schillers ist, als einer Religion der Humanität, durch die etwas, das tot ist, die Antike, wieder belebt wird, und zwar durch einen Kult, der im letzten den Menschen an die Stelle Gottes setzt. Eichendorff entschlüsselt dieses Symbol in der Novelle: »Viel Lärmen um Nichts«. Da ereignet sich ein seltsamer Vorgang. Eine Gestalt dieser Dichtung träumt, sie begegne in einem Garten dem Bild einer Göttin, einem Marmorbild, und der Träumende spreche seine entzückte Verehrung aus und wolle ihre Hand ergreifen. Da erwacht der Träumende, und was findet er? Er hat sich selber an der Hand gefaßt. Zu dem Träumenden spricht eine Stimme: »Du wachst nur jetzt und träumtest sonst.« Das heißt also: Dieser Kult des klassizistischen Humanismus mit seiner Wiederkunft der Antike ist in Wahrheit ein Traum vom Menschen, der sich selbst göttlich erhöht. In seiner Literaturgeschichte hat Eichendorff über Goethe, von dem er als Dichter mit der größten Verehrung spricht, hart geurteilt, er habe das Ziel seines Lebens verfehlt, eben in dem Sinne, daß er seine Dichtung deutet, den Faust vor allem, als den Versuch, den Menschen zur Gottheit zu erhöhen.

Das Marmorbild ist ein Symbol, das durch die ganze Dichtung Eichendorffs geht. War im »Taugenichts« der Mensch in der Gefahr, abzusinken in die Arbeitswelt, um zu einem Teilstück im Arbeitshaus dieser Welt zu werden, so steht auf der anderen Seite die Ausflucht in der Gestalt eines absoluten Humanismus, einer Religion der Humanität, wie Eichendorff selbst sagt, eine Erhöhung des Menschlichen, die Traum und Versuchung ist. Das Marmorbild ist das Symbol der Versuchung des Menschen, der einer göttlichen Erhöhung zustrebt und der am Ende, wie es in der Novelle »Das Marmorbild« geschildert ist, erfährt, daß das alles, von Gott her gesehen, wenn es Licht und Morgen wird, Staub und Asche, Trümmer und Ruine ist. Das also ist Eichendorffs Geheimnis, seine Auseinandersetzung mit der Versuchung der Zeit in Gestalten, die Sinnbilder sind.

Damit sind wir auch an der Stelle unseres Gedankenganges angelangt, wo wir verstehen, was für Eichendorff der Priester als Gestalt seiner Dichtung bedeutet. Der Priester ist für Eichendorff – und das erklärt auch, warum der Höhepunkt und der Endpunkt seiner Romane in die Entscheidung zum Priestertum führen – jene Verwirklichung des Menschlichen, die die völlige Hingabe des Menschen an Gott, an das Heilige kennzeichnet. Es gibt also für ihn im Bereich des Menschlichen eine Verwirklichung des Menschentums, die dadurch ausgezeichnet ist, daß sich in ihr das vollzieht, wovon Eichendorff sagt, daß es das Wesen der Welt ausmacht, daß nämlich alles Irdische hindrängt zum Ewigen. Deswegen ist für ihn der Dichter, wenn er ein wahrer Dichter als Christ sein will, gezwungen, Symbole zu gebrauchen; und deswegen ist ihm der höchste und größte Dichter Calderon, weil er im höchsten Maße verstanden hat, das Irdische, ohne es in seiner Leibhaftigkeit anzutasten, zugleich mit der Symbolik des Ewigen zu erfüllen. Er führt das in schönen Worten in seiner Literaturgeschichte aus, und es ist deshalb Calderon der Dichter, den wir zum Maßstab nehmen müssen, wenn wir Eichendorff als Dichter an dem Maßstab messen wollen, an dem er sich selbst gemessen hat. Menschliche Gestalt dieses Vollzugs und der Verwirklichung des Ewigen im Irdischen ist der Priester. Dabei geht es für Eichendorff nicht darum, daß der Priester als Einzelner, als einzelner Mensch, mehr oder weniger diesem Auftrag gerecht wird, in einer solchen Weise Verwirklichung der Hingabe an das Heilige zu sein, sondern es geht ihm darum, daß es im Bereich der Menschheitsgeschichte diesen Vollzug im Rahmen des Hindrängens des Irdischen zum Ewigen in dieser besonderen Gestalt gibt. Eichendorff sieht diesen Vorgang auch in einer anderen Gestalt. Während der Priester Hingabe an das Heilige in der Verwirklichung ist, ist der Dichter, von dem er einmal sagt, er ist das Herz der Welt, es, der zu den Menschen davon sprechen soll, daß alles Irdische zum Ewigen drängt, der also den Taugenichts schaffen soll, damit die Menschen sehen: es gehört nicht nur Arbeit, sondern auch Festlichkeit, weil Dasein in der Gottesschöpfung, zum Wesen des Menschen. Es ist also der Dichter der, der davon sprechen soll. Der Priester aber ist der, der das, wovon der Dichter spricht, in der Menschengestalt vollzieht. Wenn wir uns zugleich daran erinnern, daß für Eichendorff im Grund in jedem Menschen ein Stück Dichtertum wohnt, in dem Sinne nämlich, daß jeder Mensch, wenn er wahrhaft Mensch ist, sehen und spüren soll – wenn er auch nicht als Dichter davon zu sprechen vermag –, daß alles Irdische zum Ewigen hin will, so hat jeder Mensch einen Anteil am Priestertum, da alles Menschensein im wahren Sinne nur vollziehbar ist, sofern es Anteil hat an der Hingabe an das Heilige. Das ist der Rang der Gestalt des Priesters in der Sicht Eichendorffs. Wenn man die Romane Eichendorffs ansieht, so genügt es, einige Stellen herauszuheben, die zeigen, wie das, was eben in eine Formel gefaßt wurde, sich bei Eichendorff in der Dichtung darstellt. Dabei sei von folgendem ausgegangen: Eichendorffs erster Roman »Ahnung und Gegenwart«, dessen Entstehung wir vorhin lebensgeschichtlich eingeordnet haben, beginnt auf eine ganz Eichendorffsche Weise so, daß, wer nicht tiefer sieht, völlig abgelenkt wird in die Farbigkeit und Festlichkeit des Geschehens, ohne daß sich ihm der Sinngehalt der Symbole erschließt. Da lesen wir als Anfang:

»Die Sonne war eben prächtig aufgegangen, da fuhr ein Schiff zwischen den grünen Bergen und Wäldern auf der Donau herunter. Auf dem Schiffe befand sich ein lustiges Häufchen Studenten. Sie begleiteten einige Tagereisen weit den jungen Grafen Friedrich, welcher soeben die Universität verlassen hatte, um sich auf Reisen zu begeben. Einige von ihnen hatten sich auf dem Verdecke auf ihre ausgebreiteten Mäntel hingestreckt und würfelten. Andere hatten alle Augenblicke neuen Burgen zu salutieren, neue Echos zu versuchen, und waren daher ohne Unterlaß beschäftigt, Gewehre zu laden und abzufeuern. Wieder andere übten ihren Witz an allen, die das Unglück hatten, am Ufer vorüberzugehen, und diese aus der Luft gegriffene Unterhaltung endigte dann gewöhnlich mit lustigen Schimpfreden, welche wechselseitig so lange fortgesetzt wurden, bis beide Parteien einander längst nicht mehr verstanden. Mitten unter ihnen stand Graf Friedrich in stiller, beschaulicher Freude. Er war größer als die andern und zeichnete sich durch ein einfaches, freies, fast altritterliches Ansehen aus. Er selbst sprach wenig, sondern ergötzte sich vielmehr still in sich an den Ausgelassenheiten der lustigen Gesellen; ein gemeiner Menschenverstand hätte ihn vielleicht für einfältig gehalten. Von beiden Seiten sangen die Vögel aus dem Walde. Der Widerhall von dem Rufen und Schießen irrte weit in den Bergen umher, ein frischer Wind strich über das Wasser, und so fuhren die Studenten in ihren bunten, phantastischen Trachten wie das Schiff der Argonauten. So fahre denn, frische Jugend! Glaube es nicht, daß es einmal anders wird auf Erden! Unsere freudigen Gedanken werden niemals alt, und die Jugend ist ewig!«

Da ziehen also Studenten am Ende des Semesters und am Ende des Studiums hinaus. Das ist alles geschildert, wie es nur einer vermag, der es selbst in der Weise miterlebt hat, wie es uns das Tagebuch Eichendorffs verrät. Aber, wenn man diesen Text einmal daraufhin ansieht, wie er durchwoben ist mit Sinnbildern, dann führen sie unversehens in das Geheimnis des Dichters. Um nur das Wesentliche herauszuheben und mit einem Symbol anzufangen, das uns vielleicht nebensächlich vorkommt: dieser ganze Auszug wird dem Argonautenzug verglichen. Man muß wissen, daß Görres einmal das menschliche Leben und die Geschichte der Menschheit einen Zug nach dem Goldenen Vlies genannt hat. Man muß sich daran erinnern, daß Eichendorff als Zug nach dem Goldenen Vlies eine ganze Novelle geschrieben hat, nämlich die »Meerfahrt«, eine Ausfahrt der Spanier nach dem Glück und dem Golde. Die Novelle ist Spiegelung des Argonautenzuges, des Zuges der Menschen und der Menschheit nach dem Goldenen Vlies. Der Auszug ist hier das Symbol des Menschen, der zur Ausfahrt ins Leben unterwegs ist. Zu diesem Zug gehören bei Eichendorff die Wanderer und das Wandern. Die Wanderer und das Wandern sind bei Eichendorff etwas anderes als Menschen, die einmal in der freien Zeit zu Fuß gehen. Der Wanderer ist vielmehr – wenn wir einmal daraufhin Eichendorffs Gedichte ansehen – der Mensch, der unterwegs ist, von einem Heimweh gefaßt, das ihn von dem Ort, wo er daheim war im Sinne des Wohnens und Arbeitens, hinführt zu – wie Eichendorff sagt – einer »anderen Heimat«. Es ist also der Argonautenzug, der Zug des Menschen nach dem Glück und dem Golde, für Eichendorff der Zug des Menschen zur Ewigkeit, zur ewigen Heimat. Das

Gedicht »Die letzte Heimkehr« entschlüsselt das Leben in diesem Sinne. Da steht der Mensch am Ende seiner Wanderschaft, seines Zuges nach dem, was er suchte, und der Engel nimmt ihn an der Hand und führt ihn zu Gott. Der Anfang von »Ahnung und Gegenwart« verbindet den Auszug, der symbolisch ist, mit demselben Motiv der Jugend wie etwa in dem Gedicht »Sängerfahrt«. Es seien nur einmal drei Strophen hier herausgehoben:

Kühlrauschend unterm hellen
Tiefblauen Himmelsdom
Treibt seine klaren Wellen
Der ew'gen Jugend Strom.

Viel rüstige Gesellen,
Den Argonauten gleich,
Sie fahren auf den Wellen
Ins duft'ge Frühlingsreich ...

So fahrt im Morgenschimmer!
Sei's Donau oder Rhein,
Ein rechter Strom bricht immer
Ins ew'ge Meer hinein.

Wir sehen: sei's Donau oder Rhein, die Sänger fahren als Argonauten hier auf der Donau, wie am Anfang von »Ahnung und Gegenwart«. Sei's Donau oder Rhein, wohin geht es? Es geht hin zum ewigen Meer, in die Ewigkeit. Das heißt also: schon am Anfang des Romans wird eröffnet: die Ausfahrt der Studenten ist insgeheim wie ein Argonautenzug, nicht bloß ein Zug nach dem Glück und dem Golde, sondern, wie alle Ausfahrt junger Menschen, ein Hinziehen zur Ewigkeit. Dieser Gedanke wird an vielen Stellen, die sich bei Eichendorff finden, verknüpft mit dem anderen Gedanken, der sich am Schluß der angeführten Stelle aus »Ahnung und Gegenwart« fand. Da heißt es: »Und so fahre denn, frische Jugend! Glaube es nicht, daß es einmal anders wird auf Erden. Unsere freudigen Gedanken werden niemals alt, und die Jugend ist ewig!« Dieses Motiv wird in »Dichter und ihre Gesellen« aufgenommen. Dort heißt es einmal: »Warum soll denn eigentlich jedes Jahr der Frühling wieder kommen und nur unsere Seele soll mit dem ganzen Plunder alt werden?« Was ist damit gesagt? Die Jugend selbst ist hier Symbol. Was ist Jugend? Sie ist Sinnbild dafür, daß ein Mann auf dem Wege ist, im Sinne jener Ausfahrt ins Ewige. Darum heißt es im Gedicht auch:

Kühlrauschend unterm hellen
Tiefblauen Himmelsdom
Treibt seine klaren Wellen
Der ew'gen Jugend Strom.

Damit ist nicht das Lebensalter gemeint; sondern da ist einer, der jung ist, weil er in seiner Ausfahrt teilhat an der Ewigkeit, und der diese Ausfahrt nicht etwa verwechselt mit einem tatsächlichen Zug nach dem Golde. Gerade das ist es, was in der »Meerfahrt« den Teilnehmern dort gelehrt wird: sie ziehen nach dem Golde aus. Müssen aber lernen durch ihr Scheitern, ihren Schiffbruch und die Begegnung mit dem Einsiedler, der vor ihnen Schiffbruch erlitten hat, daß das, was sie wollten – sie wollten das Glück und das Gold –, nur das Gleichnis für das ist, was sie, ohne es zu wissen, eigentlich in ihrer Ausfahrt suchten, und das ist Gott. Hier wird in Gestalten verwandelt, wovon ich vorhin sprach: alles Irdische strebt zum Ewigen. Dieser Grundzug nimmt Gestalt an im Wanderer, nimmt Gestalt an in der Ausfahrt. Sinnbild dafür ist der Strom, der ins ewige Meer einströmt. Sinnbild dafür ist die Jugend, die nicht alt werden kann – ohne Rücksicht auf das Lebensalter –, solange sie teilhat an der Ewigkeit. Wir sehen, wenn wir »Ahnung und Gegenwart« in diesem Sinne lesen und verstehen, wie hier die Ausfahrt ins Ewige geht, und diesem Sinnbild sind andere zugeordnet. Im Anfang heißt es von den jungen Menschen: sie tragen phantastische Trachten. Auch das ist bei Eichendorff Symbol. Ihr Verhältnis zum Leben ist noch nicht wirklichkeitsgesättigt. Der ganze Roman beschreibt dann, wie der Graf Friedrich durch seine Erfahrungen in immer höherem Grade in die Wirklichkeit hineingeführt wird. Das endet etwa an einer Stelle darin, daß er sich entschließt: er will das ›Studium der Staaten‹ betreiben; er will sehen, in der Zeit, in der er lebt, nützlich zu werden in dem Sinn, daß er dem Leben nicht fern steht, sondern sich verantwortlich in das Leben einbezieht. Das ist ein frühes Zeugnis dafür, daß der stille Dienst am Staate, den Eichendorff geleistet hat, für ihn keine Ersatzleistung war, sondern sinnvoll war als sein Weg in der Wirklichkeit des Lebens.

Graf Friedrich findet diesen Weg, und es kommt dann die entscheidende Stelle, wo er erkennt: in der Begegnung mit der Wirklichkeit und aus ihr heraus ist alles im letzten nur zu vollenden, wenn es seinen Sinn erhält aus der Religion. Wir haben diese Stelle vorhin gehört; dort wird auch gesagt: Wir bauen an der Zeit, aber was wir als Baustoff haben, ist unfest und flüssig. Das ist 1812 vor dem Brand Moskaus geschrieben, in dieser Spannung der Zeit und der politischen Atmosphäre. Die Entscheidung zum Priestertum ist bei Eichendorff, wenn wir diesen Ausgang sehen, von der Ausfahrt am Anfang auf der ersten Seite des Romans den Weg des jungen Menschen weiter verfolgen als Weg hinein in die Wirklichkeit, als Begegnung mit der Wirklichkeit der Geschichte und der Gesellschaft, nicht Flucht aus der Wirklichkeit, sondern ist der letzte Vollzug, in dem diese Wirklichkeit in ihrem Sinn erfüllt wird. Wie auf seine Weise der »Taugenichts« zur Wirklichkeit der Welt der Arbeit hinzugefügt hat das Wissen um die Festlichkeit des Daseins, das Wissen um die Welt als Gottesschöpfung, so fügt hier ein Mensch zur Begegnung mit der Wirklichkeit der Geschichte und der Gesellschaft am Ende hinzu das Wissen und die Verwirklichung dieser Geschichte und dieser Gesellschaft von Gott her als Entscheidung zum Priestertum. Steht die Entscheidung zum Priestertum am Ende dieser lebensgeschichtlichen Entwicklungsstufe, fällt sie also zusammen mit dem Entschluß, letzte Verantwortung zu übernehmen in der Wirklichkeit und sich ihr nicht zu entziehen durch irgend eine Ausflucht ins Phantastische und Illusionäre. Damit deutet sich schon an, daß die Gestalt des Priesters in der Dichtung Eichendorffs auf eine eigene Weise der Wirklichkeit des menschlichen Daseins zugeordnet ist. Die Gestalt des Priesters ist in der Dichtung Eichendorffs in Wahrheit ein reines Gegenbild zu den vielerlei Gestalten der Ausflucht ins Phantastische und Illusionäre, die der Dichter, nicht selten mit großer Ironie, gezeichnet hat.

Um das sichtbar zu machen, sei aus dem späteren Roman »Dichter und ihre Gesellen« eine Stelle herausgehoben, an der das sehr schön deutlich wird. Da beschreibt ein einfacher Mann, der Einsiedler geworden ist, wie er in seiner Klause von einem Fremden aufgesucht wird und dieser Fremde ihm, der sich als Klausner mit Totenkopf und sonstiger Zurüstung ausgestattet hat, etwas sagt, das ihn in seinem bisher selbstzufriedenen Klausnerdaseins erschüttert. Da heißt es:

»Als ich aufwachte, waren meine Augen noch immer auf den Tisch gerichtet, aber der Jäger saß nicht mehr auf demselben Punkte. Als ich aber vor die Klause trat, sah ich ihn in der Morgendämmerung schon von dem alten Kloster herabkommen. Es war ein prächtiger Morgen, die Hähne krähten unten in den Dörfern, hin und her klang schon eine Morgenglocke durch die stille Luft. Auch der Fremde, nachdem er mich freundlich begrüßt hatte, blieb stehen und sah lange ins Tal hinaus. ›Sieh, da ist ein Friede Gottes überall, als zögen die Engelscharen singend über die Erde. Die armen Menschenkinder, die hören's nur wie im Traum. Müde da unten, verirrt in der Fremde und Nacht, wie sie weinend rufen und des Vaters Haus suchen, und wo ein Licht schimmert, klopfen sie furchtsam an die Tür, und es wird ihnen aufgetan, aber sie sollen den Fremden dienen um das tägliche Brot; darüber werden sie groß und alt und kennen die Heimat und den Vater nicht mehr. O, wer ihnen allen den Frieden bringen könnte! Aber wer das ehrlich will, muß erst Frieden stiften in sich selbst, und wenn er darüber zusammenbräche, was tut's! Sieh, Gesell, das ist geistliches Recht und Tagewerk.‹«

Was hier heraufbeschworen wird, das ist der Blick ins Tal da unten. Was ist das Tal? Symbol für die, die – wie im »Taugenichts« – versinken in der Arbeit, sich verlieren in der Fremde und die Heimat und den Vater vergessen. Das heißt aber: Gott und die Ewigkeit vergessen. Und was wird diesem Klausner gesagt? Du sitzt da in deiner Einsamkeit. Und doch wäre es eigentlich geistliches Recht und Tagewerk, den Menschen da unten den Frieden zu bringen, denen zu helfen, die – geistlich gesprochen – da unten in der Fremde sind. Darauf heißt es dann, jetzt aus der Sicht des Klausners:

»Ich alter Kerl stand ganz verblüfft vor ihm, denn ich verstand schon gleich damals so viel davon, daß ich bisher eigentlich noch gar nichts verstanden hatte von meinem Metier. Vor meiner eigenen Tür wollt' ich kehren und die ewige Seligkeit zusammenknickern wie ein filziger Schuft, als wär's dem lieben Gott um mich allein zu tun in der Welt.«

Das ist ein heiteres Wort; aber es enthüllt uns das, was der Dichter mit dem Wort: es braucht noch andere Kämpfer, gemeint hat, von innen her. Es zeigt uns, daß das, was hier geistliches Recht und Tagewerk heißt, nicht die in sich einsiedlerisch zurückgezogene Selbstvollendung meint, auch nicht im religiösen Sinne, sondern daß Eichendorff sagt: da unten ist die Welt; sie bedarf der Boten des Friedens. Damit wird das Da-sein für die anderen und in Verantwortung stehen für die anderen geradezu zum Inhalt des geistlichen Rechts und Tagewerks erklärt.

Sehen wir hier noch einmal hin auf diesen Roman: Die Lebensgeschichte ist auch hier der Weg eines Menschen, der immer tiefer in die Wirklichkeit eindringt; und die letzte Begegnung mit der Wirklichkeit ist, von Eichendorff her gesehen, die Einsicht und der ihr folgende Entschluß und die Entscheidung, in der dieser Roman dann endet. Der Graf Victor schlägt seinen Mantel auf, und es wird sichtbar, er ist katholischer Priester geworden. Priester sein in diesem Sinne bedeutet, wie es hier als geistliches Recht und Tagewerk beschrieben ist, für die anderen am Werke sein.

Diese Ausführungen mögen schließen mit dem Blick auf den Entwurf des Lebens der heiligen Hedwig, an dem Eichendorff am Ende seines Lebens gearbeitet hat. Es ist eine Skizze dazu vorhanden, und das Entscheidende an dieser Skizze ist, daß sie genau wie die Romane, die keine Berichte aus der Wirklichkeit der Geschichte sind, sondern – wie wir sahen – das Gegenteil sind, den Versuch darstellt, am Leben einer Heiligen das sichtbar zu machen, was Eichendorff in dichterischer Gestaltung geschaffen hat.

Es sei die entscheidende Stelle herausgehoben, an der wir noch einmal sehen, welchen Rang die Gestalt des Priesters im Werk Eichendorffs hat. Da heißt es:

> Wir sind in der neuesten Zeit überall bemüht, den berühmten Kriegshelden, Staatsmännern, Gelehrten und Künstlern würdige Denkmale zu errichten. Ein löblicher Eifer; denn es ist ganz recht, das Große und Schöne dankbar in dem Angedenken der nachfolgenden Geschlechter zu bewahren. Fassen wir aber die Geschichte, wie billig, in ihrer höchsten und am Ende einzig gültigen Bedeutung als Vorschule nämlich und Erziehung des Menschengeschlechtes für seine Endbestimmung eines jenseitigen höheren Daseins, so wird sich hienieden groß und klein, Lob und Tadel vielfach anders stellen als in dem Geräusch der alltäglichen Gegenwart. Wir werden dann erkennen, daß bei weitem das meiste, was jene Heroen getan und erstrebt, jenen Entwicklungsgang nur indirekt gefördert, ja häufig sogar retardiert hat, indem sie eine falsche Selbstgenüge und Vergötterung der bloßen Menschenkraft herbeiführten. Wir werden daher ohne Zweifel denjenigen Helden, welche unmittelbar für den höchsten Zweck durch Beispiel, Tat und Lehre gewirkt und nicht selten ihr Leben drangesetzt haben, ganze verlorene Völker dem Himmel zuzuwenden, zu noch viel größerem Danke verpflichtet sein. Diese Heroen aber sind die Heiligen.«

Die Heiligen sind also für Eichendorff die Verwirklichung dessen, was – auf die Menschheitsgeschichte hin gesehen – die Erfüllung dieser Menschheitsgeschichte in Hinsicht auf ihr letztes, höchstes Ziel ist. Und es ist – das hat er in der Schrift über die Aufhebung der Klöster schon dargetan – der Priester und der Stand des Priesters, von dem er sagt, daß er in der Geschichte eines Volkes – von allem anderen abgesehen, das er etwa in der Bildungsgeschichte eines Volkes leistet – von Gott her gesehen im letzten den Rang hat, der hier mit dem Namen des Heiligen benannt ist.

Priestertum als Vollzug des Heiligen ist also von ihm nicht zuerst in Bezug gesetzt zur persönlichen Heiligkeit des einzelnen Priesters, sondern in Bezug gesetzt, im Sinne einer letzten, symbolhaften Ausdeutung, zu der Sinngebung, die Eichendorff dem Menschendasein und der Menschengeschichte überhaupt gibt. Doch auch in dem Bruchstück der Lebensgeschichte der heiligen Hedwig stellt Eichendorff den Leser vor die entscheidende Frage, die er als Dichter in »Dichter und ihre Gesellen« dem Klausner gestellt hat und die eine der Grundfragen seines Werkes überhaupt ist, die Frage nach der Verantwortung des Christen in der Zeit für die Ewigkeit. Eichendorff fragt: »Wie aber könnten wir in unserer Zeit heilig werden?« Und er antwortet: »Ebenfalls durch großartige Entsagung. Bei uns würde aber die körperliche Züchtigung durch Geißeln, Fasten usw. wenig fruchten, oder doch keineswegs genügen. Wir haben andere Laster zu brechen: Hochmut, Dünkel des Wissens. – Die Liebe und Demut ist es, die uns nottut. Die Aufgabe ist jetzt eine andere geworden, als sie im Mittelalter war. Damals war der Glaube noch stark und allgemein, und es galt nur, die überwiegende Sinnlichkeit zu brechen. Jetzt dagegen ist der Zweifel in die Welt geworfen, wir können ihn nicht ignorieren; da hilft das einsiedlerische Zurückziehen nichts, gleichwie etwa der Vogel Strauß dadurch, daß er den Kopf unter die Flügel steckt, darum dem Feinde nicht entgeht. Es ist daher jetzt mehr ein geistiges Ringen mit der geistigen Welt in und außer uns. Wir müssen nach außen entgegentreten den bösen Elementen. Dazu gehört nicht weniger Mut, als die alten Heidenbekehrer hatten. Es gab und gibt jederzeit zweierlei Naturen: passive, d.i. bloß beschauliche, die bloß die feindlichen Influenzen von sich abwehren, nur sich selbst heiligen wollen; und solche, die kraft größerer Kraft berufen sind, auf die anderen aktiv einzuwirken. Beide aber stehen in unserer Zeit in gleichem Konflikt mit der geistigen Außenwelt. Die Welt hat nun einmal die Unschuld verloren. Den Beschaulichen verfolgen die neuen Gedanken und Zweifel in Kloster und Zelle; der Aktive muß gegen sie fechten. Zu diesem Gefechte, sowie zu jener bloßen persönlichen Abwehr gehören aber dieselben Waffen, die der Feind führt, sonst ist man vorweg verloren: Philosophie gegen Philosophie ...«.

Wer Eichendorff verstehen will, muß sich immer wieder gegenwärtig halten, daß der geistige Angelpunkt seines Werkes der Gedanke ist: der Mensch soll sich nicht verlieren an die Welt, weder an die Welt der harten

Arbeit noch an die Welt des schönen Scheins; aber er darf auch nicht flüchten aus der Welt, wie arm, hart oder gefährlich sie ihm auch erscheinen mag. Gehören Spiel, Singen und Festlichkeit zu ihr, weil sie Gottes Schöpfung ist, so ist die Welt als Geschichte zugleich Raum der Gefährdung und der Versuchung aus dem Abgrund. Darum ist für Eichendorff der Kampf unvermeidbar; er gehört in Eichendorffs Deutung seiner Zeit als einer Epoche der Revolution wesentlich zur christlichen Existenz. Die eben angeführte Stelle läßt daran keinen Zweifel; sie erschließt zugleich unmißverständlich, daß die Entscheidung der Hauptgestalten in den Romanen »Ahnung und Gegenwart« und »Dichter und ihre Gesellen« zum Priestertum Entscheidung für eine letzte Hingabe in der geistigen und geschichtlichen Auseinandersetzung ist. Die immer von neuem wiederholte Redensart von der Welt- und Lebensflucht der Hauptgestalten der beiden Romane hat ihre Ursache in der völligen Verkennung des tieferen Sinnes der Dichtung Eichendorffs. Der Priester ist in der Dichtung Eichendorffs das Sinnbild der heiligen Hingabe des Menschen an Gott. Diese heilige Hingabe vollzieht sich im Dienst für den Mitmenschen; in diesem Sinne nennt Eichendorff schon in seiner Arbeit über die »Folgen der Aufhebung der Landeshoheit der Bischöfe und der Klöster« die Priester »die ewigen Wächter und Boten des Paradieses, um das Heimweh auf Erden immer zu erneuern«. Sie sind in diesem Sinne mit der franziskanischen Gestalt des »Taugenichts« verwandt.

Wie sehr aber die heilige Hingabe, deren Sinnbild die Gestalt des Priesters für Eichendorff ist, die Bereitschaft zum Kampf in sich schließt, machen gerade die Schlußszenen der beiden Romane mit letzter Deutlichkeit sichtbar. Am Ende von »Ahnung und Gegenwart« heißt es ja doch:

> »Im Kampfe sind wir geboren und im Kampfe werden wir, überwunden oder triumphierend, untergehen. Denn aus dem Zauberrauche unserer Bildung wird sich ein Kriegsgespenst gestalten, geharnischt, mit bleichem Totengesicht und blutigen Haaren; wessen Auge in der Einsamkeit geübt, der sieht schon jetzt in den wunderbaren Verschlingungen des Dampfes die Lineamente dazu aufringen und sich leise formieren. Verloren ist, wen die Zeit unvorbereitet und unbewaffnet trifft; und wie mancher, der weich und aufgelegt zu Lust und fröhlichem Dichten, sich so gern mit der Welt vertrüge, wird, wie Prinz Hamlet, zu sich selber sagen: Weh, daß ich zur Welt, sie einzurichten, kam! Denn aus ihren Fugen wird sie noch einmal kommen, ein unerhörter Kampf

zwischen Altem und Neuem beginnen, die Leidenschaften, die jetzt verkappt schleichen, werden die Larven wegwerfen, und flammender Wahnsinn sich mit Brandflecken in die Verwirrung stürzen, als wäre die Hölle losgelassen, Recht und Unrecht, beide Parteien, in blinder Wut einander verwechseln.«

Wir sehen, wie diese Gedanken Eichendorff sein Leben lang vom ersten Roman an bis in sein letztes Lebensjahr bewegt haben. Die Atmosphäre des Kampfes, an dem die Dämonen Anteil haben, steigt auch in der Schlußszene des zweiten Romans »Dichter und ihre Gesellen« wieder auf:

»Wie's da unten nebelhaft sich durcheinanderschlingt ... man hört schon Stimmen da und dort verworren aus dem Grunde. Kommandoruf und Trompetenklänge durch die stille Luft und Morgenglocken dazwischen und den Gesang verirrter Wanderer. Und wo die Nebel auf einen Augenblick sich teilen, sieht man Engel ernst mit blanken Schwertern auf den Bergen stehen und unten weite Geschwader still und kampfbereit aufblitzend, und der Teufel in blinkendem Ritterschmuck reitet die Reihen entlang und zeigt den Völkern durch den Wolkenriß die Herrlichkeit der Länder und ruft ihnen zu: Seid frei, und alles ist euer!«

Hatte Eichendorff nach seiner Rückkehr aus dem Befreiungskrieg geschrieben, daß es noch andere Kämpfer brauche als bloße Soldaten, so nimmt er im Angesicht dieser Szene des Kampfes und der Versuchung jenen Gedanken ausdrücklich noch einmal auf. Denn als der Graf Victor seinen Mantel aufschlägt und zu erkennen gibt, daß er Priester geworden ist, sind seine Freunde betroffen:

»Manfred sah ihn lange schweigend an. ›Nun wahrlich‹, sagte er dann, ›wenn ich dich auf dem Schlachtfelde wiedergefunden hätte, hoch zu Roß mit der Fahne voran!‹ – ›Du sprichst ja wie ein Mädchen davon‹, entgegnete Victor, ›wie wenn es keinen Krieg gäbe, als den die schmucken Leutnants führen.‹«

Eichendorff hat die Geschichte seiner Zeit verstanden als ein Himmel, Erde und Unterwelt umgreifendes großes Ringen, und die Gestalt des Priesters ist ihm das Sinnbild des Menschen der heiligen Hingabe, der sich diesem Kampfe stellt. Darum kann einer der Freunde dem Grafen Victor zurufen: ›Ade, du geistliches Soldatenherz!‹ Eine Verkörperung der Gestalt des Priesters in diesem Sinne war für Eichendorff der geistliche Ritter, auf den dieser Ausruf anspielt und von dem der Richter in seiner Schrift über »Die Wiederherstellung des Schlosses zu Marienburg« (1844) sagt, daß sein Reich zwar von dieser Welt, aber nur für jene war.

Das Mißverständnis, das aus dem Geist der Zeit, gegen den Joseph von Eichendorff zeit seines Lebens in seinem Werk gekämpft hat, hervorgehend, sich seiner Dichtung bemächtigt hat, hat auch den Blick dafür verstellt, daß zu den Gestalten, in denen er in seiner Dichtung symbolisch den Sinn des menschlichen Daseins erschließt, die Gestalt des Priesters gehört. In Wahrheit steht die Gestalt des Priesters als Sinnbild auf dem Gipfel der Eichendorffschen Dichtung, nicht zufällig dem Symbol der Einsamkeit auf hohen Bergen zugeordnet; ihr Ort ist die höchste Höhe, die den Blick in die Tiefe und Ferne zugleich eröffnet; ihre Bestimmung ist die heilige Hingabe als Bereitschaft zum Dienen und Kämpfen; gestellt in die nächste Nähe des Gottessegens und der Anfechtungen aus der Unterwelt.*

* Die Zitate aus den Briefen und den autobiographischen und historischen Schriften Eichendorffs sind nach den Ausgaben Wilhelm Koschs (Historisch-Kritische Ausgabe, Bd. 10 und 12) gegeben. Die Zitate aus dem dichterischen Werk sind unschwer in jeder größeren Ausgabe aufzufinden. Die Deutung, in deren Zusammenhang die obige Darstellung steht, habe ich ausführlich entwickelt in: Eichendorff in Heidelberg. Wirkungen einer Begegnung. Köln 1954; und: Der andere Eichendorff. Zur Deutung der Dichtung Joseph von Eichendorffs. Osnabrück 1960.

Zur Überlieferung und Entstehung von Eichendorffs Romanze ›Das zerbrochene Ringlein‹[1]

Wolfgang Kron

Im Jahre 1860 veröffentlichte Hermann Freiherr von Eichendorff, des Dichters ältester Sohn, in Hoffmann von Fallerslebens ›Findlingen‹ (Bd. 1, S. 232–35) aus dem Nachlaß seines Vaters neben drei Gedichten den Entwurf eines Schreibens an den Erbprinzen von Sachsen-Coburg-Gotha und späteren Herzog Ernst II. (1818–1893) vom 1. September 1838. In diesem Schreiben bezieht sich Eichendorff auf eine Mitteilung seines in Bonn studierenden Sohnes Hermann, derzufolge der Erbprinz, der sich von 1837 bis 1838 gleichfalls als Student in Bonn aufhielt[2], den Wunsch geäußert hat, seiner Autographensammlung eine Handschrift des Dichters einzuverleiben. Eichendorff erklärt sich gern bereit, diesem Wunsche nachzukommen, und übersendet in der Anlage ein eigenhändiges Gedichtmanuskript. Das Original des Briefes befindet sich in den Kunstsammlungen der Veste Coburg und wird hier mit Genehmigung der Direktion zum ersten Male mitgeteilt:

Durchlauchtigster Printz
Gnädigster Herr!

Euer Durchlaucht haben, wie mir mein Sohn aus Bonn schreibt, meine Po[e]sien einer wohlwollenden Aufmerksamkeit gewürdigt und den Wunsch geäußert, Ihrer Handschriften-Sammlung auch eine von meiner Hand beizufügen. Es giebt nichts Tröstlicheres für den Dichter, als wenn

1 Aus der Arbeit an einer Edition der Gedichte im Rahmen der historisch-kritischen Ausgabe von Eichendorffs Werken, die jetzt unter Leitung von Hermann Kunisch fortgeführt wird.

2 Vgl. Ernst II., Herzog von Sachsen-Coburg-Gotha, Aus meinem Leben und aus meiner Zeit. Bd. 1, 5. Aufl., Berlin 1888. S. 66–69.

sein Lied bei der Jugend frischen Klang giebt, um so mehr bei den Edelsten, die durch Geburt und Geist berufen sind, dereinst die Zukunft zu lenken. Mit Freuden möchte ich daher gern das Schönste übersenden das ich besitze. Da ich aber zu diesem Zweck meine Papiere durchblättre, stoße ich immer wieder auf ein einfaches Liedchen, dem man vielfach die Ehre angethan, es für ein Volkslied zu halten und das also wohl nicht das schlechteste seyn kann. Indem ich daher daßelbe in der Anlage zu überreichen mich beehre, bitte ich gehorsamst, dem Verfaßer auch fernerhin Ihr gnädiges Andenken erhalten zu wollen.
Mit ehrfurchtsvoller Ergebenheit

Eurer Durchlaucht
gantz gehorsamster
Baron v. Eichendorff

Berlin, den
1t September 1838.

Der Entwurf des Briefes enthält noch von der Hand des Dichters den Zusatz[3]: / : *In einem kühlen Grunde.* : /

Über das Aussehen des Manuskripts macht Hermann von Eichendorff keine Angaben. Es war ihm offenbar nach dem Verlauf von 22 Jahren, sofern ihm die Handschrift überhaupt zu Gesicht gekommen war, nicht mehr erinnerlich.

Auch dieses Autograph wird noch heute auf der Veste Coburg aufbewahrt. Es handelt sich dabei keineswegs, wie man im Hinblick auf die Formulierungen in Eichendorffs Brief (vgl.: *Da ich aber zu diesem Zweck meine Papiere durchblättre, stoße ich immer wieder auf ein einfaches Liedchen ... Indem ich daher daßelbe in der Anlage zu überreichen mich beehre ...*) annehmen könnte – und in der Tat angenommen hat[4] –, um die erste Niederschrift, sondern um eine spätere eigenhändige Abschrift. Dies ergibt sich einmal aus dem Schriftduktus, der von dem der Entstehungszeit des Gedichtes (1809 bis 1811; vgl. unten) deutlich verschieden ist, während er mit dem des oben zitierten Begleitbriefes vom 1. September 1838 völlig übereinstimmt, dann aus dem Fehlen aller Streichungen und Korrekturen, wie sie im Fall einer ersten Niederschrift bei Eichendorff zu

3 Vgl. Eichendorffs Werke. Hist.-krit. Ausg. Bd. 12: Briefe von Freiherrn Joseph von Eichendorff. Hrsg. v. Wilhelm KOSCH, Regensburg (1910). S. 59.

4 Jacob MINOR in seinem Aufsatz ›Zum Jubiläum Eichendorffs‹, Zeitschr. f. dt. Philologie Bd. 21, 1889, S. 217, gestützt auf Hermann v. Eichendorffs oben erwähnte Nachlaß-Publikation.

erwarten wären[5], und schließlich aus dem vom Dichter benutzten Papier: ein Doppelblatt eines feinen weißen Papiers (17,8 cm hoch, 11,5 cm breit, ohne Wasserzeichen) mit einer ornamentalen gestanzten Bordüre auf dem Vorderblatt, welches auf den Seiten 1–2 das Gedicht enthält, während das hintere Blatt (S. 3–4) leer ist (als Konzeptpapier pflegte Eichendorff dagegen ein wesentlich gröberes graues, auch grünliches oder bläuliches Papier in Folioformat zu verwenden).

Die Handschrift stellt keine genaue Abschrift des überlieferten Textes dar, sondern weist eine Reihe von Veränderungen des Wortlauts und der Interpunktion auf. Trotz verschiedentlicher Erwähnungen in Handschriftenverzeichnissen und Ausstellungskatalogen[6] ist der Text der Coburger Handschrift bisher noch nicht in extenso gedruckt worden; seine Veröffentlichung erfolgt hier mit Erlaubnis der Direktion der Kunstsammlungen der Veste Coburg; zur Kenntlichmachung der Abweichungen wird der überlieferte Wortlaut des Gedichtes nach dem Druck in der Ausgabe der ›Werke‹ von 1841 (Bd. 1, S. 438) links daneben gesetzt:

Das zerbrochene Ringlein.	*Die Mühle.*
In einem kühlen Grunde	*Da unten im kühlen Grunde*
Da geht ein Mühlenrad,	*Da geht ein Mühlenrad,*
Mein' Liebste ist verschwunden,	*Meine Liebste ist verschwunden,*
Die dort gewohnet hat.	*Die dort gewohnet hat.*
Sie hat mir Treu versprochen,	*Die hat mir Treu' versprochen,*
Gab mir ein'n Ring dabei,	*Gab mir einen Ring dabei,*
Sie hat die Treu gebrochen,	*Sie hat die Treu gebrochen,*
Mein Ringlein sprang entzwei.	*Das Ringlein sprang entzwei.*
Ich möcht' als Spielmann reisen	*Ich möcht' als Spielmann reisen*
Weit in die Welt hinaus,	*Weit in die Welt hinaus*
Und singen meine Weisen,	*Und singen meine Weisen*
Und gehn von Haus zu Haus.	*Durch's Land von Haus zu Haus.*

5 Über Eichendorffs Arbeitsweise vgl. Franz UHLENDORFF, Aurora 17, 1957, S. 17–18.

6 Vgl. Wilhelm FRELS, Deutsche Dichterhandschriften von 1400–1900. Leipzig 1934. (Bibliographical Publ. Vol. 2) S. 62–63. – Bayer. Akademie der schönen Künste: Joseph Freiherr von Eichendorff. Ausstellung z. 100. Todestag. [Katalog.] München 1957. S. 56, Nr. 173.

Ich möcht' als Reiter fliegen	*Ich möcht' als Reiter fliegen*
Wohl in die blut'ge Schlacht,	*Wohl in die blut'ge Schlacht,*
Um stille Feuer liegen	*Um stille Feuer liegen*
Im Feld bei dunkler Nacht.	*Im Feld bei dunkler Nacht.*
Hör' ich das Mühlrad gehen:	*Hör' ich das Mühlrad gehen:*
Ich weiß nicht, was ich will –	*Ich weiß nicht was ich will –*
Ich möcht' am liebsten sterben,	*Ich möcht' am liebsten sterben,*
Da wär's auf einmal still!	*Da wär's aufeinmal still.*

Joseph Freih: v. Eichendorff.

Welcher Art sind die Veränderungen und wie ist ihre künstlerische Bedeutung zu beurteilen? – Zunächst ist festzustellen, daß die Änderungen nicht einschneidender Natur sind. Form und Inhalt bleiben im wesentlichen unangetastet. Ein Teil der Varianten des Wortlauts vermag jedoch den volksliedartigen Ton des Gedichtes noch zu verstärken. So klingt die erste Zeile von Strophe 1 durch die Hinzufügung des Ortsadverbs *Da* und des Adverbs *unten* wörtlich an die Strophenanfänge vieler Volkslieder an, z.B. an das Gedicht ›Müllers Abschied‹ in ›Des Knaben Wunderhorn‹ (Bd. 1, 1806), das Eichendorff vermutlich gekannt hat[7] und dessen Strophen 1 und 2 beginnen[8]: *Da droben auf jenem Berge / Da steht ein goldnes Haus* und: *Da unten in jenem Thale / Da treibt das Wasser ein Rad.* Auch die Ersetzung des Personalpronomens *Sie* durch das Relativpronomen *Die* und des Possessivpronomens *Mein* durch den bestimmten Artikel *Das* in der ersten bzw. in der vierten Zeile von Strophe 2 ist dazu geeignet, den volksliedartigen Charakter des Eichendorffschen Gedichtes noch zu unterstreichen. Weiterhin läßt die Einführung der doppelten Senkungen (Str. 1, Z. 1 u. Str. 2, Z. 2) und des zweisilbigen Auftakts (Str. 1, Z. 3), welcher bereits im Erstdruck des ›Zerbrochenen Ringleins‹ (vgl.

7 Vgl. Eichendorffs Tagebucheintragung vom 13. März 1808 (Hist.-krit. Ausg. Bd. 11, 1908, S. 224): *Mein Singen: Da droben auf jenem Berg u. polnische Lieder.* S. aber auch den völlig gleichlautenden Beginn von ›Schäfers Klagelied‹ von Goethe (veröff. im Taschenbuch auf 1804). Über den möglichen Einfluß des Goetheschen Gedichtes auf Eichendorff vgl. Oskar WALZEL, Euphorion Bd. 7, 1900, S. 813 Anm., und Karl Otto FREY, Neue Heidelberger Jahrbücher N.F. 1938, S. 69 u. 85 (Anm. 97).

8 Zitiert nach der Ausgabe des ›Wunderhorns‹ in Reclams Universalbibliothek Nr. 1251–56, hrsg. v. Friedrich BREMER, Leipzig o.J., S. 71.

unten) vorkommt, das Gedicht als noch stärker abhängig vom Volkslied erscheinen, zu dessen metrischen Formmerkmalen bekanntlich die Füllungsfreiheit gehört. – Doch zielen offensichtlich nicht alle Abweichungen der Coburger Handschrift in diese Richtung. Die Ablösung der beiden jeweils nur eine Zeile umfassenden Sätze von einem einzigen Hauptsatz in Strophe 3, Zeile 3 und 4, wobei die parataktische Satzreihung und die anaphorische Wiederaufnahme der Konjunktion *Und* verloren geht, ist eher von gegenteiliger Wirkung: sie vermindert die aus dem Volkslied übernommenen Stilelemente.

Fragen wir nun nach den Gründen, die den Dichter bestimmt haben mögen, die Umarbeitung der Romanze vorzunehmen, so dürften, nach den vorangegangenen Beobachtungen zu urteilen, weniger künstlerische Gesichtspunkte ausschlaggebend gewesen sein. Es scheint, daß die Bearbeitung vorab erfolgte, um dem hochgestellten Empfänger durch die Überreichung einer veränderten Version des berühmten Gedichtes an Statt einer bloßen Abschrift eine Huldigung zu erweisen.

Daß es sich in der Tat um eine eigens für den Erbprinzen angefertigte Fassung des ›Zerbrochenen Ringleins‹ handelt, erhellt daraus, daß Eichendorff die Lesarten der Coburger Handschrift nicht in der Ausgabe seiner Werke von 1841 berücksichtigt hat, an deren Redigierung er, wie wir wissen, beteiligt war. Obwohl er laut Verlagsvertrag[9] nur zur Korrektur der ungedruckten Werke verpflichtet war – die der übrigen Werke blieb dagegen dem Verleger überlassen –, hat es sich Eichendorff wahrscheinlich nicht nehmen lassen, auch seine bereits veröffentlichten Dichtungen noch einmal vor der Drucklegung durchzusehen. So berichten die Herausgeber von ›Ahnung und Gegenwart‹ in der historisch-kritischen Ausgabe von Eichendorffs Werken (Bd. 3, 1913), Wilhelm Kosch und Marie Speyer, im Vorwort zu dem Band (S. XVf.) über Änderungen an der Neuausgabe des Romans im Rahmen der ›Werke‹, die nur auf den Dichter selbst zurückgehen können. Zu einer ähnlichen Feststellung kommt Hilda Schulhof, was Eichendorffs Gedichte betrifft, in ihrem Aufsatz ›Die Textgeschichte von Eichendorffs Gedichten‹ (Zeitschr. f. dt. Philologie Bd. 47, 1918, S. 55ff.). Die aktive Anteilnahme des Dichters an der Vorbereitung der Gedichtedition bezeugt auch ein von ihm stammender,

9 Der Vertrag ist vollständig abgedruckt in der historisch-kritischen Ausgabe von Eichendorffs Werken, Bd. 13 [1911], S. 300–03. Vgl. insbesondere § V (S. 302).

bislang unbekannter Brief, der kein Datum und keine Adresse aufweist, aber zweifellos im Jahre 1840 geschrieben wurde und vermutlich an den Verleger Markus Simion in Berlin gerichtet ist. Mit ihm sandte Eichendorff ein vom Verlag offenbar als Durckvorlage eingerichtetes und ihm zur Stellungnahme vorgelegtes Exemplar seiner ›Gedichte‹ von 1837 mit seinen Korrekturen zurück. Der Brief lautet (sein Abdruck erfolgt hier mit freundlicher Genehmigung des Freien Deutschen Hochstifts in Frankfurt a.M.):

Ew: Hochwohlgeboren
sende ich hiermit das Exemplar meiner Gedichte ergebenst wieder zurück. ich habe mir erlaubt, wo ich nicht einverstanden war, darin zu streichen, kleine Abänderungen u. Bemerkungen beizuschreiben. Zugleich füge ich die Dedication nebst dem Genehmigungsschreiben v: 7t Mai c: bei[10], *welches letztere ich, nach gemachtem Gebrauch, mir wieder zurückerbitte.*

Mit ausgezeichnetster Hochachtung
ergebenster
Eichendorff.

Zwar läßt der Brief nicht erkennen, auf welche Gedichte sich Eichendorffs Änderungswünsche beziehen und ob sich auch ältere, bereits gedruckte Gedichte darunter befinden, so daß die Bedeutung dieses Briefes nicht überschätzt werden darf, zumal Eichendorff zwei offensichtlich falsch eingeordnete Gedichte an ihren Plätzen belassen hat[11], doch dürfte trotz diesen Einschränkungen nach allem, was wir im Vorhergehenden zur Beschaffenheit der Coburger Fassung und zur Textgestaltung der ›Werke‹ festhalten konnten, kaum noch ein Zweifel darüber bestehen, daß es dem Dichter fern lag, den überlieferten Wortlaut der Romanze revidieren zu wollen.

Wir haben also zwei gültige Versionen des ›Zerbrochenen Ringleins‹ vor uns. Sie weichen, wie der Vergleich zeigte, nur unwesentlich voneinander ab. Die jüngere, für den Erbprinzen von Sachsen-Goburg-Gotha

10 Gemeint sind Eichendorffs Zueignung der Ausgabe an Friedrich Wilhelm IV. in Band 1 und das Genehmigungsschreiben des Königs vom 7. Mai 1840, abgedruckt in der hist.-krit. Ausg. von Eichendorffs Werken, Bd. 13, S. 150.

11 ›Nachruf an meinen Bruder‹ und ›Die Nachtigallen‹ in der Abteilung ›Totenopfer‹. Vgl. dazu Franz Uhlendorff, Aurora 14, 1954, S. 26–28 u. 37.

hergestellte Fassung hat der Dichter nicht veröffentlicht. Für eine kritische Ausgabe von Eichendorffs Gedichten ergeben sich daraus zwei Schlußfolgerungen. Erstens: die Abweichungen der Coburger Handschrift gehören in den Lesartenapparat und zweitens: die für den Erbprinzen bestimmte Bearbeitung ist unter den nachgelassenen Gedichten in die Gruppe der Gelegenheitsgedichte, Stammbuchverse etc. zu stellen. –

Ähnlich verhält es sich mit einer weiteren eigenhändigen Abschrift von ›In einem kühlen Grunde‹.

Diese Handschrift ist mehrfach faksimiliert worden. Zuerst im Autographen-Katalog Nr. 228 der Firma J. A. Stargardt (S. 23)[12]. Ferner in dem ›Album von Handschriften berühmter Persönlichkeiten vom Mittelalter zur Neuzeit. Hrsg. von K. Geigy-Hagenbach‹, Basel 1925, S. 178, und in ›Deutsche Gedichte in Handschriften‹, Leipzig (1935), Tafel 21 (ohne Eichendorffs Widmung am Schluß). Das Original, das früher Stefan Zweig besaß, befindet sich heute in der Bibliotheca Bodmeriana in Cologny bei Genf[13]. Es handelt sich um ein Blatt weißen Briefpapiers, 26 cm hoch, 22,5 cm breit, mit folgendem Wasserzeichen: J WHATMAN 1838 E.

Die Abschrift (auf S. 1) ist wie folgt unterzeichnet: *Zum freundlichen Andenken / von / Jos: Frhr: v. Eichendorff.* Der Empfänger ist nicht bekannt. Ebensowenig das genaue Entstehungsdatum. Als terminus post quem ergibt sich aus dem oben erwähnten Wasserzeichen das Jahr 1838; der terminus ante quem läßt sich dagegen nicht mit Sicherheit angeben. Auf Grund von Schrift- und Papiervergleichungen möchte ich jedoch annehmen, daß Eichendorff die Kopie nicht später als Ende der vierziger Jahre anfertigte.

Auch dieses Manuskript enthält eine Anzahl von Abweichungen von der gedruckten Fassung des ›Zerbrochenen Ringleins‹, hauptsächlich Änderungen der Interpunktion (Str. 3, Z. 3 u. 4: am Schluß keine Kommata; Str. 5, Z. 1: am Schluß Komma statt Doppelpunkt, Z. 2: in der Mitte kein Komma, am Schluß Komma statt Gedankenstrich, Z. 4: am Schluß Punkt statt Rufzeichen). Von den Varianten des Wortlauts sind vor allem

12 Nach einer freundlichen Mitteilung von Herrn Günther Mecklenburg, Inhaber der Autographenhandlung J. A. Stargardt in Marburg, ist der Katalog 1911 oder 1912 erschienen.

13 Herrn Dr. Martin Bodmer möchte ich auch an dieser Stelle für die mir freundlich gewährte Einsichtnahme der Handschrift danken.

zwei hervorzuheben: in Strophe 3, Zeile 4 schreibt Eichendorff *ziehn* statt *gehn;* in Strophe 4, Zeile 2 heißt es *wilde* an Stelle von *blut'ge (Schlacht).* Die übrigen Abweichungen bestehen, in Übereinstimmung mit dem Coburger Text, in der Rückgängigmachung der Elision des e in Strophe 1, Zeile 2 *(Meine* statt *Mein')* und Strophe 2, Zeile 2 *(einen* statt *ein'n).* Außerdem läßt Eichendorff die Überschrift fort.

Erinnern wir uns daran, daß die Lesarten der früher besprochenen Handschrift wahrscheinlich in erster Linie aus dem Bestreben des Dichters erwachsen sind, dem Adressaten seine besondere Achtung zu bezeugen, so liegt die Frage nahe: Sind auch die in Rede stehenden Abänderungen aus diesem oder einem ähnlichen Motiv hervorgegangen? Eine eindeutige Antwort ist im vorliegenden Falle nicht möglich. Die Abweichungen sind zu unbedeutend und, rein äußerlich betrachtet, zu wenig ins Auge fallend, als daß man daraus mit Sicherheit auf die gleiche Absicht schließen könnte. Es ist ebensogut denkbar, daß sie zufällig entstanden sind. Eichendorff hätte dann die Verse aus dem Gedächtnis niedergeschrieben, und die Veränderungen wären ihm unwillkürlich unterlaufen.

Ob Eichendorff – sollte die Abschrift erst nach Veröffentlichung der ›Werke‹ von 1841 erfolgt sein – die Lesarten in einer Neuausgabe seiner Werke oder in einer Neuauflage seiner Gedichte verwendet hätte, ist eine Frage, die sich gleichfalls nicht mit Sicherheit entscheiden läßt. Die Vorarbeiten für eine 5. Auflage der ›Gedichte‹ – auf die 3. (1850) und 4. (1856) Auflage hatte der Dichter, was die Textgestaltung betrifft, nur wenig Einfluß ausgeübt[14] –, die sich in seinem Nachlaß gefunden haben, enthalten lediglich Reinschriften neuaufzunehmender Gedichte und die Bemerkung, daß die in der 3. Auflage unberechtigterweise fortgelassenen Gedichte wiedereinzufügen seien[15]. Weitere Hinweise auf die Behandlung seiner bereits gedruckten Gedichte sind uns nicht überliefert. Doch darf man vielleicht aus Eichendorffs Verhalten im Falle der Coburger Handschrift, deren Varianten er, wie oben dargelegt wurde, nicht in die Ausgabe seiner Werke übernommen hat, darauf schließen, daß er Änderungen in Abschriften, die er für Verehrer und Bekannte angefertigt hat, als nicht verbindlich für den tradierten Text erachtet hat. Demzufolge wären auch die Abweichungen der vorliegenden Handschrift, gleichgültig

14 Vgl. Hilda SCHULHOF, Die Textgeschichte von Eichendorffs Gedichten. Zeitschr. f. dt. Philologie Bd. 47, 1918, S. 65–68.

15 Vgl. H. SCHULHOF, a. a. O. S. 67–68.

ob sie bewußt oder unbewußt zustande gekommen sind, in den Lesartenapparat zu verweisen, der Gesamttext aber gleichfalls in die Gruppe der Gelegenheitsgedichte innerhalb der nachgelassenen Gedichte einzuordnen.

Bei den beiden vorstehend erwähnten Abschriften des ›Zerbrochenen Ringleins‹ handelt es sich um die zur Zeit allein zugänglichen autographen Niederschriften der Romanze. Vier weitere Handschriften des Gedichts, über deren einstiges Vorhandensein wir unterrichtet sind oder deren Existenz wir erschließen können, sind teils verloren gegangen, teils verschollen. Was sich heute noch über sie in Erfahrung bringen läßt, wird in der folgenden Aufzählung dieser Handschriften mitgeteilt.

1. Eine fragmentarisch überlieferte[16] Niederschrift auf Blatt 34c der aus dem Besitz des Dichterenkels Karl Freiherr von Eichendorff stammenden Manuskripte im Eichendorff-Museum in Neisse, welche 1945 verlagert wurden und seitdem verschollen sind[17]. Vgl. Eichendorffs sämtl. Werke. Hist.-krit. Ausg. Bd. 1, 2. Hälfte. Hrsg. v. Hilda Schulhof u. Aug. Sauer, Regensburg [1924]. S. 786. – Als Entstehungsdatum des ›Zerbrochenen Ringleins‹ gibt H. Schulhof »um 1810« (ebenda) an, weil Blatt 34a die meisten Strophen des Gedichts ›Nachts durch die stille Runde‹ enthält, dessen Anfang auf Blatt 5b der in Sedlnitz entdeckten Eichendorff-Handschriften steht, und weil dieses Blatt 5b auf der Rückseite die Strophe ›Wie so leichte läßt sich's leben!‹ enthält, die im Gedichtverzeichnis unter dem Autograph von ›O Täler weit, o Höhen‹ (faksimiliert in Robert Koenigs ›Deutscher Litteraturgeschichte‹, 28. Auflage, Bielefeld und Leipzig 1900, Bd. 2, Beil. 21) erwähnt wird. Als Abfassungszeit des letztgenannten Gedichtes wird allgemein Oktober 1810 angegeben, als Eichendorff im Begriff stand, nach Wien zu übersiedeln (vgl. H. Schulhof a. a. O. S. 653). Doch ist keineswegs sicher, daß auch das angeführte Autograph in den

16 Nicht ursprünglich fragmentarische, wie Karl Otto Frey, Neue Heidelberger Jahrbücher N.F. 1938, S. 69 (mit Anm. 101), H. Schulhofs Anmerkung (s. oben) mißverstehend, behauptet. Aus dem erhaltenen Verzeichnis des sogenannten Wiesbadener Eichendorff-Nachlasses, das sich im Eichendorff-Archiv in Wangen befindet, geht hervor, daß ein Teil der Verse (um welche es sich handelt, ist nicht klar ersichtlich) der Schere zum Opfer gefallen ist, vermutlich beim Ausschneiden eines auf der Rückseite des Blattes stehenden Gedichtes.

17 Mit Ausnahme der Tagebücher, die 1956 vom tschechoslowakischen Ministerium für Kultur dem ehem. Goethe- und Schiller-Archiv in Weimar geschenkt worden sind. Vgl. Aurora 17, 1957, S. 115–16.

Oktober 1810 fällt, da es sich dabei bereits um eine Reinschrift des Gedichtes handelt, wie aus dem Fehlen jeglicher Korrekturen ersichtlich ist. Damit entfällt auch die Möglichkeit, die in dem genannten Verzeichnis enthaltenen Gedichte »im oder vor dem Oktober 1810« (H. Schulhof a. a. O. S. 662) anzusetzen[18].

2. Die Niederschrift im 20. Kapitel von ›Ahnung und Gegenwart‹. Das Manuskript des Romans ist als verloren zu betrachten. Vgl. dieselbe Ausgabe von Eichendorffs Werken, Bd. 3. Hrsg. von Wilhelm Kosch und Marie Speyer (1913). S. VII.

3. Eine für den Dichterfreund Otto Heinrich Graf von Loeben (1786–1825) angefertigte Abschrift auf einem Foliobogen, der elf Gedichte, darunter neun aus ›Ahnung und Gegenwart‹ enthält. Vgl. Joseph und Wilhelm von Eichendorffs Jugendgedichte. Hrsg. u. eingel. von R[aimund] Pissin. Berlin [1906]. (Neudr. literarhist. Seltenheiten. 9.) S. 164. Die Romanze trägt hier, wie im Erstdruck (vgl. unten), die Überschrift ›Lied‹, die dann im Gedichtanhang zur Erstausgabe des ›Taugenichts‹ (1826) in ›Das zerbrochene Ringlein‹ abgeändert wurde (vgl. Pissin a. a. O. S. 174, Nr. 152). Ob Pissins Wiedergabe des Textes (a. a. O. S. 111) einen diplomatisch getreuen Abdruck der Handschrift darstellt, muß offen bleiben, da die Eichendorff-Manuskripte aus Loebens Nachlaß zur Zeit ebenfalls verschollen sind und somit eine Nachprüfung nicht möglich ist[19]. – Pissins a. a. O. S. 164 geäußerte Vermutung, die auf dem erwähnten Folioblatt vereinigten Gedichte seien für Loebens Almanach ›Die Hesperiden‹ (erster und einziger Band: Leipzig: Göschen 1816) bestimmt gewesen, entbehrt seit der Publizierung von Eichendorffs Brief an Loeben vom 3. Oktober 1814 (Aurora 1, 1929, S. 70–72) jeder Wahrscheinlichkeit. Zusammen mit diesem Briefe schickte Eichendorff dem Freunde außer dem Manuskript von ›Ahnung und Gegenwart‹ eine Auswahl seiner *neuesten Gedichte ... für Deinen Alm[anach]* (S. 71), womit nur die ›Hesperiden‹ gemeint sein können. Diese bringen denn auch kein Gedicht aus dem 1815 veröffentlichten Roman. ›In einem kühlen Grunde‹ war zudem schon, durch Loebens Vermittlung, in dem von Kerner, Fouqué, Uhland u. a. herausgegebenen ›Deutschen Dichter-

18 Vgl. Franz UHLENDORFF, Aurora 14, 1954, S. 34.

19 Über Pissins Ausgabe vgl. die ausführliche Besprechung von Franz UHLENDORFF, Euphorion Bd. 15, 1908, S. 268–76. [Den sog. Loeben-Nachlaß besitzt neuerdings das Freie Deutsche Hochstift. (A. R.)]

wald‹, Tübingen 1813, S. 40, ›Lied‹ betitelt und *Florens* unterzeichnet, erschienen[20]. Als Druckvorlage diente eine von Loeben hergestellte Kopie von Eichendorffs Abschrift (vgl. den unten zitierten Brief Loebens an Kerner vom 29. Juni 1812).

4. In einer Fußnote zu seinem Aufsatz ›Eichendorffs Romanze »Das zerbrochene Ringlein« und ihre Entstehung‹ (Eichendorff-Kalender für 1924, S. 19–28) bemerkt Karl Freiherr von Eichendorff zu dem oben mitgeteilten Brief des Dichters an den Erbprinzen von Sachsen-Coburg-Gotha: »Die Originalhandschrift des Gedichtes befindet sich im Stift Neuburg bei Heidelberg« (S. 20). Ob dieses Manuskript wirklich mit der ersten Niederschrift des Gedichtes identisch ist, muß wiederum dahingestellt bleiben. Als Stift Neuburg 1926 an den Benediktinerorden verkauft wurde, hat der frühere Besitzer laut einer brieflichen Auskunft auch seine Kunstsammlungen aufgelöst. An wen die Eichendorff-Handschrift gelangte, ist heute leider nicht mehr feststellbar[21].

Wann ist die Romanze ›Das zerbrochene Ringlein‹ entstanden? Auf diese häufig erörterte[22] Frage könnte vielleicht die eine oder die andere der zur Zeit verschollenen Handschriften (Nr. 1, 3 und 4) im Falle ihres Wiederauftauchens eine Antwort geben, namentlich wenn es möglich wäre, die chronologische Reihenfolge der vier zuletzt angeführten Niederschriften und damit die Frage zu klären, ob das Gedicht unabhängig oder im Zusammenhang mit ›Ahnung und Gegenwart‹ konzipiert wurde. Sollte die Romanze zunächst für sich bestanden haben, bevor sie in den Roman eingeschaltet worden ist (Buch 3, Kap. 20), so kämen aus stilgeschichtlichen Gründen als frühester Zeitansatz die von Hermann von

20 Der Almanach kam mit Verspätung Ende Mai 1813 heraus. Vgl. Gustav Schwabs Brief an Kerner vom 12. Juni 1813, abgedruckt in ›Kerners Briefwechsel mit seinen Freunden‹, Bd. 1, 1897, S. 363.

21 Für freundlich erteilte briefliche Auskünfte habe ich Herrn Pater Maurus Berve, Bibliothekar der Abtei Neuburg, Herrn Alexander von Bernus auf Schloß Donaumünster bei Donauwörth und Herrn Dr. Detlev Lüders vom Freien Deutschen Hochstift in Frankfurt a. M. zu danken.

22 Vgl. außer der oben sub 1 erwähnten Anmerkung von H. Schulhof noch J. G. Wahner, Oberschlesien Jg. 11, 1912–13, S. 485–89; Karl Freih. v. Eichendorff, Eichendorff-Kalender f. 1924, S. 19–28; Karl Otto Frey, Neue Heidelberger Jahrbücher N.F. 1938, S. 65–74 (vgl. dazu Franz Uhlendorff, Aurora 18, 1958, S. 29 bis 32); Konrad Karkosch, Aurora 11, 1942, S. 24–30; Franz Heinrich Pohl, Badische Heimat Jg. 36, 1956, S. 152–54; Franz Thill, Der Ratiborer Jg. 5, 1958, Nr. 45, S. 1–2.

Eichendorff angegebenen Jahre 1809 und 1810[23] in Betracht. In diesen beiden Jahren, die der Dichter nach seiner Rückkunft aus Heidelberg teils in Lubowitz, teils in Berlin und teils in Wien verbrachte, vollzog sich seine Abkehr von der unklaren und unselbständigen schwärmerischen Lyrik seiner Heidelberger Zeit und seine Hinwendung zur volksliedhaften Poesie. Wichtige geistige und künstlerische Voraussetzungen dafür waren seine Begegnung mit dem allzeit hochverehrten Görres in Heidelberg[24] und seine Lektüre des ›Wunderhorns‹. Den entscheidenden menschlichen Einfluß mag aber die Liebe zu seiner späteren Frau, Luise von Larisch, die er 1809 kennen lernte, ausgeübt haben[25]. – Sollte jedoch das ›Zerbrochene Ringlein‹ als lyrische Einlage in ›Ahnung und Gegenwart‹ entstanden sein, wie Hermann Kunisch in seiner schönen Deutung des Gedichtes annimmt[26], so würde sich daraus eine etwas spätere Datierung ergeben. Dann fiele die Romanze in die Abfassungszeit des Romans, der vermutlich von Oktober 1810 bis Ende September 1812 in Wien niedergeschrieben wurde[27]. Im Hinblick auf seinen Standort im letzten Drittel des Werkes dürfte dann das ›Zerbrochene Ringlein‹ im Laufe des Jahres 1811 gedichtet worden sein. Noch weiter heraufzugehen und die Romanze ins Jahr 1812 zu verlegen, wie es Pissin getan hat (vgl. a. a. O. S. 99 u. 111), ist wegen einer Äußerung Loebens in seinem Schreiben an Justinus Kerner vom 16. Dezember 1811 nicht ratsam, in dem es mit Bezug auf Eichendorff heißt[28]: *Ich werde meinen sanft gefühlvollen Freund Florens ... veranlassen, Ihnen gleichfalls einiges zu senden, ist es Ihnen recht? Ich habe einige himmlisch milde Lieder von ihm, die ich in den Almanach* [gemeint ist der ›Deutsche Dichterwald‹ von 1813] *hinein-*

23 Vgl. Hoffmann von Fallerslebens ›Findlinge‹, Bd. 1, 1860, S. 235, u. Eichendorffs sämmtl. Werke, 2. Aufl., Leipzig 1864, S. XVIII.

24 Vgl. dazu Paul Stöcklein, Joseph von Eichendorff. In: Die großen Deutschen. Dt. Biogr. Bd. 3. Berlin (1956). S. 100 ff. Ders., Eichendorffs Persönlichkeit. In: Eichendorff heute. Hrsg. v. P. Stöcklein, München (1960). S. 242 ff.

25 Vgl. Franz Uhlendorff, Aurora 18, 1958, S. 23.

26 In seinem Aufsatz ›Freiheit und Bann – Heimat und Fremde‹. In: Eichendorff heute. Hrsg. v. Paul Stöcklein, München (1960). S. 152.

27 Zur Datierung von ›Ahnung und Gegenwart‹ vgl. das Vorwort zu Bd. 3 (1913) der historisch-kritischen Ausgabe von Eichendorffs Werken, hrsg. von Wilhelm Kosch und Marie Speyer, S. VII–XIV, und Thomas Riley, Wann wurde ›Ahnung und Gegenwart‹ vollendet? Aurora 19, 1959, S. 65–67.

28 Vgl. Franz Heimann, Kerner als Romantiker. Tübingen 1908. S. 25.

wünschte. Die Übersendung der Romanze erfolgte wahrscheinlich mit Loebens nächstem Brief an Kerner vom 29. Juni 1812[29]. Diesem Schreiben legte er neben einer Auswahl seiner eigenen Gedichte einige andere *eines sehr lieben Freundes bei, die ich abgeschrieben* (a. a. O. S. 307–08), womit nur Eichendorffs Beiträge[30] gemeint sein können[31].

29 Abgedruckt in: Justinus Kerners Briefwechsel mit seinen Freunden. Hrsg. von s. Sohn Theobald KERNER. Durch Einl. u. Anm. erl. v. Ernst Müller. Bd. 1. Stuttgart u. Leipzig 1897. S. 306–08.

30 Außer dem ›Zerbrochenen Ringlein‹ noch ›Sind's die Häuser, sind's die Gassen?‹ (S. 69–70, ›Heimkehr‹ überschrieben und *Florens* unterzeichnet).

31 Vgl. Kerner an Uhland, 20. Juli 1812 (Kerners Briefwechsel a. a. O. S. 313): *Gestern, nachdem das Almanachmanuskript schon abgegangen, kommt beifolgendes von Loeben an ... Zur Aufnahme in den Almanach würden von Gohl* [d. i. Loeben] *taugen: ...; von Florens: »Heimkehr« (zu den Abendbesuchen von S[eegemund] gestellt) und »Lied«.* Daraus ergibt sich zweifelsfrei, daß die übersandten Gedichte *eines sehr lieben Freundes* nicht Seegemunds Beiträge waren, wie es in einer Fußnote zu Loebens Brief (a. a. O. S. 307 mit Fragezeichen) heißt. Vgl. auch Uhlands Schreiben an Kerner vom 8. Juli 1812 (a. a. O. S. 311), in dem Seegemunds oben erwähnte ›Abendbesuche‹ bereits besprochen werden, also noch vor Eintreffen von Loebens Brief. S. ferner Loebens Brief an Kerner vom 29. August 1814 (a. a. O. S. 391): *Gewünscht hätte ich, daß Sie mir und Florens wenigstens zusammen ein Exemplar Ihres Dichterwalds hätten wollen zukommen lassen.*

Eichendorffs ›Geschichte des Romans‹

EUGEN THURNHER

Im Jahre 1851 erschien im Verlag von F. A. Brockhaus ein stattlicher Band von Joseph von Eichendorff, der den Titel trug: ›Der deutsche Roman des achtzehnten Jahrhunderts in seinem Verhältnis zum Christentum‹[1]. Es ist eine Gattungsmonographie, der drei Jahre später, 1854, die Schrift ›Zur Geschichte des Dramas‹ folgte. In beiden Arbeiten unternimmt es Eichendorff, eine literarische Gattung im Ablauf eines bestimmten Zeitraumes zu verfolgen. Das ließe darauf schließen, daß ihn das Formproblem in besonderer Weise fesselte. Doch das ist keineswegs der Fall. Weder in seiner Arbeit über den Roman noch in seiner Geschichte des Dramas spielt die Frage nach der Form eine größere Rolle. Für ihn besitzt die Form nur symptomatische Bedeutung, insofern sie die »Gesamtbildung einer Nation« (647) spiegelt, welche wiederum den »Ausdruck des sittlichen und religiösen Zustandes« (647) eines Volkes darstellt. Freilich geben nicht alle Dichtungsarten »eine gleich scharfe Signatur« (647), vor allem erscheint Eichendorff die Lyrik »zu schwunghaft, subjektiv, ja persönlich« (647), um die »Physiognomie einer ganzen Generation« (647) erkennen zu lassen. Dagegen ist das Drama in besonderer Weise dazu geeignet, da die »Charakteristik des Lebens« (647) seine Hauptaufgabe ist: »Calde-

1 Eichendorffs Werk ist 1851 bei F. A. Brockhaus erschienen. Die Ausgabe ist schwer zugänglich. Ein diplomatischer Nachdruck bei Ferdinand Schöningh in Paderborn im Jahre 1866 gehört gleichfalls zu den Seltenheiten der Bibliotheken. In der historisch-kritischen Ausgabe von August Sauer und Wilhelm Kosch sind die literarhistorischen Schriften Eichendorffs nicht erschienen. Die einzige Ausgabe, die sie vollständig bringt, ist die Gesamtausgabe von Gerhart BAUMANN, Stuttgart o. J. (1957). Dort stehen sie im Band 4: »Vermischte Schriften«. Da die Ausgabe allgemein erreichbar ist, dient sie unserer Abhandlung als Textgrundlage. Die Ziffern in Klammer verweisen auf diese Ausgabe. [Inzwischen auch in der Werk-Ausgabe des Winkler Verlags, Band 3, München 1976. (A. R.)]

ron versenkt uns in alle Tiefen jener wunderbaren Ritterlichkeit, die sich in Spanien am längsten gegen die moderne Bildung behauptet; Shakespeare ist durch den germanischen Geist Altenglands, der durch seine Schauspiele weht, fast unser Landsmann geworden; und selbst die klassischen Franzosen haben, ganz charakteristisch, ihren Theaterhelden die Allongeperücke aufgesetzt und sie am Hofe ihres theatralischen Ludwigs XIV. courfähig gemacht« (647). Deutschland aber besitzt »noch kein nationales Schauspiel« (647), so daß hier nur der Roman als »der einzig zuverlässige Ausdruck der geistigen Zustände« (648) erscheint. Eine solche Wertung mag überraschen, da ja der deutsche Roman des 18. Jahrhunderts, vielleicht in noch stärkerem Maße als das Drama, an fremden Vorbildern Gestalt gewonnen hat. Doch das ist für Eichendorff nicht entscheidend. Wichtiger ist ihm, daß der Roman »der mehr beschaulichen, als handelnden Natur« (648) der Deutschen entspreche, so daß er »zu einer wahren Musterkarte aller Gesinnungen und Narrheiten, Abgründe und Untiefen seiner Zeit« (648) geworden ist. Nicht das Sein, sondern die Bedeutung, der Sinn rückt in den Vordergrund. Seine Absicht stellt Eichendorff klar heraus: »Unsere Aufgabe wird demnach hier der Versuch sein, die Geschichte der sittlichen und religiösen Verwandlungen Deutschlands im vorigen Jahrhundert, wie sie in unserm Romane hieroglyphisch angedeutet sind, in kurzen Umrissen nachzuweisen« (648).

Da diese Verwandlungen eine ernste Krise der christlichen Religion bezeichnen, so muß Eichendorff weit ausholen, um die Zusammenhänge zwischen Dichtform und Zeitgeist deutlich zu machen. Er führt zurück in die Zeit des Rittertums, wo altnordische Mythologie, klassische Überlieferung und orientalische Motivik dem christlichen Geist in manchen Formen widerstreiten. Wie ein erratischer Block der Vorzeit liegt für Eichendorff das Nibelungenlied in dieser Umwelt: »Die Nibelungen ragen noch wie ein zackiges Gebirge aus der altnordischen Titanenwelt herein, da ringen noch jene Lindwürmer trotzig auf Tod und Leben mit der neuen milderen Weltansicht, der schöne Siegfried bezwingt den Drachen und erhebt den verborgenen Hort, er selbst aber ist früh dem Tode verfallen, und das Ganze endigt, wie eine herbe Tragödie, mit dem Zusammensturz der heidnischen Heldenwelt, die es fast zornig und widerstrebend abschließt« (650). Der Dichter, der schon der ritterlichen Welt angehört, sucht dem »gegebenen Bild die höhere Bedeutung« (653) zu sichern, indem er danach strebt, alles, »was in der Menschenbrust gleichsam wie in Träumen zu uns spricht« (653), zu einer »symbolischen Schönheit« (653) emporzubilden. »Diese in der Gegenwart, in der Geschichte und nationalen Erinnerung wurzelnde Richtung ist ihrer Natur nach objektiv, plastisch, episch« (653). Das Epos ist also nicht bloß Form der Überlieferung, sondern Gesetz der besonderen Weltsicht. Das wird deutlich, indem Eichendorff dem Nibelungenlied die Gralsdichtung gegenüberstellt. Da wird das Licht von der äußeren auf die innere Welt verlagert, denn »die geistliche Weihe des weltlichen Rittertums« (651) ist das eigentliche Thema des ›Parzifal‹ von Wolfram von Eschenbach: »Der Ritter soll durch Selbstbezwingung, hohe Taten und Tugenden sich für seinen höchsten Beruf befähigen als Bewahrer und Verbreiter des Christentums, dessen Geheimnisse durch die heilige Abendmahlsschüssel, worin Joseph von Arimathia das Blut des Heilands aufgefangen hat, symbolisch bezeichnet werden« (651). Wir stehen somit an einer entscheidenden Wende. Die »Poesie der Alten« (651) war »aus dem Gefühl einer harmonischen Gesundheit des endlichen Daseins hervorgegangen« (651), »im Christentum dagegen erhielt das Irdische nur durch seine höhere Beziehung, nicht durch das, was es ist, sondern durch das, was es bedeutet, seine volle Geltung und Schönheit« (651). Dieser gewaltige Umbruch verlangt eine völlig neue Form, die für Eichendorff im Roman gegeben ist. Diese Form entsteht mit Notwendigkeit, sie ist das Ergebnis eines tiefgreifenden religiösen Prozesses: Das Christentum hat die Poesie »von der äußeren Welt nach der inneren Welt, vom Realen zu Gemütszuständen, von Handlungen zu Charakteren, mit *einem* Wort vom plastischen Epos zur idealen Seelenschilderung« (653) gedrängt, »welche aber eben das Eigentümliche des modernen *Romans* bildet, die mithin wesentlich christlichen Ursprungs ist« (653).

Eichendorff sieht im Roman, paradox gesprochen, das christliche Epos. Er nimmt damit Gedanken vorweg, die Emil Staiger in den ›Grundbegriffen der Poetik‹ weiter ausführt: »Im Christentum scheint ein wahrhaft episches Epos nicht mehr möglich zu sein«[2]. Wie Staiger, so wehrt sich auch Eichendorff dagegen, der Form als solcher einen gewissen Wert oder Unwert zuzusprechen, da das historisch Notwendige nicht einem zeitgebundenen Urteil unterliegen kann: »Dieser Übergang vom Epos zum Roman ist an sich keine Verirrung oder Entartung der Poesie, er hat seine

2 Emil STAIGER, Grundbegriffe der Poetik. Zürich o.J. (1946). 146.

innere Wahrheit in dem ganzen Entwicklungsgange der Nation, es ist dieselbe urkräftige Poesie, nur mit veränderter Weltansicht. Und diese neue Weltansicht war der Poesie wenigstens ebenso günstig als die alte sinnliche, denn es ist gar nicht abzusehen, warum im Reiche der Erfindung die historische Wahrheit, wie sie im Epos vorwaltet, mehr wert sein sollte, als die ideale des Romans. Eine falsche Idealität freilich, in der alles Sinnliche und Objektive krankhaft zerfließt, ist überall, weil sie eines der unabweisbaren Elemente aller Kunst vernichtet, der Untergang der Poesie. Allein jene Weltansicht war eben die christliche, der damalige Roman hatte festen Grund und Boden in einer positiven Religion, die beständig auf ihre Betätigung im äußeren Leben, auf den Heroismus echten Rittertums, mithin auf eine wenngleich erhöhte Wirklichkeit hinwies, und ihn daher vor der subjektiven Verflüchtigung ins bodenlose Leere bewahrte« (653/654). Als die großen Vertreter der neuen Form erscheinen Wolfram von Eschenbach und Gottfried von Straßburg. Wolfram knüpft das Schicksal seiner Helden zuerst an die Hilfe Gottes, »die muntere Göttin der Aventiure muß ganz der leitenden Vorsehung weichen« (654), während Gottfried seinen Helden »nur als Spielzeug von Glück und Leidenschaft« (656) sieht, wobei der subjektive Zug fast zur Auflösung der inneren Form führt. Der Roman aber ist für Eichendorff innere Form. Das zeigt sich darin, daß er den Übergang vom Vers zur Prosa kaum berührt. Zwar erkennt er darin eine fortschreitende, subjektive Sprengung der alten Form, doch bleibt sie für ihn ein bloßes Symptom der inzwischen eingetretenen Verinnerlichung des Glaubens. Schon die Mystik, mehr aber noch die Reformation hat »allen Akzent auf das Subjekt« (676) gelegt, wodurch die strenge Gestalt des ritterlichen Romans aufgelöst wurde. Einzig die Volksbücher wahren die Form, »gleichwie die Abendsonne vor ihrem Scheiden noch einmal die Landschaft hinter uns scharf beleuchtet« (666), »aber der große Strom hat sich hier in zahllose, wildüberstürzende oder anmutig rieselnde Flüsse und Bäche verteilt, das mächtige Naturgefühl, das sonst in Feld und Wald und allen Erscheinungen ein heroisches Tun erkannte, bildet und dichtet nicht mehr wie ein organisches Naturwerk in lebendig fortlaufender Tradition« (666). Es sind nur einzelne »Elemente des alten Sagenepos« (666), die im Volksbuch fortleben, die eigentliche Form des Romans aber, die »eine Vermittlung mit dem Irdischen durch Symbolik« (652) ist, ging verloren. Eichendorff hat in einer Definition ihre Hauptzüge scharf hervorgehoben: »Vorherrschen des Gefühls vor der Handlung, der inneren Motivierung vor dem Faktischen, geistiges Übersiedeln der sagenhaften Vergangenheit in die lebendige Gegenwart, durchgehende Verklärung dieser Gegenwart durch den Glauben an eine göttliche Leitung in irdischen Dingen« (654). In der Dichtung des 18. Jahrhunderts sieht Eichendorff den großangelegten, aber vergeblichen Versuch, die alte Form des Romans, die durch Reformation und Barock zerbrochen worden war, wiederherzustellen.

Das 18. Jahrhundert empfängt seine besondere Bestimmung durch eine völlige Neubewertung der Natur. Jan Huizinga spricht folgerecht von der »Erkenntnis der Welt als Natur«[3]. Doch es geht nicht zuvörderst um Erkenntnis. Die schwerwiegende Verwandlung der Welt liegt darin, daß die Natur als völlig selbständiger Bereich der göttlichen Offenbarung gegenübertritt. Natur gegen Offenbarung, Natur als Offenbarung! Die Natur ist ein aufgeschlagenes Buch, das der Heiligen Schrift gleichberechtigt zur Seite steht. Das gilt nicht allein für die äußere Wirklichkeit, sondern in noch stärkerem Maße von der menschlichen Natur, die nun zur Quelle göttlichen Lebens wird. Eichendorff erkennt darin den entscheidenden Vorgang, den er im ersten Abschnitt »Die Naturreligion« darstellt: »Wo der Glaube und der Sinn für das Übernatürliche aufhört, da fängt der Aberglaube an die Natur an. Man hatte den Meister aus der großen Werkstatt der Welt hinausgeklügelt, und die Werkstatt der Natur sollte nun für sich allein die Welt bedeuten« (703). Das führe zwangsläufig dazu, daß der Mensch erst die Natur, dann sein eigenes Gefühl vergöttere. Als Vergötzung des persönlichen Gefühls interpretiert Eichendorff Goethes ›Werther‹, wo eine »Gefühlsfreiheit, die nur sich selbst genießen« (713) will, sich »gegen jede Schranke der Religion und Sitte« (713) auflehnt. Werther ist für Eichendorff nur »ein edler und tiefer gehaltener Ardinghello« (713), »ein moderner Narziß, der beständig im Bach sich selbst bespiegelt« (713). Um seine These zu erläutern, zitiert Eichendorff folgende Sätze aus dem Roman: »Ich spiele mit, vielmehr, ich werde gespielt wie eine Marionette, und fasse manchmal meinen Nachbar an der hölzernen Hand und schaudere zurück. Dies Herz, das doch mein einziger Stolz ist, das ganz allein die Quelle von allem ist, aller Kraft, aller

3 Jan HUIZINGA, Naturbild und Geschichtsbild im 18. Jahrhundert. Parerga, Basel 1945, 152.

Seligkeit und alles Elendes. Ach, was ich weiß, kann jeder wissen; mein Herz habe ich allein« (713/714). Eichendorff erblickt darin den »sublimsten Hochmut« (714), der unausweichlich zur Katastrophe führen muß, wo das heilig gesprochene Gefühl an die Grenzen der objektiven Welt stößt. Für ihn aber vollzieht sich darin nicht ein bloß subjektives Schicksal. Werther ist nur der besondere Fall des Menschen, der »wählerisch dem positiven Christentum entsagt, um lieber selbst Gott zu sein« (714). So steht er sinnbildlich für den Menschen, der sein Herz zum Grund der Welt erklärte.

Das positive Christentum manifestierte sich für die meisten Menschen des 18. Jahrhunderts nur noch in einer Summe sittlicher Vorschriften, denen gegenüber sich die Stürmer und Dränger auf das Recht der Sinne beriefen. Alle Gebote erschienen als Schranken der Person, als Frevel an der göttlichen Natur. Man forderte die absolute Freiheit der Triebe, durch die erst die Schönheit des Lebens hergestellt werden solle. In Heinses ›Ardinghello‹ heißt es: »Jeder Mensch hat einen Dämon, der ihm sagt, was er tun soll. In jedem Menschen wohnt ein Gott, und wer sein inneres Gefühl geläutert hat, vernimmt ohne Wort und Zeichen dessen Orakelsprüche, erkennt seinen eigenen höheren Ursprung, sein Gebiet über die Natur, und ist nichts untertan« (709). Eichendorff faßt den Sinn des Romans in einer einzigen These zusammen: »Das Leben ist durch die Zivilisation, durch die Ehe, ›diese vieltausendjährige Sklaverei‹, und insbesondere durch das Christentum verkünstelt und häßlich geworden ... Es muß die ursprüngliche Schönheit, die ewig in der Natur wohnt und die das Christentum und die Zivilisation gebunden haben, frei gemacht und in das verkünstelte Leben wieder hineingetragen, die natürliche Begierde nach sinnlicher Lust daher keineswegs bezähmt oder bekämpft, sondern nur verschönert und veredelt werden; denn die Schönheit ist eben nichts anderes als das Leben in Vollkommenheit« (708/709). Wie aber soll dieses Leben in Vollkommenheit wiederhergestellt werden? Heinse hat eine sehr einfache Antwort, die ihn jeder tieferen Grundlegung enthebt: »Genuß jeden Augenblicks versetzt uns unter die Götter. Was hat der Mensch und jedes Wesen mehr als die Gegenwart? Traum ohne Wirklichkeit alles Übrige« (709). Wie aber kann aus den einzelnen Augenblicken des Genusses eine sinnvolle Ordnung entstehen? Auf diese Frage sucht Maximilian Klinger eine Antwort in seinen Romanen. Auch er bejaht die Freiheit des Genusses, doch er sucht nach einem Grund, der seinem

Handeln einen höheren Sinn zu geben vermag. In seinem Roman ›Geschichte Giafars des Barmeciden‹, den Eichendorff zum Exempel wählt, heißt es: »Ich erfülle den Kreis meines Wirkens durch die Vernunft, strebe so zu handeln, daß der Beweggrund meines Handelns Gesetz für alle sein mag. Weißt du, warum ich frei bin? Nicht darum, weil ich alles kann, was ich will, sondern weil ich will, was ich soll. Auf dieses Sollen ist meine Freiheit eingeschränkt, daß sie das moralische Gesetz nicht verletze, das die Vernunft mich lehrt. Als ein zur intellektuellen Welt gehöriges Wesen kann ich die Bestimmung meines Willens nicht anders als unter der Idee der Freiheit denken. Mit dieser ist die daraus fließende, sich selbst Gesetz zu sein, unzertrennlich verbunden« (706/707). Wenn auch Kants kategorischer Imperativ dabei ins Spiel kommt, so ist doch die Antwort für Eichendorff keineswegs befriedigender als das reflexionslose Auskosten des Augenblicks. Für ihn ist die Aufgabe des Menschen göttliches Gebot und kann nicht der freien Selbstbestimmung der sittlichen Vernunft unterliegen. Der Hybris der Sinne antwortet nur die Hybris des Verstandes.

Nicht weniger skeptisch steht Eichendorff dem Versuch gegenüber, die Gesetze der Natur einfach auf das Handeln des Menschen zu übertragen, Seele und Welt in eins zu setzen. Da sieht er die Freiheit der sittlichen Entscheidung in Frage gestellt, durch die Gott den Menschen zum Waagebalken des Geschehens machte. Deshalb wendet er sich schon gegen das Thema von Goethes ›Wahlverwandtschaften‹, weil hier die »Sünde gleichsam prädestiniert« (714) ist durch jene auf »die Geister bezogene geheimnisvolle chemische Naturverwandtschaft« (714). Goethe selbst hat dieses Wirken geheimer Naturkräfte, die die Verbindungen zwischen den Menschen lösen und knüpfen, als göttliches Gesetz verstanden: »Es sind gewisse Dinge, die sich das Schicksal hartnäckig vornimmt. Vergebens, daß Vernunft und Tugend, Pflicht und alles Heilige sich ihm in den Weg stellen; es soll etwas geschehen, was ihm recht ist, was uns nicht recht scheint; und so greift es zuletzt durch, wir mögen uns gebärden, wie wir wollen« (714). So sieht Eichendorff auch in der Lösung Goethes keinen echten Verzicht, sondern »Ottilie, die eigentliche Apotheose jener Naturverzauberung, wird nur durch ein zufällig verschuldetes großes Unglück zum Entschluß pflichtmäßiger Entsagung aufgeschreckt« (715). Der Naturglaube, die »selige Notwendigkeit des reinen Zusammenseins«, endet in Schuld und Tod und Verzweiflung, aus denen nur die Gnade des persönlichen Gottes zu befreien vermag. In der »Seligsprechung und Verzärtelung dissoluter Gefühle« (714) erkennt Eichendorff den »eigentlichen Mißklang dieser harmonischen Dichtung« (714), es bleibt ein Widerspruch von Form und Gehalt, den Goethe im Roman nicht rein zu lösen vermochte.

In der Naturreligion erblickt Eichendorff eine »destruktive Richtung« (720), der eine »konservative« (720) Geistesströmung entgegenläuft, welche in eine moralisierende und in eine pietistische Linie zerfällt. »Beide Spielarten wollen ehrlich das Christentum, und unterscheiden sich nur dadurch voneinander, daß die einen, vom Positiven absehend, die Religion allein von seiten ihrer praktischen Nützlichkeit, also als bloße Moral, auffassen; während die anderen allerdings auf das Positive gehen, dieses aber nicht unmittelbar auf die göttliche Offenbarung und den historischen Glauben stellen, sondern vielmehr durch die Innerlichkeit des subjektiven Gefühls erst *begründen* wollen« (720). Ihre Äußerungen faßt Eichendorff unter der Überschrift »Die Religion der Moral und der Pietismus« zusammen. Als Vertreter des moralisierenden Romans erscheinen Gellert, Sophie von Laroche und Hermes, den pietistischen Geist verkörpert am gültigsten Jung-Stilling. Beiden Richtungen gemeinsam ist eine vordergründige Vertauschung von Ursache und Folge, sie begreifen als bewegenden Anstoß, was nur Wirkung der von Ewigkeit gesetzten Gegebenheiten sein kann. Dadurch ist ihr religiöses Leben ein fortdauerndes Verwechseln des Objektiven und Subjektiven, so daß der Mensch keinen unverrückbaren Halt zu gewinnen vermag. In endlos fortschreitender Dialektik ringt der Mensch um die Übereinstimmung von natürlicher und geoffenbarter Religion. In Hamann erlebt diese Auseinandersetzung ihren Gipfel. Mit scharfem Blick hält Eichendorff das Ergebnis dieses Ringens fest: »In dieser Seelenangst suchte er daher beide Elemente, Glauben und Wissen, durch ein höheres Erkennen zu versöhnen. Vernunft und Schrift sind ihm nun einerlei: Sprache Gottes; und die Offenbarung nichts anderes als die lebendige Einheit von Schrift, Natur und Geschichte« (735). Dennoch aber kommt Hamann nie »zur Wahrheit des positiv Gegebenen« (735), sondern es bleibt bei einem »Akt individueller Intuition« (735).

Gellerts ›Leben der schwedischen Gräfin von G.‹ stellt Eichendorff an die Spitze dieser Reihe, »weil dieser Roman auf eine merkwürdige Weise schon die ganze Signatur der späteren Romanliteratur im Keime enthält« (720). Um diese Geistigkeit klar herzustellen, zitiert Eichendorff ein paar Sätze, in denen die Gräfin von ihrer religiösen Erziehung berichtet. Das Ergebnis faßt sie in den Worten zusammen: »Ich glaube auch gewiß, daß die Religion, wenn sie uns vernünftig und gründlich beigebracht wird, unseren Verstand ebenso vortrefflich aufklären kann, als sie unser Herz verbessert« (720). Das tugendhafte Handeln ist von der Einsicht des Verstandes abhängig, die das Herz zur Entsagung nötigt, wo sein Anspruch dem gemeinenen Nutzen widerspricht. Das ist das Thema, das Sophie von Laroche in all ihren Romanen anschlägt. Den Sinn des Romans ›Die Geschichte des Fräuleins von Sternheim‹ hebt Eichendorff in einem Satz heraus: »Die Verfasserin raubt ›dem gefühlvollen Herzen‹ ihrer Heldin Vermögen, Ansehen, guten Ruf, Freunde und Gemahl, um zu beweisen, ›daß, wenn das Schicksal uns auch alles nähme, was mit dem Gepräge des Glücks, der Vorzüge und des Vergnügens bezeichnet ist, wir in einem mit nützlicher Kenntnis angebautem Geiste, in tugendhaften Grundsätzen des Herzens und in wohlwollender Nächstenliebe die größten Hülfsquellen finden würden‹« (722). Das Gute ist nicht durch göttliche Setzung gut, sondern durch den Nutzen, den es stiftet. Diese platte Nützlichkeitsmoral findet Eichendorff in Hermes' Roman ›Sophiens Reise von Memel nach Sachsen‹ durch einen geistigen Kurzschluß der Lächerlichkeit preisgegeben. Mit unverkennbarer Ironie charakterisiert er Dichter und Werk: »Der Mann hat im Grunde überall recht und unrecht zugleich; denn er meint es redlich, fängt es aber regelmäßig verkehrt an. So will er die schon etwas wackelig gewordene Würde des geistlichen Standes retten. Sehr löblich, aber womit will er es bewirken? Die Regierungen sollen das verborgene Verdienst durch Spione und Ordensverleihungen überwachen und stacheln, und die Konsistorien die Wahl der Gattinnen der Pastoren leiten ... Er will das Christentum heben und stellt es daher der Poesie feindlich entgegen, indem er ihm dafür die Nachtmütze der Häuslichkeit aufsetzt« (723). So will Hermes »alle Kapitel der Moral zusammen abkanzeln« (723), indem er jede Tat mit ihren nützlichen oder schädlichen Wirkungen unmittelbar zusammenstellt. Was Eichendorff zusammenfassend über sein Werk sagt, das gilt für alle moralisierenden Romane: »Der ganze Romankomplex ist wie ein Herbarium der Tugenden, ein trockenes Exempelbuch: für jede Tugend eine abgestandene Menschenfigur, die nicht sich selbst, sondern ein besonderes

Stückchen Moral vorstellt, und an die daher niemand glaubt« (724). Es fehlt dieser Moral der Grund, der für Eichendorff im »lebendigen Glauben« (724) liegt.

Dieser Glaube schlägt zwar aus dem Herzen Jung-Stillings, doch steht er »außerhalb der Kirche« (725), was für Eichendorff heißt, daß ihm der objektive Gehalt fehlt. In einem zeichnenden Bilde macht er sich die religiöse Situation des Dichters deutlich: »Mitten zwischen Trümmern das vereinsamte, lediglich auf sich selbst gewiesene Individuum mit der Bibel in der Hand« (725). Aus dieser besonderen Lage faßt Eichendorff auch die Dichtung Stillings: »Diese protestantische Vereinsamung erklärt die ganze merkwürdige Erscheinung des Mannes. Es ist freilich das Christentum, aber mehr oder minder ein Jung-Stillingsches, durch diese besondere Persönlichkeit bedingtes Christentum; die Persönlichkeit ist alles. Daher sind auch fast alle seine Romane persönlich, eine mehr oder minder getreue Darstellung seiner eigenen inneren Erlebnisse« (725). Für Stilling ist der Grundgedanke, der in all seinen Figuren zum Ausdruck kommt, »eine unmittelbare göttliche Leitung, der Glaube, daß Gott sie persönlich durch willkürliche oder zufällige Hindernisse oder Förderungen einem oft kaum geahnten Ziele zuführe« (725). Diese Führung, die keine bloße Metapher ist, sondern »die inneren Regungen, Wünsche und Stimmungen des Geführten« (725) hervorbringt, welche demnach als Wille Gottes verstanden werden, schließt die Gefahr der Täuschung und Selbstüberschätzung zu allen Zeiten ein. Sie muß deshalb immer wieder am Wort der Bibel geprüft werden. Darin liegt der Bruch, dem der religiöse Individualismus ausgesetzt ist. Eichendorff erkennt diese wunde Stelle sehr scharf: »Wo die Bibel lediglich der subjektiven Kritik des einzelnen, es sei nun Verstandes- oder Gefühlskritik, anheimgegeben ist, da werden auch, da bei weitem nicht jeder zu lesen versteht, ihre Wahrheiten stets in die verschiedensten Privat- und Winkelreligionen umgedeutet werden, und also die Klippen nimmer zu vermeiden sein, zwischen denen eben Stilling mitten durchsteuern wollte« (730/731). Der gläubige Katholik, der Eichendorff war, konnte einer subjektiven Auslegung der Bibel keineswegs zustimmen, sondern mußte darin eine Selbsttäuschung erkennen. Er sah das Wort Gottes im objektiven Zusammenhang von Kirche und Tradition, denn nur so offenbare es die Stimme des Herrn: »Neben dem geschriebenen Worte aber geht seit fast zwei Jahrtausenden erwekkend, mahnend und erläuternd der lebendige Strom von Erkenntnis der

Frömmsten und Erleuchtetsten: die Tradition und die darauf gegründete Autorität der Kirche, oder, wie man es in anderem Sinne mit Stilling nennen könnte, die ›christliche Vernunft‹ der Jahrhunderte« (731). Bei aller Achtung, die Eichendorff dem Menschen und Dichter Stilling zollt, sieht er in seinem Werk eine Überwertung des persönlichen Gefühls, die das Göttliche bereits im Menschen sucht.

In dem Kapitel »Die Vernunftreligion« stellt Eichendorff Lessing an die Spitze, obwohl Lessing keinen Roman geschrieben, ja sich in dieser Gattung nicht einmal versucht hat. Für die Entfaltung der religiösen Weltanschauung im 18. Jahrhundert ist er jedoch von höchster Bedeutung. »In Lessing kulminiert der Protestantismus, dessen subjektive Freiheit er mit einer bis dahin unerhörten Kühnheit und Konsequenz unbedingt und für alle Dinge in Anspruch nimmt« (738). Er zieht die Folgerungen aus Luthers Haltung, steht aber damit der katholischen Kirche näher als der protestantischen Orthodoxie. Goezes Vorwurf der geheimen Katholizität Lessings nimmt Eichendorff in anderer Weise wieder auf, wenn er feststellt: »Er bestreitet die Unfehlbarkeit und alleinige Autorität der Bibel, die nur aus ihrer *innern* Wahrheit erklärt werden müsse, und erkennt die Tradition, wie sie die Kirche annimmt, als gültig an, denn das Christentum sei dagewesen, ehe Evangelisten und Apostel geschrieben hätten« (738). So kommt Lessing zu der Auffassung, daß »die Offenbarung nur die Vernunft leite« (740), auf daß die Vernunft schließlich zu einem »neuen Evangelium der höchsten Aufklärung« (740) gelange. Dennoch aber hat sich Lessing nie bei dieser Auffassung beruhigt, sondern immer wieder nach dem objektiven Wahrheitsgehalt der Bibel gefragt, doch stand sein Scharfsinn seinem Glauben immer im Wege. »Die Inspiration der Evangelien ist der breite Graben, über den ich nicht kommen kann, so oft und ernstlich ich auch den Sprung versucht habe. Kann mir jemand hinüberhelfen, der tue es, ich bitte, ich beschwöre ihn, er verdient einen Gotteslohn an mir« (741). Dieser Satz, den Eichendorff immer wieder zitiert, wird für ihn zum Schlüssel für Lessings Charakter. Er erkennt in ihm den Kämpfer, den Sucher, den verlorenen Gläubigen, dessen »heldenmütige Aufopferung und Treue« (741) die Nachwelt mißverstand, indem sie das Werkzeug der Erkenntnis für die Erkenntnis selbst nahm.

Die Emanzipation der Vernunft von der Offenbarung, die schließlich zur Verachtung jeder positiven Religion führt, verfolgt Eichendorff in den Romanen von Friedrich Nicolai, Aurelius Feßler, Moritz von Thümmel und Karl August Musäus. In all ihren Erzählungen handelt es sich darum, durch »die Darstellung der Grundsätze und Handlungen der Helden die Größe und Glückseligkeit zu zeigen, zu welcher eine über Vorurteile erhabene Vernunft und auf die menschliche Natur gegründete Tugend den Menschen erhebt« (748). Es ist der simple Aufklärungsglaube, der die Tugend auf die Nützlichkeit begründet, die durch die Evidenz des Verstandes gesichert ist. Das Prinzip der Gestaltung ist die plane Gleichung von Einsicht und Vermögen, die nur dort aus der Ordnung gerät, wo das Licht der Aufklärung die unverständigen Triebe noch nicht gezügelt hat. Es versteht sich, daß von Roman zu Roman jeweils nur die äußere Fabel geändert wird, so daß Gleichförmigkeit und Langeweile diese Vernünftelei auszeichnen. Tiefer in die Wirklichkeit dringt nur Theodor Gottlieb Hippel, den Eichendorff einer eingehenden Darstellung würdigt. Er leidet an dieser platten Aufklärerei, deshalb gewinnt seine Rechtfertigung der Vernunft größeres Gewicht. Eichendorff erblickt in seinem Werk »den interessanten Konflikt eines tiefgestimmten Gemüts mit der flachen Übermacht der Zeit« (749). Darin liegt für ihn der Schlüssel zu Hippels Künstlertum: »Aus dieser innerlichen Doppelgängerei, die er niemals überwand, erklären sich alle scheinbaren Widersprüche des rätselhaften Mannes in Leben und Schrift« (749). In dem Roman ›Lebensläufe nach aufsteigender Linie‹ sieht Eichendorff die »Seelengeschichte des Autors selbst: den steten, und doch stets unvermittelten Kampf zwischen Verstand und Gefühl, zwischen Frömmigkeit und Weltsinn, mit *einem* Worte: zwischen Glauben und Wissen« (752). Der Dichter hält die ganze Offenbarung für »eine bloße Erziehungsanstalt, um den Menschen durch die Vernunft zu entwickeln« (754). Der Sündenfall erscheint »als der revolutionäre Durchbruch der Vernunft« (754), denn dadurch erst ist der Mensch für eine Moral frei geworden, die das natürliche Erbteil seines Geschlechtes ist. Nicht der Glaube, sondern die Einsicht führt den Menschen auf den Pfad des Rechts, der sein Glück verbürgt.

Dieser Vernunftglaube kommt zur dichterischen Vollendung bei Wieland. Eichendorff weist zwei Wurzeln auf. Einmal die eigene Entwicklung, denn alle »Wendungen waren bloße Vorstudien für Leben und Schrift« (760). »Ratlos, wie er war und beständig blieb, schwankte er lange unschlüssig zwischen den Extremen, die einander wechselweise neutralisieren und ihn eigentlich alle innerlich abstießen, zwischen Altertum und Christentum, zwischen forcierter Andacht und systematischer Zweifelsucht, bis er endlich in der Mitte sein rechtes Maß, den exklusiven Beruf der Mittelmäßigkeit, gefunden und den konfusen Entschluß gefaßt hatte, ›dem Kopfe nach ein Freidenker und im Herzen der tugendhafteste Mann zu werden‹« (760). Den zweiten Ansatzpunkt findet Eichendorff in der »protestantischen Freiheit« (763), »alles vor den Richterstuhl der menschlichen Vernunft zu ziehen, denn nichts auf der Welt sei so heilig, daß es nicht untersucht und auf die Probe gebracht werden dürfte« (763). Aus Erfahrung und Philosophie erwächst jenes »*juste-milieu* zwischen Schwärmerei und platter Wirklichkeit« (761), das Inhalt und Endziel aller Romane Wielands ist. »Sein Peregrinus Proteus, sein Agathodämon und sein Agathon, so verschieden sie untereinander sind, bilden in diesem Betracht eigentlich nur ein Ganzes« (761). Die Religion erscheine nur als eine Krücke, doch müsse der Mensch lernen, ohne diese Stütze zu gehen: »Die Tugend soll nicht von der Religion, sondern nur von Weisheit, von Aufklärung abhängig sein. Es ist also gut, mit dem Laster bekannt zu werden, um aus Überzeugung Tugend zu lernen; und sofort übernehmen die Musarion, Aspasia, und wie sonst die Vernunftgöttinnen alle heißen, munter den Unterricht und probieren die Tugend« (763). Mit klarem Verständnis durchschaut Eichendorff die Schwäche von Wielands dichterischer Welt, die darin liegt, daß sie keine Wirklichkeit schafft, sondern nur ein wechselndes Spiel von allegorischen Figuren gibt, die einen stereotypen Konflikt bis zum Überdruß abwandeln. Mit Recht weist er darauf hin, daß, wer einen Roman Wielands gelesen hat, im Grunde alle kennt. Was sich von Werk zu Werk ändert, das ist nur das äußere Kostüm. In Wirklichkeit geht es immer um jene Probe zwischen Vernunft und Glauben, auf der die Tugend des Menschen begründet wird. Das »Dogma von der liebenswürdigen Schwäche der menschlichen Natur« (767) findet seine Ergänzung in der Überzeugung, daß der Vernunft auch die Möglichkeit gegeben sei, jedes moralische Gebrechen zu heilen. Diese in sich geschlossene, heile Welt ruht in Wielands Märchen, die durch den »ironischen Hauch der Aufklärung« (767), der sie überglänzt, stark auf die Romantik gewirkt haben.

Wie Lessing der Vertreter einer Religion der Vernunft, so ist Herder der Führer zur Religion der Humanität. Seine Charakteristik setzt Eichendorff an den Beginn des Abschnittes »Die Humanitätsreligion«, obgleich Herder in der Entfaltung des Romans im 18. Jahrhundert keine Rolle spielt. Unabsehbar aber ist sein Einfluß auf Goethe einerseits und Jean Paul andererseits, in denen der Roman der Humanität gipfelt. Herder erstrebte »jene Vergöttlichung der modernen Kultur durch eine harmonische Entwicklung sämtlicher Kräfte und Anlagen der Menschennatur zu einer idealen Menschheit, und nannte diese *Humanität;* denn jeder Mensch habe einen Genius: im Grunde seiner Seele eine gewisse göttliche prophetische Gabe, ein Licht, das – wenn wir es nicht durch Vernunftschlüsse und Gesellschaftsklugheit und wohlweisen bürgerlichen Verstand ganz betäubten und auslöschten – uns sicher leite« (768). Herder verlegt so die Offenbarung ganz in die Natur, die durch eine »große Analogie« (771) die »Wahrheit der Religion« (771) erschließt. Vor allem liege in der menschlichen Seele jener Funke, das »unentwickelte Bewußtsein« (769), das die »Quelle unserer geheimsten Wünsche« (769) darstellt. Christus wird zu einem »bloßen Lehrer« (771), »der uns durch sein verdienstvolles Vorbild, durch Ermahnung und Warnung veredelt, und *also* mit Gott aussöhnt« (771). Die Evangelien sind nicht göttliche Botschaften, sondern Beispielfolgen, durch die der Mensch die ihm einwohnenden göttlichen Kräfte zu entfalten angeregt wird. Das Wichtigste jedoch ist die Vollkommenheit der menschlichen Anlage. In ihr liegen Himmel und Hölle, sie ist die Quelle der Religiosität. Herder meint, alle Menschen »trügen ein solches Urbild in sich herum, und das Gefühl der Unzufriedenheit mit sich selbst, das dunkele Emporstreben zu etwas, das man gern sein möchte und doch nicht werden könne« (768/769), das sei durch eine wunderbare Entelechie darauf angelegt, »jenen innern Genius der Menschheit möglichst zu entfesseln« (769), in dem die religiöse Erfahrung zum Bewußtsein ihrer selbst kommt. Das ist jedoch nicht durch ein Wissen, sondern nur durch Bildung im weitesten Wortsinn möglich. Durch diesen Gedanken hat Herder kräftig auf Thematik und Anlage des Romans seiner Zeit eingewirkt.

Einen ersten Niederschlag finden wir bei Friedrich Heinrich Jacobi, der in seinen Romanen ›Allwill‹ und ›Woldemar‹ jeweils eine Figur in die Mitte rückt, die sich ihrer »guten Natur« (777) überläßt, welche verlangt, »daß er jede Fähigkeit in sich erwachen, jede Kraft sich regen lasse« (778).

Nicht mehr das göttliche Gesetz, sondern »sein Herz« (778) rettet ihn, denn »dies zu verstehen, sei ihm Weisheit, und ihm zu folgen Tugend« (778). Das ist nur denkbar aus dem Glauben, daß im menschlichen Herzen selbst die Summe alles Lebens verborgen liege. Diesen Schatz zu heben, das ist der Sinn der Romane Jean Pauls. Für Eichendorff ist er »der eigentliche Dichter der Humanitätsreligion« (779), der die »ideale Stellung außerhalb des positiven Christentums« (779) bereits »als ausgemachtes Erbteil« (779) annahm. Für ihn gibt es »keine andere Offenbarung als die noch fortdauernde« (780), die »in jedem Busen mit gestirnten Zügen brennt« (780). »Seine ganze Aufgabe ruhte also auf dem felsenfesten Glauben an eine Perfektibilität des Menschengeschlechtes, die ohne alle andere Offenbarung, als die ihrer eigenen Natur, das Höchste erlangen könne und solle. Die Bürgschaft für dieses Vertrauen aber, den verhüllten Keim jener Selbstentwicklung der werdenden Menschheit, fand er in dem ursprünglichen Sinn der Unschuld und Reinheit, die die ersten Jahre des Menschenlebens so zauberisch verklärt« (780). Deshalb gelingen ihm so vortrefflich die Bilder der Kinder und jener Menschen, die Kinder geblieben sind in aller Not und Dürftigkeit des Lebens, die im »Wegwenden von der Erde nach einer höhern unsichtbaren Welt« (781), durch die »Verachtung von Reichtum, irdischem Glück und weltlicher Größe« (781), in der »heitern Ergebung in Leiden« (781) von jener nur geahnten »höhern Welt durchgeistiget sind« (781). Dieses Leiden an der Welt aber steht in unaufhebbarem Gegensatz zur Vollkommenheit der menschlichen Natur. Wie löst Jean Paul diesen Widerspruch? Eichendorff zitiert in diesem Zusammenhang den Satz des Dichters: »Der Mensch wäre auf der Erde eitel und Asche und Spielwerk und Dunst, wenn er nicht fühlte, daß er es nicht wäre –, dieses Gefühl ist unsere Unsterblichkeit« (782). Dieses Gefühl aber findet er nicht im Glauben, sondern in der Wissenschaft und der Dichtkunst, die dem »gefangenen Engel im Menschen die gebundenen Schwingen lösen zum Fluge über die Erde hinaus« (781). Die Dichtung wird zur Religion, denn in ihr erscheint »das schöne Angesicht des urschönen Allgeistes« (781), sie malt »auf dem Vorhang der Ewigkeit das zukünftige Schauspiel« (781). Die Dichtung vermag den Menschen zu erlösen, sie tritt an den Platz der Offenbarung, durch die Gott zum Menschen redete, auf daß er ihn erkenne.

In Goethes ›Wilhelm Meister‹ tritt an die Stelle der Kunst nun die Idee der Bildung, doch bleibt die göttliche Wirklichkeit, in der der Mensch sich allein zu erkennen vermag. Die Gestaltung-Umgestaltung erfährt Goethe als das große Gesetz, das durch alle Bereiche der Wirklichkeit hindurchgeht. Selbst das menschliche Leben ist an diesen Prozeß angeschlossen, es vermag sich aus der Gebundenheit der Natur nur zu befreien, indem es mit Bewußtheit vollbringt, was Tier und Pflanze in stummer Selbstverständlichkeit vollziehen. So geht es Goethe im ›Wilhelm Meister‹ um »eine *allgemeine* Menschenbildung, um harmonische Entfaltung aller menschlichen Anlagen, und zwar nicht, wie bei Jean Paul, durch Wissenschaft und Kunst, sondern durch das Leben der Gegenwart selbst; es soll gleichsam praktisch gezeigt werden, wie weit es der Mensch, abgesehen von allen positiv religiösen Motiven, bloß durch jene ihm von der Natur eingepflanzte Urreligion zu bringen vermag« (795). Es entgeht Eichendorff nicht, worin die Schwäche von Goethes Roman liegt. Er erkennt klar, daß der »bildungssüchtige« (795) Wilhelm Meister ein »passives Genie« (795) ist, »das alle Eindrücke geistreich aufnimmt, ohne jemals selbst einen geistreichen Eindruck zu machen, an dem alle meistern, ohne ihn doch über die Lehrjahre hinwegbringen zu können« (795). Das hatten freilich auch andere schon bemerkt[4]. Eichendorff aber erklärt es zum ersten Mal folgerichtig aus Goethes Glauben, daß eine »Kraft selbständiger Fortentwicklung« (794) die ganze Natur durchwalte, die er als Gott verehrt. Daher beruht auch sein humanistisches Bildungsprinzip auf der Überzeugung, daß Gott »fortwährend in höhern Naturen wirksam« (794) sei, so daß sich das menschliche Leben als eine nicht abreißende Kette göttlicher Manifestationen darstellt. Darin hat die Passivität Wilhelm Meisters den Grund, indem er handelt, vollzieht er nur den Willen der Gottheit. Eichendorff hat für diese Lebensform die sprechende Metapher der Komödie gefunden, in der der Held agiert, nicht nur in der Theaterzeit, sondern seinen ganzen Weg entlang. So bleibt auch das Bildungsziel, die Selbstdarstellung der menschlichen Natur, wie Eichendorff sagt, eine »zweideutige Intention des Dichters« (801), denn sie verlangt die Entsagung der heiligsten Wünsche, ehe sich der Held des Genusses des Gewöhnlichen erfreuen darf. Eichendorff stimmt zwar Friedrich Schlegel zu, der den Roman »eine Naturgeschichte des Schönen« (795) genannt hat. Aber er sieht darin nicht nur die Größe dieses Werkes, sondern

4 Georg Gottfried GERVINUS, Neuere Geschichte der poetischen Nationalliteratur der Deutschen. Leipzig 1842, V, 324.

erkennt in dieser Tatsache auch die Grenze von Goethes Dichtung: »Sie gibt alles, was die Natur Köstliches geben kann: plastische Vollendung und sinnliche Genüge, aber sie gibt auch nicht *mehr.* Ihre Harmonie ist ihre Schönheit, die Schönheit die Religion; so wächst sie unbekümmert in steigender Metamorphose bis zur natürlichen Symbolik des Höchsten, vor dem sie scheu verstummt. Die Natur mit ihren mannigfachen Gebilden war ihm die ganze Offenbarung und der Dichter nur der Spiegel dieser Weltseele« (803). Eichendorff ehrt dieses Künstlertum, doch gibt er zu erkennen, daß es für ihn nicht das Höchste ist.

Im letzten Darstellungskreis stellt Eichendorff unter dem Titel »Ästhetisches Christentum und Antichristentum« Bruchstücke seiner Aufsätze zusammen, die er in den Jahren 1846 bis 1848 in den ›Historisch-politischen Blättern‹ veröffentlicht hatte. Er greift Teile seiner kritischen Abhandlungen ›Die geistliche Poesie in Deutschland‹, ›Lanzknecht und Schreiber‹, ›Die deutsche Salonpoesie der Frauen‹, ›Die neue Poesie Österreichs‹ und ›Die deutschen Volksschriftsteller‹ heraus, die er durch kurze Überleitungen zu einem dürftigen Ganzen verbindet. Vom Roman ist darin kaum mehr die Rede. Es bleibt bei kurzen Hinweisen. Eichendorff begreift die dichterischen Formen als bloße Zeitsymptome, die er einer eingehenden Analyse unterwirft. So tritt gerade in diesen letzten Abschnitten die Absicht klar zutage, die Eichendorff bei seiner Darstellung des Romans leitete. Es ging ihm nicht um die einzelne Gattung, deren verschiedene Spielarten er im Zusammenhang mit der Entwicklung der weltanschaulichen Grundsätze und ästhetischen Ansichten aufzeigen wollte, sondern ausschließlich um das Schicksal der positiven Religion, deren Krise für ihn der Roman widerspiegelt. Die Geschichte der Religion, nicht der Ablauf der Literatur fesselt ihn, wobei die einzelne Dichtung nur eine paradigmatische Bedeutung besitzt. Deshalb kommt er in seinen Analysen auch nirgends auf Gestaltungsfragen zu sprechen, da der ungeformte Stoff ihm bereits bietet, was er sucht. Wo demnach die bestimmte Gattung ihm diese Aufschlüsse nicht mehr gibt, läßt er sie fahren und wendet sich anderen Ausdrucksformen zu. Es ist die Frage der geistlichen Poesie, die jetzt in den Vordergrund tritt. Eichendorff faßt den Begriff sehr weit, indem er darunter alle Dichtung versteht, »die aus der Betrachtung und dem tiefen Gefühl der göttlichen Dinge hervorgegangen« (815) ist. Jede Poesie, »die wahrhaft gläubig ist« (816), ist für ihn geistliche Poesie. Sie wird für ihn damit zu einem Maßstab, an dem er die dichterischen Erscheinungen der Zeit wertet.

Noch einmal rollt er ein historisches Bild auf. Eichendorff beginnt mit Thomas von Aquin, Franz von Assisi und Thomas von Kempen, wendet sich dann den protestantischen Lieddichtern Dach, Gryphius, Gerhardt und Fleming zu, denen er den katholischen Kirchengesang von Scheffler, Spee und Balde gegenüberstellt. Die Gefahr der geistlichen Dichtung erkennt er in der Übersteigerung des subjektiven Gefühls, das die göttliche Wirklichkeit nur noch als Ausfluß der eigenen Begeisterung zu fassen vermag. Dafür erscheint ihm Klopstock ein sprechendes Beispiel. Er besteht das Wagnis des Verzichts nicht, durch das die objektive Wirklichkeit des Glaubens zum Sprechen kommt. Mit klarem Auge stellt Eichendorff fest: »Anstatt der höhern Allegorie und kühnen Symbolik des Mittelalters, wie sie noch im Dante großartig waltet, stellte er in der Messiade der ewigen Wahrheit das subjektive Menschliche, die Naturwahrheit, mit *einem* Wort: das Individuum, gleichsam als ebenbürtig gegenüber, indem er das Göttliche und Übermenschliche zur reinen Herzenssache machen wollte. Allein die göttliche Offenbarung, das Positive der Religion ist zu übermächtig, um so unvermittelt im bloßen Gefühle aufzugehen. Daher wird in der Messiade die sich beständig übernehmende Empfindung so oft überschwenglich, und das Wunderbare und Geheimnisvolle des Christentums, weil das Organ zu seiner Erfassung nicht zureicht, dagegen abstrakt ohne lebendige Anschauung« (822). So ist Klopstock, gerade »durch jene maßlose Berechtigung des Subjekts« (823), zum »Vater der modernen Poesie« (823) geworden, doch hat er eine »Ästhetisierung des Christentums« (823) eingeleitet, die dann in der Romantik in eine »ästhetische Religion« (826) umschlägt, bei der nur noch die Form der religiösen Wahrheiten den Ausschlag gibt.

Diesem ästhetischen Christentum folgt als notwendige Reaktion eine antichristliche Poesie, deren Verkünder Heinrich Heine geworden ist. Die jungdeutsche Richtung hat die Bestimmung der Humanitätsreligion, die allseitige Ausbildung der in der menschlichen Natur angelegten Kräfte, über Bord geworfen und den reinen Prozeß zum Inhalt ihrer religiösen Überzeugung gemacht. Der immerwährende Fortschritt wurde zum menschlichen Idol. »Nun liegt es aber« – wie Eichendorff richtig sagt – »in der Natur der Sache solchen ästhetischen Experimentes, daß dasselbe, da es keinen Inhalt hat, sich selbst als Gegenstand nimmt, und diesen zur möglichsten Virtuosität auszubilden strebt« (849). Dem freien, spielerischen Umgang mit allen Formen entspricht eine immer fortschreitende Entleerung der dichterischen Aussage, so daß ihr am Ende nichts mehr bleibt als der Haß gegen das Christentum, worin sie den einzigen Inhalt erblickt. Es ist die Kunst der reinen Negation. Eichendorff nennt sie »die Poesie des Hasses« (857). »Weil dies im Grunde nur eine andere Art von Subjektsvergötterung, diesem Götzendienste und seiner angemaßten Weltherrschaft aber nun einmal nichts fremder, feindlicher und störender ist, als die positive Religion, so hat sich jener Haß instinktartig und mit aller fanatischen Wut des Selbsterhaltungstriebes auf die Kirche geworfen« (849). Eichendorff sieht in dieser scheinbar ästhetischen Auseinandersetzung einen Teil jenes apokalyptischen Kampfes, der mit der Erscheinung des Antichrist ausgebrochen ist. Man muß seine Darstellung durchaus unter diesem Blickwinkel sehen. Nur so versteht man den Bannfluch, den er seiner Zeit entgegenwirft. Die Entwicklung, die der Roman des 18. Jahrhunderts aufzeigt, entrollt nur die Vorzeichen. In dieser Perspektive gewinnt sein ganzes Unternehmen eine neue Bedeutung. Was war, ist nur eine Hieroglyphe, die ihm den Sinn seiner Gegenwart aufschließt. So stellt sich uns der Historiker Eichendorff als Zeitkritiker dar, der den Standort, den ihm Erziehung und Überzeugung gewiesen, auch für die Vergangenheit zum Richtmaß nimmt.

Die Frage bedarf einer kurzen Klärung, was Eichendorff unter Literatur verstanden und in welchen Zusammenhängen er ihre Erscheinung begriffen hat. Ehe er in seiner weitgespannten Analyse ihre Formenwelt ausbreitet, gibt er uns selbst darüber Auskunft, wie er seine Aufgabe und Tätigkeit verstanden wissen wolle. Die Poesie ist für ihn »die Blüte der Gesamtbildung einer Nation« (647). Da aber, was man Bildung nennen darf, Ausdruck des sittlichen und religiösen Zustandes ist, so bestimmen »dessen Veränderungen, gleich wie die wechselnden Jahreszeiten die Landschaft unwillkürlich und nach unabänderlichen Naturgesetzen Klima und Physiognomie der Literatur« (647). Das Gesetz von Ursache und Wirkung, unter das Eichendorff die Dichtung gestellt sieht, läßt sie nur als Reflex erscheinen, den sie von den religiösen Wahrheiten auffängt. Ihr eignet kein Sein, sondern sie existiert nur in der Beziehung auf das Sein. Diese Beziehung nennen wir Religion.

Alle Dichtung wurzelt in der Religion. Ihre Formenwelt ist nur das zufällige Gefäß, in dem die göttlichen Wahrheiten überliefert werden. Deshalb hat Eichendorff keinen Blick für die besondere Erscheinung, sondern fragt allein nach den Inhalten, die eine bestimmte Prägung birgt. Selbst der Gedanke einer Korrelation von Form und Inhalt ist ihm fremd. In seinen ästhetischen Urteilen folgt er durchaus dem festen Kanon, welchen die historische Forschung seiner Zeit erarbeitet hat[5]. Auf Schritt und Tritt begegnet man Urteilen, die er von Gervinus, Gelzer oder Vilmar übernommen hat. Wichtig ist für ihn allein der religiöse Gehalt, der unabhängig von den Formen gegeben ist, so daß die längsten Analysen Lessing, Herder und Klopstock gewidmet sind, die gar nicht in die Geschichte des Romans gehören.

Deutlich treten dabei die Grenzen von Eichendorffs Urteil hervor. Sein erstes literaturgeschichtliches Werk enthüllt sich als ein historisches Mißverständnis. Wie wäre sonst wohl der Satz zu verstehen, mit dem er sein Beginnen einleitet? Er heißt: »Denn ihre sogenannten Ideale, soweit sie auch über die Gegenwart hinauszuschreiten scheinen, was sind sie im Grunde anderes als der Inbegriff aller Sehnsucht, Wünsche und Hoffnungen, der endliche Maßstab einer bestimmten Zeit an das Unendliche, Unermeßliche gelegt?« (647) Wer die Geschichte der Dichtung so sieht, dem ordnet sich alles künstlerische Vollbringen zu einem stetigen Versagen, das allein der Glaube heilt. Der Roman des 18. Jahrhunderts ist Eichendorff dafür ein sprechendes Zeugnis.

5 Franz Ranegger, Die äußere Entstehungsgeschichte von Eichendorffs literarhistorischen Schriften. Der Wächter 6, 1923, 520–536.

›Die Freier‹ von Joseph von Eichendorff

WOLFRAM MAUSER

Im Jahre 1833 erschien in Stuttgart Eichendorffs Lustspiel ›Die Freier‹. Es fand bei den Zeitgenossen wenig Echo. Zu Lebzeiten des Dichters kam es nur zu einer öffentlichen Aufführung des Stückes, und diese fand erst viel später in einem Liebhabertheater statt (Graudenz, 2. 12. 1849). Die Tatsache, daß von Eichendorffs heiterem Spiel, in dem viel von der Atmosphäre seiner Gedichte, des Romans ›Ahnung und Gegenwart‹ und der Novelle ›Aus dem Leben eines Taugenichts‹ weiterlebt, nur geringe Wirkung ausging, erklärt sich nicht zuletzt daraus, daß man sich um 1830 von der romantischen Bewegung schon abgewandt hatte. Die Lustspiele von Tieck und Brentano waren etwa dreißig Jahre früher erschienen, und manche romantischen Dichtungselemente waren inzwischen Gegenstand des Spottes und der Ironie geworden. So steht in Eichendorffs Lustspiel eine späte Frucht romantischen Kunstwollens vor uns. Sie trägt, wie dies oft bei Werken einer Spätzeit der Fall ist, die Züge der Epoche rein und bestimmt und macht den Eindruck des Abgeklärten und Fertigen. Diese Tatsache überrascht nicht, wenn man bedenkt, daß das Werk eine für eine romantische Dichtung ungewöhnlich lange Entstehungszeit besitzt. Von den ersten Anregungen bis zur Fertigstellung vergingen fast zwanzig Jahre. Die stofflichen, geistigen und formalen Voraussetzungen für das Spiel wurden zweifellos in Berlin (Nov. 1809–März 1810) und Wien (Okt. 1810–April 1813) gelegt. Am 21. November 1809 sah Eichendorff im Königlichen Nationaltheater in Berlin die beiden Lustspiele ›Die Ehemänner als Junggesellen‹ von Karl Theodor Küstner und ›Maske für Maske‹ (1794), das Johann Friedrich Jünger nach Marivaux' Komödie *Le jeu de l'amour et du hasard* eingerichtet hatte. Im Tagebuch notiert der Dichter dazu: »Meine Überraschung u. Freude zum 1tmale d(urch)aus vollkommne Schauspieler zu sehen.« Und er fügt hinzu: »Mad. Bethmann …

als Kammerjungfer in M.f.M. himmlisch«[1]. Über die reine Freude am gelungenen Spiel hinaus muß das Motiv der Verkleidung, auf dem das Lustspiel von Marivaux beruht, auf Eichendorff einen besonderen Eindruck gemacht haben; er griff es später wieder auf und machte es zum Handlungskern seines Lustspiels. Während seines Aufenthaltes in Wien wurde dann in vielen Gesprächen mit Friedrich Schlegel und Adam Heinrich Müller, den Eichendorff von Berlin her kannte, der Sinn des Dichters für das romantische Lustspiel, so wie es Schlegel sich vorstellte, geweckt. In Shakespeares ›Was ihr wollt‹, das F. Schlegel für mustergültig hielt und das Eichendorff gut kannte[2], begegnete der Dichter wieder einer Verkleidungsszene. So überrascht es nicht, daß er schon in den Roman ›Ahnung und Gegenwart‹ eine dem Drama von Marivaux ähnliche Fabel einfügte und daß er hier auch Erörterungen über das Wesen der Pantomime anstellte, die nach Inhalt und Diktion an die Ausführungen F. Schlegels erinnern[3].

Vermutlich in das Jahr 1816 fällt dann der Beginn der eigentlichen Arbeit an Szenen zu einem Lustspiel[4]. 1822 veröffentlichte Eichendorff unter dem Titel ›Liebe versteht keinen Spaß‹[5] einige Szenen eines Lustspiels. Diese bildeten, von einigen Abweichungen abgesehen, den ersten Akt des Lustspiel-Fragmentes ›Wider Willen‹, das 1906 auf Grund der Handschriften herausgegeben wurde[6]. Ob nun die Handschrift des Fragmentes ›Wider Willen‹ vor oder nach ›Liebe versteht keinen Spaß‹ anzusetzen ist, kann mit Sicherheit nicht festgestellt werden. Es besteht aber kein Zweifel darüber, daß es sich bei beiden Werken um Vorstufen zu den

1 Joseph von Eichendorff, Tagebücher. Regensburg 1908. (= Historisch-kritische Ausgabe [HKA], Bd. 11). S. 245.
2 Joseph von Eichendorff, Ahnung und Gegenwart. Regensburg 1913. (= HKA, Bd. 3). S. 167.
3 Ebd. S. 42 u. 153–157.
4 Vgl. Otto Demuth, Eichendorffs ›Freier‹. In: Aurora 4 (1934), S. 51. – Vom selben Verf.: Das romantische Lustspiel in seinen Beziehungen zur dichterischen Entwicklung Eichendorffs. Prag 1912. (= Prager deutsche Studien 20); Der Dichter der ›Freier‹ auf dem Wege zum romantischen Realismus. In: Der Wächter 8 (1925/26), S. 451–459; Der Angleichungsvorgang in Eichendorffs Lustspiel. In: Aurora 6 (1936), S. 76–85; ›Wider Willen‹ als Baustein in Eichendorffs Kunst. In: Aurora 21 (1961), S. 71–77.
5 Vgl. Aurora 8 (1938), S. 43–57.
6 Ungedruckte Dichtungen Eichendorffs. Hrsg. v. Friedrich Castelle, Münster 1906 (Diss.).

›Freiern‹ handelt, die 1829 druckfertig vorlagen. Die Veränderungen, die Eichendorff auf dem Wege zur Niederschrift der Letztstufe vornahm, sind beträchtlich. Dabei erweist sich ein großer Fortschritt in der formalen und technischen Bewältigung und in der geistigen Durchdringung des vorgegebenen Stoffes[7].

Die vielfach verschlungene Handlung des Stückes läßt sich in groben Zügen folgendermaßen darstellen: Der jugendliche Graf Leonard ist als reisender Schauspieler verkleidet auf dem Wege zum Schloß der Gräfin Adele, um deren Hand er anhalten will. Unterdessen wendet sich Leonards Onkel an den ihm befreundeten Hofrat Fleder mit der Bitte, seinerseits als Flötenspieler Arthur verkleidet zum Schloß zu reisen und nach dem Rechten zu sehen. Durch eine Indiskretion erfährt die Gräfin von der Verkleidung und der bevorstehenden Ankunft der beiden. Daraufhin entschließt sie sich, ihrerseits mit ihrem Kammermädchen Flora die Rolle zu tauschen. Indessen haben auch der Schauspieler Flitt und der Musiker Schlender, zwei herabgekommene Künstler und weinselige Abenteurer, die in einer Schenke in der Nähe des Schlosses ein Trinkgelage gehalten hatten, beschlossen, zum Schlosse zu ziehen, um dort aufzutreten. Im Walde verlieren sie einander. Schlender trifft auf den verkleideten Leonard, Flitt auf den verkleideten Hofrat Fleder, der den Schauspieler Flitt für Leonard hält. Als Leonard hört, daß ein Schauspieler namens Flitt auf dem Wege zum Schloß sei, beschließt er, nun als Sänger Florestin zu gehen. Damit sind alle Voraussetzungen dafür geschaffen, daß auch die Eingeweihten an der Nase herum geführt werden. Der zweite Akt spielt auf dem Schlosse. Durch Entführungspläne Flitts, Intrigen und Anspielungen auf ein fingiertes Rendezvous am Abend wird die Erwartung gesteigert. Jeder glaubt es gescheiter als der andere eingefädelt zu haben, in Wirklichkeit wird jeder in die fortschreitende Verwirrung hineingezogen. Im dritten Akt tritt Flora als Offizier verkleidet auf und gibt sich als Nebenbuhler der Freier. Viktor überredet indessen Schlender, in der Travestie der Gräfin Adele zum Stelldichein mit der angeblich als Arthur (= der verkleidete Hofrat Fleder) verkleideten Gräfin zu kommen. Der Wirrwarr ist nicht mehr zu überbieten. Die Lösung erfolgt schrittweise. Zuerst findet das Stelldichein zwischen dem als Gräfin verkleideten Schlender und dem Flötisten Arthur (Fleder) statt.

7 Einzelheiten bei Demuth in den oben genannten Studien.

Es endet damit, daß der Hofrat die Verkleidung Schlenders erkennt und empört ist. Inzwischen haben Flitt und seine Kumpane die Entführung der Gräfin vorbereitet. Ihnen läuft der als Gräfin verkleidete Schlender in die Arme. Sie bringen ihn in den bereitgestellten Wagen. Damit sind die reinen Abenteurer Opfer ihrer eigenen Intrigen geworden. Im letzten Auftritt geraten Flora, immer noch als Offizier verkleidet, und Leonard fechtend aneinander. Die Gräfin tritt dazwischen, was dazu führt, daß sie und Leonard einander erkennen. Einer Verbindung steht nichts mehr im Wege. Indessen wurde der fliehende Hofrat Fleder gefangen. Er wird Zeuge des Geschehens, begreift aber nicht, was vor sich geht. Viktor erhält die Hand Floras.

Der Aufbau des Spieles ist klar und übersichtlich. Die allgemeine Verwirrung durch Verkleidung und Verwechslung ist geschickt angelegt. Eichendorff hat dabei die Möglichkeiten, die der Stoff und das Motiv der Travestie bieten, bis zum Letzten ausgenützt. Die Maskerade fliegt im Augenblick der höchsten Spannung auf, in der Stunde, in der das Rendezvous stattfinden soll. Die Akteinteilung entspricht der Absicht des Dichters und bringt diese auch schön zur Geltung. Im ersten Akt (Exposition) werden Pläne und Absichten mitgeteilt, die Verkleidungen motiviert. Im zweiten Akt steigt die Spannung mit der im ersten Akt angelegten und nun fortschreitenden Verwirrung. Im dritten Akt wird die Spannung noch weiter erhöht, nun aber schon mit Mitteln, die bewußt auf deren Lösung abzielen (Verkleidung Floras als Offizier, Schlenders als Gräfin); in der zweiten Hälfte dieses Aktes erfolgen die Lösung und der Sieg der Liebe. Angesichts dieser dem Inhalt und der Absicht des Dichters angemessenen Ordnung des Stoffes ist nicht recht einzusehen, warum die Bearbeiter des Lustspiels nicht nur in den Text, sondern auch mehr oder weniger stark in die Akteinteilung und Szenenführung eingegriffen haben. Die Bühnenwirksamkeit mag durch eine Straffung in mancher Hinsicht gewinnen, ob dabei aber dem eigentlichen Anliegen des Dichters entsprochen wird, erscheint fraglich[8].

Verkleidung und Verwechslung spielen in Eichendorffs Lustspiel die entscheidende Rolle. Sie werden so weit getrieben, daß Verkleidete sich nochmals verkleiden und so auch von den Eingeweihten verkannt werden.

8 Die Bearbeitungen von Otto Zoff (1908), Alfons Hayduk (1934) und Ernst Leopold Stahl (1938) wurden vielfach aufgeführt.

Es wäre aber verfehlt, in diesem so überreich verwendeten Motiv nur ein Mittel zu sehen, mit dessen Hilfe komische Situationen und Lacherfolge erzielt werden können. Wäre es Eichendorff nur darum gegangen, so hätte er es wohl nicht gewagt, eine so bekannte Fabel, die im Grunde keine große Variation des Komischen zuläßt, einfach zu übernehmen. Aber nicht auf billige Bühneneffekte kam es dem Dichter an, sondern darauf, den Geist der Romantik, wie *er* ihn sah, in einem heiteren Spiel festzuhalten. Und dazu schienen ihm sowohl die Handlung, als auch das Verkleidungs- und Verwechslungsmotiv bestens geeignet zu sein. Der Gedanke, daß es nicht auf den Stoff, sondern auf den Geist ankomme, der sich Fabel und Form anverwandelt, war Eichendorff aufs engste vertraut; er wurde von Friedrich Schlegel immer wieder, ganz besonders in der Wiener Zeit, geäußert[9].

Ein Lustspiel im Geiste der Romantik zu schaffen, bedeutete für Eichendorff zweierlei: Es waren *Personen*gruppen zu finden, die seiner dichterischen Welt und im weiteren Sinne der Romantik entsprachen, und es mußte das ganze eine dichterische *Behandlung* erfahren, wie sie sich in ›Ahnung und Gegenwart‹ und in anderen Dichtungen schon bewährt hatte.

So stellte Eichendorff in seinem Lustspiel vier Personengruppen einander gegenüber, die kontrastierten und damit eine gewisse Bühnenwirksamkeit sicherten, und an denen zugleich Vorliebe und Abneigung der Romantiker dargestellt werden konnten. Nicht als Menschen im psychologisch-realistischen Sinne stehen die Vertreter dieser Gruppen vor uns, sondern als Repräsentanten einer fiktiven Welt: der dichterischen Welt der Spätromantik, im besonderen jener Eichendorffs.

Adele und Leonard verkörpern den Idealtyp der Liebenden. Schon auf Grund ihres inneren Adels (der sich im äußeren spiegelt)[10] sind sie füreinander bestimmt. Das Wohlwollen des Schicksals gestattet es ihnen, über diese Vorherbestimmung hinaus das Glück echter Liebe zu erfahren. Ihre Ehrfurcht vor der Zartheit des Empfindens im Anderen ist so groß, daß sie sich scheuen, ihre Zuneigung mit Worten des platten Alltags auszusprechen. Bis zur Stunde der gegenseitigen Erklärung erhalten sie

9 Vgl. Friedrich SCHLEGEL, Deutsches Museum. Bd. I. Wien 1812. bes. S. 192–193.

10 Vgl. Eichendorffs Interesse für Fragen einer geistig-sittlichen Rechtfertigung des Adelsstandes in ›Der Adel und die Revolution‹ (= HKA, Bd. 10) und in den lit. hist. Schriften (bes. HKA, Bd. 8/1, S. 75–76, 95).

sich die Reinheit und Unberührtheit ihrer Liebe. Adele und Leonard sind so die Verkörperung der Sehnsucht im Bereich des romantischen Lebensideals. Die Gräfin hat sich auf ihr »einsames Waldschloß« zurückgezogen, »weil ihr die Residenz zu langweilig ist«, Leonard hat sich »vor der Langweiligkeit der Welt in die Residenz geflüchtet« (S. 392)[11]. Das Wort *Langeweile* läßt das Gesagte erst in der Fülle der Bedeutung erscheinen: *langweilig* ist alles, was dem romantischen Empfinden, ganz besonders aber der romantischen Sehnsucht Abbruch tut; in den literarhistorischen Schriften erscheint das Wort meist zur Bezeichnung des Rationalismus und alles dessen, was daraus folgte[12].

Neben den sehnsüchtig und rein Liebenden steht das Paar Flora – Viktor, die in robuster Sinnenfreudigkeit dadurch zueinander finden, daß sie *das* unverhohlen äußern, was das andere Paar nicht auszusprechen wagt. Den Phasenunterschied in der Liebe der beiden Paare deutet Eichendorff auch in Gebärden an. Während Leonard am Ende des Stückes verworren fragt, ob die Entdeckung, daß er der Graf sei, nun Hochzeit bedeute, und Adele zögernd und leise die Frage bejaht, hebt Viktor seine Geliebte »hoch auf seinen Arm« (S. 469) und trägt sie fort.

Auch die alkoholfreudige, im Grunde aber doch sympathische Welt der Gaukler fehlt nicht. Flitt und Schlender sind verkommen, aber ihr Lebenswandel wird nicht im Gefängnis enden. Sie scheuen vor keinem Abenteuer zurück, schon gar nicht, wenn es um eine Frau geht. Im Grunde ihres Wesens sind sie aber gutmütig und menschlich. In vieler Hinsicht stellen sie eine Variation auf den Taugenichts dar, freilich auf einer tieferen Stufe.

Die Reihe der Romantiker-Gestalten wäre unvollkommen, wenn der Philister fehlte. Zwei Abwandlungen des Philisters führt Eichendorff vor: den todernsten Gärtner Friedmann, dem die Ordnung im Garten und im Leben über allem steht, und den Hofrat Fleder, eine der amüsantesten Gestalten, die Eichendorff geschaffen hat. Die »Harmonie der Kräfte« (S. 389) und die »allgemeine Sache der Menschheit« (S. 393) sollen sein Handeln bestimmen. In Wirklichkeit sind es aber nicht hohe Ideale, die ihn auf seinem Lebensweg führen; er bedient sich nur ihrer Schlagworte.

11 Seitenzahlen nach: Joseph von Eichendorff, Dramen. Regensburg 1950. (= HKA, Bd. 6). S. 387–469.

12 Joseph von Eichendorff, Der deutsche Roman des achtzehnten Jahrhunderts in seinem Verhältniß zum Christentum. Leipzig 1851. bes. S. 261.

Seine naive Freude am Turnen (Jahn, Basedow) und sein Ideal der Menschheitsveredlung erscheinen erst dann im rechten Licht, wenn man erfährt, daß er nichts daran findet, im Hinblick auf eine Stelle, die mit jährlich tausend Talern und einer freien Wohnung dotiert ist, das Kuppelspiel, wenn auch in guter Absicht, als verkleideter Musikus mitzumachen. Er ist kein Intrigant, glaubt aber, daß Eifer und Dienstfertigkeit, die allgemeinen Ideale der Zeit und persönlicher Vorteil in schönen Einklang gebracht werden könnten. Am Ende ist er, wie alle Philister bei Eichendorff, der Düpierte, nicht aber in so drastischer Weise wie die Wirtshauskumpane.

Diese vier Menschengruppen stehen nicht gleichwertig nebeneinander. Obwohl sie alle Träger von Eichendorffs dichterischer Welt und seiner geistig-menschlichen Anliegen sind, stuft der Dichter ab. Eine Welt der Seele, der Liebe und der naiv gutgläubigen Zuneigung steht einer solchen gegenüber, in der Verstand, Pseudoideal, Eigennutz und Abenteuer herrschen; der Verinnerlichung die Veräußerlichung in allen Lebensbereichen. Im Spiel geht es nun aber nicht darum, Gutes und Böses, Edles und Unedles, Seele und Verstand, Recht und Falsch gegeneinander auszuspielen, sondern darum, die menschliche Überlegenheit und den Sieg des Gefühls, der Sehnsucht und der reinen Liebe darzustellen. Ein Autor des 18. Jahrhunderts hätte in einem solchen Stück wohl nicht darauf verzichtet, Charaktere zu prüfen, Tugenden auf die Probe zu stellen, Laster anzuprangern und menschliche Gebrechen dem Verlachen preiszugeben. Aber nicht darum ging es Eichendorff. Er will nicht moralisieren und nicht rühren. Es liegt ihm fern, Sitten bessern oder Tugenden festigen zu wollen. Nicht auslachen oder verlachen soll der Zuschauer, sondern aus ganzem Herzen fröhlich und unbeschwert lachen. Der Geist der Heiterkeit soll vermittelt werden, der Geist leichten und scherzhaften Spiels, das seinen Sinn und seine Bedeutung in sich trägt. Er verzichtet auf Spott und Satire, nur da und dort (wie bei Fleder) wird feine Ironie mit ins Spiel gebracht. Alles, was auf die Schwere und Unerbittlichkeit des Schicksals im menschlichen Dasein hinweisen könnte, läßt der Dichter beiseite. Es hat somit einen tieferen Sinn, daß er in diesem romantischen Lustspiel zu Verkleidungs- und Verwechslungsmotiven greift. In ihnen erscheint (abgesehen von den unverbesserlichen Gauklern) keiner als der, der er wirklich ist. Während in der Tragödie, die vor allem in Deutschland in der klassischen Zeit als Ideen- und Bekenntnisdrama erscheint, jeder als

Vertreter seiner Überzeugung, seiner Weltanschauung, des Besten seiner Existenz auf der Bühne steht, wird hier jedes ideologische und bekennerhafte Pathos vermieden. Daher wird auch keinem zu nahe getreten, im Grunde auch nicht dem Hofrat Fleder, dessen Mission ja nicht unter seinem eigenen Namen, sondern unter dem des Flötisten Arthur scheitert. Sicher, Leonard hat unter der Maske des Florestin ein tiefes menschliches Anliegen. Entscheidend ist aber für die Atmosphäre des Stückes, daß überall dort, wo jemand getroffen wird, er nie in seiner wirklichen Existenz bedroht erscheint, sondern nur in der von ihm angenommenen, oder in der, die andere in ihm vermuten. Auf diese Weise gelingt es Eichendorff einerseits, jene Atmosphäre der Unbeschwertheit, der Unbelastetheit von Schicksal, Pathos und Tragik zu schaffen, die, wie er glaubt, ganz besonders zum romantischen Lustspiel gehöre, und andererseits das eigentliche menschliche Anliegen des Stückes, die Reinheit und Unberührtheit der Liebe zwischen Adele und Leonard, zur Geltung zu bringen.

Das Verkleidungsmotiv zielt also nicht nur auf das Lustspielhafte ab. Es findet auch, wie hier nur andeutungsweise gezeigt werden kann, in der großen Scheu des Dichters, über das Eigenste und Tiefste im seelischen Erleben etwas auszusagen, seine Erklärung. Es besitzt, strukturell gesehen, eine ähnliche Funktion wie das eingeschobene lyrische Gedicht, das nicht nur als Spiegel und Ausdruck gesteigerten seelischen Erlebens verstanden werden darf. In ihm geht es meist auch darum, ganz persönliches Empfinden und überschwengliches Gefühl dadurch zu verdecken, daß man es in einer Form mitteilt, die nichts mehr vom Charme der Persönlichkeit an sich trägt und die zarte Seele des Gegenüber nicht direkt anspricht. Gedicht und Verkleidung ermöglichen es dem bewegten Inneren, das bei Eichendorff die Gegenüberstellung und die offene Aussprache mit dem Partner nicht leicht erträgt, durch die Maske der Anonymität (ein Gedicht ist Allgemeinbesitz) oder durch eine andere Gestalt jene Worte zu sagen, die mithelfen können, die rechte Beziehung herzustellen. Leonards frechfröhliches Liebeslied am Ende des 1. Aktes (S. 422–23) und das Liebesgeständnis der verkleideten Adele in Gegenwart des Sängers, den sie nicht bemerkt (S. 423–24), sind in diesem Zusammenhang zu sehen.

Die hier aufgezeigte Struktur des Spieles kommt auch in der dichterischen Behandlung einzelner Elemente zum Ausdruck. Die Zweiteilung in der Gruppierung der Menschen, mit Abstufungen in beiden Bereichen, die durch den Ausgang des Spieles erhärtet werden, macht der Dichter durch den Wechsel von Vers und Prosa und durch eine besondere Sprachgebung sichtbar. Die Liebenden (Adele, Leonard, Flora) bedienen sich einer gewählten Ausdrucksweise und sprechen meist in gebundener Rede, in der sich weder Wortwitz noch ironische Anspielungen finden. Geist und Sprache dieser verinnerlichten Welt sind dem komischen Effekt enthoben. Wortschatz, Bilder und Ton entsprechen in vieler Hinsicht der lyrischen Dichtung Eichendorffs; so etwa im Gespräch zwischen Adele und Flora:

Flora: Die Jäger kehren heim schon von den Bergen
Wie lustig geht der Widerhall durchs Tal!

Adele: Aus der Verwirrung dieser Töne taucht
Ein langversunknes Bild mir wieder auf. –
Denkst du des Abends noch in Heidelberg?
So standen auf dem Söller wir der Burg,
Bis alles still, und nur die Wälder rauschten
Noch über uns und unter uns der Neckar.
Da kam ein Schifflein auf dem Strom gezogen
Mit Waldhornsklang und Fackelschein, der seltsam
Sich spiegelt' rings am Fels und in der Flut – (S. 420)

Oder in Leonards Worten:

Das ist die rechte Zeit, just, wenn die Rehe
Noch sorglos grasen in dem stillen Grund
Und alle Wälder, wie in Träumen, rauschen. (S. 425)

Darüber hinaus finden sich noch viele Anklänge an Stellen in den Gedichten oder in den Erzählungen, die aufs neue beweisen, wie durchgängig und gleichförmig die sprachliche Gestaltung von Eichendorffs dichterischer Welt ist. Daß diese Welt aber, da sie Ausdruck seiner Sehnsucht darstellt, dem Bereich der Phantasie und der Illusion angehört, darüber war sich Eichendorff im klaren; selten kommt diese Erkenntnis deutlicher zum Ausdruck als in der 3. Szene des 1. Aktes, wo Leonard in »etwas phantastischer Reisekleidung« (S. 401) auftritt und in einem Monolog alles, was zum Bild dieser romantischen Welt gehört, in so gedrängter Form mitteilt, daß es einem schwerfällt, hier nicht eine feine Parodierung der eigenen romantischen Manier herauszuhören, – dazu in scharf kontrastierender Weise, die an die romantische Ironie Heinrich Heines erinnert, das Auftreten Schlenders: »Laß die Narrenspossen und hilf mir lieber hier aus der Verwickelung! Hagebutten, Pfingstrosen, Stachelbeeren, alles niederträchtige Gewächs stichelt auf meine neue Kleidung.« (S. 403).

Alle, außer den eben genannten Personen (auch Leonard, wenn er mit den Kumpanen ist, oder Flora mit Viktor), sprechen in Prosa. Flitt und Schlender, die beiden herabgekommenen Komödianten, der Wirt Knoll und der Bote des Hofrat Fleder scheuen eine derbkräftige Ausdrucksweise nicht. Durch zahlreiche Verballhornungen von Fremdwörtern sorgen sie dafür, daß der Zuschauer herzhaft lacht: turnieren (S. 390) statt: turnen; Bon schnur (S. 396) statt: Bonjour; Bon Pakage (S. 401) statt: Bon voyage; champs de canaille (S. 464) statt: champs de bataille u. v. a. Aber Eichendorff macht sich nicht nur über die Manier, um jeden Preis Französisch zu reden, lustig, er bringt auch im Deutschen eine Reihe von Wortspielen: An die Äußerung »– ich will mich ganz umwenden« (S. 396), im Sinne von bessern, meint Flitt: »Lohnt nicht, bist schon von beiden Seiten verteufelt abgetragen« (S. 396), und etwas später: »Mein Kollege hat beschlossen, sich ganz umzuwenden; wir wollen ihm helfen auf dem Wege der Besserung – erst die Taschen!« (S. 398). – Die Gräfin Adele wird zur »Gräfin Krudele« (S. 398) und von Schlender sagt Flitt: »Du bist mein Blitzableiter, in den alle Blitze einschlagen« (S. 441). Hofrat Fleder wirkt nicht durch Effekte dieser Art komisch, sondern durch sein schon erwähntes philisterhaftes Bemühen, geistig dadurch auf der Höhe der Zeit zu stehen, daß er ihre Schlagworte verwendet: »Harmonie der Kräfte ist das erste Gesetz« (S. 389), »Menschheitsveredlung« (S. 393), »des Mannes Antwort ist die Tat« (S. 393), »heilige Pflicht« (S. 393), »allgemeine Sache der Menschheit« (S. 393) u. a. m. Der Widerspruch (den er gar nicht bemerkt) zwischen den Idealen, die hinter seinen Schlagworten stehen sollten, und seinen eigentlichen Handlungen, die ganz auf Nützlichkeit abzielen, macht ihn nicht nur zu einer spaßigen Figur, sondern läßt ihn auch in ironischem Lichte erscheinen. Darüber hinaus überhörte es der zeitgenössische Leser sicher nicht, daß es hier Eichendorff zugleich um eine Parodierung des aufgeklärt-rationalistischen und idealistischen Wortschatzes und darum ging, sich über die vielfachen Bemühungen um das Heil der Menschheit im 18. und 19. Jahrhundert lustig zu machen. Dieser parodistische Zug läßt sich im ganzen Werk des Dichters, von ›Ahnung und Gegenwart‹ bis zu den literarhistorischen Altersschriften, verfolgen.

Neben dem Gegensatz von höherem und alltäglichem Menschentum, der im Wechsel von Vers und Prosa zum Ausdruck kommt, steht ein solcher von gebildet und ungebildet, der dem anderen nur teilweise entspricht. Er gibt Eichendorff die Möglichkeit, auch in reinen Expositionsszenen durch die oben angedeuteten sprachlichen Mittel den Zuschauer oder Leser zu erheitern. Denn so wie der Gegensatz der Typen nicht dazu verwendet wird, Spott und Mißachtung auszuteilen, ebensowenig dienen ihm sprachliches Unvermögen des einen oder anderen oder die philisterhafte Beschränktheit des Hofrates dazu, den einen oder anderen der Lächerlichkeit preiszugeben. Hier wie dort geht es dem Dichter in erster Linie um eine Steigerung des lustigen Effekts.

Die Grundstruktur des Lustspiels wird auch in den vielen sprechenden Namen sichtbar. Adele, Leonard, Viktor, Flora stehen Flitt, Schlender, Knoll und Fleder gegenüber. Das ganze Wesen wird im Namen zusammengefaßt. Dabei geht es aber nicht so sehr um die Charakterisierung als solche und nicht nur um die lustige Wirkung (wie bei den Namen der zweiten Gruppe), sondern vielmehr um eine Typisierung mit harmlosen Mitteln, die für den Zuschauer und Leser auch durch die Verkleidung hindurch vernehmbar bleiben soll.

Alle hier aufgeführten Dichtungs- und Formelemente helfen mit, Eichendorffs Lustspiel zu dem zu machen, was es ist. Sie waren für den Dichter aber nicht Sinn und Zweck seines Versuchs, eine Komödie zu schreiben, sondern stellen nur Mittel zur Erreichung einer höheren Wirkung dar: zur Vermittlung romantischen Geistes. Es gibt nur *ein* Wort, das diesem Geiste gerecht werden kann, und das lautet: *Scherz*. Das ganze Spiel ist ein scherzhaftes Unternehmen, ist Ausfluß einer Heiterkeit und eines Frohsinns, wie sie nur in einem innerlich ausgewogenen und glücklichen Menschen lebendig sein können. Auf diesen Geist kam es Eichendorff in den ›Freiern‹ an. Daß dieses Anliegen des Dichters letztlich tief in der Weltanschauung und im Kunstwollen seiner Romantik begründet lag, geht aus einer Gegenüberstellung dessen hervor, was Scherz und Humor für Eichendorff und viele seiner Zeitgenossen bedeuteten. Der heutige Leser sieht den Gegensatz zwischen Scherz und Humor kaum. Eichendorff und seine Zeit hatten für die Unvereinbarkeit der beiden Begriffe ein scharfes Empfinden. In seinen literarhistorischen Schriften kommt der Dichter immer wieder darauf zu sprechen. Die Tatsache, daß diese Äußerungen aus späteren Jahren stammen, besagt wenig, da kein Zweifel darüber besteht, daß sie auf ältere Auffassungen zurückgehen.

Georg Gottfried Gervinus setzte sich schon in der ersten Auflage seiner ›Poetischen National-Literatur der Deutschen‹ mit Bedeutung und Wesen des Begriffes ›Humor‹ auseinander. In dem Abschnitt ›Humoristische Romane‹ faßte er die Romanliteratur von Moritz, Hippel, Hermes, Musäus, Thümmel, Jean Paul u.a. zusammen. Einführend dazu schreibt er:

> Jene tieferen Naturen unter den Kraftgenies verschmähten alles Halbe, sie wollten, wie wir es ausdrücken hörten, Alles oder Nichts, sie sahen in dem Menschengeschlechte nur das verachtete Kleine und das bewunderte Große; diese ihre Gegenfüßler aber (d.s.: Verfasser humoristischer Romane) ziehen das Große herab, rücken das Kleine hinauf, und heben den Unterschied zwischen beiden auf. Es entsteht eine heitere Weltanschauung, die sich in die Dinge schickt, die das Lächerliche ihrer kontrastirenden Außenseiten in der Ordnung findet, die, weit entfernt von dem sogenannten Weltschmerze jener Genialen, einen universalen Weltscherz an die Stelle setzt. Dieser ›Humor‹, der ebenso von der Apotheose des Kleinen ausgeht, wie jener Weltschmerz von der Verehrung des Dämonischen und Großen im Menschen, liegt bei uns in Deutschland damals gleich krankhaft und hypochonder diesem letzteren gegenüber ... die Kleingeisterei und Pusillanimität ... ist eben so sehr Krankheit, wie auf der anderen die Starkgeisterei und Großmannsucht[13].

Solche Ideen waren Eichendorff aus der Seele gesprochen. In ihnen fand er sein Anliegèn formuliert. Und bei seinem vorwiegend religiös ausgerichteten Gesichtspunkt der Betrachtung überrascht es nicht, daß er den Humor in weltanschaulichem und religiösem Zusammenhang deutet. Krankhaft war für ihn der Rationalismus in seiner Einseitigkeit und Dürre; den Ausgangspunkt des modernen Rationalismus sah er im kritischen Geiste des Protestantismus. So heißt es in seiner Literaturgeschichte im Zusammenhang mit Hippel u.a.:

> Aber die Langeweile[14], wie sie diese Stagnation (durch den Rationalismus verursachte Reduzierung aufs Kleine) nothwendig über Deutschland verbreiten mußte, ist stets das unerträglichste aller Übel. Um ihr zu entgehen, entstand daher bei reicher begabten Geistern eine andere Art, die Zeit zu betrachten und darzustellen, nämlich die *humoristische*, indem der Gegenwart ein poetischer Vexierspiegel vorgehalten wird, in welchem *dieselben* Züge durch ihre kühn verwechselte und veränderte Combination auf einmal überraschend fremd und neu erscheinen. Der *Humor* ist durchaus ein modernes Erzeugniß, das die Reformation zwar nicht geschaffen (denn er ist von jeher tief in der menschli-

13 Georg Gottfried GERVINUS, Neuere Geschichte der poetischen National-Literatur der Deutschen. Bd. 5. Leipzig 1842. S. 162.

14 Vgl. oben S. 92.

chen Natur begründet), ihn aber erst zur vollen Geltung und Gestaltung herausgebildet hat. Denn er ist eben nichts Anderes, als das erwachende wehmüthige Gefühl von der Unzulänglichkeit der innersten Zustände; der, seine eigene usurpirte Alleinherrschaft verspottende Verstand, eine Art von Weltschmerz, der das Leben der Gegenwart nicht als Ein abgeschlossenes Bild, sondern in seinen Widersprüchen und Dissonanzen auffaßt, und mit der wachsenden Unruhe, Verwirrung und Trostlosigkeit sich in unseren Tagen bis zur modernen Zerrissenheit gesteigert hat[15].

Im Gegensatz dazu weist das Wort ›Scherz‹ auf die Heiterkeit einer innerlich ungebrochenen, harmonischen, gesunden und vitalen Persönlichkeit, die mit sich selber und der Welt ausgeglichen lebt. Aus diesem Geist sagt Leonard zu Flitt, der störend auftritt:

Dort schleicht der Komödiant, was will die Eule
In diesem Frühlingsglanz? Ich prügelt' ihn,
Wär's eben nicht so fröhlich mir im Herzen! (S. 426)

Die Heiterkeit, die Eichendorff mit dem Frühlingsglanz vergleicht, ist nicht etwas, was die Vernunft zustandebringt (wie das Glück im 18. Jahrhundert), sie quillt vielmehr im Herzen über. Eichendorff wählt den unpersönlichen Ausdruck: Es ist mir im Herzen fröhlich, und deutet damit die innere Gelöstheit dieser Heiterkeit und ihre Teilhabe an einem überpersönlichen Lebenselement an.

Um die Bedeutung des Scherzhaften für Eichendorff und die romantische Lustspieltheorie, sowie dessen tiefere geistige Verankerung aufzeigen zu können, ist es nötig, auf Friedrich Schlegels und Adam Heinrich Müllers Gedanken zum Lustspiel hinzuweisen[16]. Grundlegend, auch noch für die späteren Jahre und im besonderen für Eichendorff, ist F. Schlegels Aufsatz ›Vom ästhetischen Werthe der Griechischen Komödie‹ (1794). Danach ist die Seele der Komödie die Fröhlichkeit, die unbeschwerte Freude.

Die Griechen hielten die Freude für heilig, wie die Lebenskraft; nach ihrem Glauben liebten auch die Götter den Scherz. Ihre Komödie ist ein Rausch der Fröhlichkeit, und zugleich ein Erguß heiliger Begeisterung ... Diese Vermählung

15 Joseph von Eichendorff, Geschichte der poetischen Literatur Deutschlands. T. 1. Paderborn 1857. S. 281; vgl. auch Anm. 12, S. 69, 73, 150.

16 Zu Friedrich Schlegels Lustspieltheorie vgl. bes.: Kurt-Heinz Niedrig, Die Lustspieltheorie Friedrich Schlegels – ihre Stellung und Wirkung in der Romantik. Diss. Heidelberg 1950.

des Leichtesten mit dem Höchsten, des Fröhlichen mit dem Göttlichen, enthält eine große Wahrheit[17].

Damit ist der weitere Schluß gegeben:

> Die Freude ist an sich gut, auch die sinnlichste enthält einen unmittelbaren Genuß höhern menschlichen Daseins... Weil reine menschliche Kraft sich in Freude äußert, so ist sie ein Symbol des Guten, eine Schönheit der Natur. Sie verkündigt nicht bloß Leben, sondern auch Seele. Leben und unbeschränkte Freude bedeuten Liebe[18].

Die Komödie also, die Freude vermittelt, ist ein schönes Kunstwerk, das nicht nur schön an sich ist, sondern auch das Vermögen des Schönen im Aufnehmenden ausbildet. Da im erreichten Guten die höchste Bestimmung und wahre Vollkommenheit liegt, und das in der Freude vermittelte Schöne diese gewährt, liegt in der Freude zugleich die höchste Tugend. Voraussetzung dafür ist höchste gesammelte Lebenskraft, die zum Höhepunkt ihrer Empfindung strebt. Nicht aber mit Hilfe des Humors kann diese Freude vermittelt werden, sondern nur durch den an sich harmlosen Scherz, der nicht verletzt und gerade deshalb reine Freude auszulösen imstande ist. Die Komödie, die nach F. Schlegel diese Forderung erfüllt, ist jene des Aristophanes und in gewissem Sinne auch jene Shakespeares. Schlegel hat seine Auffassung von der Komödie in den nachfolgenden Jahren nicht wesentlich geändert; eine gewisse Entschärfung mancher überspitzter Formulierung ist jedoch in den Wiener Vorlesungen und in späteren Schriften festzustellen.

Adam Heinrich Müller befaßte sich in seinen Vorlesungen ›Ueber die dramatische Kunst‹, die zur Zeit von Eichendorffs Aufenthalt in Wien erschien, ausgiebig mit der Komödie. Seine Ausführungen gipfeln in der prägnanten Formulierung: »... der Scherz von der Ironie entblößt, gibt das *lächerliche* und so die Satyre; der Scherz im Bunde mit der Ironie ... das ächte, reine, unschuldige, *komische*«[19]. – wobei Müller die Ironie als »Offenbarung der Freyheit des Künstlers oder des Menschen«[20] definiert.

17 Friedrich SCHLEGEL, Seine prosaischen Jugendschriften. Hrsg. v. Jakob Minor. Bd. I, Wien 1882. S. 11–12.

18 Ebd. S. 12.

19 Adam Heinrich MÜLLER, Vermischte Schriften über Staat, Philosophie und Kunst. T. 2. Wien 1812. S. 177 (die Vorlesungen wurden 1806 in Dresden gehalten).

20 Ebd. S. 167.

Über Aristophanes urteilte Müller zurückhaltender als Schlegel. Im übrigen betonte er, dessen Vorlesungen von einem starken politisch-soziologischen Interesse getragen sind, die gesellschaftlichen Grundlagen des Lustspiels viel stärker als Schlegel und Eichendorff.

Die Tatsache, daß F. Schlegel, A. H. Müller und andere[21] reges Interesse an der Komödie nahmen, legt die Vermutung nahe, daß Eichendorff in Wien viel über die Frage sprechen hörte, wie ein romantisches Lustspiel aussehen solle. Die Jugendeindrücke, die der Dichter in Wien sammeln konnte, wurden jedenfalls aus seiner Vorstellungswelt und seinem Urteil nicht mehr verdrängt. Dem eigenen Lustspiel, aber auch den literarhistorischen Altersschriften liegen sie zugrunde. So zeigt sein Urteil über Aristophanes, wie sehr ihn vor allem F. Schlegel beeinflußt hatte:

> Es geht vielmehr mitten durch diesen sprühenden Funkenregen von Phantasie, Witz und sinnreichen Erfahrungen eine höhere Sittlichkeit, die ethische Entrüstung und poetische Reaction gegen alles Gemeine, wo und wie es damals irgend auftauchte... Es ist die glänzendste Schlacht, die jemals die Poesie gegen das Philisterthum des Lebens gewonnen[22].

Und seine Definition des Lustspiels könnte, wenn man davon absieht, daß sie weniger philosophisch-theoretisch als praktisch gefaßt ist, bei F. Schlegel stehen:

> Das eigentliche Wesen des Lustspiels ist, wie schon der Klang des Namens andeutet, eben nichts Anderes, als die Lustigkeit, die momentane Befreiung von allen kleinlichen, spießbürgerlichen Rücksichten und Banden des Alltagslebens, indem wir dieselben ignorieren oder humoristisch (hier gemeint im Sinne von: scherzhaft) auf den Kopf stellen; gleich der Luft ein Gemeingut aller gesunden Seelen[23].

Und wie stellt sie Eichendorff in seinen ›Freiern‹ auf den Kopf! – Und mit dem Hinweis auf Shakespeare, aber wohl auch mit einem Seitenblick auf sein eigenes Lustspiel fährt er fort:

> Man könnte sich, wenn in einem solchen Staat im Staate und seinem Verhältnis zur Wirklichkeit nicht schon in sich etwas ideal Komisches läge, sehr wohl ein Lustspiel ohne eigentliche Komik denken, wie dann auch in der That Shakespeare einige solche Stücke hat, wo die Menschen wie freie Waldvögel sich in unverwüstlicher Heiterkeit unter einem ewigblauen Himmel bewegen. Das

21 Vgl. u.a. den Aufsatz von A. von Steigentesch, Über das deutsche Lustspiel. In: Deutsches Museum. Bd. 3. Wien 1813. S. 247–257.

22 Joseph von Eichendorff, Zur Geschichte des Dramas. Leipzig 1854. S. 7–8.

23 Ebd. S. 206.

specifisch Komische ist nur die Folge, ein weiterer Ausdruck dieser Lustigkeit, die sich muthwillig wohl auch daran ergötzt, die Kehrseite des gewöhnlichen Lebens aufzudecken[24].

Eichendorff hat es nicht übersehen, daß in Schlegels Auffassung des Lustspieles im Laufe der Zeit eine fortschreitende religiöse Vertiefung des Scherzhaften vor sich gegangen ist. Sie war schon in dessen Aufsatz von 1794 angelegt, in dem er die Komödie nicht nur von den Bacchus-Festen ableitete, sondern auch schrieb:

Es giebt für jedes empfindende Wesen eine Freude, welche keinen Zusatz zu leiden scheint, weil sie keine Gränzen hat, als die beschränkte Empfänglichkeit des Subjekts. In dem Höchsten, was er fassen kann, erscheint dem Menschen das Unbedingt-Höchste; seine höchste Freude ist ihm ein Bild von dem Genusse des unendlichen Wesens[25].

So wird das Göttliche nicht nur als Urbild des Schönen aufgefaßt, sondern auch die Freude als gut, schön und göttlich. Die Freude wird zum Spiegel des Göttlichen in der lichtvollen Heiterkeit des Augenblicks. Von dieser Einsicht her konnte Schlegel leicht zum christlichen Lustspiel gelangen, wofür er in den späteren Jahren in Calderon ein Vorbild sah. Die Religion war nun nicht nur der Kernpunkt des Daseins, sondern zugleich die Vermittlerin vom Endlichen zum Unendlichen, wie er es in den Wiener Vorlesungen eindringlich darlegte. So überrascht es nicht, hier im Bereich des positiven Glaubens wiederum auf das Schlüsselwort ›Scherz‹ zu stoßen:

So wie im wirklichen Leben, bei der Liebe, die auf einen irdischen Gegenstand gerichtet ist, der gutmütige und leise Scherz über eine scheinbare oder wirkliche kleine Unvollkommenheit des andern, gerade da an seiner Stelle ist, und eher einen angenehmen Eindruck macht, wo beide Teile ihrer gegenseitigen Liebe gewiß sind, und die Innigkeit dieser Liebe keinen Zusatz mehr leidet, ebenso gilt dies auch von jeder andern, und selbst von der höchsten Liebe, und kann auch hier der scheinbare oder wirkliche aber unbedeutende und geringfügige Widerspruch die unendliche Idee, welche einer solchen Liebe zum Grunde liegt, nicht aufheben, sondern dient ihr im Gegenteile nur zur Bestätigung und Verstärkung[26].

Von hier aus erschließt sich der tiefere Sinn von Eichendorffs Lustspiel.

24 Ebd. S. 206–207.
25 Anm. 17, S. 12.
26 Friedrich SCHLEGEL, Philosophie der Sprache und des Wortes. Wien 1846. S. 56 (= Sämtliche Werke. Bd. 15).

Zugleich wird deutlich, daß das eigentliche Anliegen des Dichters nicht im literarischen Experiment im Umkreis romantischer Dichtungsstrukturen zu suchen ist. Was Eichendorff kurz vor seinem Tode niederschrieb, war in jüngeren Jahren gedanklich noch nicht voll ausgereift und abgeklärt, bestimmte aber schon damals sein Denken, sein Empfinden und sein dichterisches Wollen:

> Die Poesie ist ... nur die indirecte, d.h. sinnliche Darstellung des Ewigen und immer und überall Bedeutenden, welches auch jederzeit das Schöne ist, das verhüllt das Irdische durchschimmert. Dieses Ewige, Bedeutende ist aber eben die Religion, und das künstlerische Organ dafür das in der Menschenbrust unverwüstliche religiöse Gefühl[27].

In jugendlichen Jahren und in der Vollkraft seines schöpferischen Talents führte der Drang zur Gestaltung den Dichter dazu, sich in Bildern, in Gestalten, in Geschehen und nicht in Begriffen auszusprechen. Hinter dem vordergründigen Spiel, dem unbeschwerten Lustigsein und der scherzhaft-frohen Sinnenfreude der ›Freier‹ stand aber schon damals jene später geforderte poetische Atmosphäre, in der Irdisches und Ewiges verschmolzen erscheinen. Durch die sich im Scherz äußernde Lebensfreude schimmert »unendliches Wesen«. In dieser religiös-sittlichen Bestimmung hat die Romantik für Eichendorff ihren tieferen Sinn. In ihr finden die ›Freier‹ ihre innere Rechtfertigung. Und so gilt auch im Hinblick auf Eichendorffs scheinbar unverbindliches, scherzhaftes Spiel und auf dessen Bedeutung für die Welt- und Kunstauffassung des Dichters das Wort, das Hofmannsthal prägte: »Die Tiefe muß man verstecken. Wo? An der Oberfläche«[28].

27 Anm. 15, S. 20–21.
28 Hugo von Hofmannsthal, Aufzeichnungen. Frankfurt/Main 1959. S. 47.

Zur Gestaltung von Eichendorffs satirischer Novelle ›Auch ich war in Arkadien‹*

Reinhold Wesemeier

Eichendorffs Erzählung ›Auch ich war in Arkadien‹ konnte auf ihre Zeit nicht wirken, da sie der Dichter selbst nicht veröffentlicht hat. Erst in jüngster Zeit hat sie wieder stärkere Beachtung gefunden. Die Prosasatire behandelt die politischen Zeitereignisse nach der Julirevolution 1830, besonders das Hambacher Fest und die Kammerkämpfe in den süddeutschen Staaten und in Frankreich[1].

Nach einem Gelage im Gasthof »Zum goldenen Zeitgeist« muß der Dichter im Traum mit dem liberalen Professor in der Walpurgisnacht auf den Blocksberg reiten zur Anbetung der »öffentlichen Meinung«. Unterwegs macht er halt an der Schnapsbude des »Wirth«, wo »sieben Pfeifer« aufspielen, also bei den Hauptrednern des Hambacher Fests Wirth und Siebenpfeiffer. Das Wolkentheater der »Zukunft« auf dem Gipfel des Brockens führt dann von der parlamentarischen Regierung des französischen Bürgerkönigtums über die simonistische Arbeitergemeinschaft zur Diktatur des »Wirth« und endet mit einer allgemeinen Prügelei; worauf der Dichter aus seinem Alptraum erwacht und im Katzenjammer mit ironischer Genugtuung feststellt: »Auch ich war in Arkadien«. Die dich-

* *Anmerkung der Redaktion:* Die Diskussion um die literarische Form von Eichendorffs wenig bekannter Prosasatire, die in Band II, 1961, des Literaturwissenschaftlichen Jahrbuchs mit einem Beitrag von Elmar Hertrich begonnen wurde, setzen wir hier mit einem Aufsatz von Reinhold Wesemeier, der 1915 die erste und bisher einzige größere Arbeit über Eichendorffs satirische Novellen geschrieben hat, fort. Zur Arbeit von Elmar Hertrich, auf die sich Reinhold Wesemeier nachfolgend mehrfach, auch kritisch, bezieht, vgl. die »Bemerkung des Herausgebers«, in LJb II, 1961, S. 69.

1 Vgl. Reinhold Wesemeier, Joseph von Eichendorffs satirische Novellen, Diss. Marburg 1915.

terische Gestaltung des hier skizzierten Blocksbergabenteuers verdient eingehende Betrachtung.

I

Der Reichtum satirischer Bilder, Personen und Szenen strömt aus Eichendorffs eigener Phantasie, aber auch aus einer so bedeutsamen literarischen Quelle, wie der Walpurgisnachtsszene in Goethes ›Faust I‹[2]; Goethes Tragödie war durch das Erscheinen des zweiten Teiles 1832 – im Entstehungsjahr von ›Arkadien‹ – wieder aktuell geworden. Der satirische Vergleich des Hambacher Festes mit dem Spuk der Walpurgisnacht lag nun für Eichendorff nahe, weil der Freund Jarcke im Juni 1832 damit vorangegangen war und schon Görres 1831 das Treiben der Zeit mit der Walpurgisnacht verglichen hatte[3].

Besonders deutlich hat Goethes *Gestaltung* der Walpurgisnacht den Ablauf der Handlung in Eichendorffs Erzählung beeinflußt. Während des Aufstiegs zum Brocken kommt Faust noch unter dem Gipfel zu einem Aufenthalt bei dem »munteren Klub« im Gesträuch (V. 4135ff.) und bei einer Trödelhexe (V. 4096ff.), der Professor ähnlich zu einem kurzen Aufenthalt an der Schnapsbude des »Wirth«; beim Aufbruch des Professors von der Schnapsbude scheint »der ganze Zug an der Spitze auf einmal wieder ins Stocken zu geraten«, er schimpft und donnert gegen das »Lumpengesindel«. Auch Mephisto muß sich in dem Gedränge, das Faust schon mit fortgerissen hat, freie Bahn schaffen, freilich ironisch-kavaliermäßig: »Platz, süßer Pöbel, Platz!« (V. 4023). Was Mephisto dann nur ankündigt mit den Worten: »Der ganze Strudel strebt nach oben« (V. 4117) zur (nur entworfenen) Anbetung des Satans, das vollzieht sich

2 Vgl. Elmar HERTRICH, Über Eichendorffs satirische Novelle ›Auch ich war in Arkadien‹, Literaturwissenschaftliches Jahrbuch, NF, Bd. II (1961), S. 114–116. Hertrich verweist nur auf einige verwandte Vorgänge und auf ähnliche Spukgestalten, über den parallelen Handlungsverlauf sagt er nichts. Für einen ähnlichen sinnbildlichen Vorgang in beiden Dichtungen ergänzend ein Beispiel: Mephisto zeigt Faust, »wie im Berg der Mammon glüht« und »prächtig den Palast … erleuchtet«, so daß sich die Felsenwand »in ihrer ganzen Höhe entzündet« (V. 3915, 3930–3933). Eichendorff faßt das symbolhaft Verführerische des Mammons in dem Bild einer ungeheuren »goldflammenden Schlange«, die »wie glühende Lava, das unermeßliche Getümmel plötzlich beleuchtend, den Berg hinunterschießt«.

3 WESEMEIER, a. a. O. S. 24.

bei Eichendorff tatsächlich: die Anbetung der »öffentlichen Meinung«, eines »ziemlich leichtfarbig angezogenen Frauenzimmers«. Und aus Goethes nur angedeuteter Aufführung des ›Walpurgisnachtstraum‹ im Brockentheater werden bei Eichendorff die durchgeführten Szenen der »Zukunft« auf der nebelhaften Blocksbergbühne.

Dreiteilig also, wie es Goethe plante und wie es in ›Faust I‹ deutlich wird, ist die Handlung der Walpurgisnacht auch in ›Arkadien‹ gebaut: 1. bei Goethe Anstieg, bei Eichendorff Anritt bis zum ersten Aufenthalt; 2. Aufstieg zum Gipfel und Anbetung; 3. Brockentheater. Die Handlung erreicht bei Eichendorff nach zweimaliger Steigerung mit der Anbetung der »öffentlichen Meinung« in einer großen Massenszene auf dem Brokkengipfel ihren Höhepunkt und sinkt in drei Szenen der »Zukunft« bis zur Prügelei am Ende. So verdichtet sich das Abenteuer der Walpurgisnacht bei Eichendorff zu einer großartigen, diabolischen Groteske auf dem Brockengipfel und führt damit stofflich über Goethe hinaus. In drei Sphären steigert sich auch in beiden Dichtungen die Szenerie: aus der Wirklichkeit in die »Traum- und Zaubersphäre« und in die imaginäre Sphäre des Theaters der »Zukunft«. Die Symbolik solcher Nacht hat diese Satire Eichendorffs vor allen seinen anderen Satiren voraus.

Bedeuten nun die Anklänge an ›Faust I‹, die in ›Arkadien‹ unzweifelhaft festzustellen sind, etwa eine versteckte literarische Parodie, wie Hertrich meint[4]? Dies erscheint zunächst schon deshalb ausgeschlossen, weil alle ähnlichen Züge in ›Arkadien‹ deutlich nur auf politische Zeitereignisse bezogen sind. Wo sonst in der Erzählung literarische Parodie mitspielt, wie etwa die auf Schikaneders Libretto der ›Zauberflöte‹, wird dies unmittelbar einsichtig. Denn der Professor tritt auf als »Oberpriester« im Talar eines ägyptischen Weisen, er und seine Kollegen müssen nach der Pfeife der öffentlichen Meinung wie »betrunkene Derwische« tanzen. Diese Parodie des bekannten Operntextes ist aber nicht literarisch-parodistischer Selbstzweck, sondern soll die priesterliche Feierlichkeit des gelehrten Aufklärers und seiner Ministerkollegen durch das Kostüm ganz

4 HERTRICH a.a.O. meint beim Nachweis ähnlicher Züge zwischen ›Arkadien‹ und der Faustszene sowie der ›Zauberflöte‹: »Die politische Satire nimmt die Form einer literarischen Parodie an« (S. 114); S. 115 ist von »dem parodierten Text« in jener Szene die Rede, S. 116 von »Anspielungen« auf sie und S. 106 von der »Anspielung« auf das Motto von Goethes ›Italienischer Reise‹, das ebenfalls »Auch ich war in Arkadien« heißt.

andersartiger Aufklärer – nämlich ägyptischer Weiser – lächerlich machen; das Opernlibretto als Produkt der Aufklärung wird dabei nur mitbetroffen. Deshalb auch spielt in der politischen Satire ›Libertas und ihr Freier‹ die Schloßuhr des aufgeklärten Negromanten Pinkus die Humanitäts- (d.h. für Eichendorff: die verfeinerte Aufklärungs-)Arie des Sarastro:

> *In diesen heil'gen Hallen*
> *Kennt man die Rache nicht –*
> *Und Ruhe ist vor allen*
> *Die erste Bürgerpflicht* usw.[5]

Der Hinweis ist hier durch das Zitat noch deutlicher, die Parodie wieder nicht Selbstzweck, der Grund für die Parodie vielmehr die aufklärerische Haltung der beiden betroffenen, ganz verschiedenen Figuren. Ganz ähnlich verhält es sich mit dem erweiterten Schillerzitat das Tyrannen in ›Arkadien‹: »Seid umschlungen Millionen!, Es weiche die Finsternis, nieder mit den Kronen!« Wieder soll die Humanitäts-, bzw. die aufgeklärte Gesinnung getroffen werden.

Hinweise *solcher Art* auf die Faustszene aber gibt es in ›Arkadien‹ nicht, weder in der ausgearbeiteten Erzählung, noch in den Handschriften oder den Vorstufen, d.h. den politischen Abhandlungen (wahrscheinlich 1831/32) und dem politisch-satirischen Brief (1832), aus denen die Dichtung erwuchs[6]. Der Titel ›Auch ich war in Arkadien‹, der das Eldorado des Professors bezeichnet, ist lediglich Zitat des gleichlautenden Mottos von Goethes ›Italienischer Reise‹, aber keine Anspielung auf dieses Werk[7].

Die Frage liegt nahe, ob Eichendorff Goethe anderweitig parodiert hat. Wie er das Schikaneder- und das Schillerzitat komisch verändert, so verwendet er gelegentlich auch Goethezitate parodistisch, eines z.B. in ›Viel Lärmen um Nichts‹ erwähnt Walzel. Solche Zitate aber müssen in der zitatenfrohen Zeit der Romantik nicht unbedingt die betreffende Dichtung parodieren, »im Ernst und in der Komik läuft es [hier jedenfalls] auf

5 Joseph Freiherr von Eichendorff, Neue Gesamtausgabe der Werke und Schriften in vier Bänden, hrsg. von Gerhard BAUMANN in Verbindung mit Siegfried GROSSE, Stuttgart 1957f. (nachfolgend als »Werke« zitiert), Bd. II, S. 937.

6 WESEMEIER, a.a.O. S. 23f.

7 Auch nicht bei E.T.A. Hoffmann, der ein Kapitel seines ›Kater Murr‹ mit demselben Zitat überschreibt und beendet.

ein Wiederholen von Goethes Worten hinaus«, »man spricht, wie in Zitaten«[8]. So auch, wenn Dryander in ›Dichter und ihre Gesellen‹ Italien pathetisch »das göttliche Land« nennt und Lothario ironisch einfällt: »Ja, wo, nach Goethe, die Zitronen blühn«[9]. Ilse Heyer meint, Eichendorff, der in seinen Literaturkomödien Schiller und Grillparzer verspottet, habe einmal auch Goethes Humanitätslyrik[10] persifliert, nämlich in den freien Rhythmen, die der Bote in ›Krieg den Philistern‹ spricht. Wohl sind Anklänge an Goethes Gedichte da, es können aber auch geringere Produkte anderer gemeint sein, wie sonst bei diesem Boten[11]. Gegen minderwertige Nachahmer wendet sich auch Eichendorffs Trinkspruch ›Toast‹:

Auf das Wohlsein der Poeten,
Die nicht schillern und nicht goethen,
Durch die Welt in Lust und Nöten
Segelnd frisch auf eignen Böten[12].

Die innere Einstellung des Dichters gegenüber Goethe war schon damals, 1831, als der Trinkspruch entstand, zwiespältig, später noch weit mehr. Das Tafellied ›Der alte Held‹[13] zu Goethes Geburtstag 1831 feiert Goethe, obwohl dieser den Brief des ihm wenig bekannten Romantikers am 29. Mai 1830[14] nicht beantwortet hatte; Eichendorff hatte ihm mit diesem Brief sein Drama ›Der letzte Held von Marienburg‹ in »innigster Liebe und Verehrung« übersandt. Nun stammt aber vermutlich schon aus der Zeit von vor 1832 eine wirkliche Goethe-Parodie Eichendorffs: das

8 Oskar WALZEL, Parodie bei Eichendorff, Aurora III (1933), S. 74. Walzel sagt, Eichendorff vergehe sich parodierend an Goethe, d.h. er spiele parodierend mit Goetheworten, ohne Goethes Text selbst zu meinen. Eichendorff sagt einmal:
»Wir alle sind, was wir gelesen,
Und das ist unser größtes Leid.«
(Paul STÖCKLEIN, Jos. von Eichendorff in Selbstzeugnissen, 1963, S. 125).

9 Werke II, 594.

10 Die Gedichte ›Das Göttliche‹, ›Grenzen der Menschheit‹, ›Gesang der Geister über den Wassern‹.

11 Werke I, 541f.; vgl. Ilse HEYER, Eichendorffs dramatische Satiren, Hermaea XXVIII, 1931, S. 90f., 93f., 99–101, 124f.

12 Werke I, 93.

13 Ebenda S. 92f.

14 Sämtliche Werke des Freiherrn Joseph von Eichendorff. Historisch-kritische Ausgabe (zit. HKA) ed. KOSCH und SAUER, Bd. XII, S. 32.

Horoskop seines »Unstern« in dem gleichlautenden Novellenfragment[15], das auf das Sternsymbol am Eingang von Goethes ›Dichtung und Wahrheit‹ zielt[16]. Und gleich am Anfang von Eichendorffs Fragment fallen bittere Worte über den als Dichter Bewunderten: »Für diesen würdigen Mann aber hege ich eine ganz eigene Ehrerbietung und versinke öfters unwillkürlich in eine weitläufige Betrachtung seiner erstaunlichen Eigenschaften, dieser ernsten Haltung, schmeichelhaften Herablassung, vornehm gebogenen Nase – und dediziere ihm diese Novelle, er braucht sie darum nicht zu lesen (er weiß ja doch alles besser)«[17]. Dies bezieht sich deutlich auf Goethes Schweigen über Eichendorffs Drama. Im ›Unstern‹ setzt Eichendorff dem, was er später »vollendete Selbstvergötterung des emanzipierten Subjekts«[18] in Goethes Poesie nennt, schon vollendete Ironie entgegen. Die zitierten Stellen aus dem ›Unstern‹ aber betreffen nicht Goethes Dichtung, sondern seine menschliche Haltung, die auch von anderen Zeitgenossen heftig kritisiert wurde[19].

Goethe als Dichter bleibt für Eichendorff auch nach 1832 das große Vorbild. Die Spuren des ›Wilhelm Meister‹ sind nicht nur im Jugendroman ›Ahnung und Gegenwart‹, sondern auch in ›Dichter und ihre Gesellen‹ (1834) deutlich und bekannt genug[20]. Hier werden neben den Werken Shakespeares, Calderons und Cervantes' auch Goethes Werke als wertvolles Bildungsgut genannt – freilich von dem nazarenischen Maler Guido und dem abenteuerlichen Phantasten Dryander, über den sich die Fürstin mokiert[21]. An der Zeichnung der gegenüber Goethes ›Meister‹ wesensver-

15 Werke II, S. 999; zur Datierung vgl. Dietmar KUNISCH, Textkritische Studien zu Eichendorffs Novellenfragment ›Unstern‹, LJb II (1961), S. 101 f.

16 Vgl. Paul STÖCKLEIN, Zum Nachlaß Eichendorffs, Hochland 45 (1925/53), S. 286 f.

17 Werke II, 998.

18 Joseph von Eichendorff, Geschichte der poetischen Literatur Deutschlands, ed. KOSCH, 1906, S. 301.

19 Vgl. Reinhard BUCHWALD, Goethe und die Gegenwart, 1949, S. 93, 98 f., und Andreas B. WACHSMUTH, Vom Wandel des Goethebildes, in: Goethe 1960, S. 4. Auch Wolfgang MENZEL, der Goethe als großen Dichter anerkannte, griff von seiner moralischen und religiösen Position aus den Menschen Goethe und die Gesinnung seiner Dichtung an, namentlich den ›Faust‹ (vgl. Wolfgang MENZEL, Die deutsche Literatur, Bd. III, 1836, S. 322 ff.).

20 Vgl. die Einleitung und die Anmerkungen zu ›Dichter und ihre Gesellen‹ von Ewald REINHARD, in: HKA IV, S. XVI, XXXIII, 293, 302, 304–306, 309, 314, 316.

21 Werke II, 590, 597 f., 600.

schiedenen Hauptfiguren des Romans aber läßt sich schon hier des Dichters kritische Haltung gegen Wilhelm Meister erkennen, den er später, ähnlich wie der späte Novalis, einen »ziemlich uninteressanten Gesellen« nennt, der in den ›Wanderjahren‹ in »ökonomische Philisterei« gerate[22]. Der Schluß von ›Faust II‹ gar findet vor dem streng religiösen Richter keine Gnade. Er sieht nun in Fausts Lebenswanderung mit Mephisto »eine innerliche Höllenfahrt, die in der Hexenküche und von der Walpurgisnacht auf dem Brocken grauenhaft parodiert wird«[23]. Nach all dem bleibt Eichendorffs Verhältnis zu Goethe zwiespältig. Bis ins Alter hinein aber ist Goethe »unser größter Dichter« und ›Faust‹ das »größte Gedicht unserer Literatur«, »ein edles köstliches Gefäß«[24]. Die Berliner Nachlaßmanuskripte nennen Goethe unter den poesieverklärten Höchstwerten des Lebens: »Es gibt gewisse Worte, die wie ein Blitzstrahl ein Blumenland in meinem Innersten auftun, gleich Erinnerungen alle Saiten der Seelen-Äolsharfe berühren; als: Sehnsucht, Liebe, Frühling, Heimat, Goethe«[25].

Solche Huldigungen und die große Wertschätzung des ›Faust‹ als Kunstwerk machen eine heimliche parodistische Absicht oder auch nur eine Anspielung auf Goethes Walpurgisnachtsszene höchst unwahrscheinlich. Goethes Dichtung war Eichendorff nur eine sehr wertvolle *künstlerische Anregung*.

Obwohl Goethe von Eichendorff als der »eigentliche Führer der modernen Kultur«[26], die er mit dem Schlagwort »Humanität« kennzeichnet, angesehen wird, war er in der Walpurgisnachtsszene doch sein Mitstreiter gegen Nicolai, Voß und Kotzebue. Sie wurden kurz nach Erscheinen von ›Faust I‹ (1808) von Arnim und Brentano in der ›Zeitung

22 Joseph von Eichendorff, Zur Geschichte des Dramas, 1854, in: Vermischte Schriften (zit. VS) 1866, Bd. IV, S. 128; Eichendorff, Literaturgeschichte, a. a. O. S. 300.

23 VS Bd. IV, S. 132.

24 Eichendorff, Literaturgeschichte, S. 300, 302.

25 Abgedruckt in dem Aufsatz von Friedrich Kainz, Zu Eichendorffs Sprache, Aurora VIII (1938), S. 98.

26 Eichendorff, Literaturgeschichte S. 300. – Zu Eichendorffs Definition der »Humanität« vgl. Werke IV, 227 f.: »So erfand man die Humanität, d. h. das in allen anarchischen Übergangszeiten geltende Recht der Selbsthilfe, wonach die Menschheit, ohne höhere Autorität, sich aus sich selber durch die bloße Kraft der eigenen Vernunft selig machen sollte.«

für Einsiedler‹ verspottet. An die beiden Heidelberger Romantiker erinnert sich Eichendorff in der Eingangsszene seines Abenteuers im Gasthof »Zum goldenen Zeitgeist«[27]; er erlebte das Erscheinen der Einsiedlerzeitung als Student in Heidelberg im April 1808. Goethes Verspottung Nicolais (als »Proktophantasmist«): »Wir sind so klug, und dennoch spukt's in Tegel« (V. 4161) fand witzigen Widerhall in jener Zeitung mit den Worten des »Brocktophantasmist«: »Wir sind so klug, und dennoch spuckt der Schlegel«[28]. Im Namen der Aufklärer Nicolai und Biester protestiert auch Eichendorff in ›Arkadien‹ ironisch gegen die Blocksbergfahrt des Professors. Kotzebue, der vielleicht mit einem der Irrlichter in Goethes Walpurgisnachtstraum auf dem Brocken gemeint ist (V. 4375), war immer schon ›Prügelknabe‹ der Romantiker, auch in der Eingangsszene von ›Arkadien‹. Unter die Blocksbergkandidaten wollte Goethe auch den alten Voß nachträglich aufnehmen als den »Eutiner«, den das ›Wunderhorn‹ einen »alten, neidschen Igel« schilt[29]. Voß war das bevorzugte Angriffsobjekt der Heidelberger Romantik und ihr hartnäckigster Gegner. Arnims und Brentanos ›Wunderhorn‹, das Goethe gewidmet und von ihm zustimmend rezensiert worden war, hatte Voß scharf angegriffen[30]. Als Zielscheibe des Spottes der Heidelberger Romantiker nennt Eichendorff noch in seinen Memoiren[31] die drei Figuren der Walpurgisnacht: Nicolai, Voß und Kotzebue.

Übereinstimmend werden also von Goethe und von Eichendorff die *alten* Aufklärer verspottet, mit einer Parodie der Faustszene aber wäre Eichendorff in das Lager der *neuen* Aufklärer, der jungdeutschen Goethegegner übergegangen, die er hier und in ›Viel Lärmen um Nichts‹ so lächerlich macht[32]. Als der Dichter in ›Arkadien‹ sich in die einstige »ästhetische Börse der Schöngeister« im Gasthof »Zum goldenen Zeitgeist« zurückversetzte, wird er sich auch daran erinnert haben, wie hoch Goethe von den bewunderten Herzbrüdern Arnim und Brentano geschätzt worden war und auch von dem jungen Studenten Eichendorff,

27 WESEMEIER, a.a.O. S. 33f. und S. 17.
28 Achim von Arnims ›Trösteinsamkeit‹, Zeitung für Einsiedler, neu hrsg. von Friedrich PFAFF, 1883, Nr. 22 vom 15. Juni.
29 Vgl. Goethes Faust, hrsg. von Georg WITKOWSKI, 1910, Bd. I, S. 368.
30 Ebenda Bd. II, S. 386f.; vgl. auch Bibliographisches Repertorium, Bd. I, Zeitschriften der Romantik, ed. WALZEL und HOUBEN, 1904, S. 117.
31 Werke II, 1069.
32 WESEMEIER, a.a.O. S. 8 und S. 34; HERTRICH, a.a.O. S. 106.

der in Heidelberg den ›Wilhelm Meister‹ ins Italienische übersetzte[33]. – Zur politischen Mephistorolle kann dem Professor in ›Arkadien‹ außer Goethe auch Achim von Arnim verholfen haben. In der ›Zeitung für Einsiedler‹ deutete Arnim 1808, im Erscheinungsjahr von ›Faust I‹, auf einem alten Bild den Mephisto als Verleger, den Faust der Volkssage als den Verfasser aller höllischen Zeitungen[34]. Der Professor überfliegt ja auf seinem Teufelspegasus alle kleineren Redakteure, er wird zum politischen Mephisto.

II

Auch das eigene Brockenerlebnis, das der Dichter als Hallenser Student auf der Harzreise mit seinem Bruder Wilhelm im September 1805 hatte und das er in seinem Tagebuch festhielt, lieferte Bilder und Symbole für die Satire. 1805 sah er, wie später als Begleiter des Professors bei dem nächtlichen Ritt auf dem Teufelspegasus, den Brocken von weitem wie eine »schwarze, nächtliche Gewitterwolke«[35]. Selbst die eigenartige Mondbeleuchtung, während der der Professor in seine Mephistorolle hinüberdämmert, hat ihr Vorbild in Eichendorffs Tagebuch; hier wie dort eröffnet sich eine »Aussicht in ganze Länder«[36]. Die Brockenwelt als Szenerie für die politische Walpurgisnacht wird in der Erzählung gegenüber dem Tagebuch in ihrer Wildheit noch gesteigert. Die Anklänge an das Tagebuch sind insgesamt so deutlich, daß man sich fragen muß, ob Eichendorff nicht nach dieser Vorlage gearbeitet hat. In Sturm, Nebel und Wolken erlebte der Student den Gipfel; aus »Wolken, welche wie Pulverdampf an uns vorüberflogen«[37] werden nun in der Erzählung »Nebel, ... die wie Drachenleiber vor uns den Boden streiften«. Nachts, heißt es im Tagebuch, »zerriß oft der Sturm die düstere Wolkendecke über uns. Dann fuhr plötzlich der helle Schein des Mondes wie ein langer Blitz über den ganzen Himmel«[38]. In der Erzählung teilt ein künstlicher Kolofoniumblitz auf einmal als Nachtgewölk während der Szene am Hexenaltar – an

33 HKA, Bd. 11, S. 219, Z. 37.
34 Zeitung für Einsiedler, a. a. O. S. 33.
35 HKA, Bd. 11, S. 115, Z. 20f.
36 Ebenda S. 117, Z. 23 und S. 119, Z. 4–6.
37 Ebenda S. 117, Z. 35f.
38 Ebenda S. 118, Z. 27–30.

dem die Brüder Eichendorff auf ihrer Reise wie die Hexen in der Mainacht lustig tanzten.

Jugenderinnerungen, wie hier aus der Hallenser Zeit, tauchen auch sonst in der Novelle auf, so am Anfang des Werkes Erinnerungen an das literarische Leben in Heidelberg. Solche Erinnerungen werden nun auf dem Höhe- und Wendepunkt von Eichendorffs Leben und Schaffen und nach dem politischen und literarischen Zeitenumbruch häufiger in seiner Dichtung. Schon in der Erzählung ›Viel Lärmen um Nichts‹ (April 1832), in der satirisch die literarische Wende von der Romantik zum jungdeutschen Realismus gespiegelt ist, gestaltet der Dichter ein anderes Erlebnis der Harzreise zur Roßtrappidylle seines poetischen Abbildes Willibald mit der verkleideten Gräfin Aurora[39]. Heidelberg ist hier Ausgangsort für des Prinzen Romano falschromantischen, verfänglichen Traum[40]. Von Heidelberg schwärmt Adele in dem Lustspiel ›Die Freier‹ (1833)[41] und der Roman ›Dichter und ihre Gesellen‹ beginnt mit den Erinnerungen Fortunats an die glückliche Heidelberger Zeit. Die Hauptfigur, der geniale Graf Victor, hat manches vom romantischen Wesen Brentanos, Fortunat etwas von Arnims ritterlicher Art[42], beide Romantiker bleiben in der Erinnerung Eichendorffs stets eng mit der Atmosphäre Heidelbergs verbunden. Das Heidelberger Paradies erblüht nochmals am Anfang und am Schluß des späten Epos ›Robert und Guiskard‹ (1855).

In Halle fand der unglückliche junge Romantiker Otto (in ›Dichter und ihre Gesellen‹) während seiner Studentenzeit ein gelobtes Land[43], in dem Zeitlied ›Bei Halle‹ sehnt sich der Dichter zurück zu der Jugendschwärmerei auf dem Giebichenstein[44], und Althallenser Burschenromantik rumort recht ungebärdig in den ›Glücksrittern‹ (1841).

So erlebt der Dichter die fröhliche Zeit in den beiden Universitätsstädten, rückschauend von etwa 1830 an, immer wieder von neuem[45]; bis die

39 Wesemeier, a.a.O. S. 17f.
40 Werke II, 460f.
41 Werke I, 919.
42 Vgl. Richard Benz, Eichendorff, in: Eichendorff heute, hrsg. von Paul Stöcklein, 1960, S. 55.
43 Werke II, S. 522–524, 570.
44 Werke I, 163.
45 Als in den dreißiger und vierziger Jahren, in der Zeit des Biedermeier, auch das alte, adelige Rokoko nochmals erstand und seit 1840 etwa »wieder ordre du jour« war, träumte sich Eichendorff in seinen Dichtungen auch in die heimatli-

so oft liebevoll-poetisch umwobene Zeit nochmals in dichterischer Sprache aufleuchtet im Kapitel ›Halle und Heidelberg‹ der Memoirenfragmente.

III

Eichendorffs oft wiederholte Ansicht, der politische Zeitgeist sei nichts anderes als praktisch gewordene Aufklärung, hat in ›Arkadien‹ Gestalt und Leben gewonnen, so deutlich wie in keiner anderen Satire des Dichters. Im ›Politischen Brief‹ schreibt er: »Die Aufklärung ... aus den Studierstuben der Gelehrten ... ist nunmehr erst praktisch geworden und hat ... auf dem Throne der Welt Platz genommen«[46]. So will auch der aufgeklärte Professor in der Satire den Thron des Tyrannen besteigen. Er vereinigt in sich Philistereigenschaften verschiedenster satirischer Gestalten Eichendorffs: er will aufgeklärt-despotisch, nach Naturrechtsideen regieren, wie der Regent in der Komödie ›Krieg den Philistern‹ nach philanthropischen Ideen, wie der König im Puppenspiel ›Inkognito‹ nach liberalen Ideen. Demnach gehört er für Eichendorff zur Sorte der ideellen Philister, als ein solcher verträgt er unheimliche Mengen, freilich übler »geistiger« Getränke. Seine Gefräßigkeit im Gasthof »Zum goldenen Zeitgeist« stempelt ihn aber im Sinne des Dichters auch zum materiellen Philister von der Art des Pastinak[47] in ›Krieg den Philistern‹, des Publikum in ›Viel Lärmen um Nichts‹, des Paphnutius in ›Inkognito‹ und des Pinkus in ›Libertas und ihr Freier‹. Wie der »Musterphilister« in Brentanos Satire ›Der Philister vor, in und nach der Geschichte‹[48] raucht er auf seinem Teufelspegasus behaglich eine Zigarre und zieht beim Aufstieg zum Gipfel Schmierstiefel an, mit denen er weiter durch »dick und dünn«

chen Schloßgärten von Lubowitz und Tost (die ganz in französischem Stil gehalten waren) immer häufiger zurück. Vgl. dazu auch die feinsinnige Studie von Walther REHM, Prinz Rokoko im alten Garten, Jahrbuch des Freien Deutschen Hochstifts 1962, S. 136.

46 HKA Bd. X, S. 347, Z. 4–10.

47 Mit Bezug auf ihn erklärt der Narr im ›Philisterkrieg‹ (im Grunde der Dichter selbst): »... ein Philister ... spottwenig trinkt er, und viel ißt er« (Werke I, 581).

48 Clemens BRENTANO, Der Philister vor, in und nach der Geschichte, 1811, S. 15–17.

marschiert[49]. Den Tyrannen steckt Eichendorff als Volkskönig in das übliche Kostüm des Philisters: Schlafrock, Pantoffeln, lange Pfeife. In ihm also vereinigen sich die beiden Philisterarten, die falschen Idealisten und die Materialisten, die beide durch die Aufklärung emporkommen und von ihr ausgehen; so wird er unter allen satirischen Gestalten des Dichters die Zentralfigur der »praktisch gewordenen Aufklärung«. Während die sonstigen Philisterfiguren des Dichters schemenhaft bleiben, wird der Professor im Gasthof »Zum goldenen Zeitgeist« in der Art von Börnes Reisejournalistik[50] derb vom »realen Boden« gegriffen, den Eichendorff selbst von der Satire verlangt[51], gerät aber auf der Blocksbergfahrt in ein komisch-diabolisches Zwielicht, aus jungdeutscher scharfer Zugluft in politische Spukromantik. Der politische Doktrinär ist eine typische Zeitfigur aus den Parlaments- und Pressekämpfen nach der Julirevolution, zu der dem Dichter die bekannten Wortführer des deutschen Liberalismus, die Professoren Rotteck und Welcker, die bezeichnendsten Züge lieferten[52]. Eichendorff meinte aber nicht einen einzelnen Liberalen, sondern den *Typ* des rabiaten politischen Professors. Sein Professor hat mehr allgemeine, radikal-bramarbasierende als persönliche Züge, und die groteske Karikatur wächst ins Überpersönliche; sie rückt in die Nähe von Daumiers barocken Karikaturen, genannt ›Das Parlament der Julimonarchie‹ (1832).

49 Weitere Zeichen der Philisterei sind nach Brentanos Satire die übelriechenden Talglichter der Oberpriester, das geheimnisvolle Treiben der »Zeitungsunken« im Gasthof »Zum goldenen Zeitgeist«, das dreifarbige Restaurationszelt und das »ça ira« der »sieben Pfeifer«, vgl. BRENTANO a.a.O. S. 3, 14, 22.

50 WESEMEIER, a.a.O. S. 8, 34.

51 EICHENDORFF, Literaturgeschichte, a.a.O. S. 293.

52 WESEMEIER, a.a.O. S. 25, 27f.; vgl. auch Ilse HEYER, a.a.O. S. 39. Heyer hält den Professor für eine Karikatur Welckers. Wenn auch sein »martialischer Anstand« beim Essen und sein zornig zerschmetternder Blick gegen einen Opponenten auf Welcker passen, der sich nach Treitschke mit zornig funkelnden Augen wie ein Kampfstier zum Sprechen erhob (bei den beliebten »Welckeressen«), so stimmt doch seine Erscheinung, »ein großer, breiter, starker Mann mit dickem Backenbart und Adlernase« nicht recht zu dem »untersetzten Mann«, wie Treitschke Welcker schildert.

IV

Für seine Satire zieht Eichendorff alle Register des Komischen. Hier nur einige Hinweise auf Charakterkomik, die namentlich bei der Darstellung des Professors deutlich wird, auf die Situationskomik, die groteske Komik am Schluß der Erzählung und auf Wortspiele, wie das »Konstitutionswasser«, das an der Schnapsbude ausgeschenkt wird, das »Schillertaft«-Kleid des »leichtfarbig« (statt leichtfertig) angezogenen Frauenzimmers, den Lobpreis der Preßfreiheit, während das Volk gepreßt wird.

Alle Komik dient nach Eichendorff der satirischen Darstellung, da nach seinen eigenen Worten »die Satire ... immer komisch, das Komische ... immer auch satirisch« ist[53]. Die Ironie aber ist in der Kunsttheorie Eichendorffs »die poetische Seele des Ganzen«, die Ironie, wie er sie in Tiecks Komödien fand, »wo alles Ordinäre der Welt unbewußt sich selbst vernichtet ... einzig durch die unauslöschliche Lächerlichkeit seines eigenen Pathos«[54]. Ironisch in diesem Sinne ist gleich der Titel des Gasthofs »Zum goldenen Zeitgeist«, der weder damals golden war, als die Romantiker in Heidelberg »mehr Witz als Geld« hatten, noch jetzt, da der Professor dort tafelt.

Schon im ›Unstern‹ erzählt die Titelfigur »ironisch à la Brentano« ihre Geschichte[55], in ›Arkadien‹ geht der Dichter gar als die personifizierte Ironie durch das ganze Reise- und Blocksbergabenteuer; seine ständigen kritischen Bemerkungen rücken alle Begebenheiten in ein ironisches Licht; auch sich selbst ironisiert er, schon auf der Fahrt im Postwagen, als er merkt, daß er mit seiner »Deutschheit« und dem »germanischen Reiseschnitt« weit hinter der Zeit zurückgeblieben ist, dann im Gasthof, als der Kellner seinen Freimaurerhändedruck mit einem »fatalen ironischen Lächeln« beantwortet, und schließlich bei des Professors Aufforderung zur Blocksbergfahrt, die er mit Gründen der alten Aufklärer Nicolai und Biester ablehnt und dafür mit den Worten abgefertigt wird: »Ach, dummes Zeug, das ist ja eben die Aufklärung.« In der Rolle des zurückgebliebenen Zeitgenossen muß er sich vom Professor »servile Gewohnheiten deutschen Knechtssinns« vorwerfen lassen, muß des »Wirths« widerlichen Fusel trinken und wird schließlich das Opfer des reaktionär

53 Eichendorff, Literaturgeschichte, a.a.O. S. 185.
54 Eichendorff, Literaturgeschichte, a.a.O. S. 378.
55 Werke II, 1003.

gewordenen Professors, der ihn als einen der Seinigen in ein prächtiges Hofkleid steckt und mit der öffentlichen Meinung verheiratet.

In unfreiwilliger Selbstironie ruft der Professor aus: »... das ist ja eben die Aufklärung«, so bemerkt er nicht, daß er im Rausch der Politik zum Phantasten, zuletzt sogar zum Reaktionär wird, während der Dichter die Rolle des Aufklärers beibehält, so daß beide mit lächerlich vertauschten Rollen spielen. Überall, im Postwagen[56], im Gasthof und auf dem Blocksberg: verkehrte Welt!

Die Ironie, meint Eichendorff, sei ein Organ des Humors. Der »individuelle Tiefblick, der stets vom Besonderen auf das Allgemeine, von der zufälligen Erscheinung auf den verhüllten Urgrund dringt, ... unterscheidet den Humor ... von der ganz äußerlichen Parodie und Satire«. Humor entsteht aus dem »Konflikt der höheren menschlichen Anlage mit der jämmerlichen Gegenwart und Wirklichkeit«[57]. Im Sinne dieser Selbstdeutung ist seine Satire nicht äußerlich, sie geht vom Besonderen auf das Allgemeine, wie an der Figur des Professors gezeigt wurde, sie bliebe aber doch äußerlich – im Wortverstand Eichendorffs –, wenn der miterlebende Dichter wirklich der alte Aufklärer wäre, den er spielt, und wenn der Professor der gefräßige Despot im Gasthof bliebe. Die grotesk vertauschten Rollen auf der Blocksbergfahrt aber zeugen bei aller Schärfe der Satire doch von dem, was Eichendorff Humor nennt. Für diese Schattierung ist es auch bedeutsam, daß der Dichter gleich zu Anfang als Kontrast zu dem nachfolgenden Blocksbergtraum der entschwundenen Heidelberger Jugendzeit gedenkt und so auf den »verhüllten Urgrund« hindeutet, auf den »Konflikt der höheren menschlichen Anlage«, die sich ausdrückt in der Poesie der Romantik, »mit der jämmerlichen Gegenwart und Wirklichkeit«, eben der politischen, praktisch gewordenen Aufklärung des Professors. Von hier aus fällt ein Schein wehmütig-verklärenden Humors auf die Dichtung.

Fast unmerklich, wie in anderen Traumphantasien der Romantik, z.B. in E.T.A. Hoffmanns Märchen ›Nußknacker und Mausekönig‹, spinnt sich die Erzählung aus der Gasthofszene in die »Traum- und Zaubersphäre« hinüber. Hier verläuft alles traumschnell und traumbunt und zerplatzt zuletzt in wildem Alpdrucktaumel. In der Traumerzählung sind

56 Schon auf der Reise zum Gasthof findet der Dichter: »Die Deutschen waren französisch, die Franzosen deutsch geworden.«
57 EICHENDORFF, Literaturgeschichte, a.a.O. S. 131.

all die wunderlichen Illusionsstörungen der Komödien Tiecks und Eichendorffs selbst wiederzuerkennen: das Vermengen von Banalem und Grotesk-Zauberhaftem, das Mitspielen und die Kritik des Publikums, der öffentlichen Meinung und des Dichters selbst im Theater und das rückläufige Spiel am Schluß. Lyrische Klänge, die sonst in Eichendorffs satirischen Dichtungen häufig sind, fehlen hier ganz. Das ist ein Vorteil dieser Satire, die auch stilistisch nicht mehr allein der Spätromantik verhaftet ist, sondern am weitesten von allen Dichtungen Eichendorffs in die ›Literatur des 19. Jahrhunderts‹ hineinreicht, hier sprüht die politisch-literarische Angriffslust des deutschen Vormärz.

Eichendorff, das Schloß Dürande und die Revolution

HELMUT KOOPMANN

Es ist für die Wirkungsgeschichte Eichendorffs in Deutschland nur zu bezeichnend, daß kein Buch so oft aufgelegt wurde wie sein »Taugenichts«. Man hat festgestellt, daß diese Erzählung zwischen 1850 und 1925 nicht weniger als hundert Neuauflagen und Nachdrucke erlebte und daß die postumen Ausgaben bis 1925 die aller anderen Erzählungen und Romane um das Anderthalbfache übertreffen[1]. Noch Otto Friedrich Bollnow nannte 1953 Eichendorffs Taugenichts »die erfreulichste seiner Gestalten«[2] – und diese Hochschätzung einer Figur, einer romantischen Erzählung scheint nur der Ausdruck dessen zu sein, was man in Eichendorff sah. Auf das »Romantische« hat man Eichendorff schon sehr früh festgelegt; Heine hat ihn bereits in seiner »Romantischen Schule« nahe an Uhland herangerückt und den Unterschied zu diesem nur in der »grüneren Waldesfrische und der kristallhafteren Wahrheit der Eichendorffschen Gedichte« gesehen[3]. Fontane hat bekannt, wie hoch auch er den »Taugenichts« stelle – mit einem leisen Zweifel allerdings, ob er ihn nicht zu hoch einschätze. Aber dieses Buch, in dem er die »Naivität eines Märchens«

1 Vgl. Eberhard LÄMMERT, Zur Wirkungsgeschichte Eichendorffs in Deutschland. In: Festschrift für Richard Alewyn. Hrsg. v. Herbert SINGER und Benno VON WIESE. Köln/Graz 1967. S. 350 u. 352 und die dort angegebene Literatur.

2 Otto Friedrich BOLLNOW, Das romantische Weltbild bei Eichendorff. In: O.F.B., Unruhe und Geborgenheit im Weltbild neuerer Dichter. Stuttgart 1953. S. 259.

3 Heinrich Heines Sämtliche Werke. Hrsg. v. Ernst ELSTER. Leipzig/Wien o.J. Bd. 5. S. 350. Ich folge der Auswahl wirkungsgeschichtlicher Zeugnisse, die Paul STÖCKLEIN in seiner Monographie (Joseph von Eichendorff in Selbstzeugnissen und Bilddokumenten. Hamburg 1963) auf S. 168–171 zusammengestellt hat. Weitere Belege bei Lämmert und in: Begegnungen und Gespräche mit Eichendorff; Urteile über ihn. Gesammelt von Wilhelm KOSCH. In: Eichendorff-Kalender für das Jahr 1911. 2. Jg. S. 90–100.

wiederfand, war ihm dennoch das liebste aller Eichendorffschen Bücher, und mehr noch: sogar »nichts weniger als eine Verkörperung des deutschen Gemüts, die liebenswürdige Type nicht eines Standes bloß, sondern einer ganzen Nation«[4]. Und so zieht sich das Loblied auf den romantischen Eichendorff weiter durch die Jahrzehnte bis hin in die Gegenwart. Für Max Kommerell war Eichendorff »wirklich das Kind, das die Weise der Natur auf seinen Lippen trägt«, und in »Das Volkslied und das deutsche Lied« schrieb er 1936: »Ich will nicht behaupten, daß jedes der Gedichte Eichendorffs, worin Nachtigallen singen, ein Nachtigallengesang wäre ... aber es ist keines darunter, wogegen der dichterische Vogel Verwahrung einlegen könnte«[5]. Thomas Mann bekannte sich ähnlich zu Eichendorff, besonders zu seiner Lyrik, in der ihn das »Romantische« am tiefsten anzog, aber nicht weniger auch zum »Taugenichts« und zur linkischen Schönheit dieses Märchens[6]. Bergengruen hatte zwar 1955 bereits einen Blick dafür, wie stilisiert alles bei Eichendorff ist – »so suggestiv verzaubernd seine Landschaftsschilderungen sind, wo die Ströme silbern im Grunde blitzen und der Glockenklang aus den Tälern zu Berge steigt, so wenig hat die einzelne Landschaft eine Individualität« – aber »romantisch« war Eichendorffs Dichtung auch für ihn, und zwar im spezifischen Sinne einer zeit- und weltentrückten Darstellung dessen, »was sich innerhalb der menschlichen Seele begibt und von dort aus das Leben verwandelt«[7]. Er fand in Eichendorff »ein empfindliches Organ für das Unbegreifliche, Fremde, das in die Ferne und zugleich in die dunkle Tiefe lockt«; und nicht nur er. So oder ähnlich ist über Eichendorff immer wieder geurteilt worden, und gerade die Unwirklichkeit seiner Landschaften und Begebenheiten seiner lyrischen Augenblicke und seiner erzählerischen Phantastik hat ihm zu allen Zeiten dankbare Leser beschert.

Biedermeier wird es immer geben, Eichendorff wird gewiß auch weiterhin so gelesen werden[8]. Aber ist dieser Eichendorff der wirkliche Eichen-

4 Brief an Paul Heyse vom 6. Januar 1857; Der Briefwechsel von Theodor Fontane und Paul Heyse 1850–1897. Hrsg. v. Erich PETZET. Berlin 1929. S. 30–33.

5 Max KOMMERELL, Das Volkslied und das deutsche Lied. Frankfurt/M. 1932/33. S. 40.

6 Thomas Mann, Betrachtungen eines Unpolitischen. Frankfurt/M. 1956. S. 373.

7 Nachwort zu Joseph Freiherr von Eichendorff, Erzählungen. Hrsg. v. Werner BERGENGRUEN. (Manesse Bibl.) Zürich o. J. S. 659.

8 Von Otto Friedrich BOLLNOW (a. a. O. S. 255) wird Eichendorff sogar ausdrücklich für das Biedermeier reklamiert (»Eichendorff gehört schon zum Bieder-

dorff oder nicht vielmehr, um es überspitzt zu sagen, das Produkt seiner Leser? Wer in Eichendorff allein den romantischen Sänger sieht und in seiner Dichtung, wie Hofmannsthal es beschrieb, nur »das Beglänzte, Traumüberhangene, das Schweifende, mit Lust Unmündige«[9], scheint ihm doch bloß partiell gerecht zu werden. Jede nur beschränkte Sehweise aber ist ja zugleich immer auch eine Verzeichnung – und so müssen wir fragen, ob Eichendorff nicht im gleichen Maße verfälscht wurde, wie man in ihm den Romantiker in dem Sinne sah, wie Kommerell und Hofmannsthal es auf allerdings so eindrucksvolle Weise beschrieben. Hat man nicht allzuoft übersehen, daß hinter seinem lyrischen und erzählerischen Œuvre die Masse seiner literarhistorischen, historischen und politischen Schriften steht? Natürlich muß das eine nicht unbedingt mit dem anderen zu tun haben. Aber man sollte andererseits jenes nicht immer ohne dieses betrachten; daß es nahezu überall Querverbindungen innerhalb eines Gesamtwerkes gibt, ist eine Binsenwahrheit, die aber für Eichendorff nicht weniger als für andere gilt. Doch ein weiteres Argument dürfte noch entscheidender ins Gewicht fallen: nicht so sehr in seinem lyrischen Werk, auf jeden Fall aber in seinen Romanen und Erzählungen ist von Zeit, Gegenwart und Geschichte häufig genug die Rede – und schon das sollte ein Anlaß sein, das Urteil vom bloß »romantischen« Dichter, das schon mehrere Generationen gefällt haben, doch noch einmal gründlich zu überprüfen. Eichendorff ist nicht unbedingt und in jedem Falle ein zeitentrückter spätromantischer »Märchenhans«, sondern in gewisser Hinsicht eher das Gegenteil; gerade die scheinbar echteste aller Eichendorffschen Erzählungen, die aus dem Leben eines Taugenichts, scheint in ihrem geradezu gewaltsamen Verzicht auf jeglichen Zeitbezug denn auch eher eine atypische als eine typische Erzählung Eichendorffs zu sein. Bereits mit »Ahnung und Gegenwart« wollte Eichendorff, wie wir aus

meier«). Dagegen hat sich mit Recht Gerhard MÖBUS in seinem Aufsatz über »Eichendorff und Novalis« (in: Eichendorff heute. Stimmen der Forschung mit einer Bibliographie. Hrsg. v. Paul STÖCKLEIN, München 1960. S. 165–179) gewandt: »Das ist eine ›Verbürgerlichung der Romantik‹, die Eichendorff zum Biedermeier macht und mit Spitzweg vergleicht, die durchaus dem Deuter zufällt, dem Dichter aber zuinnerst fremd ist.« (S. 167)

9 Deutsche Erzähler. Ausgewählt und eingeleitet von Hugo VON HOFMANNSTHAL a. a. O. 1946 [zuerst 1925] S. 6.

einem Brief an Fouqué vom 1. Oktober 1814[10] wissen, nichts weniger als ein kontemporäres Gemälde geben, ein volles Bild »jener seltsamen gewitterschwülen Zeit der Erwartung, Sehnsucht und Schmerzen«. Damit ist nicht nur die beginnende Restaurationszeit überraschend gut charakterisiert – mit diesem Roman beginnt in der Tat die Reihe der Zeitromane in Deutschland[11]. Aber Geschichte und Gegenwart sind auch in einer Reihe anderer Eichendorffscher Erzählungen nicht weniger stark gegenwärtig. »Auch ich war in Arkadien«, »Viel Lärmen um Nichts«, »Libertas und ihre Freier« sind allegorische Satiren, auf Zustände der Zeit bezogen. »Die Glücksritter« haben den Dreißigjährigen Krieg als Hintergrund. Der junge König in »Die Entführung« ist Ludwig XV., er wird als solcher ausdrücklich genannt. Seine Welt ist die Welt des Ancien Régime. Den Beginn seiner Novelle »Eine Meerfahrt« hat Eichendorff mit fast pedantischer Genauigkeit in das Jahr 1540 gelegt – das Datum steht unüberseh-

10 Brief an Fouqué vom 1. Oktober 1814. Sämtliche Werke des Freiherrn Joseph von Eichendorff. Hist.-krit. Ausg. Hrsg. v. Wilhelm Kosch und August Sauer. Bd. 12. Regensburg 1910. S. 29.

11 Diese Auffassung steht in allerdings eklatantem Widerspruch zu der Interpretation, die Walther Killy vor einiger Zeit gegeben hat (Der Roman als romantisches Buch. Eichendorff ›Ahnung und Gegenwart‹. In: W. K., Romane des 19. Jahrhunderts. Wirklichkeit und Kunstcharakter. Göttingen 1967; zuerst München 1963). Für Killy fehlen diesem Roman »die dem geschichtlichen Augenblick eigentümlichen Einzelzüge« (S. 46); für ihn ist dieser Roman ein typisch romantischer Roman, »der in fingierten Räumen von unvorstellbaren Zeiten lebt« (S. 47), und sein Urteil über das damit schließlich Erreichte – »Kein volles, nicht einmal ein durch unsere Imagination aus Teilen zu ergänzendes Bild des Jahres 1810 will sich uns aus ›Ahnung und Gegenwart‹ darstellen« (S. 56) – ist zugleich ein vernichtendes Urteil über Eichendorffs Vorhaben, wie wir es aus seinem Brief an Fouqué kennen. – Der Nachweis, daß historische Wirklichkeit und poetische Fiktion in einem doch wohl sehr viel engeren und differenzierteren Verhältnis zueinander stehen, läßt sich natürlich nicht in wenigen Sätzen führen. Daß man Eichendorffs Roman aber auch anders lesen und verstehen kann als Killy, hat bereits Paul Requadt in einem Aufsatz über »Ahnung und Gegenwart« deutlich gemacht (in: Der Deutschunterricht, 7. 1955. Heft 2, S. 79–92). Requadt hat überzeugend die zeitlichen und zeitkritischen Bezüge dieses Romans herausgearbeitet und Eichendorffs Roman von dorther analysiert (»Was ihn erregt, ist das Versagen der Stände, die im politischen Ruin den Geist verraten. Eichendorffs Roman ist Kritik an der damaligen deutschen Elite und Anspruch an den Adel, dem er selbst angehört«. S. 81). Zu »Ahnung und Gegenwart« als Zeitroman vgl. auch Hermann Kunisch, Freiheit und Bann – Heimat und Fremde. In: Eichendorff heute. S. 131–164; über den Roman S. 158.

bar deutlich bereits in der ersten Zeile der Erzählung und fixiert die scheinbar rein phantastische Geschichte sehr exakt. »Ezelin von Romano« und »Der letzte Held von Marienburg« sind historische Dramen, und wenn ihnen auch keine besondere Bedeutung zukommen mag, so sind sie andererseits aus Eichendorffs Werk doch nicht wegzudenken. Ähnlich steht es mit seinem »Julian«-Gedicht. Und schließlich gibt es – neben dem Revolutions-Epos »Robert und Guiscard« – eben auch noch die Erzählung vom Schloß Dürande, in die die Geschichte und, wie noch zu zeigen ist, mehr noch die Gegenwart deutlich genug hineinspielen. Gerade diese Novelle hätte als Revolutionsnovelle längst eine ausführlichere Würdigung verdient, nicht nur ihrer selbst wegen, sondern auch um des so oft verzeichneten Eichendorff-Bildes willen. Es wäre vermessen, dieses Bild auf wenigen Seiten berichtigen zu wollen. Aber es wäre doch wohl an der Zeit, den Anteil des Wirklichen im Werk Eichendorffs neu zu analysieren, selbst wenn er kaum sonst so offen zutage liegt wie in seiner Erzählung vom Schloß Dürande[12]. Freilich stellen sich einer Interpretation dieser

12 Innerhalb der Eichendorff-Literatur überwiegt der Anteil der Interpretationen, die allein das Phantastisch-Märchenhafte, das Seelenlied bei Eichendorff würdigen, ganz entschieden. Nur ein Beispiel, auch für die stilistischen Qualitäten derartiger Deutungen: »Das Herz des Dichters wird zu einem Raum, in dem und durch den die linden Wellen eines größeren, geheimnisvollen Lebens schlagen. Träume der Erde und Träume der Seele, Waldesrauschen und irre Lieder: es ist kein Unterschied«. So las man es noch zu Eichendorffs hundertstem Todestag (in einem Aufsatz von Erich Hock, Eichendorffs Dichtertum. In: Eichendorff heute. S. 106 bis 123; das Zitat auf S. 111). Und: »Mächtiger als Claudius hat Eichendorff den Zauber des Irdischen erfahren; geheimnisvoller, bestrickender, süßer tönt sein Lied; und nicht nur da, wo es, aus dunklen Natur- und Seelengründen dringend, traumbefangen die Rätselhaftigkeit des Daseins singt (...)« (S. 118). – Soweit ich sehe, gibt es nur wenige Arbeiten, die sich mit Eichendorffs Verhältnis zu Geschichte und Gegenwart ausführlicher beschäftigen. Dazu gehören vor allem (neben Requadts schon erwähntem Aufsatz über »Ahnung und Gegenwart«) die beiden Kapitel »Zeitliche Perspektiven« und »Blick in die Geschichte« in Oskar Seidlins »Versuche über Eichendorff« (Göttingen 1965. S. 99–128 u. 129–160; das erstgenannte Kapitel erschien bereits 1960 in der DVjs 34, 1960, S. 402–427; das andere 1962 in den PMLA 77. 1962, S. 544–560), in denen Seidlin eine so eindringliche Analyse des Eichendorffschen Verhältnisses zu Zeit und Geschichte gibt, daß über das Grundsätzliche dieser Beziehung nichts mehr gesagt zu werden braucht. Ebenfalls zu nennen sind hier zwei Aufsätze von Wilhelm Emrich: »Eichendorff. Skizze einer Ästhetik der Geschichte« und »Dichtung und Gesellschaft bei Eichendorff« (in: W. E., Protest und Verheißung. Studien zur klassischen und

Geschichte unter dem Aspekt ihrer historischen bzw. zeitgeschichtlichen Relevanz Schwierigkeiten entgegen, die von der Novelle selbst ausgehen. Denn als Kernzone der Erzählung schält sich für den Leser schon nach wenigen Seiten auch hier eine durchaus »romantische« Geschichte heraus, unerhört im besten Goetheschen Sinne und rührend zu lesen. Eichendorffs Erzählung von der romantischen Liebe zwischen dem jungen Grafen Dürande und der Jägerstochter Gabriele ist nicht nur mit allen Insignien romantischen Erzählens ausgestattet – romantisch ist ja schon die soziologische Konstellation der beiden Hauptfiguren. Und das Interesse des Lesers an dem, was beiden widerfährt, steigert sich noch, wenn er vernimmt, was mit den beiden gleich eingangs geschieht. Denn mit dieser Liebe ist mancherlei Verwirrung verbunden, und alles gerät schon bald ins trügerische Zwielicht verhängnisvoller Mißverständnisse und schlimmer Täuschungen. Auch das ist freilich noch »romantisch« an dieser Erzählung, romantisch wie das Magische der Beziehung zwischen Graf und Försterstochter und die schicksalhafte Verkettung aller Beteiligten, die die

modernen Dichtung. Frankfurt/M./Bonn 1960. S. 11–24 u. 104–110; auch hier erschienen beide Arbeiten schon früher, die erste 1939 in der GRM 27. 1939. S. 192–207, die zweite in Aurora 18. 1958. S. 11–17). Emrichs tiefgründige Darstellung der Geschichtsauffassung Eichendorffs geht allerdings von einem Begriff der Geschichte aus, der mit dem der wirklichen Historie nahezu nichts mehr gemeinsam hat. Geschichte ist für Emrich bei Eichendorff gewissermaßen »Grundgeschichte«, die in alle Einzelgeschichten in Poesie verwandelt eindringt bis in die romantische Auffassung vom dämonischen Charakter der Poesie überhaupt (vgl. S. 13). Andererseits vermag nur die Poesie, so Emrich, das Geheimnis der erstarrten Geschichte zu lösen. Das begründet für Emrich den metaphorischen Charakter der Eichendorffschen Poesie. Hier, auf den folgenden Seiten, ist mit Geschichte allerdings etwas sehr viel Vordergründigeres gemeint, nämlich die Französische Revolution als historisches Ereignis und Eichendorffs Darstellung und Interpretation dieses Phänomens. Insofern berührt sich »Geschichte« in dieser Abhandlung mit Emrichs Aufsätzen nur dem Wort, nicht aber dem Sinn nach. – Nicht unerwähnt bleiben darf in diesem Zusammenhang das Buch von Gerhard Möbus, Der andere Eichendorff. Osnabrück 1960. Möbus macht u. a. auch auf Eichendorffs Verhältnis zur Revolution schon nachdrücklich aufmerksam. Mir scheint die theologische Komponente der Eichendorffschen Geschichtsanschauung bei Möbus (»Geschichte ist für Eichendorff Geschehen vor Gott, und Gott ist für ihn der Herr der Weltgeschichte«; S. 146) zwar überbetont zu sein – aber seine Interpretation von Eichendorffs Revolutionsnovelle ist dankenswerterweise so geschichtsbezogen und frei von nebulosem Begriffswirrwarr, wie man es bei anderen Analysen leider meistens vergebens erhofft. – Ausdrücklich sei ferner auch auf Möbus'

an sich banale Affäre zur Außerordentlichkeit erhebt. Mag mancher sich in die unmittelbare Nähe Hofmannsthalscher Motive versetzt fühlen, wenn der Jäger Renald in Paris selbst zum Gejagten wird[13] – das gleiche Motiv kehrt auch in »Robert und Guiscard« wieder –, mancher an den Kleistschen Kohlhaas denken, wenn er den Schlußsatz der Erzählung liest – das Ganze bleibt doch eine romantische Novelle, ein phantastisches Ereignis – »die Unwirklichkeit und die Wirklichkeit dessen, was sich innerhalb der menschlichen Seele begibt und von dort aus das Leben verwandelt«, wie Bergengruen es beschrieb[14].

Aber hier droht ein Mißverständnis, das ausgeräumt werden muß. Denn das »Romantische« im eben angedeuteten Sinne ist nicht das Eigentliche an dieser Erzählung; jedenfalls erschöpft sie sich nicht darin. Wir haben es zwar mit einem sehr außergewöhnlichen Fall zu tun. Aber

Aufsatz »Joseph von Eichendorff – Der Dichter und die Wirklichkeit der Geschichte« verwiesen (in: Aus Politik und Zeitgeschichte, Beilage zur Wochenzeitung ›Das Parlament‹ vom 13. November 1957. S. 737–743). Möbus hat sich hier ebenfalls deutlich dagegen ausgesprochen, daß »die Gestalten und Geschehnisse dieser Dichtungen, allem voran der ›Taugenichts‹«, verstanden werden »als Ausdruck einer märchenhaften, weltfremden Verträumtheit, die sich ohne Ziel und gedankenlos dahintreibend in ihre Stimmungen, Sehnsüchte und Wünsche verliert« (S. 737). Auch heute noch gilt, was Möbus zum hundertsten Todestag formuliert: »Denkt man daran, wie selbstverständlich es geworden ist, die Dichtung Eichendorffs als lebensfern und weltfremd anzusehen und von ihrer Verworrenheit und Verträumtheit zu sprechen, ja sie einen Wachtraum zu nennen, der Sehnsucht nach der ›alten schönen Zeit‹ entsprungen, so sollte allein schon der Satz: ›Bis in den Tod verhaßt sind mir besonders jene ewigen Klagen, die mit weinerlichen Sonetten die alte schöne Zeit zurückwinseln wollen‹, doch recht nachdenklich stimmen« (S. 739). – Freilich hat man schon früh von marxistischer Seite aus Eichendorff als »sozialen Realisten« etikettiert. Aber Lukács' wahrhaft abenteuerliche These von der ausschließlich gesellschaftlich bedingten Entstehung des Eichendorffschen Werkes, der zufolge »Ahnung und Gegenwart« als romantisch-ratloser, ja nihilistischer Roman erscheint und der »Taugenichts« als eine aus dem Unbehagen an den Verhältnissen der Zeit geborene Revolte gegen die zwecklose und inhumane Geschäftigkeit des modernen Lebens, ist bereits von Möbus und in einem weiteren kleinen Aufsatz von Hans Hr. Busse (Ist Eichendorff ein »sozialer Realist«? In: Die Sammlung 13. 1958. S. 26–31) zurückgewiesen worden, so daß eine Auseinandersetzung damit hier fehlen kann. Derart, wie Lukács es sieht, dürfte das Wirklichkeitsverhältnis Eichendorffs allerdings nicht gewesen sein.

13 Das Motiv findet sich bei Hofmannsthal wiederholt. Über die grundsätzliche Nähe Hofmannsthals zu Eichendorff vgl. auch Requadt S. 92.

14 Bergengruen S. 659.

was sich so singulär ausnimmt und was Goethes Novellen-Formel von der einen sich ereigneten unerhörten Begebenheit nur zu deutlich zu demonstrieren scheint, ist in gewisser Weise auch bloß Vordergrund, das Romantische nur ein Schleier, hinter dem sich etwas anderes verbirgt. Eichendorffs Geschichte transzendiert das Romantische, auch wenn flüchtige Leser sie oft als nur romantische Geschichte, und das heißt: als eine mit allen typischen Merkmalen einer romantischen Welt versehene, sich auf wenige Personen beschränkende Erzählung gelesen haben, die auch zu anderen Zeiten und in anderen Räumen hätte angesiedelt sein können und die in der Erstellung einer romantischen Konfusion und der schließlichen Aufdeckung aller Mißverständnisse ihr Genüge findet. Die Erzählung hat noch eine weitere Dimension, die sie eindeutig über die Unverbindlichkeit einer beliebigen romantischen Novelle hinaushebt. Sie erschließt sich zwar nur unmerklich. Aber dem genauen Leser wird ja schon bald deutlich, daß mit der so romantisch inszenierten Liebesgeschichte mäandrisch der Bericht über das Aufflammen der Französischen Revolution verflochten ist. Und er dürfte ebenfalls recht bald merken, daß Liebesgeschichte und Revolutionsbericht untergründig sogar in einer solchen Weise miteinander synchronisiert sind, daß das eine hier jeweils zugleich Bedingung und Möglichkeit des anderen ist: daß die Revolution auch über das Schloß Dürande hereinbricht, ist teilweise wenigstens das unmittelbare Werk Renalds, der seine Schwester rächen will; Renald erscheint aus anderer Sicht zugleich aber auch als Werkzeug der Revolution, die sich seiner gleichsam als eines Instrumentes bedient, um der Feudalherrschaft der Dürande und damit der des Adels überhaupt ein jähes vernichtendes Ende zu bereiten. So ›zweideutig‹ und nicht anders ist die Erzählung zu lesen. Denn sie handelt zwar durchgängig und in erster Linie vom Schicksal einiger weniger Personen und ihrer individuellen Verflochtenheit. Aber hinter dem wird im Verlauf der Geschichte immer stärker der allgemeine Brand der Französischen Revolution sichtbar, der die Szenerie schließlich gespenstisch erleuchtet und der am Ende auch die Figuren dieser Novelle ergreift. Eichendorffs eigentliches Thema aber ist dieses, die Heraufkunft und der Ausbruch der Revolution.

Wer Eichendorff kennt, weiß allerdings auch um seine Behutsamkeit und Unauffälligkeit. Das Eigentliche steht bei ihm immer im Hintergrund. Auch hier bleibt die romantische Liebesgeschichte ja über weite Partien hin dominant, und die verbietet schon von sich aus allzu direkte

Verweise auf die Revolution. Und die besondere Form der Synchronizität von individuellem Schicksal und geschichtlichen Vorgängen bewirkt, daß die Revolution in dieser Erzählung immer nur in prismatischer Brechung durch das Schicksal derer erscheint, von denen die Erzählung vordergründig handelt. So stößt der Leser denn auch nur ungefähr und im Nebenbei etwa auf Hinweise auf eine wilde Jakobinerpredigt, auf die »feurigen Zeichen der Revolution«, auf das Rumoren der spukhaften Zeit[15]. Immer ist von der Revolution quasi nur im Nebensatz die Rede und nicht im Hauptsatz; manche Bilder müssen erst übersetzt werden, um verstanden zu sein, und die Beziehungen zwischen Individualgeschichte und Weltgeschehen stellt sich fast immer nur assoziativ her. Aber daß beides miteinander zu tun hat, ist dennoch ganz unbezweifelbar. Wenn etwa zunächst von einem »fernen Wetterleuchten über Stadt und Land« die Rede war, »als wenn die Gedanken aufstünden überall und schlaftrunken nach den Schwertern tappten«[16], wir unmittelbar darauf aber lesen: »Renalds Stirn zuckte wie fernes Wetterleuchten, er schien mit sich selber zu ringen«[17], so erscheinen im bildhaften Bereich die beiden Ebenen dieser Erzählung – das Revolutionsgeschehen in Frankreich und die romantische Erzählung um das Schicksal einiger weniger Figuren – bereits unauffällig und dennoch unübersehbar miteinander koordiniert. Und der aufmerksame Leser ahnt schon bald, daß das Ungewitter der Revolution durch Renald auch über das Schloß Dürande hereinbrechen wird. Selbst der Hinweis auf den schwülen Sommerabend, mit dem die Erzählung einsetzt, und jener dem benachbarte, auf Renalds damalige psychische Verfassung hindeutende Satz: »Er zitterte am ganzen Leibe, und auf seiner Stirn zuckte es zuweilen, wie wenn es von fern blitzte«[18], sind nicht zusammenhanglose Mitteilungen, sondern aufeinander bezogene Antizipationen des Kommenden. Eichendorff beschreibt dieses zwar auch im folgenden nie direkt – aber die Hinweise auf nahende Gewitter, in den Verlauf der Erzählung immer stärker eingestreut, zeigen untergründig den Fortschritt der

15 Eichendorffs Werke. Erzählende Dichtungen. Vermischte Schriften. Stuttgart 1953 (im folgenden als W. zitiert). S. 826; ähnlich S. 832 (»Es war einer jener halbverschleierten Wintertage, die lügenhaft den Sommer nachspiegeln, die Sonne schien lau, aber falsch über die stillen Paläste ...«).

16 W. S. 827.

17 W. S. 828.

18 W. S. 813.

Revolution. Eben hierin enthüllt sich das Hintergrundsgeschehen, zu dem die romantische Liebesgeschichte nur den Vordergrund bildet. Das Wetterleuchten, so weiß der Leser schließlich, – das ist die Revolution, »Gewitter« wird immer mehr zum zentralen Bild der ganzen Erzählung, vom Hinweis auf den schwülen Sommer im vierten Satz der Novelle und das erste Zucken auf Renalds Stirn, »wie wenn es von fern blitzte«, bis zum Schluß der Geschichte[19]. Das geht über den roten Widerschein in der Spelunke, in die Renald in Paris gerät[20], über das durch die schlechtverwahrte Tür hereinblitzende Kaminfeuer[21], das »heimliche Aufblitzen kampffertiger Geschwader«[22] bis hin zu Renalds Begeisterung, dem »das Herz schwoll wie im nahenden Gewitterwinde«[23]. Vom fernen Wetterleuchten spricht aber auch der junge Graf Dürande[24]. Und so geht es fort, beinahe Seite um Seite. Die Rückreise Renalds aus Paris zum Schloß Dürande begleitet dann schon ein nahezu ständig drohendes Unwetter, das schließlich den ganzen Himmel dunkelrot färbt. Als Renald endlich wieder in sein Jägerhaus zurückgekehrt ist, das aber jetzt ein anderer bewohnt, blitzt es bereits »von fern über dem Walde«[25], und bei wirrem Wetterleuchten führt er sein rauhes Gespräch mit dem Waldwärter, dem heimtückischen Rotkopf. Am Ende steht das Wetter unmittelbar über dem Schloß Dürande selbst, und während dort noch die Gewichte der alten Turmuhr ruhig fortschnurren[26], sieht man das starke Leuchten der Blitze schon durch die geschlossenen Fensterläden. Der alte Graf freilich erblickt es nicht mehr – »die hohen Fenster waren fest verschlossen, Spiegel, Schränke und Marmortische standen unverrückt umher wie in der alten Zeit, niemand durfte, bei seiner Ungnade, der neuen Ereignisse

19 Über die »drückende Schwüle« als Vorzeichen der Revolution vgl. auch MÖBUS, Der andere Eichendorff S. 157; Möbus interpretiert die schwüle Atmosphäre und das Heraufziehen des Gewitters allerdings nur als Stimmungselemente.

20 W. S. 825.

21 W. S. 826.

22 W. S. 826.

23 W. S. 827.

24 W. S. 827.

25 W. S. 833.

26 W. S. 834f. Über diesen »falschen Garten als Symbol des Ancien Régime« vgl. auch Walther REHM, Prinz Rokoko im alten Garten, in: Späte Studien. Bern/München 1964. S. 122–214 (zuerst in: Jahrbuch des Freien Deutschen Hochstifts. 1962. S. 97–207.), bes. S. 193 u. 199.

erwähnen, die er verächtlich ignorierte. So saß er, im Staatskleide, frisiert, wie eine geputzte Leiche, am reichbesetzten Tisch vor den silbernen Armleuchtern und blätterte in alten Historienbüchern, seiner kriegerischen Jugend gedenkend«. Eine wunderliche Gegenwelt! Aber es kann kein Zweifel mehr sein, daß ein Weltbrand bevorsteht, der die alte Herrlichkeit der Dürande, ja die alte Zeit überhaupt hinwegfegen wird. Wetterleuchten und »Gewitter« – nun bricht die Revolution tatsächlich aus, die sich so lange schon atmosphärisch angekündigt hatte. »Als der Tag anbrach«, so heißt es gegen Ende der Erzählung, »war der ganze Himmel gegen Morgen dunkelrot gefärbt; gegenüber aber stand das Gewitter bleifarben hinter den grauen Türmen des Schlosses Dürande, die Sterbeglocke ging in einzelnen abgebrochenen Klängen über die stille Gegend, die fremd und wie verwandelt in der seltsamen Beleuchtung heraufblickte«[27]. Damit wird nur zu deutlich, daß die gänzliche Zerstörung des bis dato Überkommenen unmittelbar bevorsteht, und im Sturm des rasenden Renald auf das Schloß, im Aufblitzen der Brandfackeln und in den stiebenden Funken, im Flammenschein und Aufflackern der Lichter bahnt sich tatsächlich dann die endgültige Katastrophe an, der Brand des Schlosses, der Blitz der furchtbaren Explosion und das rasend ausbrechende Feuer, das, »Gründe und Wälder ringsum erleuchtend«, alles vernichtet. Die Revolution hat auch das Schloß Dürande erreicht, und sie endet in Tod und Zerstörung.

Kaum ein Leser wird sich der Faszination dieser Geschichte entziehen können, des eigentümlichen poetischen Reizes, der selbst dann noch von ihr ausgeht, wenn vom Untergang einer Welt die Rede ist. Aber noch einmal muß man vor einem Mißverständnis warnen. Wer die Erzählung – auch als Revolutionsgeschichte – nur als poetisches Dokument läse, würde ihr ebensowenig gerecht wie jene, die sie als romantische Liebesgeschichte begreifen. Eichendorff hat hier nicht mit seiner Gewittermetapher einen historischen Vorgang nachträglich magisieren oder mythisieren wollen, oder, mit anderen Worten: er hat sich der Gewittermetapher, die hier so unübersehbar deutlich für »Revolution« steht, nicht als eines bloß poetischen Ausdrucksmittels bedient. Es gibt kaum ein aufschlußreicheres Dokument für Eichendorffs tatsächliche Geschichtsanschauung und seine Stellungnahme zu den Ereignissen der Zeit, die für ihn jedoch

27 W. S. 836.

noch unmittelbare Vergangenheit war, als diese Erzählung, und eine Analyse, die sich allein auf ihre poetischen Qualitäten beschränkte, wäre zwangsläufig unvollständig, ja falsch. Eichendorffs Revolutionsnovelle ist ein Bekenntnis und enthält eine engagierte Stellungnahme. Sie ist sein Bild der Wirklichkeit, und eben das macht sie für uns so interessant. Eichendorff ist hier nicht der geschichtsunbewußte, zeitentrückte Poet, als der er in seiner Lyrik, in seinen phantastischen Erzählungen nur zu oft gelesen wurde. Wir haben es vielmehr mit einem Text zu tun, der ein geschichtliches Ereignis sogar nur sehr beschränkt ins Poetische umsetzt. Denn was hier scheinbar ein poetisches Gleichnis ist – das zentrale Bild des Ungewitters –, gibt nur zu direkt ein geschichtliches Phänomen wieder, wie Eichendorff es sah – im Grunde fast ohne jede poetische Umformung und Verbrämung. Er hat zwar auch in »Robert und Guiscard« die sich entwickelnde Revolution als »feurig Wetter« geschildert – auch dort ist die Nacht des Aufruhrs durch Blitze erhellt, und der eigentliche Ausbruch der Revolution fällt haargenau mit dem Ausbruch des Unwetters zusammen: »Noch einmal aber jetzt ward's still im Dunkeln. / Vom Schloß her nur der Wachen Tritt und Gruß. / Von unten tausend wilder Augen Funkeln, / Da blitzt von unbekannter Hand ein Schuß, / Und des geballten Wetters schweigend Drohen / Entfaltet plötzlich seine roten Lohen«[28]. Das könnte, in Prosa gesagt, genauso gut im »Schloß Dürande« stehen. Aber auch dort ist es nicht poetische Umschreibung, sondern Eichendorffs Bild von der Revolution. Eichendorff erschien diese Revolution rückschauend – die Erzählung entstand im Jahre 1837 – tatsächlich als ein Ungewitter, als elementarischer Aufruhr, der alles in eine allgemeine Zerstörung hineinriß, als eine Entfesselung von Naturkräften mit katastrophalem Ausgang, als ein politisch-sozialer Sturm, der die überkommenen Ordnungen hinwegfegte, und im Bilde des Gewitters objektivierte

28 Joseph Freiherr von Eichendorff. Gedichte. Epen. Dramen. Neue Gesamtausgabe der Werke und Schriften in vier Bänden. Hrsg. v. Gerhart BAUMANN in Verbindung mit Siegfried Grosse. Bd. 1. S. 462 (künftig als WB. zitiert). Hinweise auf Gewitter sind auch in »Robert und Guiscard« zahlreich eingestreut. Schon anfangs ist vom »schwülen Sommertag« die Rede (S. 452), dann von »schwerer Wetter ungewissem Gang« (ebd.), von aufsteigenden Gewittern »wie Bergeszacken über'm Waldessaum« (S. 454), vom »flüchtigen Rot« auf Roberts bleicher Wange (S. 456), von feurigem Wetter und »des wirren Aufruhrs wandelbare Flut« (S. 459), der »Flamme Spiel« und der vernichtenden Lohe (ebd.), bis schließlich das Ungewitter der Revolution losbricht.

sich ihm nur, was im Menschen selbst an Destruktionsmöglichkeiten angelegt schien. »Du aber hüte dich, das wilde Tier zu wecken in der Brust, daß es nicht plötzlich ausbricht und dich selbst zerreißt«, so lautet der letzte Satz der Erzählung, gewissermaßen die Moral der Geschichte, und eben sie enthält einen mehr als deutlichen Hinweis auf die Kraft, die Eichendorff in der Französischen Revolution vor allem am Werk gewesen zu sein schien. Ganz ähnlich schließt übrigens auch sein Versepos »Julian«, und bekanntlich hat er ähnlich ja auch über die dämonische Natur Kleists in seiner Literaturgeschichte geurteilt. Die Revolution war für ihn eine ungebändigte fremde dämonische Gewalt, und er hat sie, indem er sie als Ungewitter beschrieb, damit nur zu unmittelbar dargestellt, und diese Unmittelbarkeit zeigt sich noch in der bloß andeutenden Beschreibung der Zeit vor dem Ausbruch dieses Sturmes. Daß Eichendorff es, auch was die Schilderung der vorrevolutionären Umtriebe im Paris Ludwigs XVI. betrifft, bei bloß skizzenhaften Hinweisen beließ, ist ebenfalls nicht Ausdruck eines darstellerischen Unvermögens oder einer Besorgnis, das Zeitgeschichtliche möchte die romantische Liebesgeschichte ungebührlich stark überwuchern. Eichendorff deutete auch die »feurigen Zeichen der Revolution« nur an, weil sie sich ihm selbst nur andeuteten, und wenn bei ihm recht unbestimmt vom »heimlichen Aufblitzen kampffertiger Geschwader, Jakobiner, Volksfreunde, Royalisten« die Rede ist, dann ist diese Schilderung eben in ihrer Unbestimmtheit realistisch und ›richtig‹: gerade das Unkonturierte dieser Bestrebungen schien Eichendorff offenbar charakteristisch, das Subversive der vorrevolutionären Umtriebe bezeichnend, die sich dann freilich auf um so elementarere Weise mit der Eigengesetzlichkeit einer Naturkatastrophe entluden.

Eichendorff hat hier also nichts weniger als ein Geschichtsbekenntnis abgelegt – so sah die Französische Revolution für ihn aus und nicht anders. Sie war für ihn ein Zerstörungswerk ohnegleichen[29]. Aber Eichendorff hat nicht allein so empfunden; und wir dürfen sogar sicher sein, daß

29 Über Eichendorffs »Widerwillen« der Französischen Revolution gegenüber auch Josef KUNZ, Eichendorff. Höhepunkt und Krise der Spätromantik. Oberursel 1951. S. 25: »Hinter den neuen Schlagworten steht für Eichendorff und seine Helden nichts anderes als Auflösung, Habgier und Anmaßung, diese aber führen zu Roheit und Zuchtlosigkeit und damit zu Verarmung und Zersetzung.«

er sich mit dieser Erzählung bewußt auf die Seite derer schlug, die die Französische Revolution ähnlich als einen unheilvollen Weltenbrand beschrieben hatten. Bereits 1819 hatte Görres, den Eichendorff ja 1807/08 in Heidelberg selbst gehört hatte und dem er damals geradezu enthusiastisch zugetan gewesen war, eine umfangreiche Flugschrift mit dem Titel »Teutschland und die Revolution« veröffentlicht. Schon dort finden sich Sätze, die Görres' Position scharf markieren. Görres fürchtet die Revolution, sieht sie aber in Deutschland durch die Unfreiheit und Verlogenheit der Restaurationsepoche zwangsläufig heraufbeschworen. Die Folgen malt er grell aus: »Eine teutsche Revolution«, so lesen wir, »würde mit der Vertreibung aller herrschenden Dynastien, mit der Zerbrechung aller kirchlichen Formen, mit der Ausrottung des Adels, mit der Einführung einer republikanischen Verfassung unausbleiblich endigen; sie würde dann, wenn sie ihren glücklichen Wallenstein gefunden, weil jedes revolutionierte Volk nothwendig ein eroberndes wird, über ihre Gränze treten, und das ganze morsche europäische Staatsgebäude bis an die Gränze Asiens niederwerfen; aber alle diese Herrlichkeiten, wie früher die Niederlande, mit dem Blute vieler Millionen, mit dem Untergange der Hälfte der aufsteigenden Generation, mit der Zerrüttung des ganzen Wohlstandes von Teutschland, und mit der Verödung aller seiner Gauen durch einen langwierigen Krieg erkaufen, und am Ende nicht mehr gewinnen, als jetzt auf eine wohlfeile Weise zu erlangen ist«[30]. Das hätte Eichendorff wenig später auch schreiben können; es charakterisiert beider Verhältnis zum Problem einer deutschen Revolution. Görres hat damals zwei Jahre später, 1821, noch eine zweite Schrift zu diesem Themenkreis mit dem Titel »Europa und die Revolution« veröffentlicht, und dort beschrieb er, geradezu in Vorwegnahme von Eichendorffs Darstellung, die Revolution als große Geschichtskatastrophe, als furchtbaren Sturm und als ein aus dem Abgrund heraufgezogenes Unwetter, das eine drückende Schwüle schon längst angekündigt hatte und das sich nun zwangsläufig, aus innerer Naturnotwendigkeit mit zerstörerischer Vehemenz entladen mußte. Und es gibt kaum ein besseres Zeugnis für die Konvergenz Eichendorffscher und Görresscher Anschauungen und Geschichtsvorstellungen als Eichen-

30 Joseph GÖRRES, Politische Schriften (1817–1822) hrsg. v. Günther WOHLERS. [Joseph Görres. Gesammelte Schriften hrsg. im Auftrage der Görres-Gesellschaft v. Wilhelm Schellberg (...) Bd. 13]. Köln 1929. S. 101. Vgl. zum Verhältnis Eichendorffs zu Görres auch MÖBUS, Der andere Eichendorff S. 150ff.

dorffs Revolutionsnovelle und das, was Görres in »Europa und die Revolution« schrieb. »Aber es nahten große Gerichte«, so heißt es bei Görres, »ein dicker, dumpfer, stockender Luftkreis hatte über ganz Europa sich hergelegt, und das ganze gesellschaftliche Leben drohte in sich zu vermodern und in Fäulniß sich aufzulösen; darum kamen Stürme dahergefahren, um mit Blitzen zugleich zu strafen und zu reinigen«[31]. Diese Naturkatastrophe, so hat auch Görres gemeint, war den Menschen selbst entsprungen, die es mit geradezu dämonischer Gewalt überkommen hatte – »der einzelne Wille vermag nichts mehr gegen die furchtbare Macht, die sich gegen ihn entkettet hat. Die Nacht und alle Furien des Lebens steigen durch jenen Schlund herauf«[32].

Eichendorff hat eben das als das »wilde Tier«, das »plötzlich ausbricht und dich selbst zerreißt«, beschrieben. Die Gemeinsamkeit der Anschauungen ist evident – so wie Görres an eine ausnahmslose »Naturordnung« jeglicher Revolution glaubte, so sah auch Eichendorff in der Französischen Revolution ein Ereignis, das mit der Gesetzlichkeit einer Naturkatastrophe ablief. »Stürme und Blitze« bei Joseph Görres, das sich nahende, alles zerstörende »Gewitter« bei Eichendorff – beide Male wurde die Französische Revolution als das charakterisiert, was sie Görres und Eichendorff nicht in bloß poetischer Umschreibung, sondern wirklich gewesen zu sein schien.

Es gibt noch ein weiteres Bild, das sich bei Görres und bei Eichendorff findet, wenn von der Revolution die Rede ist. Es beschreibt diese ebenfalls als Naturkatastrophe – und es wäre denkbar, daß Eichendorff auch darin Görres gefolgt ist. »Wie ein Berg«, so heißt es ebenfalls in Görres' Schrift über »Europa und die Revolution«, »den die Verwitterung innerlich aufgelöst, dessen feste Theile der Frost gesprengt, dessen losere Massen der Regen erweicht, dessen Grundschichten tiefe verborgene Wasseradern unterwaschen, in diesem Augenblicke noch mit Wäldern überdeckt, von grünenden Matten umzogen, mit Wohnungen ruhiger Menschen bebaut, unerschütterlich auf seinen Grundfesten zu ruhen scheint; dann aber plötzlich in ganzer Masse zuckend rührt, und nun, innerlich in sich zusammenbrechend, mit donnerndem Getöse, Felsenstücke, Steinbrokken, Geschiebe, Bäume und Häuser, alles übereinander stürzend ins Thal

31 Görres S. 210.
32 Görres S. 92f.

herniederwälzt, daß seine Stätte nicht mehr gefunden wird: so geschah es Frankreich, als das letzte Band, die Gewohnheit des Gehorsams, gebrochen war«[33]. In »Robert und Guiscard«, Eichendorffs Revolutions-Epos, taucht ebenfalls das Bild der »Lawinen« auf, die alles zermalmend über die Täler mit Urgewalt niedergehen: »Wer mag den Sturm in seinem Fluge halten? / Schon hatt' der Leidenschaften Trauerspiel / Entfesselt die dämonischen Gewalten, / Gleichwie Lawinen, die, fernab vom Ziel / Im Sturze wachsend, von den sonn'gen Höhen / Zum dunklen Abgrund donnernd niedergehen«[34]. Die Nähe der Anschauungen ist evident, das Bildmaterial das gleiche. Aber noch einmal: es handelt sich bei alledem nicht um poetische Umschreibungen, sondern um die Wirklichkeit der Revolution selbst, die sich derart Görres so gut wie Eichendorff darbot.

Eichendorff wird sich zur Zeit der Niederschrift seiner Novelle Görres' Schriften gewiß ins Gedächtnis zurückgerufen haben; vielleicht hat er sie damals sogar noch einmal gelesen. 1828 hatte er sich bereits Görres selbst gegenüber ausdrücklich als Schüler bekannt und hinzugesetzt, daß er das »mit unwandelbarer Treue geblieben« sei »durch alle Verwandlungen, die seitdem mit mir und mit Ihnen vorgegangen«[35]. Und noch in seinen Memoiren hat er ihn ja überschwenglich und vor allen anderen gelobt, ihn einen Propheten genannt, »in Bildern denkend und überall auf den höchsten Zinnen der wildbewegten Zeit weissagend, mahnend und züchtigend«[36]. Denkt Eichendorff in seiner Revolutionserzählung und in seinem Revolutionsepos nicht auch in Bildern? Eichendorff selbst ist der lebendige Zeuge jenes Satzes, den er über Görres schrieb: »Es ist unglaublich, welche Gewalt dieser Mann, damals selbst noch jung und unberühmt, über alle Jugend, die irgend geistig mit ihm in Berührung kam, nach allen Richtungen hin ausübte...« Er hat sie auf Eichendorff sein Leben lang ausgeübt.

Man täte Eichendorff aber dennoch Unrecht, sähe man in ihm nur einen Epigonen Görresscher Geschichtsanschauungen oder etwa denjenigen, der 1837 noch einmal poetisch beschrieb, was Görres schon 1821 öffent-

33 GÖRRES S. 210.
34 WB. Bd. 1. S. 463.
35 Brief an Joseph Görres vom 30. August 1828. Sämtliche Werke des Freiherrn Joseph von Eichendorff. Hist.-krit. Ausg. Hrsg. v. Wilhelm KOSCH und August SAUER. Bd. 12. Regensburg 1910. S. 29.
36 W. S. 1118.

lich ausgesprochen hatte. So wenig die Novelle eine bloß romantische Geschichte von unglücklicher und verkannter Liebe ist, so wenig ist die Geschichte vom Schloß Dürande auch eine der damals so gängigen historischen Erzählungen. Zwar öffnet sich vom Rahmen der Gegenwart her der Blick perspektivisch in ein »ehemals«, in eine Vergangenheit, die nahezu ein halbes Jahrhundert zurückliegt, und die Trümmer des Schlosses Dürande, von denen in den ersten Zeilen der Erzählung die Rede ist und die derart den Blick in die Vergangenheit freigeben, scheinen nicht mehr als ein Requisit aus dem üblichen Repertoire der geschichtlichen Erzählung zu sein, wie wir es von Tieck her nur zu gut kennen. Aber wir haben es hier dennoch nicht mit der üblichen historischen Einleitung zu tun, zumal die Trümmer des Schlosses Dürande, von denen eingangs die Rede ist, weniger eine Kulisse ausstaffieren als vielmehr ein wichtiges Element erzählerischer Spannung sind. Denn dieser Beginn läßt zwangsläufig einen Aufschluß darüber erwarten, wie es zur Zerstörung des Schlosses kam – und dieser Bericht folgt tatsächlich ja schon sehr bald. Entscheidender aber ist noch, daß alles, die ganze Revolutionsgeschichte, eben durchaus keine Vergangenheit ist. Für Eichendorff war die Französische Revolution vielmehr ein geschichtlich noch lange nicht erledigtes Problem, oder besser: sie war für ihn ein noch immer beunruhigend aktuelles Ereignis. Und so ist diese Novelle schon deswegen keine historische Erzählung im üblichen Sinne – das, wovon sie handelt, ist durchaus noch nicht Historie. Eichendorff beschrieb hier nicht etwas, was bei der Entstehung der Novelle nahezu ein halbes Jahrhundert zurücklag und im allgemeinen nur noch in Geschichtswerken rekapituliert wurde. Was Eichendorff erzählte, war damals, zur Zeit der Niederschrift, gerade erst wieder außerordentlich aktuell geworden; möglicherweise hat ihn sogar die Julirevolution 1830 zur Beschäftigung mit dem Stoff angeregt[37]. Und die Erzählung vom Schloß Dürande ist somit im Grunde weit mehr Zeitgeschichte als eine Auseinandersetzung mit einem historisch inzwischen längst erledigten Phänomen. Denn wir wissen, daß nicht so sehr 1789, sondern eigentlich erst im Gefolge der Julirevolution in den dreißiger Jahren des 19. Jahrhunderts Unsicherheit, Zweifel und Skepsis als

37 So Günther SEEKER in seiner im übrigen unergiebigen Dissertation: Joseph von Eichendorffs ›Schloß Dürande‹. Marburg 1927. S. 8.

die Schattenseiten jeder Revolution ins allgemeine Bewußtsein getreten waren[38].

So wirkt selbst Görres' Charakteristik der Französischen Revolution auch weniger wie eine unzeitgemäße Mahnung als wie eine frühe Vorwegnahme der Einsicht in die Fragwürdigkeit einer jeglichen revolutionären Tat, wie sie sich nach 1830 dann überall ausbreitete. Zeugnisse dafür gibt es reichlich. Ranke hat berichtet, wie Goethe vor seinem Ende gesagt habe, daß sich ein neuer dreißigjähriger Krieg vorbereite[39]. Niebuhr schrieb eine tief resignierte Vorrede zur zweiten Auflage des zweiten Teils seiner »Römischen Geschichte« und glaubte an einen Wiedereintritt der Barbarei[40]. Und wie er dachten viele; und einer von jenen war auch Eichendorff, der sich ebenfalls wenig Gutes erhoffte von dem revolutionären Brand, der 1789 erstmals aufgeflammt war. Was der bewirkt hatte, sah er im Jahrzehnt nach 1830 noch deutlicher als zuvor, und ähnlich wie jene Großen hat Eichendorff die Revolution in ihrer Problematik und Gefährlichkeit zu entlarven gesucht. Noch 1857 hat er in seinen Memoiren von der »ungemütlichen Gewitterluft« gesprochen, die damals – vor 1789 – über dem Lande gelegen habe, von der ungewissen Unruhe und einem unausgesprochenen bangen Erwarten, das alle beschlichen habe[41]. Es entlud sich für ihn aber nicht nur in einen »flammenden Krater«, den der Revolution, sondern leitete zugleich eine ganze Ära ein, die für Eichendorff bis weit in das 19. Jahrhundert hinein andauern sollte und der er sein Leben lang sein tiefes Mißtrauen entgegenbrachte. Es galt nicht nur der Geschichte, sondern auch der durch diese Geschichte geformten Gegenwart. Auch Görres hatte geschrieben: »Nahe ist die Weissagung erfüllt, die Revolution werde die Umreise um ganz Europa halten«[42]. »Die neuere Zeit hat politische Umgestaltungen herbeigeführt, welche keineswegs durch ihre bloß faktische Existenz schon als abgemacht zu betrachten sind, sondern, weil sie in mannigfache Verhältnisse bedeutend eingreifen, gleichsam in fortwährender Verwandlung

38 Vgl. dazu Theodor SCHIEDER, Das Problem der Revolution im 19. Jh. in: Historische Zeitschrift 170. 1950. S. 236.

39 Leopold von Ranke's Sämtliche Werke. Bd. 49/50. Zur Geschichte Deutschlands und Frankreichs im 19. Jh. Leipzig 1887. S. 171.

40 B. G. NIEBUHR, Römische Geschichte. 2. Teil. 2. Auflage. Berlin 1830. S. V.

41 W. S. 1094.

42 GÖRRES S. 220.

noch lange nachwirken werden« – so sah es ganz ähnlich Eichendorff[43]. Und seine Mahnung, sich vor dem wilden Tiere in der eigenen Brust zu hüten, ist eine Mahnung Eichendorffs auch noch an den Leser der dreißiger Jahre des neuen Jahrhunderts. Zwar liegen in der Erzählung von Schloß Dürande Eichendorffs Sympathien zweifellos auf seiten Renalds, des schließlich selbst gejagten Jägers. Aber der Verlauf des Ganzen zeigt ebenso deutlich, daß die Verhältnisse durch die Revolution nicht besser geworden sind – ganz abgesehen davon, daß Renald sich ja nur in einem ungeheuerlichen Irrtum befand, der sich zwar aufklärt, aber damit zugleich auch Renalds Rache die Rechtsgrundlage entzieht und schließlich ebenfalls sein eigenes Schicksal besiegelt. Die Revolution stellt also durchaus nicht etwa ein verletztes Recht wieder her, sondern bricht es gerade, und sie leitet auch nicht eine bessere Ära ein, sondern ein Zeitalter völlig verwirrter Verhältnisse: die Szenen im aufgehobenen Kloster und im nahegelegenen Dorf – »die Ziegen des Pächters weideten unter umgeworfenen Kreuzen auf dem Kirchhof, niemand wagte es, sie zu vertreiben; dazwischen weinte ein Kind im Kloster, als klagte es, daß es geboren in dieser Zeit. Im Dorf aber war es wie ausgekehrt, die Bauern guckten scheu aus den Fenstern, sie hielten den Graf für einen Herrn von der Nation. Als ihn aber nach und nach einige wiedererkannten, stürzte auf einmal alles heraus und umringte ihn, hungrig, zerlumpt und bettelnd« –, diese Szenen sprechen für sich[44]. Die Französische Revolution war für Eichendorff ein Unglück und ein solches auch gerade für den, der sich von ihr Besserungen oder Wiedergutmachungen scheinbar verletzter Rechte erhoffte. Daran läßt die Erzählung nicht den geringsten Zweifel. Eichendorff hat andererseits nicht nur dieser Revolution sein Mißtrauen bekundet. Wir wissen, daß er 1848 ähnlich urteilte. Sein Gedicht »Kein Pardon« gibt darüber nur zu deutlich Aufschluß; und bezeichnenderweise ist auch dort von Ungewittern, vom Sturm und alles zersplitternden Blitzen die Rede – »Die Ströme werden nimmer rückwärts stauen, / Die Blitze werden zielen nach den Kronen, / Die Stürme rastlos fegen durch die Gauen, / All' Türme brechend wo die Stolzen wohnen ...«[45]. Es war die

43 WB. Bd. 4. S. 1085.
44 W. S. 838.
45 WB. Bd. 1. S. 171.

Revolution schlechthin, die er fürchtete[46]. Sie war ihm zeitlebens kein befreiendes, sondern ein zerstörendes Ungewitter.

Das alles scheint auf eine blindwütige Abwehr des Neuen hinzudeuten, auf eine fast schon panische Angst vor den Folgen des Ereignisses, das die Moderne eingeleitet hatte, auf eine Geschichtsfurcht, die viel von einer mehr instinktiven als bewußten Abwehr alles »Neuen« an sich hat. Uns ist diese Haltung sehr fremd. Aber Eichendorff hat über die Französische Revolution durchaus wohlüberlegt so geurteilt, und auch davon, vom Hintergrund dieser seiner Geschichtsanschauung, deren Ergebnis die Verurteilung der Revolution war, muß hier noch gesprochen werden, will man die Erzählung vom Schloß Dürande recht verstehen. Von einem nur vagen allgemeinen Revolutionspessimismus kann bei Eichendorff nicht die Rede sein, ebensowenig von einer bloßen Übernahme Görresscher Gedanken, selbst wenn sich manche Eichendorffsche Äußerung so ausnimmt. Daß Eichendorff die Revolution als Teufelswerk erschien, hat bei ihm seine durchaus exakte geschichtsphilosophische Begründung. Was er hier am Werke sah, war im Grunde für ihn nämlich eine Kraft, die sich seiner Meinung nach nicht erst 1789 offenbart hatte. Sie wirkte für Eichendorff schon sehr viel länger, und so erschien ihm die Französische Revolution nicht als Beginn allen Übels, sondern in gewisser Weise auch wieder nur als Folgeerscheinung einer größeren weltgeschichtlichen Bewegung.

Eichendorff hat sich wiederholt darüber ausgesprochen. »Was die Welt verwandelt hat«, so schrieb er etwa 1830 in seiner Schrift »Preußen und die Konstitutionen«, »ist schon vielfach, ebenso gründlich als geistreich, gesagt worden. Fassen wir aber die Gegenwart schärfer ins Auge, so können wir es nicht länger verhehlen, daß dieser neugestaltende, fast

46 Eichendorff war dabei allerdings durchaus nicht blind gegenüber den Ereignissen von 1848 und ihrer Bedeutung, und in seiner Schrift über den deutschen Roman des 18. Jahrhunderts hat er sich sogar gegen die Mode gewehrt, »diesem Jahre alles nur ersinnliche Schlechte zuzuschreiben und ihm dagegen jede historische Bedeutsamkeit abzusprechen«. Eichendorff sah das Mißliche nicht in dieser Revolution, sondern in dem, was dazu geführt hatte: »Aber was da Verkehrtes geschehen, war nicht die Schuld von 1848, sondern der früheren Dezennien. Das sollte man wohl bedenken und nicht das Neue nun wieder mit dem Alten anfangen wollen, das doch, nach diesen seinen Früchten, unmöglich so überaus vortrefflich und unfehlbar sein konnte« (WB. Bd. 4 S. 855). Das grenzt Eichendorff scharf ab gegen jegliches blinde Reaktionärswesen der Zeit.

dreihundertjährige Kampf noch keineswegs beendigt oder geschlichtet ist. Es ist immer noch ein und derselbe Grundtrieb, welcher in seinem ersten Jünglingsfeuer die Bande des kirchlichen Absolutismus durchbrechend, durch wechselseitige Opposition neues Leben in die Kirche gebracht, dann, gleichsam müde von solchem Riesenkampfe, als Aufklärung aus den Studierstuben der Gelehrten die Welt mit aufdringlicher Nützlichkeit langweilte, und nachdem er sich dort erholt und wissenschaftlich begründet, nunmehr erst praktisch in das äußere Leben hinaustritt (...)«[47]. Dreihundert Jahre – das ist der Zeitraum zwischen Eichendorffs Gegenwart und dem Mittelalter, innerhalb dessen sich die Emanzipation des Verstandes vollzog, die dann für Eichendorff so fürchterlich in der Französischen Revolution gipfelte. Unter dem großräumigen, ja sogar universalhistorischen Aspekt, der für Eichendorffs Geschichtsanschauungen charakteristisch ist und unter dem er sich die Ereignisse der Französischen Revolution zu deuten versuchte, erschien ihm danach bereits Luthers Reformationswerk als die erste Stufe eines weltgeschichtlichen Prozesses, der eben bis in seine, Eichendorffs, Gegenwart anzudauern schien und der ihn so außerordentlich beunruhigte. Denn schon in der Reformation erkannte er einen Akt des »Protestantismus«. »Protestantismus« aber war für ihn eine die bisherigen Ordnungen sprengende und darin sehr bedenkliche einseitige »Demonstration des Verstandes«, dem fortan, so meinte Eichendorff, eine »unverhältnismäßige Bedeutung und Macht über Phantasie, Gefühl und die anderen für eine harmonische Bildung gleich unentbehrlichen Seelenkräfte« zuerkannt worden sei[48]. Das aber wurde von Eichendorff eben so kritisch vermerkt. Ihm schien diese Bewegung des Protestantismus, die ins 18. Jahrhundert als »Aufklärung« überwechselte, darum Gefährliches zu enthalten, weil sie einem Protest gegen jegliches andere, nicht verstandesmäßige Vermögen des Menschen gleichkam. »Nicht darin liegt das Übel«, so heißt es in der Schrift über »Preußen und die Konstitutionen«, »daß der Verstand, im Mittelalter von gewaltigeren Kräften der menschlichen Natur überboten, sein natürliches Recht wieder eingenommen, sondern darin, daß er nun als Alleinherrscher sich keck auf den Thron der Welt gesetzt, von dort herab alles, was er nicht begreift und was dennoch zu existieren sich heraus-

47 WB. Bd. 4, S. 1291.
48 WB. Bd. 4. S. 675.

nimmt, vornehm ignorierend.« Und weiter: »Denn jede maßlose Ausbildung einer einzelnen Kraft, weil sie nur auf Kosten der anderen möglich, ist Krankheit, und so geht oft eine geistige Verstimmung durch ganze Generationen und gibt der Geschichte unerwartet eine abnorme Richtung«[49]. Die abnorme Richtung: das war das, was Eichendorffs Meinung nach schließlich zur Französischen Revolution geführt hatte. Hier sah er nicht nur den Triumph einer fehlgeleiteten Aufklärung über die anderen seit dem Mittelalter unterdrückten Kräfte des Menschen, sondern zugleich – und deswegen schien sie ihm doppelt verwerflich – den »Absolutismus des sich selbst vergötternden Subjekts« auf seinen Höhepunkt, ja ad absurdum geführt. Die einseitige Herrschaft des Verstandes: das war für ihn eben nicht nur gleichbedeutend mit der Suppression aller anderen mindestens ebenso wichtigen Anlagen und Fähigkeiten des Menschen, sondern auch mit der ihm gleichermaßen gefährlich erscheinenden völligen Autonomie des Individuums. Heine hat das nahezu gleichzeitig als wichtigstes Ergebnis der Revolution begrüßt. Eichendorff aber war sie höchlichst suspekt[50]. In seiner Schrift »Der deutsche Roman des 18. Jahrhunderts in seinem Verhältnis zum Christentum« hat er sogar von der falschen Aufklärung gesprochen, die zwar schon im allgemeinen Protestantismus der menschlichen Natur überhaupt wurzele, die sich aber dann »vorzüglich der Reformation, ihrer Konsequenzen und wechselnden Bestimmungen« bedient habe, »um sich endlich im 18. Jahrhundert als eine förmliche Philosophie des Lebens heranzubilden«[51]. Die Geschichte der Neuzeit aber erschien ihm damit als ein immer stärkeres Abirren von jenem Maß an Harmonie der menschlichen Kräfte und jenem ausgeglichenen Verhältnis zwischen Verstand und Gefühl, Wissen und Glauben, die ihm ein Idealzustand und der Inbegriff des schlechthin Humanen zu sein dünkten. Er sah diese Harmonie, das machen die hier zitierten Äußerungen schon deutlich, letztmals und eigentlich nur im Mittelalter verwirk-

49 WB. Bd. 4. S. 1292.
50 Das hindert Friedrich Herr in seinem Aufsatz »Die Botschaft eines Lebenden. Zur einhundertjährigen Wiederkehr seines Todestages« (in: Eichendorff heute S. 66–105) freilich nicht, zu behaupten: »Sein kritisches Werk ist zu vergleichen mit Heinrich Heine (dem er nicht nur in der Satire, im sprachgewandten blitzartig erhellenden Witz nahesteht).« Auf das Unziemliche dieses Vergleiches hat bereits Oskar Seidlin in seinen Versuchen über Eichendorff S. 290 mit Recht hingewiesen.
51 WB. Bd. 4. S. 701.

licht, und das Mittelalter stellte sich ihm denn auch als wahrhaft humane Epoche dar. Daß er das Mittelalter darin kräftig verzeichnete, ist keine Frage; erklärlich ist von dorther aber auch sein zwangsläufiges Verdikt über die Reformation, die jenen so ausgeglichenen Haushalt der Kräfte seiner Meinung nach aufhob und dem Verstand eine ungebührliche Alleinherrschaft zuerkannte. Eichendorff aber störte sich an der souveränen Macht des Subjekts, auf die aller Akzent damals gelegt worden sei, ganz ungemein, und er konnte sich gar nicht genug tun mit der Beschreibung des desolaten Zustandes, in den die Suprematie des Verstandes den Menschen geführt habe. In der Einleitung zu seiner Schrift über den deutschen Roman im 18. Jahrhundert findet sich vielleicht das schärfste Urteil, das Eichendorff in diesem Zusammenhang ausgesprochen hat – eine Tirade über den »menschlichen Verstand«, der ein durchaus absolutistischer, trockener und hochfahrender Gesell sei, rechthaberisch und bilderstürmerisch, die jedem Vertreter eines konsequenten Irrationalismus zur Ehre gereichen würde[52].

Doch man mißverstände Eichendorff, sähe man dahinter einen so unreflektierten wie bedenklichen Gefühlskult und in Eichendorff selbst den Vertreter einer rückständigen Unvernunft oder einen blinden Mittelalter-Enthusiasten. Er ist hier auch nicht der irrationale Romantiker, als der er scheinen könnte. Eichendorff hat der geschichtslosen und unverbindlichen Romantik in »Die neue Poesie Österreichs« sogar eine entschiedene Absage gegeben. Diese habe sich zwar, so heißt es dort, zu Recht gegen die Suprematie des Subjekts gewandt und gegen die daraus erwachsene »Verknöcherung und Langeweile«, und sie habe dem sofort das »Positive«, den Katholizismus, entgegengesetzt, »der also ihre eigentliche Seele war«[53]. Aber dieses Unternehmen, so meinte Eichendorff, sei nicht genug vorbereitet gewesen, der Katholizismus nur ein improvisierter Katholizismus, mehr bloßes Kriegsmittel als Selbstzweck; und so sei die Romantik zum bloß ästhetisierenden Katholisieren gekommen und schließlich wieder über den Pantheismus zur alten Aufklärung und Ver-

52 WB. Bd. 4. S. 834.

53 WB. Bd. 4. S. 910. Genaueres über Eichendorffs Dichtungsbegriff, seinen Urteilsstandpunkt in literarischer Hinsicht und Eichendorffs literarische Stellung überhaupt in dem so ausführlichen wie gründlichen Aufsatz von Hans-Egon Hass, Eichendorff als Literarhistoriker. In: Jahrbuch für Aesthetik und allgemeine Kunstwissenschaft. Bd. 2. 1952/54. S. 103–177, bes. S. 120ff.

götterung des Subjekts. Daraus sei nicht nur eine »bedeutende Aufregung der Geister« entstanden, sondern zugleich auch, weil kein Ziel dagewesen sei, »Zerrissenheit«, ein spezifisch romantisches Übel also, für das er kein Verständnis hatte. – Es ist ein im Grunde vernichtendes Urteil eines Spätromantikers über die Frühromantik. Eichendorff sah die Schwächen und das Unwahre eines bloß ästhetisierenden Katholizismus deutlicher als andere, gerade weil er historisch großräumiger dachte, nicht zuletzt freilich auch deswegen, weil er zugleich eine Vorstellung vom Humanen entwickelt hatte, die im Grunde ein Gegenschlag auf diese seiner Meinung nach viel zu einseitige und weltferne Tendenz der Frühromantik war und ein Versuch zur wirklichen Wiedereinsetzung der Kräfte, die ihm seit langem brachzuliegen schienen. Dahinter steht bei Eichendorff keine blasse Harmonisierungstendenz, sondern ein Totalitätsideal, das den Menschen gerade aus seiner Einseitigkeit und seiner Vereinseitigung befreien will. Eichendorff dachte in diesem Punkte ganz bewußt im Unterschied zur Frühromantik keineswegs geschichtslos. Er sah die Möglichkeit zur Verwirklichung seines Ideals vor allem in Deutschland als gewissermaßen von der Geschichte selbst vorgegeben an: bei der »geographischen Vermischung und politischen Reichsverbindung von Katholiken und Protestanten«, so meinte er, sei sie an sich am ehesten zu erwarten gewesen, nicht als wesenlose Verschmelzung, sondern als »wechselseitige Durchdringung und Belebung beider«[54]. Doch sie sah er seit Jahrhunderten bedroht und durch die Französische Revolution vollends gefährdet. Von dorther gesehen aber wurde die Restauration, d.h. die Wiederherstellung eines ursprünglich bestehenden Zustandes der Harmonie und des Ausgleichs, der aber durch das reformatorische Zeitalter, die Zeit des 18. Jahrhunderts, die die »allgemeine Einbildung des hochmütigen Subjekts« fortgeführt habe, und schließlich durch die Französische Revolution verlorengegangen sei, zur erstrangigen geschichtlichen Aufgabe. Die Französische Revolution hatte als gewaltiger Ausbruch jener Emanzipationsbestrebungen der Neuzeit die im Mittelalter am reinsten erhaltene Balance menschlicher Vermögen zerstört – die Restauration empfand Eichendorff von daher gesehen als so heilsame wie notwendige Reaktion, die das Gleichgewicht der Kräfte seiner Meinung nach allein wiederherstellen konnte, indem sie der maßlosen Ausbildung einer einzelnen Kraft

54 WB. Bd. 4. S. 1160.

– der aufgeklärten Vernunft – entgegentrat, um »Phantasie«, »Gefühl« und damit den »Seelenkräften« wieder zu ihrem Recht zu verhelfen.

Die Restauration will hier also nicht abschätzig, sondern positiv als Restitution verstanden sein, als Wiedereinsetzung der vom Verstand unterdrückten Kräfte, als Versöhnung zwischen Verstand und Gemüt, zwischen Geist und Seele. Eben von dorther mußte Eichendorff das Mittelalter zum wahren Vorbild werden. Das Gleichgewicht der heterogenen Kräfte des Menschen schien dort am besten bewahrt gewesen zu sein, der in der menschlichen Natur bereits begründete Zwiespalt zwischen Seele und Verstand dort am eindrücklichsten aufgehoben. Die Französische Revolution hingegen, als Höhe- und Scheitelpunkt des aufgeklärten 18. Jahrhunderts, ja jeglicher »Aufklärung«, mußte ihm die Zerrissenheit der menschlichen Natur besonders eklatant verdeutlichen; dort waren zerstörerische Kräfte freigesetzt, die jene schöne Einheit einer Harmonie der Kräfte gründlich und für alle Zeiten zu zerstören drohten.

So ist es denn nur zu einleuchtend, warum ihm die Französische Revolution auch in seiner Erzählung vom Schloß Dürande als wilde Anarchie der Kräfte, als bloß destruktives Ereignis, als zerstörerische Naturkatastrophe erscheinen mußte. Sie war ein Endpunkt in der fortschreitenden Zerstörung der prästabilierten Harmonie der menschlichen Natur und auch in diesem doppelten Sinne eine Naturkatastrophe, ein Ausbruch des wilden Tieres aus der Brust des Menschen, ein Gewittersturm mit der Macht elementarer Vorgänge am Ende des aufgeklärten Zeitalters. Die Folgen sah er unmittelbar vor Augen. Er glaubte nicht nur, daß die Phantasie zu kurz gekommen sei im Verlauf dreier langer Jahrhunderte; er fürchtete zugleich, daß sie sich, als unterdrückte menschliche Potenz, »anderswo unnatürlich Luft mache, und, als fade Schwärmerei oder politischer Wahnsinn, alle ernsten Verhältnisse verwirrend unter Wasser setze, das, innerlich kalt und farblos, auf der Oberfläche ein falsches, lügenhaftes Leben spiegelt«. So lesen wir es in seiner Schrift »Über die Folgen von der Aufhebung der Landeshoheit der Bischöfe und der Klöster in Deutschland«. Mit der faden Schwärmerei und dem politischen Wahnsinn dürfte unter anderem die kontemporäre jungdeutsche Literatur gemeint gewesen sein; wie er über diese urteilte, zeigt schon ein Blick auf das Ende seiner Schrift über den deutschen Roman im 18. Jahrhundert. »Journalisten, Touristen, Magister der freien Künste und dgl. m.«, so hat er sie hier voller Verachtung genannt[55] und voller Furcht zugleich davor, daß dergleichen fade Schwärmerei und politischer Wahnsinn die Literatur künftig beherrschen möchten. Eichendorff konnte alles das nur verdammen und fürchten, und im Jahr der Julirevolution sprach er bezeichnenderweise sein »Vor allem behüte uns Gott vor einem deutschen Paris« aus der Überzeugung dessen, der im revolutionären Frankreich nur eine neue Stufe im Prozeß der bedrohlichen Emanzipation des Individuums sah. Ein krasserer Gegensatz zu Heine, der Paris als das neue Jerusalem feierte, läßt sich nicht denken.

*

Eichendorff hat es jedoch nicht bei der Schilderung der Anarchie belassen. Er hat in allen seinen Romanen und Erzählungen ein Gegengewicht, ein poetisches Analogon jenes idealen Zustandes der Versöhnung zwischen Verstand und Gemüt, Geist und Seele geschaffen, der für ihn zuletzt im Mittelalter erreicht worden war. Mochte er in Wirklichkeit nun auch verlorengegangen sein und gerade damals, zur Zeit der Französischen Revolution, weiter denn je entfernt, so hat Eichendorff sich diesen Idealzustand doch wenigstens dichterisch vergegenwärtigt und hier beschrieben, was dort reine Utopie war. Im Grunde handeln alle Erzählungen auch davon, und selbst seine Revolutionsgeschichte macht da – und damit wendet sich unsere Betrachtung wiederum ihrem Ausgangspunkt zu – keine Ausnahme. Dieses poetische Analogon, die Gegenwelt zur Welt der Französischen Revolution, findet sich auch hier, und sie darf gerade hier, in der Geschichte von der Katastrophe der Revolution, um so weniger unerwähnt bleiben, als sich Eichendorffs finsteres Gemälde ein wenig von dorther erhellt.

Es ist die von Eichendorff immer wieder beschworene »alte schöne Zeit«[56], in der jene Einheit noch Wirklichkeit war. Um Mißverständnissen vorzubeugen: sie ist in unserer Erzählung keineswegs identisch mit der alten Zeit, die im Garten des Schlosses Dürande gewissermaßen topographisch faßbar geworden ist – daß die Gewichte der Turmuhr dort noch ruhig fortschnurren, der verrostete Zeiger aber nicht mehr von der Stelle rückt, verdeutlicht jenen Zustand der eingeschlafenen Zeit, der für

55 WB. Bd. 4. S. 834.

56 W. S. 822. Vgl. über die Bedeutung der Chiffre »schöne, alte Zeit« für Eichendorff auch Oskar SEIDLIN, Versuche über Eichendorff S. 121 f.

Eichendorff Erstarrung und Tod gleichkommt. Der alte Graf Dürande im Staatskleid vor seit jeher unverrückten Spiegeln und Marmortischen ist das persongewordene unzeitgemäße Rokoko, das Eichendorff hier in seiner Überaltertheit bloßstellt; er repräsentiert die verstaubte Kultur des Ancien Régime, die längst dem Untergang geweiht ist, das Gekünstelte, Verzierte und Verschnörkelte einer im Tod erstarrten Welt; durch die festgeschlossenen Fenster dringt ja schon das Wetterleuchten einer anderen Zeit, während hier noch die Bedienten stumm über den glatten Boden eilen, im alten Hof die Brunnen einförmig rauschen und im Nebengemach eine Flötenuhr alle Viertelstunden einen Satz aus einer alten Opernarie spielt. Es sind Schatten und Klänge der Vergangenheit.

Eichendorff meint mit der »alten schönen Zeit« etwas anderes. Die Figuren seiner Erzählung erleben sie nicht im Jetzt und Hier, sondern in der Rückbesinnung auf ein verlorenes Einst, das mit jenem versteinerten Einst des Rokokogartens nichts gemeinsam hat. Die »alte schöne Zeit« gleicht vielmehr einem Arkadien, einem Heilszustand, der von den Figuren der Eichendorffschen Romane und Novellen freilich immer nur aus der Kontrastsituation des Verlustes heraus erlebt wird: nur im Zustand der Gefahr, im Moment des Todes, in jeder Form eines gestörten Weltverhältnisses scheint er noch einmal ins Bewußtsein zu dringen, momentan und nur noch als so flüchtig wie schmerzlich erinnertes schöneres Einst. Der ins Kloster geflüchteten Gabriele vergeht beim plötzlichen Klang von Waldhörnern fast der Atem »vor Erinnerungen an die alte schöne Zeit«[57]. Die sterbende Gabriele erinnert sich noch einmal an das »dazumal«, als der Graf durch das tiefe Abendrot zu ihr kam[58]. Der junge Graf Dürande steht am Abend seines Todes an einem der offenen Fenster seines Schlosses und lauscht einem Lied, das auch ihn an Vergangenes, an »gar manche stille Nacht« erinnert[59]. Renald denkt sich beim Anblick der Linde und der mondbeglänzten Wiese »die verlorene Gabriele wieder in der alten unschuldigen Zeit als Kind mit langen dunklen Locken«. Wir kennen Ähnliches auch aus anderen Erzählungen Eichendorffs. Selbst der Taugenichts weiß ja um Verzweiflung und Einsamkeit – nicht zufällig träumt ihm gerade dann von seiner Kindheit und daß er bei seinem Dorfe auf einer einsamen grünen Wiese läge und ein warmer Sommerregen in der

57 W. S. 822.
58 W. S. 844.
59 W. S. 837.

Sonne sprühte und glänzte[60]. Doch auch in der vielleicht traurigsten Geschichte Eichendorffs, in der »Entführung«, flüchtet Diana, die auf der Jagd selbst zum Wild geworden ist, »auf das sie alle zielten« – wir kennen das Motiv –, in das Schloß, wo sie als Kind gelebt; und als sie am nächsten Morgen ans Fenster tritt und des Schloßwarts kleines Töchterlein im stillen Garten sieht, fliegt eine plötzliche Erinnerung durch ihre Seele, »wie einzelne Klänge eines verlorenen Liedes, es hielt ihr fast den Atem an, sie bedeckte die Augen mit beiden Händen und sann und sann –«. Es ist das Lied ihrer verlorenen Kindheit[61].

Und von hieraus beantwortet sich die Frage nach der Eigentümlichkeit der verlorenen alten schönen Zeit schon quasi von selbst. Die schöne alte Zeit ist bei Eichendorff fast immer eine sehr genau bestimmbare alte Zeit: Es ist, das zeigen schon diese wenigen Hinweise deutlich genug, die Zeit der Jugend, die Zeit der Kindheit, an die sich die erinnern, die sie endgültig verloren haben, an die diese aber auch nur deswegen so intensiv zurückdenken können, weil sie so unerreichbar weit hinter ihnen liegt[62]. Die Kindheit gleicht einem Heilszustand, den der Mensch zwar unwiederbringlich verlassen hat, dessen er sich jedoch als eines in Erinnerung, Ahnung und Traum bewahrten Erbes immer wieder zu bemächtigen vermag. Kindheit und Jugend stehen bei Eichendorff für ein säkularisiertes Paradies, und die Gärten der Kindheit haben alle noch etwas vom Garten Eden. Hofmannsthal, den viel mit Eichendorff verbindet, hat diesen verlorenen Zustand später die Zeit der Präexistenz genannt, den Zustand der Schicksallosigkeit, die »Sphäre der Totalität«. Eichendorff war sich der Unverlierbarkeit dieses Zustandes gewiß, so bewußt er sich auch war, daß er tatsächlich nie zu bewahren war. Aber er war immer wieder zu erinnern. Diese »alte schöne Zeit« steht auch in unserer Erzählung als eine Zeit des Heils gegen die heillose Zeit der Revolution. Diese vernichtete mit elementarer Gewalt die Welt des Ancien Régime. Jene erinnert den Menschen an ein besseres Einst; geschichtlich betrachtet: an einen vorrevolutionären Zustand einer Harmonie der Kräfte, deren Verlust erst jetzt, in der Revolution, eigentlich recht bewußt wird.

60 W. S. 406.

61 W. S. 868 f.

62 Über die »Unschuld des Kindes« vgl. auch Gerhard MÖBUS, Eichendorff und Novalis S. 174 f. und über den alten Garten als Kindheitsparadies REHM, Späte Studien S. 134 f.

Die Neigung zur Rückerinnerung an die derart »alte schöne Zeit« kommt natürlich nicht von ungefähr. Eichendorff hat sich seiner eigenen Kindheit und Jugend ähnlich erinnert; sie war für ihn selbst gleichermaßen eine für immer verlorene und doch in der Erinnerung unauslöschlich bewahrte alte schöne Zeit. Eichendorff hat von dieser schönen alten Zeit mit geradezu wehmütiger Erinnerung in seinen Memoiren berichtet – von den schlesischen Schlössern und dem fröhlichen tagtäglichen Rumoren in ihnen, von den ländlichen Bällen und Festen, vom Karneval und den Jagden, die in der fast insularen Abgeschiedenheit der Landbewohner stattfanden. Und er hat mit graziöser Unnachahmlichkeit beschrieben, wie Besuch aus der Nachbarschaft in diese ländliche Idylle einzubrechen pflegte: »Nach den geräuschvollen Empfangskomplimenten und höflichen Fragen nach dem werten Befinden ließ man sich dann gewöhnlich in der desolaten Gartenlaube nieder, auf deren Schindeldache der buntübermalte hölzerne Cupido bereits Pfeil und Bogen eingebüßt hatte. Hier wurde mit hergebrachten Späßen und Neckereien gegen die Damen scharmütziert, hier wurde viel Kaffee getrunken, sehr viel Tabak verraucht, und dabei von den Getreidepreisen, von dem zu verhoffenden Erntewetter, von Prozessen und schweren Abgaben verhandelt; während die ungezogenen kleinen Schloßjunker auf dem Kirschbaum saßen und mit den Kernen nach ihren gelangweilten Schwestern feuerten, die über den Gartenzaun ins Land schauten, ob nicht der Federbusch eines insgeheim erwarteten Reiteroffiziers der nahen Garnison aus dem fernen Grün emportauchte. Und dazwischen tönte vom Hofe herüber immerfort das Lärmen der Sperlinge, die sich in der Linde tummelten, das Gollern der Truthähne, der einförmige Takt der Drescher und all' jene wunderliche Musik des ländlichen Stillebens, die den Landbürtigen in der Fremde wie das Alphorn den Schweizer oft unversehens in Heimweh versenkt. In den Tälern unten aber schlugen die Kornfelder leise Wellen, überall eine fast unheimlich schwüle Gewitterstille, und niemand merkte oder beachtete es, daß das Wetter von Westen bereits aufstieg und einzelne Blitze schon über dem dunklen Waldeskranze prophetisch hin und her zuckten«[63]. Es war eine damals schon fast verlorene schöne alte Zeit – das »Wetter« ist natürlich wieder das Revolutionsgewitter, von dem auch das Schloß Dürande dann so schrecklich heimgesucht wird. Aber der junge Eichen-

63 W. S. 1087f.

dorff merkte freilich davon noch nichts, er hat seine Jugend ähnlich selig erlebt. In seinem Tagebuch hat er das Lubowitz seiner Kindheit beschrieben und das Tal seiner Heimat eine Insel genannt, die vom Sturm der neuen Zeit noch unberührt war, während die Revolution in Frankreich damals bereits ihre unheimliche Tour begann: »Das uralte Schloß Lubowitz – Lage des Schlosses und Gartens, Hasengarten, Tafelzimmer usw.... Damalige Zeit und Stilleben. Wie der Papa im Garten ruhig spazieren geht, der Großpapa mit keinem König tauschen möchte«[64] – diese Tagebuchnotiz Eichendorffs fängt einen schwachen Abglanz des Zaubers ein, den Lubowitz auf den jungen Eichendorff ausgeübt haben muß. Und als er sein Kindheitsparadies verlassen mußte, um in Halle zu studieren, notierte er in sein Diarium einen Satz, der ahnen läßt, was ihm das Dasein dort bedeutet haben muß: »Ein quälendes Erwachen. Traurig öffneten sich meine Blicke zum letztenmale allen den umgebenden Schönheiten Lubowitzens (...)«[65].

Das alles sieht sehr persönlich aus. Doch der Regreß auf die »alte schöne Zeit« ist natürlich keine Privaterfindung Eichendorffs, und die schöne alte Zeit ist in Eichendorffs Romanen und Erzählungen mehr als eine bloße Kindheitsreminiszenz. Die »selige Insel« der Vergangenheit will uns vielmehr als die spezifisch Eichendorffsche Fassung der Vorstellung von einem vergangenen besseren Einst erscheinen, wie sie die gesamte deutsche Romantik geprägt hat; und Eichendorff ordnet sich damit bei aller Kritik an der bloß ästhetisierenden Frühromantik doch bruchlos in die Reihe derer ein, die der klassischen Diesseitigkeit eine romantische Jenseitigkeit entgegensetzten, die weit zurücklag, aber in Traum, Ahnung und Erinnerung, in Märchen, Liedern und Sagen nichtsdestoweniger noch anwesend war und die von größerer Faszination blieb als alle Wirklichkeit. Wir wissen, in welchem Ausmaß die romantische Bewegung der Vergangenheit gehuldigt hat, und wir brauchen hier nur noch einmal anzudeuten, was gemeint ist. In der Vorzeit fand Novalis den »tiefen unendlichen Zusammenhange der ganzen Welt«[66], und er hat sie in seinem »Heinrich von Ofterdingen« und in seinen »Hymnen an die Nacht« dichterisch und in seinen Fragmenten erkennend zu beschwören

64 Vgl. Rehm, Späte Studien S. 136.
65 Tagebucheintragung vom 20. April 1805; WB. Bd. 3. S. 93.
66 Fragment Nr. 292. Novalis Schriften. Bd. III. Das philosophische Werk II. Hrsg. v. Richard Samuel (...). Stuttgart 1960. Abt. XII. S. 601.

gesucht. Friedrich Schlegel sah »kein besseres Gegengewicht gegen den Andrang des Zeitalters, als die Erinnerung an eine große Vergangenheit«[67]. Vorstellungen wie die, daß das längst versunkene jugendliche Alter das ursprüngliche und eigentliche Alter der Völker gewesen sei, finden sich im Anschluß an Herdersche Überlegungen von Novalis bis Tieck, von Görres' Einleitung in die deutschen Volksbücher bis hin zu Jakob Grimm. »Auf den Duft und Glanz der Vorzeit gefolgt ist farblosere Wirklichkeit, wie wir für alte Poesie der Prosa bedürfen. Es wird dadurch, nach unverrückbarer Stufe, ein Herabsinken vom Gipfel früherer Vollendung wehmütig ausgedrückt, in scheinbarem Widerspruch zu dem ewig steigenden Aufschwung der Menschheit, die sich jenes göttliche Feuer nimmer entreißen läßt« – so heißt es noch in Grimms Geschichte der deutschen Sprache[68]. Grimms Akademievorlesung über den Ursprung der Sprache behandelt ähnliches, zeugt von gleicher Verehrung der kindlich-unbewußten Frühzeit. »So reich war jene vergangene Welt, sie ist versunken, die Fluthen sind darüber hingegangen, da und dort ragen die Trümmer noch hervor, und wenn sich die Trübe der Zeitentiefe klärt, sehen wir am Grunde ihre Schätze liegen« – so schrieb aber auch Görres, der Eichendorff ja wohl am nachhaltigsten beeinflußt haben dürfte, in seiner Mythengeschichte[69].

Eichendorff, der Spätromantiker, vermochte hier allerdings nicht mehr uneingeschränkt zu folgen, und wenn er dem Vergangenheitskult der Romantik ebenfalls huldigte, so doch auf eine für ihn sehr charakteristische, besondere Weise, die, gemessen an den zitierten Äußerungen, geradezu privat anmutet. Für ihn war jene vergangene Welt allein die »alte schöne Zeit« der Kindheit und Jugend. Die Glückseligkeit der eigenen Kindheit trug gewiß ein gut Teil dazu bei, daß er sie dort suchte und fand und daß er die Helden seiner Erzählungen und Romane sich ihrer immer wieder erinnern ließ. Darüber hinaus war es freilich auch romantisches Erbe, wie er es etwa selbst in Heidelberg kennengelernt hatte. Dennoch scheint sich gerade in der eigentümlich privat erlebten Sphäre des

67 12. Vorlesung über die neuere Geschichte, Wien 1810/11. Friedrich Schlegel. Kritische Ausgabe. Bd. VII. Abt. I. Studien zur Geschichte und Politik. Hrsg. v. Ernst BEHLER, München/Paderborn/Wien 1966. S. 272.

68 I, Leipzig 1880 (4. Aufl.) S. 1.

69 Joseph Görres. Gesammelte Schriften Bd. V. Hrsg. v. Willibald KIRFEL. Köln 1935. S. 274.

Ursprünglichen und Eigentlichen, in der Vorstellung, daß vornehmlich in Kindheit und Jugend das goldene Zeitalter der Menschheit bewahrt sei, auch die Besonderheit der spätromantischen Position Eichendorffs deutlich abzuzeichnen. An die Stelle der vor allem frühromantischen Rückwendung zu den Geheimnissen und Mysterien der Vorzeit und Urzeit überhaupt, die keine persönliche Rückschau war, sondern ein Eintauchen in einen allgemeineren Zustand, Kontaktnahme mit Phasen, Zeiten und Zuständen, die eigentümlich entindividualisiert erscheinen, ja sogar in gewisser Weise Versuche der Entgrenzung des Ich in ein Umfassenderes und Allgemeineres waren, ist hier, bei Eichendorff, die schöne alte Zeit überall als gleichsam individuelles Erbe getreten: es sind unverwechselbare, persönlich erlebte Augenblicke, unverwechselbare Kindheiten, deren sich die Eichendorffschen Gestalten erinnern. Aus dem allgemeinen Vorzeitkult der Frühromantik ist hier der Kindheitskult eines Spätromantikers geworden, aus der Rückbesinnung auf das verlorene goldene Zeitalter der Menschheit eine Erinnerung an eine esoterische, gewissermaßen private Vorzeit[70]. Hier scheint der Endpunkt der romantischen Sehnsucht nach einer größeren Vergangenheit erreicht. Sie war für Eichendorff freilich auch ein letzter Fluchtpunkt in einer Welt, die die tödliche Bedrohung und das Ungewitter der Revolution erlebt hatte; etwas Unverlierbares und ein Besitz, der nicht in der Vorzeit verloren war, sondern dessen man sich gerade dann bemächtigen konnte, wenn das »wilde Tier«, das schlechthin Unmenschliche ausbrach. Auch das beschreibt die Erzählung vom Schloß Dürande.

70 Anders jedoch REQUADT a. a. O. S. 84; Requadt deutet die »alte schöne Zeit« der Kindheit als Weg zur »Urzeit« und spricht von Eichendorffs »Urzeitmetaphysik«.

Eichendorffs Roman »Dichter und ihre Gesellen«

Ernst L. Offermanns

Friedrich Theodor Vischer resümiert in seiner »Ästhetik« um 1850 die Einsichten des positivistischen Jahrhunderts zur Romantheorie und -praxis, wenn er schreibt: »Die Grundlage [...] des Romans ist die erfahrungsmäßig erkannte Wirklichkeit, also die schlechthin nicht mehr mythische, die wunderlose Welt«[1]. Anfang der 30er Jahre hatte sich mit Gutzkow, Laube, Mundt und vor allem Immermanns »Die Epigonen« ein neuartiger Romantypus herausgebildet[2], der den tatsächlichen oder vermeintlichen Subjektivismus der Romantik und deren mythische, bzw. metaphysische Dimension bekämpfte, den Menschen ausschließlich von der ökonomischen, sozialen und politischen Zeitsituation bestimmt sah und demgemäß die herrschenden Zeitverhältnisse widerzuspiegeln, polemisch in Frage zu stellen und unmittelbar zu beeinflussen trachtete. Die Eroberung der empirischen Wirklichkeit durch den Roman, die von Immermann geforderte Erschließung des »realistisch-pragmatische[n] Element[s]«[3] war sicherlich an der Zeit, gelang aber bis auf beträchtliche Ansätze bei Immermann selbst noch keineswegs. Statt einer Erweiterung der Möglichkeiten der Gattung erfolgte zunächst eine Verarmung und Reduktion auf einen bloß »räsonnirende[n] Roman«[4], wie der zeitgenössische Kritikier Hermann Marggraf den teils ästhetisierenden, teils eine

1 F. Th. Vischer, Ästhetik oder Wissenschaft des Schönen, Stuttgart 1857. Hier zit. n. E. Lämmert u. a. [Hrsg.], Romantheorie, Dokumente ihrer Geschichte in Deutschland 1620–1880, Köln–Berlin 1971, S. 338.

2 Zum Folgenden vgl. B. Hillebrand, Theorie des Romans, Bd. II, München 1972, S. 18–46.

3 Immermanns Werke, hrsg. v. H. Maync, Wien–Leipzig 1906/07, Bd. 5, S. 380. Hier zit. n. Hillebrand, a. a. O., S. 20.

4 H. Marggraf, Die Entwicklung des deutschen Romans, besonders in der Gegenwart. In: Biedermanns Deutsche Monatsschrift für Literatur und öffentli-

unintegrierte, aber auch inhaltlich vage politische oder moralische Tendenz ideologisch propagierenden, exklusiven Romantypus der 30er Jahre nannte. Sowohl die ideelle wie die mythische Komponente des Romans drohten verlorenzugehen, die Aufgabe der Schaffung einer »poetischen Wirklichkeit«[5] als der gegen jegliche Ideologisierung gewandten Integration des ästhetischen, ethischen und erkenntnisstiftenden Moments wurde verkannt. Erst dem Poetischen Realismus (Stifter, Keller, Fontane, Raabe u. a.) gelingt unter Wiederanknüpfung an die Gattungstradition die Neuerschließung der Poesie für den Roman. Der vieldimensionale moderne »Bewußtseinsroman« (Th. Mann, Kafka, Broch, Musil u. a.) greift schließlich, unter erheblich gewandelten Bedingungen, die mythisierende Tendenz wieder auf.

Es sind die gemeinhin für unzeitig eingeschätzten traditionellen Romane der 30er Jahre, die jene gefährdeten Wesenszüge der Gattung in einer Phase des Traditionsverlusts und der Reduzierung ihrer Elemente bewahren und an die Folgezeit weitergeben. Sie vermögen zwar das empirisch-realistische Moment nur erst ansatzweise und unzulänglich zu verwirklichen, können aber wegen ihrer formalen und sprachstilistischen Integration, der Universalität inhaltlicher Aspekte und der Dialektik ihrer gehaltlichen Positionen als die dichterisch überzeugenderen Exemplare der Gattung gelten, neben Mörikes »Maler Nolten« (1832) vor allem der letzte romantische Roman, Eichendorffs »Dichter und ihre Gesellen«, abgeschlossen 1833, erschienen ein Jahr später, also bereits tief in der politischen Epoche der Restauration und ihrer liberalen und nationalen Gegenströmungen und der literarischen des Biedermeier, auf dem Höhepunkt des »Jungen Deutschland«. Dieses Mißverhältnis von »Zeitgeist« und geglückter dichterischer Objektivation im Roman ist um so irritierender, als es nicht gelingt, den unbestreitbaren poetischen Reiz von Eichendorffs Prosa und Lyrik in diesem Roman angemessen zu erfahren, ohne sich auf dessen verspätete romantische Gehalte (wenn sie denn so verspätet sind) einzulassen.

Sucht man die Intention von Eichendorffs zweitem und letztem Roman

ches Leben, 1844, H. 8, S. 102. Hier zt. n. LÄMMERT, Romantheorie, a. a. O., S. 308.

5 Zu diesem Begriff vgl. W. EMRICH, Was ist poetische Wirklichkeit? Zum Problem Dichtung und Ideologie, Mainz 1974 (Akademie der Wissenschaften und der Literatur. Abhandlungen der Klasse der Literatur, Jg. 1973/74 Nr. 5).

zu ermitteln, so wird man zunächst dessen Einengung zum sog. Künstlerroman abweisen müssen. Schon vom Titel her greift er ja weiter aus. Auch erscheinen die Dichter – und die Künstler überhaupt – nicht vor allem als Produzierende, sondern dem Ansatz der Romantik und Eichendorffs gemäß als Repräsentanten einer poetischen »Gesinnung«, die »in einer fortwährend begeisterten Anschauung und Betrachtung der Welt und der menschlichen Dinge« (142)[6], einer »Empfindsamkeit« (4, 196) besteht, der »potenzirte[n] Fähigkeit, das Große, Wahre und Schöne zu empfinden« (ebd.)[7]. Damit sind sie freilich auch der Gefahr ausgesetzt, als »Paradiesvögel« (wie Eichendorff einmal sagt) die Wirklichkeit zu verfehlen und dem Scheine zu erliegen. Es geht, wie grundsätzlich bei Eichendorff, nicht primär um Kunst, sondern um Formen eines offenen, universellen, gesteigerten Lebens. Und dies angesichts des Epochenproblems, das für Eichendorff bekanntlich in dem durch die Aufklärung bewirkten völligen Traditionsbruch und dessen Folgen besteht.

Der »goldene Faden aus der Vergangenheit« war »gewaltsam abgerissen« (1036), heißt es in der nachgelassenen, autobiographischen Abhandlung »Der Adel und die Revolution«. Einer Neukonstruktion des individuellen, gesellschaftlichen und politischen Lebens nach den Prinzipien abstrakter Rationalität hatte sich der Mensch indessen nach Meinung Eichendorffs nicht gewachsen gezeigt. Die im Kulturprozeß mühsam angebahnte und stets mannigfach gefährdete humane Integration von Trieb, Gefühl, Phantasie und Verstand durch die synthesestiftende Kraft der christlichen Religion war zerbrochen. Die entstandenen Parteiungen vermochten nicht mehr aufeinander zu hören und einander zu begreifen und handelten weniger nach dem vorgeblichen Prinzip autonomer Rationalität als demjenigen, welches die neuere Tiefenpsychologie »Rationalisierung« nennt. In der genannten Schrift heißt es:

> Es wiederholte sich abermals der uralte Bau des babylonischen Turmes mit seiner ungeheueren Sprachenverwirrung, und die Menschheit ging fortan in die verschiedenen Stämme der Konservativen, Liberalen und Radikalen auseinander. Es waren aber vorerst eigentlich nur die Leidenschaften, die unter der

6 Zitiert wird nach Joseph von Eichendorff, Neue Gesamtausgabe der Werke und Schriften in vier Bänden. Hrsg. v. G. Baumann i. Verbindg. m. S. Grosse, Stuttgart 1957/58. Die Belege der Zitate folgen diesen unmittelbar im Text in Klammern (Bandnummer und Seitenzahl). Seitenangaben ohne Bandnummer beziehen sich auf Band 2, Romane, Novellen, Märchen, Erlebtes.

7 Vgl. auch 4, 1160f. u. 1292.

> Maske der Philosophie, Humanität oder sogenannten Untertanentreue, wie Drachen mit Lindwürmern auf Tod und Leben gegeneinander kämpften; [...] (1036f.).

Das Zerbrechen der Synthese – so Eichendorffs Ansicht – setzte zerstörerische Kräfte frei und ließ auch das zunächst die fortschreitende Selbstbefreiung des Menschen versprechende und ernsthaft betreibende Experiment der Französischen Revolution als der praktisch gewordenen Aufklärung in der Absurdität, in Chaos und Terror enden[8]. Aus ihr ging schließlich die europäische Tyrannei Napoleons und die Verflachung rationalistischen Denkens zum egoistischen Utilitarismus des liberalen Bürgertums hervor.

Mit seiner kritischen Einstellung zu Verlauf und Ergebnis der Revolution steht Eichendorff unter den deutschen Dichtern ja keineswegs allein. Es drängt sich sogar der Eindruck auf, als akzentuierten die Philosophen, vor allem Kant, Fichte und Hegel[9], trotz teilweise ambivalenten Urteils, stärker die unter dem Freiheitspostulat stehenden Ideen und Prinzipien der Revolution, während die Dichter, von Wieland und Goethe über die Romantik[10] bis hin zu Büchner, als die Anwälte des Konkreten und ausgestattet mit anthropologischem Scharfblick die einstweiligen Möglichkeiten der Menschennatur doch skeptischer einschätzten und zum andern die Ansprüche des Individuums gegenüber allen Formen der Vergewaltigung des Subjekts durch ein wie immer beschaffenes Allgemeines, beispielsweise seine totale Verdinglichung oder Vergesellschaftung, formulierten und verfochten, dabei jedoch, insbesondere Eichendorff selbst, die positiven Wirkkräfte, die aus den Prinzipien der Französischen Revolution ableitbar sind, auch für den Fall unterschätzten, daß es gelänge, die zerstörerischen Extremformen von Freiheit und Egalität im historischen Prozeß abzuweisen.

Die notwendige Vermittlung von Subjektivität und Objektivität leisten für Eichendorff und die jüngere Romantik, wie auch für den frühen

8 Vgl. 4, 1148.

9 Vgl. M. Puder, Kant und die Französische Revolution. In: Neue Deutsche Hefte 138, Jg. 20, H. 2/1973, S. 10–46; B. Willms, Die totale Freiheit. Fichtes politische Philosophie, Köln–Opladen 1967, S. 15–57; J. Ritter, Hegel und die französische Revolution. In: J. R., Metaphysik und Politik. Studien zu Aristoteles und Hegel, Frankfurt 1969, S. 183–255.

10 R. Brinkmann u. a., Deutsche Literatur und Französische Revolution, Göttingen 1974.

Historismus, die vom Geiste Gottes durchwalteten Geschichtsmächte und Objektivationen des Volksgeistes, Familie, Volk, Staat, Kirche, Sprache, Sitte, Recht, Künste, usw., die in der ständigen Dialektik von Individuum und Allgemeinem und gemäß dem organologischen Entwicklungsbegriff unausgesetzter, aber kontinuierlicher Wandlung unterliegen – Eichendorff spricht von »ewig wandelnde[r], fortschreitende[r] Regeneration« (4, 1294) –. Von hierher versteht sich Eichendorffs Abneigung gegen das unempirische, abstrakt-mechanistische Denken der Revoltion, wenngleich sein Wort gilt: »Es nützt [...] gar nichts, mit den Revolutionen zu brechen, sondern mit dem, was die Revolution erzeugt« (4, 856), aber auch seine Abneigung gegen den aus gleicher Wurzel stammenden Absolutismus und dessen Restaurierung nach 1815.

Mit dem Traditionsbruch der Aufklärung wurde nun aber für Eichendorff zugleich die Kontinuität der göttlichen Offenbarung in der Geschichte und selbst in der Natur gefährdet. Er befürchtete, mit der rationalistischen Entgöttlichung der Welt und dem Schwinden des Glaubens an die Gottesebenbildlichkeit des Menschen drohe eine prinzipielle Mißachtung des Individuums. So stellte sich ihm die Aufgabe, zu prüfen, was an transzendenter Bindung, also »religio«, noch lebenskräftig sei und, wegen der grundsätzlichen Affinität von Religion und Poesie, durch diese bestärkt werden könne.

Von dieser Grundintention her bestimmt sich denn auch das eigentümliche Formgesetz des Romans »Dichter und ihre Gesellen«. Es greift den aus der Tradition Platons und Senecas stammenden, in Calderon gipfelnden Topos des »theatrum mundi«[11] nochmals auf – zur selben Zeit, da Büchner mittels der verwandten Marionettenmetapher bereits einen Höhepunkt der modernen literarischen Nihilismus- und Agnostizismusthese markiert – und entfaltet die Vorstellung vom individuellen menschlichen Leben als einem (nicht metaphorischen, sondern realen) partiellen Drama innerhalb des großen göttlichen Welttheaters, das sich auf einer dem Menschen lediglich verliehenen Bühne vollzieht, in vielfältiger Abwandlung, – aber eben in einem Roman. Zur Zeit eines unangefochtenen Glaubens mochte der Rollenschematismus des menschlichen Lebens im Weltlauf in seinem Wechselspiel von Täuschung und Erkennen, freiem

11 Vgl. E. R. Curtius, Europäische Literatur und lateinisches Mittelalter, Bern–München, [4]1963, S. 148ff. u. 540.

Willen und göttlicher Fügung in einem einsträngigen, allegorischen, geistlichen Spiel wie Calderons »Das große Welttheater« (das Eichendorff neben anderen Stücken des Spaniers in den 40er Jahren übersetzte) schlüssig darstellbar sein. Nicht jedoch in der spätestens mit der Romantik anhebenden Moderne, die sich durchweg einer komplex gewordenen, kontingent und undurchdringlich scheinenden Realität gegenübersah und sich bei ihren auf Totalität und Universalität abzielenden Versuchen, die Wirklichkeit darzustellen und auf eine sinnstiftende Transzendenz hin aufzuschließen, genötigt fand, komplizierte mehrschichtige oder vielsträngige Romanstrukturen zu entwickeln, außer Eichendorff vor allem Novalis, Arnim, Hoffmann, aber ja auch der alte Goethe.

Deutlich exponiert wird der »theatrum-mundi«-Topos ungefähr in der Mitte des I. Buches durch den Gesang Dryanders:

> [...] Es hebt das Dach sich von dem Haus, / Und die Kulissen rühren / Und strecken sich zum Himmel 'raus, / Strom, Wälder musizieren! // Und aus den Wolken langt es sacht, / Stellt alles durcheinander. / Wie sich's kein Autor hat gedacht: / Volk, Fürsten und Dryander. // Da gehn die einen müde fort, / Die andern nahn behende, / Das alte Stück, man spielt's so fort / Und kriegt es nie zu Ende. // Und keiner kennt den letzten Akt / Von allen, die da spielen, / Nur der da droben schlägt den Takt, / Weiß, wo das hin will zielen. (552f.)[12]

Im vorletzten Kapitel des dritten und letzten Buches greift Victor auf dem Gipfel eines Berges vor einer letzten räumlichen und geistigen Weltüberschau »heiter und streng« (719), die Wendung vom »letzten Akt« auf, deren eschatologische Komponente in den Schlußversen des Romans – »Wie bald kommt nicht die ew'ge Nacht« (728) – assoziativ anklingt. Victor: »Ich spiele den letzten Akt, [...], Gräber, Hochzeit, Gottes grüne Zinnen und die aufgehende Sonne als Schlußdekoration« (717). Diese expliziten Nennungen des Topos[13] geben den Rahmen ab, innerhalb dessen sich die romanhafte Darstellung eines universellen Welt-

12 Vgl. den grundsätzlichen Hinweis Eichendorffs in »Der deutsche Roman des 18. Jahrhunderts in seinem Verhältnis zum Christentum« (1851): »Das Christentum hatte das Irdische, indem es dasselbe mit dem Himmel in lebendigen Zusammenhang brachte, plötzlich unabsehbar erweitert; es hatte das ganze Leben zu einem Drama gemacht, dessen letzte Akte in das Unendliche hinüberspielen, [...]« (4, 649). Ferner: O. SEIDLIN, Versuche über Eichendorff, Göttingen 1965, S. 259f.

13 Punktuell, beiläufig oder andeutungsweise erscheint der Topos: 544, 557, 569, 583, 696 und 715.

spiels vollzieht, das die Bereiche des individuellen und sozialen Lebens, der Natur und der Transzendenz umschließt und vornehmlich in der teils skizzenhaften, teils breiter angelegten Schilderung zeittypischer Lebensgänge besteht, deren entscheidende Phasen und Höhepunkte, deren Überschneidungen vor allem, in einem komplizierten Geflecht mehrerer Handlungsstränge vorgeführt werden. Der Roman besitzt somit keine eigentliche Haupthandlung, sondern besteht aus einer Reihe kunstvoll zueinander in Beziehung gesetzter, teils auch ineinander verschachtelter, dramatisch akzentuierter Novellen[14]; und einzig die Figur des Dichters Fortunat garantiert als eine Art von Katalysator[15] die trotz aller Disparatheit der Handlung einheitliche und zusammenhängende Struktur des ganzen. Dabei bleibt der angestrebte theatralische Grundcharakter des Romans dadurch gewährleistet, daß einmal die Vorgänge im Roman zu einer Abfolge bühnenwirksamer Auftritte und Szenen gefügt erscheinen[16], zumindest aber mittels eines dramatischen Erzählstils gegeben werden, der auf die »Illusion der Unmittelbarkeit« (Stanzel)[17] abzielt, zum anderen aber die Lebensschicksale der Figuranten nach Inhalt und Darstellungsform eine deutliche Affinität zur Struktur dramatischer »Dichtarten« aufweisen, vor allem zu der des Lustspiels, der satirischen Komödie, des Trauerspiels und des Läuterungsdramas. Der mannigfaltig ausgeformten Immanenzhandlung korrespondiert, dialektisch auf diese bezogen, ein nicht minder stark akzentuiertes und vielfältig ausgeprägtes, durch Symbolisierung vermitteltes Heilsdrama.

Eichendorffs Welttheater-Roman verbindet die gattungspoetischen Wesenszüge des Dramas mit denen des Romans, die darstellende Tendenz zu einem »Spiegel der Welt, des Zeitalters wenigstens« (Schelling)[18], zur

14 K. KINDERMANN, Lustspielhandlung und Romanstruktur. Untersuchungen zu Eichendorffs »Dichter und ihre Gesellen«. Diss. FU Berlin 1973, analysiert umfassend den dramatisierenden Erzählstil – das Prinzip der Reihung »szenischer Erzähleinheiten« (S. 94) – und dessen Intention und geht auch der Verbindung epischer und dramatischer Elemente in Novelle und Novellentheorie der Romantik nach.

15 Vgl. KINDERMANN, a.a.O., Kap. »Fortunat als idealer Zuschauer«.

16 Vgl. R. WEHRLI, Eichendorffs Erlebnis und Gestaltung der Sinnenwelt, Frauenfeld–Leipzig 1938, S. 212 und KINDERMANN, a.a.O., bsd. S. 125.

17 F. K. STANZEL, Typische Formen des Romans, Göttingen ^{6}1972, S. 17.

18 F. W. J. Schellings sämtliche Werke. Abt. I, Bd. V., Stuttgart–Augsburg 1859, S. 676.

»objektiven und extensiven Totalität der Welt« (Lukács)[19] mit dem stärker ethisch normierenden Gestus des Dramas als der Wiedergabe menschlichen Wollens, Entscheidens und Handelns und deren Widerständen. Da auch die dritte Gattung, die Lyrik, durchgängig und gleichgewichtig einbezogen ist, liegt die Vermutung nahe, der Roman ziele überdies auf eine neue Totalität der menschlichen Grundkräfte, von Reflexion, Willen und Tat, Empfindung und Verinnerung, denen die Dichtungsgattungen entsprechen, deren spezifische Relation zu den Zeitformen Vergangenheit (Epik), Gegenwart (Lyrik), Zukunft (Dramatik) gleichfalls genutzt wird im Sinne einer Totalisierung der Zeiten, die auch der Aufbau, die Aufgliederung in drei Bücher, markiert.

Wenn Eichendorffs Roman sehr häufig lustspielhafte Züge annimmt[20], heiterste Ausgelassenheit die Enge des Alltags für eine Weile sprengt[21], schwierigste Verwicklungen sich aufs erfreulichste lösen, schmerzlicher Vereinsamung die glückseligste Vereinigung der Getrennten folgt, so hat dies doch zur Voraussetzung, daß der objektive Weltzustand von einer durchgängigen »Konfusion« – dies ein Leitbegriff des Romans – bestimmt ist, dem eine immer nur zeitweilig überwindbare subjektive Erkenntnisblindheit – der »vernagelte Kopf« (679) – entspricht. Die groteske Anhäufung von Irrtümern, Fehlschlüssen, Fiktionen, Intrigen, Verwechselungen, Verkleidungen und die daraus entstehende heillose Verwirrung, etwa in der abenteuerlichen Liebesgeschichte Fortunats und Fiamettas, droht mehrfach im völligen Chaos und im Leid zu enden. Der gute Schluß im Wiederfinden, nach mehrfacher Trennung, erscheint schließlich als Gleichnis urzeitlich-utopischer Heilsgewißheit in einer von Widerspruch, Spaltung und Verunklärung geprägten historischen Wirklichkeit. Den wiedervereinten Liebenden stellt sich am Hochzeitsmorgen »die Welt wie verwandelt [dar], als wäre über Nacht alles schöner und jünger geworden« (729).

Auch temporäre Gemeinschaft, die den vereinzelten und in der Vereinsamung leidenden Menschen für eine gewisse Zeit und vor neuer Trennung und neuen Irrungen in einen Glückszustand versetzt, steht ein für die universelle Einheit alles Getrennten am Beginn und am Ende der Zeiten. Im 16. Kapitel (2. Buch) treffen mehrere Figuren aus dem 1. Buch

19 G. Lukács, Die Theorie des Romans, Neuwied [^{2}1963], S. 89.
20 O. Seidlin, a. a. O., S. 247, spricht von einer »irdischen Verwirrungs- und Verwechslungskomödie«.
21 Vgl. Eichendorffs Wesensbeschreibung des »Lustspiels«: 4, 637.

einander zufällig in Rom wieder. Die Wiederbegegnung setzt ein mit dem singspielartigen Duett des zunächst nur von ferne vernehmbaren Dichters Otto und der Schauspielerin Kordelchen, das wie Ruf und Antwort über eine antike Ruinenlandschaft hingeht, die »wie ein Buch der Vergangenheit [...] aufgeschlagen [lag], dessen Anfangsbuchstaben der Mond rätselhaft vergoldete« (620)[22]. Sie setzt sich fort in einem launenhaften, spannungsgeladenen Ausbruch des von Selbstzweifeln gepeinigten Malers Guido und steigert sich zu einem grotesken, aber fröhlichen Durcheinander, das alle offenen und latenten Gegensätze in und zwischen den Beteiligten aufhebt. Schließlich hat man zum Wein »bei der schönen, warmen Nacht« (622) und »wie in der Arche Noah so fröhlich zusammengefunden« (ebd.).

Die Schauspieler sind es jedoch vor allem, die, neben den Dichtern, das Bewußtsein des »theatrum mundi« in der Darstellung vermitteln, vornehmlich in den Lustspielszenen, wobei sogar irdische und himmlische Regie mitunter zusammenwirken. Die Komödiantentruppe verwandelt sich einmal – nicht vor Publikum, sondern zum eigenen Vergnügen – in eine Zigeunerbande, die Lager hält, und identifiziert sich so mit dem in völliger Freiheit auf ständiger Wanderschaft lebenden Urvolk. Einschlägige literarische Gestalten, u.a. Grimmelshausens Courasche und Cervantes' kleine Zigeunerin (»La Gitanilla«) werden wiederbelebt. Nach anfänglichem burlesken Zank sucht der Maler Guido vergeblich ein Tableau einzurichten, »die phantastischen Gestalten malerisch um die Flammen zu gruppieren und überall die rechten Lichteffekte anzubringen« (569). Es gelingt nicht: »[...] es war schlechterdings keine Ordnung und kein künstlerisches Motiv hineinzubringen« (ebd.). Da setzt die himmlische Regie ein:

> Über dem dunklen Berge aber trat plötzlich der Mond aus einer Wolke und beschien die stillen Wälder und Gründe; da war auf einmal alles in der rechten, wunderbaren Beleuchtung: das öde Haus, der altmodische, halbverfallene Garten, die wildverwachsenen Statuen und die abenteuerlichen Gestalten, die auf den Bassins der vertrockneten Wasserkünste umhersaßen wie eine Soldatenwacht im Dreißigjährigen Krieg. (ebd.)

Der Kehrreim von Goethes Zigeunerlied aus dem »Urgötz« klingt auf, und nach einem lustigen Singspielduett zwischen Kordelchen und Fortu-

22 Vgl. hierzu W. EMRICH, Eichendorff. Skizze einer Ästhetik der Geschichte. In: W. E., Protest und Verheißung. Studien zur klassischen und modernen Dichtung, Frankfurt 1960, S. 19f.

nat folgt eine jener im Roman so häufigen Beschwörungen des »Einst«, »Weißt du noch...?« (570), als Vergewisserung tröstlicher Kontinuität, hier eine Erinnerung Kordelchens und Ottos an ein gemeinsames Glück. Am Schluß dieser universellen Lustspielszene, die die Gegenwart, mythische Vorzeit, Historie, Natur und Transzendenz in einer Art Gesamtkunstwerk zusammenschließt, steht eine freundschaftliche Umarmung Fortunats und Ottos.

Einer solchen lustspielhaften Inszenierung der Wirklichkeit, gleichsam als imitatio Dei, stehen mehr partikulare komödiantische Veranstaltungen einzelner gegenüber. So die Verstellungen, Mystifikationen und Foppereien Kordelchens, die Konfusionen nutzt oder auch erst selbst erzeugt, um Schicksal zu spielen, mitunter in erzieherischer Absicht, manchmal jedoch auch im Verfallen an ein subjektives Rollenspiel, das, nicht mehr beherrscht, die objektive Vermittlung verfehlt und – dies eine ständige Gefahr für die Schauspieler – das göttliche Welttheater in eine scheinhafte Theater-Welt verkehrt und im Verlust der eigenen Identität, wie im Falle Kordelchens, bis in den Wahnsinn führt. Im einzelnen wird ein solcher Vorgang des Ich- und Weltverlustes in der Gestalt des Doktor Dryander vorgeführt, als eine Art satirischer Charakterkomödie im Roman, zusammengesetzt aus einer Reihe über das Werk verstreuter pointierter dramatischer Einzelszenen. Die Entwicklung dieses, einem jeden neuen Reize sogleich erliegenden Zerrissenen verläuft bis hin zur völligen Depersonalisation in der Begegnung mit seinem »verstorbene[n] Doppelgänger« (722). Er, der ja in seinem Gesange den theatrum-mundi-Topos emphatisch eingeführt hatte, vermochte selber nicht, ihm gemäß zu »agieren«, und schreitet am Ende des Romans der problematischen Komödiantentruppe geigend in die Scheinhaftigkeit und Leere neuer, doch immer gleicher Abenteuer voran. Fortunat sagt über ihn: »Wahrhaftig, [...] da ist Lug und Einbildung, Wahrheit und Dichtung so durcheinander gefilzt und gewickelt, daß er selber nicht mehr heraus kann!« (724). Mehr skizzenhaft schildert der Roman die vergleichbare Existenz des regierenden Fürsten – eine Art »Romantiker auf dem Throne« –, der seine eigene Unzeitigkeit durch ein Lebensspielertum und erotische, künstlerische und religiöse Anempfindung und Schwärmerei glaubt überwinden zu können, sich aber schließlich »im schönen Leben verirrt« (648) hat und in seine eigene Kindphase regrediert.

Der Satire verfällt auch der komplementäre Typus des psychisch völlig verfestigten und eingeengten Menschen: etliche Schauspieler, die sich für immer mit *einem* Rollentyp identifiziert haben, die zahlreichen starren Käuze, die den Roman bevölkern, die völlig spannungs- und geheimnislos nach dem Utilitätsprinzip lebenden Philister, schließlich die verknöcherten Reaktionäre wie der Baron oder der römische Marchese, ein Überbleibsel des abgelebten Rokoko, dessen Konversationston mittels einer kleinen dramatischen Einlage vorgeführt wird, und schließlich der Prediger als platt-rhetorischer Propagandist eines ihm völlig problemlos erscheinenden Fortschritts.

»Der Mensch [...] allein verwirrt alles mit seiner Leidenschaft und Affektation« (666), lautet eine der zentralen diskursiven Aussagen im Roman, »Affektation« als totale Künstlichkeit, Selbststilisierung, das Verwechseln einer Gedankenkonstruktion mit der Wirklichkeit, »Leidenschaft« als ein unkontrolliertes Verfallen an die unmittelbaren Triebmächte. Solche Formen eines intellektuellen oder naturhaften Subjektivismus, im Roman gemeinhin satirisiert, werden, wo sie ins Extrem gesteigert erscheinen, zum Trauerspiel völliger Vereinsamung, des geistigen und schließlich auch des leiblichen Todes im Selbstmord. Der Maler Albert und die Gräfin Juanna verkörpern diese Möglichkeiten extremer Realitätsunangemessenheit mit dem daraus folgenden Unvermögen, weiterzuleben.

Der sich ideologisch verhaltende Maler Albert erliegt der »abstrakt deutschtümelnden«[23], falschen Mythisierung des Befreiungskrieges von 1813, stilisiert seinen Lebensgang zur »Bahn eines tragischen Geschickes« (642) und stürzt sich schließlich geistig verwirrt in tragikomischer Attitüde in sein 1813er Schwert. Fortunat hatte sich gegen seinen »fanatischen« (560) »Missionarieneifer« (559) mit den Worten gewehrt:

> [...] überall vertreten einem solche Gesichter das Morgenlicht! Lassen sich da von irgendeinem kritischen Kleinmeister eine angeräucherte Brille aufheften. Womit sie dann in alle Welt gehen, die Völker zu richten. So zieht das Geschmeiß, wie die Wanderraupen, durch den Glanz der Länder in stillem Wahnwitze fort, wenn es sonst Wahnsinn ist, die Dinge anders anzusehen, als sie wirklich sind! (562)

Der Tod der Gräfin Juanna ist kompositorisch zum Ende Alberts deutlich in Beziehung gesetzt. Auch sie begeht Selbstmord. Sie, die »wilde Spanierin«, war durch eine lieblose Erziehung, die sie in der Vereinzelung

23 Vgl. S. 1072.

und völligen Negation der gegenwärtigen Welt gehalten hatte, dahin gelangt, die Wirkungen ihrer Schönheit zur Herrschaft zu mißbrauchen, die sie, bis zu blindwütiger Barbarei gesteigert, die Auflösung der Personalität des jeweils verlockten und beherrschten Mannes in einem Geschlechterkampf betreiben und genießen ließ. Dieser Sündenfall, auf bemerkenswerte Weise individualpsychologisch abgeleitet, wird als mythische Verzauberung in eine Nixe dargestellt. Späterhin wandelt sich Juanna (in einer für heutiges Empfinden allerdings zu deutlichen Allegorisierung dieser Figur) zu einem engelhaften Wesen, dessen Verlockungskraft freilich, entgegen ihrem Willen, fortwirkt und das aus diesem Zwiespalt heraus den Sühnetod sucht.

Als eine der zahlreichen Sirenengestalten in Eichendorffs Werk wird sie durch den Vergleich mit der Loreley, wie solche Figuren durchweg, zu einer depravierten Form der Poesie in Beziehung gesetzt (worauf hier nicht weiter eingegangen werden kann), die im Roman vor allem der Dichter Otto repräsentiert. Das Trauerspiel seines Lebens gewinnt ebenso wie das Juannas am Ende den Charakter eines Erlösungsdramas. Gegen alle Formen der Philisterei ankämpfend, verfällt er selbst analog den ihren Auftrag verfehlenden Schauspielern einer totalen, irrealen Poetisierung seines Lebens. Zur Tannhäuser- bzw. Venusberg-Sage in Beziehung gesetzt, entspricht seine Poesie dem seelenlosen Eros; sie verselbständigt sich zu einem verlockenden Sinnenzauber, der als bloßer Stimmungsrausch die realitäts- und transzendenzbezogene Erkenntniskraft der Dichtung verrät, sie so zur »Metze« (533) macht, die lediglich einem eitlen, subjektivistischen Selbstgenuß dient. Otto beendet sein Leben in der Einsicht seiner Verfehlung. Eichendorff, auf stupende Weise unangefochten von der Unzeitigkeit und schwindenden Allgemeinverbindlichkeit solcher hochromantischer Erlösungsvorgänge, läßt ihn von einem unschuldigen Kinde, der Gegenfigur zur Frau Venus, »nach Hause« (694) in die irdische und himmlische Heimat im Tode zurückführen. Aus vergleichbarer Verirrung findet dagegen Victor-Lothario zur Bewährung *in* dieser Welt. Er ist es ja, der gegen Schluß des Romans den letzten Akt eines Stücks auf dem göttlichen Welttheater ankündigt.

Dessen vielerlei Handlungsstränge, die teilweise angedeutet wurden, sind nun freilich eingebettet in ein von Ewigkeit her verlaufendes überzeitliches Heilsdrama, das in der Korrelation zur Immanenzhandlung die »Vermittlung des Ewigen und Irdischen« (4, 513) ermöglicht, die aber,

»da das Übersinnliche an sich undarstellbar ist, überall nur symbolisch geschehen« (ebd.) kann. Spuren des einstigen, nunmehr ferngerückten, aber nicht verlorenen und erahnten künftigen Paradieses vermitteln sich in symbolischen Vorgängen, Vorstellungen, Wesen und Dingen, in einer mythischen Ausdeutung etwa des glücklichen Zufalls, eines fröhlichen Sichwiederfindens nach Trennung und Einsamkeit, der Wanderschaft als Gleichnis der Freiheit und Sinnerfüllung und als Chance zur Selbstfindung. Auch die Vergewisserung individueller und allgemeinhistorischer Kontinuität in der Erinnerung, selbst der bloße, reflexionslose Genuß der »schönen lustigen Welt«[24] und nicht zuletzt die objektiv-symbolische Dichtung gehören dieser mythischen Sphäre an. Vor allem jedoch ist es die vornehmlich von Novalis, Tieck, Fouqué, Brentano, Arnim und Eichendorff selbst ausgebildete komplexe romantische Bilderwelt, ein universaler Symbolkosmos, der – darin liegt seine Problematik und Dignität beschlossen – zu einer Zeit, da dies schon kaum mehr möglich schien, unmittelbar vor dem Sieg der positivistischen Welterklärung ein letztes Mal die Verbindung von realer Geschichte, Schöpfungs- und Endzeitmythos und Transzendenz als eine überzeugende poetische Wahrheit formulierte. Die Natur als zwar auch verrätselter, aber am wenigsten depravierter Teil der Schöpfung mit ihrer die Dauer im Wandel bezeichnenden Ordnung, Wald, Gebirge, Gestirne, Jahres- und Tageszeiten, das Naturgeschehen mit der Fülle wiederkehrender optischer und akustischer Phänomene, aber auch die Kontinuität bekundenden Zeugnisse der »alten« Zeit machen diesen auf objektive Sinnerschließung gerichteten dichterischen Symbolkosmos aus[25], zentral und am Schluß des Romans ausdrücklich beschworen: Aurora, die Morgenröte, als Zeichen der zukunftsgerichteten, ständigen Wiederge-

24 Vgl. S. 562.
25 Vgl. vor allem W. EMRICH, Eichendorff. Skizze einer Ästhetik der Geschichte, a. a. O., S. 11–24; DERS., Begriff und Symbolik der ›Urgeschichte‹ in der romantischen Dichtung, a. a. O., S. 25–47; R. ALEWYN, Ein Wort über Eichendorff. In: Eichendorff heute. Hrsg. v. P. STÖCKLEIN, München 1960, S. 1–18; DERS., Eine Landschaft Eichendorffs, ebd., S. 19–43; O. SEIDLIN, a. a. O., S. 32–53; G. SCHMIDT-HENKEL, Mythos und Dichtung. Zur Begriffs- und Stilgeschichte der deutschen Literatur im 19. und 20. Jahrhundert, Bad Homburg v. d. H. 1967, S. 56–88, A. v. BORMANN, Natura loquitur. Naturpoesie und emblematische Formel bei Joseph von Eichendorff, Tübingen 1968 und H. HILLMANN, Bildlichkeit der Deutschen Romantik, Frankfurt 1971, S. 207–328.

burt des Menschen und der Welt im göttlichen und vermittelnden poetischen Geiste.

Ohne die Widersprüche in der Welt, ohne auch die Gefährdung des Bezugs zur Transzendenz zu verharmlosen, versucht das Schlußkapitel den Ausblick auf eine umfassende Synthese anzudeuten. Dabei werden Gegensatz und Spannung als grundsätzlich förderliche Prinzipien der historischen Entwicklung, das Verhältnis von Wirklichkeit und Transzendenz als nicht einseitig auflösbar angesehen. Im Schlußkapitel stehen die überlebenden Protagonisten des theatralischen Romans nur für eine kurze Weile auf »Gottes grün[n] Zinnen« (717), »auf einer jener Zinnen des Lebens[26] [...], die immer nur für wenige Raum hat« (719), wo sie in der gemeinsamen Kontemplation »Lust und Leid, Vergangenes und Künftiges« (ebd.) erwägen, bevor sie wieder in die Welt der Widersprüche und Widerstände, der Arbeit und des Alltags hinabsteigen, anders als in Eichendorffs erstem, über 20 Jahre zurückliegendem hochromantischen Jugendroman, der angesichts einer verunklärten historischen Übergangsphase in der Abkehr von der Wirklichkeit, in Verinnerlichung, bzw. einem vagen Utopismus endete. (Friedrich zieht sich ins Kloster zurück, Rudolf flieht zu den ägyptischen Magiern, Leontin hofft, Spuren der verlorenen »alten Zeit« in Amerika zu finden.) Dagegen werden nunmehr sehr verschiedenartige Lebensformen anerkannt. Die vollgültige Synthese ist vom Individuum nicht mehr zu leisten, sondern nur noch in der wechselseitigen, durchaus nicht spannungslosen Ergänzung und Beschränkung der Positionen vollziehbar. Im Schlußkapitel verfällt einzig Dryander als Repräsentant eines absoluten und idealischen Heilsverlangens der Satire. Victor, Fortunat, Manfred und Walter dagegen verkörpern jeweils einen Teilaspekt des Lebens in der Wahrheit, differierend in der Intensität ihres Bezuges zu Transzendenz und Realität und im ganzen weniger unbedingt und exzentrisch, unheroischer und bürgerlicher als die Figuren aus dem Jugendroman. Immerhin lebt Victor noch ganz aus dem Geiste des

26 Zu »Zinne« als Bild des Aufragens in die Transzendenz ohne die Verbindung zur Erde preiszugeben, vgl. auch folgenden Passus: »Was ist das für ein Traumlied in den Wäldern, gleichwie die Saiten einer Harfe, die der Finger Gottes gestreift. Wahrlich, wen Gott lieb hat, den stellt er einmal über allen Plunder auf die einsame Zinne der Nacht, daß er nichts als die Glocken von der Erde und vom Jenseits zusammenschlagen hört [...]« (715). Hierzu: W. EMRICH, Dichtung und Gesellschaft bei Eichendorff. In: Eichendorff heute, a.a.O., S. 64f.

romantischen Universalismus, aus dem er seinen religiösen Aktivismus ableitet. Aber auch die biedermeierliche Beschränkung aufs jeweilige »Metier« (727), die Victors von dessen Enthusiasmus rührend verstörten Freunde verteidigen, bevor alle »auf verschiedenen Wegen« (728) zu Tale reiten, läßt der Autor gelten.

Der Roman, dem Zeitgeist widerstreitend, allzu offensichtlich ein Nachzügler der für überwunden eingeschätzten Romantik, hatte ein geringes Echo und wurde von der Kritik teilweise als ein Anachronismus abgetan[27], wenngleich einzelne bedeutende Leser ihn hochschätzten, so Kierkegaard und Jacob Burckhardt[28]. Im Rückblick, aus fast eineinhalb Jahrhunderten Abstand, erscheint eine positivere Wertung angezeigt. Angesichts der historischen Erfahrung ist der spätromantischen Position u.a. das Verdienst zuzusprechen, frühzeitig aufgewiesen zu haben, was man späterhin die Dialektik der Aufklärung genannt hat, die Möglichkeiten des Umschlags von rationaler Emanzipation in den Terror neuen, ungleich erbarmungsloseren mythischen Denkens, ein Vorgang, den Eichendorff bereits am Beispiel der Französischen Revolution hatte beobachten können. Und in der Tat sind ja die im 19. Jahrhundert sich entwickelnden großen geistigen und politisch-sozialen Strömungen nicht vor inhumaner Entartung bewahrt geblieben. So führten in unserem Jahrhundert nicht nur der nationale Konservatismus, sondern ebenso die in der Tradition der Aufklärung stehenden sogenannten fortschrittlichen Richtungen, der Liberalismus und der Sozialismus, zu Formen der Barbarei, deren Ausmaß für das 19. und die voraufgehenden Jahrhunderte unvorstellbar gewesen wäre.

Wenn Eichendorff – in der Vorstellung Victors im Schlußkapitel – den Teufel erscheinen läßt, der »den Völkern [...] die Herrlichkeit der Länder« (727) zeigt und ihnen zuruft: »Seid frei, und alles ist euer!« (ebd.), so verweist er klarsichtig auf jene Dialektik der Selbstbefreiung des Menschen, unter deren Zeichen die ganze nachfolgende Geschichte bis zur Gegenwart hin steht. Diese Einsicht führt ihn denn auch zur Abwandlung seines bisherigen obligaten Erzählschlusses. Während der Jugendroman

27 Vgl. die zeitgenössischen Besprechungen in: Sämtliche Werke des Freiherrn Joseph von Eichendorff. Hist.-krit. Ausg. Hrsg. v. W. Kosch u. A. Sauer, Bd. IV, Regensburg 1939, S. 268–292.

28 W. Rehm, Jacob Burckhardt und Eichendorff. In: W. R., Späte Studien, Bern–München 1964, S. 278 ff., 292 u. 324.

mit dem Satze endet: »Die Sonne ging eben prächtig auf.« (303), erweitert Eichendorff das Selbstzitat am Ende von »Dichter und ihre Gesellen«:

> Da ging die Sonne prächtig auf, die Morgenglocken klangen über die stille Gegend und der Einsiedler sang: Wir ziehen treulich auf die Wacht, / Wie bald kommt nicht die ew'ge Nacht / Und löschet aus der Länder Pracht, / Du schöne Welt, nimm dich in acht! (728)

Dem Jahrhundert des Nationalismus, Liberalismus, Sozialismus und Szientismus wird so zu einer Zeit, da diese Strömungen teils noch erst im Werden begriffen und durchweg historisch sinnvoll und an der Zeit sind, bedeutet, der Fortschritt sei keineswegs garantiert, die Aufführung des Welttheaters könne auch abbrechen und scheitern, in der Verfestigung der geistigen Entwicklung wie im Traditionsabbruch und in der nachfolgenden Partikularisierung bzw. Ideologisierung der genannten Strömungen liege die Gefahr einer umfassenden Regression beschlossen.

Dieser Gefahr gegenüber sucht Eichendorff mittels der Welttheater-Dramaturgie seines Romans und mittels des romantischen Symbolkosmos' die »Gegenwärtigkeit des Mythos« zu beschwören (um hier eine Formel Kolakowskis einzuführen). Es ist ja nicht die orthodoxe, scholastisch-totalitäre Form des dogmatischen Katholizismus', die den Geist des Romans bestimmt, sondern die Universalität eines offenen Christentums, das die drohende Disparatheit der Individuen, Stände, Nationen und selbst der »Weltanschauungen« aufzuheben oder zu mildern vermag, und vor allem seine den Mythos vermittelnde Kraft[29], die der Kontingenz und bloßen Faktizität der irdischen Phänomene die Einsicht in die Dauer im Vergehen, von Sinn, Bedeutung und Wert entgegensetzt[30]. Mittels des

29 Eine deutliche Spannung zwischen dem Naturmythos und dem Katholizismus in Eichendorffs Jugendroman scheint in seinem letzten Roman weitgehend ausgeglichen. Zu der gen. Diskrepanz vgl. SCHMIDT-HENKEL, a.a.O., S. 72.

30 Unter ›Mythos‹ seien hier im Sinne Kolakowskis die religiösen Ursprungsmythen, aber auch »bestimmte Konstruktionen« verstanden, »die (verborgen oder explizit) in unserem intellektuellen oder affektiven Leben gegenwärtig sind, und zwar [...] diejenigen, die es uns gestatten, die bedingten und veränderlichen Bestandteile der Erfahrungen teleologisch miteinander in Zusammenhang zu bringen, indem man sie auf unbedingte Realitäten bezieht (auf solche wie ›Sinn‹, ›Wahrheit‹, ›Wert‹)« (L. KOLAKOWSKI, Die Gegenwärtigkeit des Mythos. Aus d. Polnischen v. P. LACHMANN, München 1973, S. 7). – Zur gegenwärtigen Mythos-Diskussion vgl. vor allem H. FUHRMANN (Hrsg.), Terror und Spiel. Probleme der Mythenrezeption, München 1971 (Poetik und Hermeneutik IV), insbesd. die Ansätze zu einer positiven Funktionsbestim-

»theatrum-mundi«-Topos in Verbindung mit der romantischen Signaturenlehre, letzter Ausprägung einer jahrhundertealten, naturmystischen Tradition, versucht Eichendorffs Roman in der deutschen Literatur zum letzten Male umfassend der primären Entfremdung des Menschen durch die sich abzeichnende prinzipielle »Gleichgültigkeit der Welt« (abermals eine Wendung Kolakowskis) zu wehren, gegen die keine der im 19. Jahrhundert sich entfaltenden wissenschaftlichen Theorien, politischen Doktrinen, Soziallehren und -utopien das geringste vermochte[31].

Eichendorffs Gewißheit der poetischen Vergegenwärtigung des Mythos nach und trotz der Aufklärung erscheint zunächst verblüffend. Das Bewußtsein einer auch objektiven Bedrohung der keineswegs fraglosen mythischen Weltvermittlung ist jedoch dem Roman inhärent. Das Motiv der »Wehmut«, das auf mannigfache Gefährdungen der Korrelation von Geschichte und Transzendenz verweist, besonders auf die Gefahren einer Dämonisierung der Vermittlungsvorgänge, wenn diese geheimnis- und spannungslos den Mythos direkt zu benennen, zu verendlichen und in die Realität überzuführen suchen, um über ihn zu verfügen, – dieses Motiv spricht ebenso für sich wie eine gewisse sentimentalische Forciertheit, mit der etwa die Zuspitzungen allesversöhnender Lustspielszenen herbeigeführt oder aufgesetzte, gebrochen-»nazarenisch« wirkende, unvermittelte Allegorisierungen (z. B. »Teufel«, »Engel«, »Kreuz«) eingeführt werden. Dennoch bedeutet für Eichendorff die mythische Weltkomponente mehr als ein Postulat, mehr auch als den Ausdruck bloßer menschlicher Sehnsucht und Hoffnung.

Der letzte romantische Roman kann als Zeugnis der Geistesgeschichte seiner Zeit gewiß keine absolute Bedeutung für sich beanspruchen, wohl aber die funktionale eines notwendigen Korrektivs. Der nachfolgende

mung des Mythos im Spannungsfeld von Freiheit und Erkenntnis – Terror und Ideologie in dem Beitrag von H. BLUMENBERG, Wirklichkeitsbegriff und Wirkungspotential des Mythos, S. 11–66 und der daran anschließenden Diskussion, S. 527–547.

31 Vgl. hierzu J. HABERMAS, Legitimationsprobleme im Spätkapitalismus, Frankfurt 1973, S. 65: »In Anbetracht der individuellen Lebensrisiken ist [...] eine Theorie nicht einmal *denkbar*, die die Faktizitäten von Einsamkeit und Schuld, Krankheit und Tod hinweginterpretieren könnte; die Kontingenzen, die an der körperlichen und der moralischen Verfassung des Einzelnen unaufhebbar hängen, lassen sich nur als Kontingenz ins Bewußtsein heben: mit ihnen müssen wir, prinzipiell trostlos, leben«.

realistische Roman des 19. Jahrhunderts beschränkte sich unter dem Eindruck der positivistischen Welterklärung auf die Darstellung des Partikularen der empirischen Umwelt, wenngleich, wie Vischer schreibt, mitunter »Blitze der Idealität aus tiefen Abgründen des Seelenlebens aufsteigen« als »eine Art von Surrogat für den verlorenen Mythos«[32]. Erst die bedeutendsten Romanautoren der klassischen Moderne – in der deutschsprachigen Literatur vor allem Th. Mann, Rilke, Kafka, Musil, Broch und Döblin[33] – wagen es, auf je eigene Weise und mit unterschiedlichstem Ergebnis, zum Teil in der Auseinandersetzung mit der Romantik (vornehmlich F. Schlegel und Novalis), die mythoserschließende bzw. -bildende Kraft des menschlichen Bewußtseins wieder zu aktivieren – und dies in der Regel nach und trotz der Verarbeitung der wesentlichen, weitgehend vom Rationalismus bestimmten Doktrinen der Moderne (Marx, Nietzsche, Freud, die Phänomenologie, verschiedene Formen eines neuen Positivismus). Der Umschlag der rational angebahnten Welterkenntnis und Selbstbefreiung in die totale Undurchschaubarkeit der realen Verhältnisse und deren Herrschaft über den Menschen steigerten die Phänomene der Lebensangst und Todesfurcht wie das Verlangen nach Glück und Unendlichkeit. Dem versucht der moderne »polyhistorische« (H. Broch)[34] und mythisierende Roman doch noch eine auf Universalität, Einheit und Totalität abziehende, das Apriori einbeziehende symbolische Weltdeutung entgegenzusetzen – anders jedoch als in der Romantik ohne den jener noch gewährten transzendenten Bezug, unter deutlicherer dialektischer Einbeziehung des rationalen Prinzips selbst (vor allem in Gestalt der Wissenschaften im »Essayismus« dieser Romane) wie auch der für gleichgewichtig erachteten sozialen und politischen Komponente und nicht zuletzt in deutlicherer Erkenntnis der inhumanen Gefahren des Mythos' selbst.

Am *Beginn* der zweiten Phase der europäischen Aufklärung behauptete

32 LÄMMERT, Romantheorie, a. a. O., S. 339.

33 Vgl. W. EMRICH, Formen und Gehalte des zeitgenössischen Romans. In: W. E., Protest und Verheißung, a. a. O., S. 169–175; DERS., Die Erzählkunst des 20. Jahrhunderts und ihr geschichtlicher Sinn, ebd., S. 176–192. H. ARNTZEN, Der moderne deutsche Roman. Voraussetzungen, Strukturen, Gehalte, Heidelberg 1962 und B. HILLEBRAND, Theorie des Romans, Bd. II, a. a. O., S. 95–192.

34 Vgl. H. STEINECKE, Hermann Broch und der polyhistorische Roman. Studien zur Theorie und Technik eines Romantyps der Moderne, Bonn 1968, insbesd. S. 37–42 u. 160 bis 166.

Eichendorff mit seinem letzten Roman in ähnlicher Absicht Gegenwärtigkeit und Gültigkeit des Mythos – wobei die wesentlichen formalen Mittel jenes modernen Romantypus', Aufhebung der Gattungsgrenzen und Auflösung von Handlungseinheit und -kontinuum bereits deutlich zutage liegen –, er, der in der reaktionären Erstarrung[35] wie im völligen Traditionsbruch die Gefahr eines Verlöschens der lebendigen mythischen Vermittlung erblickte, die Sinnentleerung der Welt, ihre Reduzierung auf die bloße Faktizität und das heißt ja die der Natur aufs Material, des Individuums aufs Gattungswesen befürchtete und die umfassende Barbarei heraufziehen sah.

35 Vgl. S. 1043.

Die Entdeckung Amerikas als romantisches Thema

Zu Eichendorffs ›Meerfahrt‹ und ihren Quellen

Anselm Maler

Die gemütlichen und patriotischen Legenden, die Eichendorff lange umgaben, sind der Bemühung gewichen, seine idealistischen Chiffren unvoreingenommen zu entziffern. Gleichwohl fällt auf, daß die literarhistorischen Bewandtnisse seines œuvres weniger beachtet werden als die darin gebundene Gesinnung. Sowohl die Erklärung der Vorurteile, die Eichendorffs Ruhm zweideutig bedingten, wie die lebensbetrachtende Erläuterung seiner Dichtung bleiben getrennt von einer Kritik, die aus den zeitgegebenen Zügen der Werke folgerte. Man hat von Eichendorff die allgemeinsten Kategorien unserer Erfahrung, Raum und Zeit, Heimat und Fremde, Landschaft und Geselligkeit, Glaube und Schickung dargestellt gefunden. Doch was begründet die Eigenart ihrer Stilisierung? Das kann nicht nur mit dem Hinweis auf seinen konservativen Symbolismus beantwortet werden, es verlangt auch, literarische Vermittlungen zu sehen, was hier für ein Werk geschehen soll. Ohne den falschen Respekt, mit dem man noch zum 100. Todestag (1957) gestand, *daß wir uns fast scheuen, rational zu fragen: was diesen Dichter formte*[1], sei versucht, Eichendorffs Erzählung *Eine Meerfahrt* aus der Analyse ihres literarischen Substrats zu verstehen.

Seit neuerem läßt sich das Maß einschätzen, in dem die literarhistorischen Schriften kompilieren, paraphrasieren und plagiieren[2]. Inwieweit das nach der Manier der Erzählungen geschah, welche Bedeutung schon

1 R. Benz, Eichendorff. Festrede zum 100. Todestag 1957. In: P. Stöcklein (Ed.), Eichendorff heute. Darmstadt ²1966 [= zit. E. heute], p. 44.

2 Belegmaterial in den Kommentaren von W. Mauser (Ed.), Sämtliche Werke des Freiherrn Joseph von Eichendorff. Historisch Kritische Ausgabe, Bd. 8. Literarhistorische Schriften, Regensburg 1962, pp. 178–184. Id. Bd. 9, pp. 500–502 [= zit. HKA].

ihnen aus der Verwendung fremder Darstellungen zukommen könnte, blieb unter Hinweis auf die Verschlossenheit ihrer Quellen[3] ungeprüft. Wohl hat man eine Neigung zum Rekurs, zur Anspielung hart am Zitat gelegentlich bemerkt[4]. Aber ein Schluß auf das Handwerkliche, auf ein pflückendes Verfahren womöglich, dessen genauere Erforschung den willkürlichen Deutungen Eichendorffscher Zeichen eine literarische Grundlage verliehe, ist bisher nicht erfolgt.

Ein solches Verfahren liegt der *Meerfahrt* zugrunde. Eichendorffs Schweigen über die postum erschienene Erzählung, die er ohne letzte Redaktion nicht zu veröffentlichen gedachte[5], und der Verlust großer Teile seines Nachlasses mögen erklären, daß dies in der kritischen Verständigung über das Werk keine Beachtung fand. Die Analysen der präfigurativen Komposition[6] und symmetrischen Zeitperspektiven[7], die existentielle Deutung der Bilder und Formeln[8], die Erläuterung seiner vermeintlichen Psychologie[9] verzichten sämtlich darauf, die Evidenz ihrer Befunde literarhistorisch zu gewinnen. Undeutlich blieb die Entstehungsgeschichte und das Verhältnis zur literarischen Konvention, das auch etwaige Vorlagen beträfe. Zumal von ihnen ist außer vermutenden Hinweisen auf Grimmelshausen und Schnabel[10] nichts bekannt.

3 Vgl. not. 11.

4 Für Ahnung und Gegenwart H. Rausse, Cervantes' Einfluß auf Eichendorff. In: Eichendorff-Kalender 3, 1912, pp. 29–43. Für Die Glücksritter cf. E. heute. p. 327. Für Arkadien neuerdings R. Wesemeier, Zur Gestaltung von Eichendorffs satirischer Novelle »Auch ich war in Arkadien«. In: Litwiss. Jb. NF 6 (1965), p. 179–192. [In diesem Band p. 104–118.]

5 Nach eigener Bemerkung (not. 21). Die Erzählung erschien erst in der von Hermann Eichendorff besorgten Ausgabe der Sämtlichen Werke 1864. Wir zitieren nach Joseph Freiherr von Eichendorff, Eine Meerfahrt. – Neue Gesamtausgabe der Werke und Schriften, ed. G. Baumann, S. Grosse, Bd. 2, Stuttgart o. J. [zit. M, die Werkausgabe NGA].

6 G. Gillespie, Zum Aufbau von Eichendorffs »Eine Meerfahrt«. In: Litwiss. Jb. NF 6, Berlin 1965, pp. 193–206.

7 O. Seidlin, Zeitliche Perspektiven. In eiusd. Versuche über Eichendorff. Göttingen (1965), pp. 99–128.

8 W. Schwan, Bildgefüge und Metaphorik in Eichendorffs Erzählung »Eine Meerfahrt«. In: Sprachkunst 2 (1971), pp. 357–389.

9 G. Pauline, Eine Meerfahrt« d'Eichendorff. In: Etudes Germaniques 10 (1955), pp. 1–16. Dem Urteil *nous trouvons en réalité une œuvre de psychologue* (p. 16) folgen wir nicht.

10 R. Janitza, Joseph von Eichendorff: »Eine Meerfahrt«. Diss. (Masch.) Marburg 1960.

So kann die Erzählung ihrem Anspruch gemäß wohl nicht begriffen werden. Kaum eine Dichtung Eichendorffs nämlich, die Übersetzungen ausgenommen, läßt die überformte literarische Reminiszenz und damit die Methode ihres Verfassers sichtbarer werden als die *Meerfahrt*. Ja, gegen die Lehre vom innerlichen Dichter, der kindlich und unbewußt gestalte, ergibt sich großenteils daraus ihr Sinn, und es wird unsere Aufgabe sein, diese Behauptung erst vergleichend, dann schlußfolgernd zu beweisen.

I

> *Welches die Quellen für Eichendorffs Novellen waren, kann im allgemeinen nicht mehr erschlossen werden.* Josef Kunz[11]

Eichendorff eröffnet wieder mit dem Schema der romantischen Ausfahrt. Der Leser erinnert sich an den Ort, die Zeit und die Personen seiner Geschichte (I)[12]: Die *Fortuna* hält westlichen Kurs im Atlantik, die Besatzung, spanische Abenteurer, hat sich 1540 aufgemacht, um neue amerikanische Länder zu erobern. So geben die einführenden Daten vor, es werde historisches Seeabenteuer exponiert, und die Beliebtheit der zeitgenössischen Seegeschichte spräche in der Tat dafür, dem Eingang der *Meerfahrt* deren märchenhafte Brechung, ein Ansprechen auf den Unterhaltungsroman der Marryat, Dumas oder Smidt zu unterstellen. Ein literarischer Geschmack der dreißiger, vierziger Jahre würde begründen, daß Eichendorff auf das von ihm eher gemiedene maritime Thema verfiel. Aber der Text bestätigt diese Erklärung nicht.

Wer Eichendorffs *Meerfahrt* lesend sich den literarischen Horizont ihrer Entstehungszeit vergegenwärtigt[13], wird andere, vielleicht erstaunlichere Verknüpfungen bemerken. Die Erzählung, die keine reale Folie ernst nimmt, mag so naiv genommen werden, wie sie sich auch im raschen Wechsel der Mitteilungen, den scheinbar eingängigen, reichlich bespro-

11 Id., Eichendorff. Höhepunkt und Krise der Spätromantik. Darmstadt ²1967, p. 145.

12 Römische Ziffern beziehen sich auf den Anhang.

13 W. Köhler datiert 1830, J. Nadler 1835 – cf. Janitza o. c. p. 1. Das komplizierte Verhältnis zu den Quellen spricht für längere Arbeitsdauer. Auch daß im Neißer Inventarverzeichnis der (verlorenen) Handschriften *Bemerkungen zur Umarbeitung* und ein auf 1845 datiertes Manuskript angeführt werden, fügt sich dazu.

chenen Bildern[14] gebärdet. Auf die Zeitgenossen mußte mehrsinnig ein Wortlaut wirken, der ihnen aus anderer Quelle von Kindheit und Schule her eng vertraut war. Bucherinnerung nämlich inszeniert die Eröffnung. Sie bezieht sich auf die nach dem *Robinson* verbreitetste Jugendlektüre der bürgerlichen Ära, das aufgeklärte Erziehungsbuch dreier Generationen, auf Campes *Entdeckung von Amerika.* Der erste Teil, betitelt *Kolumbus,* gibt eine Schilderung von der dritten Reise des Admirals, deren Leitworte wir von Eichendorff hören: Die Linie – nicht notwendig den Äquator der zeitgenössischen Reiseschilderung[15] – erwähnend, den Berge sichtenden Kolumbus und den schlechten Zustand der *Fortuna;* den stetigen Kurs, die Windstille, das Murren der Mannschaft, gewinnt die *Meerfahrt* ausstattende Folgen aus dem Text ihrer Vorlage, und der Bericht vom Ende der Flaute, von neuer Ermutigung und Entdeckung des Landes bildet eine ergänzende Reihe (I bis V).

Unverhohlen beleiht also die Eröffnung Campes Schilderung, was wenig besagte, handelte es sich nur um ein Mittel, den epischen Anfang zu finden. Ähnliches gehört zur Routine des Romans seit dem 18. Jahrhundert[16]. Aber Eichendorff bildet weitere Folgen; die Exposition der *Meerfahrt* greift auf die ganze Vorlage aus, da außer der dritten auch die vierte Reise des Kolumbus gegenwärtig ist (I und IV). Überhaupt zeigt vergleichendes Lesen, daß ein enges Verhältnis zu Campe besteht. Und als Ausdruck der Abhängigkeit mag es gelten, in welche die Imagination des Verfassers von seiner Quelle geriet, daß dieses Verhältnis, durchgehend bemerkbar, die mangelhafte Schlüssigkeit, die unwahrscheinliche Ausstattung der Geschichte verursacht[17].

Zahlreiche Unstimmigkeiten begegnen bereits in der unmittelbaren

14 Zumeist behauptend SCHWAN o. c.

15 Es dürfte die Linie von Tordesillas gemeint sein, erklärt von Joachim Heinrich CAMPE, Entdeckung von Amerika, T. 1: Kolumbus, Sämtliche Kinder- und Jugendschriften. Ausgabe der letzten Hand, Bd. 12, Braunschweig 1807, p. 139 [= zit. K].

16 Cf. V. KLOTZ, Muse und Helios. Über epische Anfangsnöte und -weisen. In: N. MILLER (Ed.), Romananfänge. Versuch zu einer Poetik des Romans. Berlin 1965, pp. 11–36 sowie N. MILLER, Die Rollen des Erzählers. Zum Problem des Romananfangs im 18. Jahrhundert. Ibid. pp. 37–91.

17 Charakteristisch Pauline [...] *on est surpris par l'invraisemblance des événements et des situations, la naïveté des coïncidences et la puérilité de toute l'invention dramatique.* L. c. p. 2 sq.

Fortsetzung der Rahmenerzählung. Woher nimmt Antonio, *ein armer Student aus Salamanka,* (M 752) das kostbare Seidenwams; warum will er das Land zuerst begrüßen? Was soll in der heiteren Geschichte das *Unglückszeichen* (M 753), die Erscheinung eines *dunklen Geiers* (M 753)? Aus der Logik der Erzählung sind diese Mitteilungen schwer verständlich. Und das schlecht integrierte Requisitar ergänzen unverbundene Motive. Weshalb sichtet Antonio mehrere Berge statt Strand und Küste? Was außer der Meuterei auf der *Fortuna* verbindet das epische Omen, den Geierflug, mit der Geschichte? Sind es die zeitlichen Perspektiven allein[18] oder Eichendorffs *Helios*-Topik[19], die das abendliche Beidrehen des Schiffes notwendig machen? Die beliebte Auskunft, hier werde als Einkehr in den Port die christliche Bergung des Individuums imaginiert; die Auffassung, so symbolisiere Eichendorff die Modi unseres Erlebens: Glaube, Freude, Furcht, vermögen angesichts der Entsprechungen in Campe nur halb zu befriedigen.

Es sei festgestellt, daß weniger die *Meerfahrt* selbst als die Bezugnahme auf den *Kolumbus* den Zusammenhang der erzählten Vorgänge vermittelt. Einerseits zerlegt Eichendorff die historisch überlieferten Begebenheiten und stellt Passagen aus Daten verschiedener Kolumbusreisen zusammen. Andererseits verläßt er sich – und sei es unwillkürlich – darauf, daß dieses Verfahren im Leser die Kenntnis der geschichtlichen Ereignisfolge abruft. In welchem Umfang die *Meerfahrt* darauf wirklich baut, wird sich in weiteren Vergleichen zeigen.

Ein Ensemble entnommener Requisiten und Szenen bietet die Schilderung von der Landnahme durch die Entdecker der *Fortuna.* Gleicht ihr abendliches Manöver dem des Kolumbus vor Guanahani, so dessen Expedition der abbildlichen des Alvarez im Boot der *Fortuna.* Eichendorff verkürzt die berühmte Zeremonie vom Oktober 1492 auf ein paar Formeln, die – selbst das paraphrasierende *Amen* – den Wortlaut Campes wiederholen. Die Anleihen setzen sich fort. Auch Alvarez soll Vizekönig in dem unbekannten Land werden, man entdeckt eine Siedlung, trifft scheue Eingeborene, hört von der östlichen Residenz ihres Königs. Und noch das Eichendorff scheinbar ausschließlich gehörige Gartenmotiv stünde ohne externe Ergänzung aus den Berichten zur

18 Seidlins Spekulationen l. c. p. 101, 106 pass.
19 Klotz l. c. p. 31 sq.

ersten Kolumbusreise, ohne die historiographische Folie unverbunden in der Erzählung[20].

Nebst ihrer Ersichtlichkeit wirkt die Häufigkeit der Rückgriffe überraschend bei Eichendorff. Er selber scheint mit der Aussicht, an der Faktur seiner Erzählung gemessen zu werden, sich schlecht hat vereinbaren können, so daß wir einen der bisher unerfindlichen Gründe[21] für die Absicht, sie vor der Veröffentlichung auf *Kleistschen Relationston*[22] zu stimmen, darin sehen müssen, daß die *Meerfahrt* nach Schätzung ihres Verfassers eine unfertige Arbeit darstellt. Um diesen Preis wurde sie mit Belesenheit in Campe gesättigt, dessen Name bei Eichendorff Hamburger Kindertage wachrief[23].

Die Verflechtung der Texte läßt sich bis in die abenteuerlichsten Schilderungen verfolgen. Die Mannschaft rebelliert unter dem Leutnant Sanchez gegen den Hauptmann (M 760), der aber Vizekönig bleibt (M 763). Man baut ein befestigtes Lager (M 760, 764) und schickt eine Gesandtschaft zum König der Wilden ins Gebirge. Aus *großen Körben* schüttet dieser *Platten, Körner, ganze Klumpen Goldes* (M 767) vor die Spanier hin. Mit Not entkommen die Raffgierigen der Umzingelung (M 766 f.).

Campe berichtet von den vergeblichen Rebellionen des Margarita (11. Erzählung) und Roldán (14. Erzählung) gegen den Admiral. Auf Haiti hat Kolumbus *die kleine Feste* (K 114) Navidad gegründet und auf der Suche nach dem legendären *Goldland* (K 93) – dem *unbekannten großen Südland* (M 753) memoriert Eichendorff – Gesandte zum *Kaziken*

20 Der verfügbare Raum verbietet, im Anhang sämtliche Anleihen Eichendorffs vorzustellen.

21 So Seidlin o.c., nachfolgend Schwan o.c.

22 Eichendorffs eigener Ausdruck. Cf. Rez. Pauline o.c. von W. Köhler in: Aurora 17 (1957), p. 113.

23 Als Reiseerlebnis im Tagebuch von 1805: *Robinson, Campe u. alle die seligen Stunden der Kindheit, die wir so oft von Hamburg verträumt hatten, gaukelten jetzt vor unserer Seele, und mit klopfendem Herzen sahen wir dem Anblick Hamburgs entgegen.* NGA Bd. 3, p. 122. Übrigens reisten die Brüder mit einem englischen Kaufmann, *welcher schon in Amerika u. Ostindien gewesen, u. jetzt aus Spanien kommend, wegen dem bevorstehenden Kriege über Hamburg nach London zurückkehrte.* Ibid. p. 121. Es ist – analog zu der Gleichförmigkeit des Stils, die das œuvre kennzeichnet – wenigstens denkbar, daß die schwärmerisch beschriebenen Hamburger Eindrücke den Plan zu der Erzählung anregten.

oder König (K 97) in einer *bergichten Gegend* (K 105) abgefertigt. Der Kazike Guakanahari hatte ihn mit *Goldplatten* (K 110) beschenkt und seine Freundlichkeit auch bei der zweiten Landung auf Haiti bewiesen – mit *Muscheln sowie hundert Goldplatten, und mit drei Kürbisschalen voll Goldkörner* (K 148). Aber die Wilden ändern ihre Haltung. Kämpfe um Navidad (K 146f.) und, gegen ein *zahlreiches Heer,* gegen *Haufen* von *hunderttausend* Eingeborenen (K 165), um Isabella (11. Erzählung) folgen.

Auch sie liegen der *Meerfahrt* zugrunde: *bewaffnete Scharen wie reißende Ströme* (M 776) überfallen das spanische Lager.

Den bald zitierenden, bald memorierenden Umgang mit Campe steigert die *Geschichte des Einsiedlers,* da sie die Rahmenerzählung spiegelt. Notwendig bedingt die wiederholende Inszenierung rahmender Abenteuer, daß sich die Rekurse auf Campe verdoppeln, daß das Air des Bekannten und unbestimmt Vertrauten sich einstellt, auf das man Eichendorff freundlich oder polemisch begrenzt hat. An der Methode der *Meerfahrt*, die die Geschichte Antonios in der Geschichte Diegos bricht und in beiden noch einmal den Geschichtshorizont der Kolumbusreisen, an dem hieroglyphischen Verfahren, das unentwegt sowohl interne wie externe Reminiszenz herstellt, zeigt sich, daß das einschränkende Urteil Eichendorff nicht erreicht. Aus den Unfertigkeiten der *Meerfahrt* liest man, was die polierten, zeitlich nahegelegenen Novellen *Dichter und ihre Gesellen, Das Schloß Dürande, Die Glücksritter* überspielen: Der Gedenkstil, den Eichendorffs poetische Zeichenwörter vortragen[24], ist, wenigstens hier, wo er den Stil der Historiographie übersetzt, sehr wohl berechnet; er wendet sich nicht ans unbedarfte Gemüt, sondern an Gebildete.

Hätte man also die Lebensbeichte des Don Diego, diesen für Campes Don Diego d'Arcada nehmend, wie eine erdachte Ergänzung der Historie aufzufassen? Hätte Eichendorff die Lücke in der Überlieferung von den Ereignissen um Navidad mit dem fingierten Bericht eines Überlebenden ergänzt, dessen Einzelheiten aus Daten der Erzählung Campes willkürlich zusammengestellt worden wären?

Einiges spräche dafür. *»Das ist ja wie in Spanien«*, sagte Alvarez erfreut

24 Cf. E. LÄMMERT, Eichendorffs Wandel unter den Deutschen (1967) in: Die deutsche Romantik, ed. H. Steffen. Göttingen ²1970, pp. 219–252.

(M 783), während man sich auf der zweiten Insel umsieht; die Mannschaft der *Fortuna* entdeckt ein *einfaches Kreuz* (M 783), und alle sinken *auf ihre Knie in der tiefen Sonntagsstille* (M 783), Die Erwähnungen erinnern an die Entdeckung Haitis, der nach Kuba zweiten großen Insel, die Kolumbus *Hispaniola oder Klein-Spanien nannte, weil er zwischen ihr und Spanien* [...] *einige Ähnlichkeiten bemerkte* (K 100). Auch wird sie, was die *Sonntagsstille* aufruft, *St. Domingo genannt* (K 101). Und auf Haiti liegt Navidad. Ähnliches in anderen Episoden.

Campe folgt der Chronologie. Er ist daher genötigt, gewisse Handlungen: das Beilegen der Karavelle, die Erforschung des Landes, die Gründung befestigter Siedlungen, Heimkehr nach Spanien und neue Ausfahrt öfter anzuführen, was die Abenteuer des Kolumbus um den Reiz des Einmaligen bringt. Auch begegnen pädagogisch bedingte Wiederholungen: Gleichmäßig statuiert Campe aus den historischen Begebenheiten Exempel, die den stoischen Mut, die Geduld und Beharrlichkeit des Kolumbus empfehlen.

Es scheint, als habe sich Eichendorff von der wiederholenden Darstellung Campes anstecken lassen. Zwar ist die Verdopplung des Schauplatzes, seiner Ausstattung und der Begebenheiten in der *Meerfahrt* nicht chronistisch bedingt. Auf das Typische aber und nicht Individuelle, auf das Allgemeine, nicht Eigentümliche des historischen und geographischen Milieus oder der Charaktere gehen auch Eichendorffs Rekurse. Das architektonische Grundprinzip der *Meerfahrt* erweist sich demnach in der Quelle angelegt. Allerdings steigert es Eichendorff: In seiner Erzählung wird die Wiederholung zu einer Figur idealistischer Lebensdeutung[25], was methodisch besagt, daß nicht die Geschichte selbst gewonnen wurde, sondern ihre vorverstandene Musterhaftigkeit. In der stets auf das Verhältnismäßige sehenden Gestaltung Eichendorffs kehrt zeitliche Folge als Entsprechung wieder, verwandelt sich Chronologie in Analogie.

Im *Kolumbus* herrscht der Ton geographischen, historischen und, in der Absicht, den stoischen Vernunfthelden der aufgeklärten Pädagogik vorzuführen, moralischen Unterrichts. Daß solche Zubereitung der Würdigung nicht mehr entsprach, der das historische Denken der Spätromantik die Lebensleistung des Kolumbus unterzog, dürfte Eichendorff schwerlich entgangen sein. Die Art, wie er sich Campes – *ein zahmer*

25 GILLESPIE, l. c. pass.

Philister, meint Eichendorff[26] – bedient, verrät denn auch die Entschlossenheit, diesem den geschichtlichen Stoff zu entwenden und romantisch zu modellieren. Eichendorff hätte, das Urteil seiner Generation über das Vernunftalter vollziehend, die Entdeckung Amerikas zum Anlaß genommen, Belehrung in Poesie, den Vorgängern ähnlich[27] Geschichte in Sage zu verwandeln.

II

Nach welchen literarischen Modellen und Konventionen sind diese Bilder selbst an entscheidender Stelle gestaltet? Manfred Beller[28]

Nicht Campes Geltung also begründete die Aktualität des Stoffes, man hat an die literarischen Interessen der Zeit zu denken, in der Eichendorff auf das Thema verfiel. Im Zug der nach 1800 aufkommenden orientalischen Mode war mit der Fülle nachahmender Poesien, historischer Dramen, Erzählungen ein Klima romantischer Spanienverklärung entstanden, in dem auch Eichendorff sich bildete. An der Würdigung der größten geschichtlichen Leistung Spaniens durch den historischen Idealismus hat er teilgenommen; wie anders sollte man aus dem Niederschlag prominenter Darstellungen zur Entdeckung Amerikas in der *Meerfahrt* schließen?

Eichendorffs spanische Studien datieren seit dem Wiener Universitätsbesuch und zeitigen in den vierziger Jahren zahlreiche Übersetzungen. Sie sind dennoch in die Kritik seines poetischen Werkes kaum eingegangen[29], dessen literarischer Hintergrund entsprechend unübersichtlich blieb. Eichendorff hat eine umfangreiche spanische Bibliothek mit *höchst werthvollen Antiquitäten*[30] besessen, über deren Bestände wir kaum etwas wissen. Zudem erschwert es seine Gewohnheit, Briefe und private Papiere gelegentlich zu vernichten, die Gegenstände seiner Lektüre zu ermitteln oder nur den Anteil zu bestimmen, den der zeitlebens mit ihm befreun-

26 HKA, Bd. 10, p. 400.

27 Zur mythischen Geschichtsmetamorphose bei Tieck, Arnim, Brentano (und Eichendorff) F. Sengle, Das deutsche Geschichtsdrama. Stuttgart 1952, pp. 51 sqq. 73–76.

28 Id., Klassische Mythologie und romantische Allegorie in Eichendorffs Novelle »Das Marmorbild«. In: Euph. 62 (1968), p. 117.

29 Nur Ansätze selbst in der Studie von E. Schramm, Eichendorff und die spanische Literatur. Bericht Realgymnasium Würzburg 1958/59, pp. 66–74.

30 Auskunft des Sohnes Hermann in Sämmtliche Werke (1864), Bd. 1 p. 156 sq.

dete Hispanist Julius an der Beschaffung hatte. Mit all dem hat man sich abgefunden, ohne zu bedenken, daß zeitgenössische Literatur die im persönlichen Zeugnis verlorenen Hinweise vielleicht ersetzen könnte. Für die *Meerfahrt* wenigstens scheint es der Fall zu sein.

Von 1825 bis 1828 war in Madrid ein berühmtes Geschichtswerk erschienen. Es trug den Titel *Colección de los viages y descubrimientos que hicieron los Españoles desde fines del siglo XV* und stellte erstmals die teils geheimgehaltenen, teils verstreuten Dokumente zur Geschichte der spanischen Entdeckungen zusammen. Der erste Band beginnt mit dem vollständigen Abdruck des bis dahin nur mittelbar überlieferten *Diario de a bordo,* des von Kolumbus 1492 verfaßten Bordjournals, und erregte das Aufsehen der gebildeten Zeitgenossen. Der Name des Herausgebers, des Historikers M. Fernandez de Navarrete, dürfte auch Eichendorff nicht unbekannt geblieben sein, wie abermals der *Geschichte des Einsiedlers* zu entnehmen ist.

Sie datiert einleitend die Abenteuer Diegos seit dem Ende der Maurenkriege, spielt auf die Indienlegende an und erwähnt eine Expedition. Dazu ist unabhängig von Vermutungen über das erzählte Zeitgefüge zu bemerken, daß Eichendorff dem Logbuch des Kolumbus beinahe wörtlich folgt. Das *Diario de a bordo* beginnt mit der bekannten Adresse an die Katholischen Könige, erinnert an das Ende der Maurenkriege, an die Indienlegende und an die Rüstung zur Expedition (VI). Und weitere Eintragungen des Bordjournals kehren in den Formeln der Binnenerzählung (oft aus der Rahmenerzählung stammend) wieder. Genauer und häufiger als Campe verzeichnet das Logbuch die Flauten und Brisen der Kalmen und das Erscheinen verschiedener Seevögel, nach deren Flug, wie Campe mitteilte[31], Kolumbus seinen Kurs einrichtete.

Die Gewinnung dieses Details für die *Meerfahrt* vermag vorzuführen, wie Eichendorff literarisches Substrat zu Chiffren formt, die den in der Quelle gegebenen Sinn weit übergreifen. Tangfelder der Sargassosee ließen die Mannschaften des Kolumbus fürchten, die Karavellen würden sich darin festfahren, weshalb sie die Umkehr verlangten. Auch das Schiffsvolk der *Fortuna* fordert, vor der Insel abzudrehen, weil der Geier, das angebliche Todessymbol[32], Unglück verspricht. Eichendorff zieht

31 K, Fünfte Erzählung.
32 SEIDLIN, 1, c.p. 106.

also zwei geschichtlich verbürgte Momente, die Angst der Seeleute, die Beobachtung der Vögel, zu einem poetischen auspicium zusammen, macht aus der Überlieferung eine Gebärde ihrer Deutung.

Dennoch widersetzt sich das kontaminierende Verfahren Auslegungen, die Eichendorffs Formeln und Chiffren beliebig viel Bedeutung zutrauen. Im Zusammenhang der Erzählung bleibt der Geier ein Requisit dramatischer Stimmung, Valeur an sich. Erst im Gedanken an die Geschichte Westindiens – für die *Meerfahrt* unverbindlich – mag er als Orakelvogel gelten[33], wenn es sich nicht nur um verspielte Füllung mit mittelalterlicher Sage handelt[34].

Eichendorffs Umgestaltung zerstört also die Identität des geschichtlichen Stoffes, ohne sie durch fiktionale Eindeutigkeit zu ersetzen. Auch andere Motive, das abendliche Ankern, die Goldgier der Abenteurer, die Indianergefechte, der Festungsbau, unterliegen diesem Verfahren. Es scheint, als habe es die Erzählung auf die Entstofflichung der Geschichte abgesehen, auf eine Abstraktion, die doch nicht auf den Begriff kommt. Das wäre auch mit der Chronologie der Erzählung zu illustrieren. Da die *Fortuna* die Insel Diegos 1540 erreicht, muß dieser etwa siebzig Jahre alt sein. Denn, wie der externe Bezug auf das Kolumbusjournal indirekt mitteilt: Diego verließ die Heimat 1492, wohl zwanzigjährig. Daraus

33 *Als Orakelvogel ist der G.*[eier] *ebenfalls im Altertum bezeugt. Namentlich prophezeit er Unglück und deutet durch sein Erscheinen den Ort einer Schlacht an, wo er Ausbeute wittert. Auch im MA. steht er in diesem Ruf.* E. HOFFMANN, H. BÄCHTOLD-STÄUBLI (Edd.): Handwörterbuch des deutschen Aberglaubens. Bd. 3, Berlin, Leipzig 1930/31, Sp. 458.

34 Daß der Atlantik, wie in der Meerfahrt gesagt, *damals noch einem fabelhaften Wunderreiche glich* (M 751), heben die aufgeklärten Geschichtsschreiber – Robertson, Muñoz, Campe – unter Hinweis auf die abergläubischen Mannschaften des Kolumbus durchwegs hervor. Allgemeine Kenntnis der populären Seesagen können wir auch für Eichendorff voraussetzen – noch A. de Belloy lokalisiert mit dem 4. Kapitel seines *Christophe Colomb et la découverte du Nouveau Monde.* Paris (1864) *les sirènes d'Homère,* den *oiseau rock,* die Seeschlange, den Meermönch, die Schwarze Hand und *tous les monstres enfants de la peur* im Atlantik. Wenn Eichendorff sich vom Bordjournal des Kolumbus also hat inspirieren lassen, einen dunklen *Geier von riesenhafter Größe* (M 753) als Staffage zu setzen, so wird eine Brechung mit der Sage vom Vogel Rock (zumal in den orientalisierenden dreißiger Jahren) nicht auszuschließen sein. Und damit geht wieder die literarische Anspielung der lebensphilosophischen Allegorese, die man in der Ausstattung der Erzählung mit verschiedenen Vögeln (SCHWAN 1. c.) zu sehen meinte, vor.

ergibt sich künstlich unbestimmt das Datenschema einer Lebensgeschichte (oder ihrer robinsonadischen Nachahmung). Noch die chronistische Andeutung gibt sich als transzendentale Gebärde.

Eine vollständige Konkordanz zur *Meerfahrt* aus dem Logbuch des Kolumbus herzustellen, ist freilich nicht möglich, solange das Kriterium für einen Rückgriff ausschließend sein muß. Eichendorff verwendet mit der Adresse an die Könige zwar einen Text, den Campe nicht lieferte: Was dieser seiner Quelle, der *History of America* (1777) von W. Robertson, entnahm, beruhte noch auf den Auszügen der Las Casas, Herrera, Oviedo. Denkbar wäre es aber, daß Eichendorff die von Campe angeführten Ereignisse aus Navarretes Dokumenten angereichert oder sogar weiteren Vorlagen entnommen hätte.

Sie alle nämlich, auch eine Übersetzung des Briefs an die Könige, begegnen in der aus enger Zusammenarbeit mit Navarrete entstandenen Biographie von W. Irving: *A History of the Life and The Voyages of Christopher Columbus.* Das dreibändige Werk fand 1828, noch im Erscheinungsjahr, durch eine französische, holländische, italienische und zwei deutsche Übersetzungen weite Verbreitung[35] und konnte, *eines der liebenswürdigsten Lesebücher,* wie Menzels *Literatur*-Blatt 1833 urteilt, *die den Werth eines Geschichtswerks und die Gefälligkeit eines Romans verbinden*[36], dank seiner klaren Gliederung leicht dazu benutzt werden, eine Erzählung mit den Standards des historischen Seeabenteuers zu beschicken. Zudem war es Irving, der das visionäre Genie des Kolumbus hervorgehoben und der spätromantischen Dichtung die Grundzüge der Modellierung geliefert hatte[37]. Eichendorff muß auch seine Darstellung gekannt haben, es wäre sonst schwer zu verstehen, daß abenteuerliche Folgen der *Meerfahrt* die Inhaltsangaben zur zweiten und dritten Reise ausführen. Auch ausstattende Szenen sprechen dafür. Ohne Bezug auf die übrige Erzählung etwa bleibt die als Donquichotterie vorgeführte Groteske[38] im ersten Teil der *Meerfahrt*, wenn man im Gedanken an Cervan-

35 C. Sanz, Bibliografia general de la Carta de Colón. Madrid 1958 p. 122.
36 W. Menzel (Ed.), Literatur-Blatt. Stuttgart, Tübingen 1833, p. 367.
37 E. Wetzel, Der Kolumbus-Stoff im deutschen Geistesleben. Breslau 1935, p. 21. pass.
38 Es sah aus, als *ritt der lange hagre Mann* [sc. Alvarez] *auf einem Steckenpferde* [...] *Der dicke Schiffskoch aber war als Page ausgeschmückt* (M 765). Der Einschub stellt sich ähnlich wie das Venus-, das Sirenenmotiv als Selbstwieder-

tes verkennt, daß unterzogene Historie sie vermittelt. Es gibt ähnliche Beispiele[39], unter denen Antonios Liebesromanze am engsten mit Irvings Schilderungen verknüpft ist.

Wie eine störende Mystifikation muß Antonios Erklärung wirken, *aus einem tiefen Bergwerke* zu kommen, *wo mich der falsche Flimmer verlockt* (M 772), unterläßt man es, den unterlegten Zusammenhang aufzulösen. Dreimal wird das Bergwerk erwähnt, wo sich die Erzählung vom nächtlichen Liebestrug des Antonio mit der Erzählung von goldgierigen Expeditionen, vergessenen *Goldklumpen* (M 777) kreuzt und von der Freundschaft der *schönen Fremden* mit den Spaniern gesprochen wird. All das ist nichts als Reminiszenz aus Irving, der im achten Buch über die *Discovery of the mines of Hayna* berichtet. Es handelt sich um eine knapp erzählte Liebesromanze auf Haiti, der Eichendorff mit einer Reihe von Motiven folgt: Der junge Aragonier Diaz verwundet einen Gegner im Duell – Antonio verletzt den Sanchez im Duell (M 760). Diaz flieht aus dem Küstenfort Isabella aus Furcht vor Strafe ins Landesinnere – Antonio verirrt sich vom Lager der Meerfahrt ins Gebirge (M 769). Diaz gelangt in ein indisches Dorf, die Kazikin verliebt sich in ihn – Antonio erwacht im *stillen Garten* neben der schönen Wilden (M 772), reißt sich los, um die Gefährten wiederzufinden, hört die Verlassene in *herzzerreißender Angst rufen, schelten und rührend flehen* (M 772). Diaz lebt mit der Kazikin zusammen, aber die Sehnsucht nach seinen Gefährten macht ihn schwermütig. In Sorge, ihn zu verlieren, verrät seine Braut ihm die Goldminen am Hayna – das *Bergwerk* – und schlägt die nachbarliche Ansiedlung der Spanier vor. Diese vereinigen sich mit Diaz; sein Gegner ist gesund; Diaz wird glänzend rehabilitiert – Antonio findet seine Kameraden; er hat das Bergwerk erträumt; Sanchez ist nicht tot; man feiert Antonio als tüchtigen Kerl. Diaz heiratet seine indianische Braut nach ihrer Taufe auf den Namen Catalina – die schöne Wilde hilft den Spaniern gegen ihr eigenes

holung dar, wenn man den Auftritt des *Ritters von der traurigen Gestalt* in Ahnung und Gegenwart, B. I, Kp. 8, vergleicht.

39 Daß Diego seine Lebensgeschichte selbst erzählt, wie Janitza (cf. not. 71) die Abhängigkeit der Meerfahrt von der Insel Felsenburg behauptend anführt, findet wohl ebensoviel Beglaubigung durch die Tatsache, daß die Ereignisse im Goldland Veragua vornehmlich in dem testamentarischen Bericht des Diego Méndez überliefert sind, den – *Relación hecha por Diego Méndez de algunos acontecimientos del último viage del Almirante Cristobal Colón* – Navarrete (N 314 sqq.) abdruckt, Irving (B. XV, Ch. 8) nacherzählt.

Volk; Antonio nimmt sie, die gebrochen ihren spanischen Namen Alma spricht (M 778), mit in die Heimat (M 807).

Die Übereinstimmungen sind nicht mit der Erklärung abzutun, hier werde einmal mehr das seit der *Découverte du nouveau monde,* dem Singspiel Rousseaus, sentimental verbreitete Motiv des gemischten Liebespaares behandelt. Zu genau bildet Eichendorff die legendäre Episode nach, die Irving, weil er sie *of a somewhat romantic nature* fand, aus der *Indischen Chronik* des Oviedo unverbürgt übernahm. Noch die *Geschichte des Einsiedlers* wiederholt Einzelheiten.

Bei aller Vieldeutigkeit scheint es Eichendorffs Manier darauf abzusehen, die Entdeckung Amerikas symbolisch darzustellen. Sonst hätte sie darauf verzichten können, das von Campe Genommene mit Szenen und Staffagen aus Navarrete und Irving zu ergänzen. Dies unternimmt sie extensiv, bis in die scheinbar erfundensten Arrangements und die Namengebung hinein. Wie sie den alten Garten auf der *Insel der Königin* mit dem geographischen *Garten der Königin* versetzt, so gewinnt sie den Landschaftstypus der Wildnis aus den Quellen. Die umherliegenden Klüfte, wo das wilde Gesindel nistet (M 756), die Wälder, jähen Abhänge, Klippen, Felsen, starren Zacken (M 757) entsprechen der Landschaft Veraguas; die Scharmützel dort umrahmt *the wild, broken and mountanous nature of the country [...],* darin *the Indians among their rocks and fastnesses*[40]. Und hat man den Entlehnungen aus dem 6., 8. und 15. Buch entnommen, daß Irvings Beschreibungen der zweiten und vierten Kolumbusreise das Interesse Eichendorffs besonders befaßten, liegt es nahe, an eine Beleihung auch Navarretes zu denken: Die *Relación de la gente é navíos que llevó á descubrir el Almirante D. Cristobal Colón* verzeichnet als die auf der vierten Reise amtierenden Schiffsführer der *Carabela Capitana* den:

> *Diego Tristan, capitan* [...]
> *Ambrosio Sanchez, maestre.*
> *Juan Sanchez, piloto mayor* [...]
> *Anton Donato, contramaestre*[41].

40 Washington IRVING, A history of the life and voyages of Christopher Columbus. In three volumes. T. III, New York 1828, p. 66 [= zit. Irv. mit Bandangabe T.].

41 Martin Fernández DE NAVARRETE, Colección de los viages y descubrimientos que hicieron por mar los Españoles desde fines del siglo XV. T. 1. Madrid 1825. p. 289 [= zit. N].

Die Namen der Meerfahrer – des *Don Diego,* der ein Schiff ausrüstet (M 791), des Schiffsleutnants *Sanchez* (M 758)[42], des Bakkalaureus *Antonio* (M 751) werden mithin von den Schiffskatalogen der Spanier hinterlegt: die Besatzungsliste zur Kapitänskaravelle verzeichnet ferner den *Alonso de Leon* (N 291), der, wenn nicht Kontamination mit Campe[43] (oder mit Brentanos *Ponce de Leon*)[44] vorliegt, dem Schiffsleutnant des *Diego de Leon* (M 804), *Alonzo* (M 805), den Namen geliehen haben mag. Überhaupt begegnen die Namen Alonso und Diego in den Mannschaftslisten der vier Expeditionen häufig[45], während das Verwandtschaftsverhältnis des Antonio zu Diego, seinem Oheim (M 751), dem des *Don Diego,* ältester Sohn des Kolumbus, zu seinem Oheim *Don Diego,* Bruder des Kolumbus, entspricht.

So unterzieht ein verzweigtes System korrespondierender Muster die *Meerfahrt* und gibt Einblick in Eichendorffs Komposition. Deren Sinn, so wurde vielleicht klar, kann nicht mehr aus dem spiegelnden Aufbau der Erzählung, aus den von früheren Werken Eichendorffs scheinbar vertrauten Bildern allein erschlossen werden. Allerdings sind sie an seinen Rekursen lenkend beteiligt. Eichendorff hat nicht einem Zettelkasten zur Entdeckungsgeschichte wahllos nachgeschrieben, sondern gibt die Absicht zu erkennen, mit der vornehmlich von Navarette und Irving leihenden Binnenerzählung auf die von Campe bestückte Rahmenerzählung das romantische auf das rationalistische Geschichtsverständnis anzuwenden.

42 Das *diario de a bordo* erwähnt am 11. 10. 1492 die Begleitung des königlichen Flotteninspekteurs Rodrigo Sanchez.

43 Verknüpfung der Reise des Ponce de León nach Florida mit den Kolumbusreisen bei Campe K 200–204.

44 Freilich nur vom Hörensagen, da die Intrigenkomödie das Thema der Entdekkung nicht berührt.

45 Martin Alonzo Pinzón begleitet Kolumbus als Kapitän der Pinta auf der ersten, Perez Alonzo Niño als Kapitän der Niña auf der zweiten und dritten Reise. Alonso de Ojeda, Teilnehmer an der zweiten und dritten Reise, unternimmt ab 1499 selbständige Entdeckungsexpeditionen. Diego de Arana (N 121), Campes Diego D'Arcada (K 114) wird in Navidad von Wilden überfallen und mit seiner Mannschaft getötet. Diego Méndez berichtet in seinem Testament von Überfällen des Kaziken Quibia im Goldland Veragua (4. Reise). Diego Kolumbus folgt dem Vater als Admiral und Vizekönig von Indien. Dazu auch die chronologische Tafel zu den vierundzwanzig ersten Entdeckungsreisen bei Humboldt (H 445–454).

Daß Eichendorffs spanische und englische Kenntnisse für ein im Maßstab der *Meerfahrt* betriebenes Quellenstudium genügten, ist anzunehmen[46]. Aber hätte er sich auch auf Übersetzungen verlassen – überraschend genug wirkt sein Verfahren angesichts der Tatsache, daß man ihm den unbewußten Gebrauch seiner Kunstmittel nachsagt. Dieser Auffassung zu widersprechen, machen die hier vorgetragenen Beobachtungen nun nötig, zumal ein drittes Buch in den Plan, vielleicht in den Text der *Meerfahrt* eingegangen ist.

Merkwürdig gesetzte exotische Requisiten und Züge religiöser Stilisierung in Rahmen- und Binnenerzählung, das Gespräch zwischen Alonzo und Diego über das Paradies und die Ewigkeit, des Alvarez heimliche Vision eines himmlischen Jerusalem weisen darauf hin. Auffällig beziehen sich diese Stichworte auf eine Erörterung, der die bis heute anerkannteste Studie zur frühen Erforschung Amerikas[47] das Weltbild des Kolumbus unterzieht, Alexander von Humboldts *Kritische Untersuchungen über die historische Entwicklung der geographischen Kenntnisse von der Neuen Welt und die Fortschritte der nautischen Astronomie in dem 15ten und 16ten Jahrhundert*[48]. Mit dem 1836 erschienenen Werk war das wissenschaftsgeschichtliche Komplement zu den Darstellungen Campes und Irvings gegeben, war das amerikanische Thema aus den Bezirken der Reisepädagogik und romantischen Biographik heraus und unter Kategorien idealistischer Natur- und Geschichtsbetrachtung geraten. Anregung zu solcher Denkweise konnte Eichendorff dem zweiten Band (1836) entnehmen, der auf 528 Seiten *von einigen Thatsachen, die sich auf Christoph Columbus und Amerigo Vespucci beziehen*, berichtet.

Noch einmal findet sich hier im Modus des prüfenden Räsonnements jene Kette von Angaben, die wir aus der *Meerfahrt* kennen[49]. Es kommt

46 Englische Studien vermerkt das Wiener Tagebuch.

47 Nach Sanz *el más grande monumento levantado a la primitiva historia del Nuevo Continente;* o.c.p. 128.

48 Bd. 2, Berlin 1836 [zit. H].

49 Schon Kolumbus hat die *Linie* ohne magnetische Abweichung entdeckt (H 26–32); die päpstliche *Demarkationslinie* folgt den Vorstellungen des Kolumbus vom Verlauf der physischen *Linie* ohne magnetische Deklination (H 36–39); das *Murren der Mannschaft* gründet im *Aberglauben*, den die mittelalterliche Seefahrt mit dem Tangmeer verband (H 60–62); die Äquinoktial*ströme* um die Antillen, besonder Haiti, mochten sehr wohl eine spanische Karavelle – also auch das *Boot* des Alvarez (M 755) – an der Küste zerschellen lassen (H 68–76).

Vergleichbares hinzu, wenn man als methodische Analogie den Umstand nimmt, daß auch Humboldt sich über die chronologische Folge der Ereignisse hinwegsetzt. Bestimmt vom Interesse, den wissenschaftlichen Stand der überlieferten Zeugnisse zu verstehen, erklärt er die Beobachtungen des Kolumbus aus der frühneuzeitlichen Kosmologie. Scholastisch geprägt sieht er die Überzeugung des Seefahrers, auf dem höchsten Punkt der Erde, dort wo der Orinoko entspringe, liege das irdische Paradies – was Eichendorff mit der romantischen Ahnung des Alvarez und Diego wiedergibt, in den Himmel zu reiten, das Paradies, ein wunderbares Eldorado zu entdecken. Aus dem *Traumgesicht am Flusse Bethlehems* ferner, das Kolumbus im Begleitbrief zum Bericht aus Jamaica 1503 niederschrieb, schließt Humboldt auf dessen *glühende Einbildungskraft*, auf *Seelengröße und Erhabenheit*, auf die Fähigkeit zu *edlen und schönen* poetischen Bildern, auf die Ergriffenheit von *religiösem Gefühl*, was die romantische Ansicht vom Charakter des Entdeckers um Irving wiederholt[50]. Eichendorff, der sich nach eigener Auskunft literarisch stets auf dem laufenden hielt[51], konnte, wenn nicht den Originaltexten bei Navarrete, den aus der *Colección de los viages* übersetzten Proben bei Humboldt seine religiösen Chiffren entnehmen. Vor allem gewinnt der methodische Gebrauch der Modusformeln *wie im Traum*[52] einen genaueren Sinn, wenn man die Quellen vergleicht. Gleichgültig ob von Humboldt oder selbst aus Irvings Schilderung von der Paradiessuche übernommen, es ergibt sich, daß Eichendorff die mittelalterliche Frömmigkeit im Abenteuer des Kolumbus zu einer romantischen Sehnsuchtsfigur umwandelt. Erträumtes Leben vorgreifend auf Calderón darzustellen, dessen Dramen er bald nach Abfassung der *Meerfahrt* zu übersetzen begann, wäre beabsichtigt gewesen, aus den im Substrat erblickten heilsgeschichtlichen Zügen christliche Lebensmuster zu bilden.

Es besteht Anlaß, die Meinung zu berichtigen, die *Meerfahrt* wurzele im literarischen Barock des *Simplizissimus* und der *Insel Felsenburg*[53].

50 Annähernde Übersicht bei WETZEL o.c.p. 21 sqq.
51 Cf. MAUSER (Ed.), HKA VIII, p. XXIX.
52 Cf. W. VON SCHOLZ, »Wie im Traum«. Zu Eichendorffs Novelle »Meerfahrt«. In: Aurora 4 (1934), pp. 63–65. Ebenfalls GILLESPIE 1. c. p. 197.
53 Auf den Gedanken von H. SCHULHOF 1. c. p. 291 (not. 86) stellt Janitza ab, wenn er *viel verwandte Züge der geistigen Haltung Grimmelshausens und Eichendorffs erkennen* will; o.c.p. 28 sq.

Einmal abgesehen von der eigentümlichen Einschätzung der aufgeklärten Robinsonade und dem Irrtum über den Anteil Grimmelshausens[54] oder gar des *Guzmán de Alfarache*[55] – kritisches Interesse verdiente erst der Sinn einer solchen Anverwandlung. Gewiß hat Eichendorff im *Simplizissimus* gelesen, den ihm 1809, bevor er ihn kaufte[56], Brentano aufs Krankenlager lieh; auch standen ihm Oehlenschlägers und Tiecks Bearbeitungen der *Insel Felsenburg* zur Verfügung. Mehr als die Kontrafaktur des berühmten Abendliedes von Grimmelshausen und die allgemeinen, aufs Typische einer christlichen Abenteuerdichtung zielenden Anspielungen zu entdecken, fällt indessen schwer.

Die Neigung, weltflüchtige Dränge kritisch zu befriedigen, hat den Umgang mit Eichendorff oft bestimmt. Entsprechend unklar blieb, was die Rekurse auf Schnabel schlüssig macht. Daß auch bei ihm eine Insel, ein spanischer Greis, eine Höhle begegnet, daß die Wilden vor Feuerwaffen erschrecken und Gold gegen Flitterkram eintauschen, das alles ist zu sehr Reise- und Jugendbuchtopik der Zeit, als daß eine enge Beziehung gefolgert werden müßte. Das Überraschende liegt vielmehr darin, daß diese Elemente fast ausnahmslos der Entdeckungsgeschichte Westindiens angehören. Selbst wenn die *Meerfahrt* ihn nicht ausdrücklich vermerkt, so tritt doch in ihren literarischen Verflechtungen ein Zusammenhang zutage, den die Kritik bisher nicht faßte. Wie stark die historiographische Überlieferung nämlich die fiktionale durchdringt, wie weit Einzelheiten gerade der Kolumbusreisen zu Topoi des Seeabenteuers wurden, blieb unbekannt. Wir hoffen, in anderem Zusammenhang darzulegen, daß der Austausch lebhafter war, als die Stoffgeschichte anzugeben vermag[57].

54 Grimmelshausen, dessen Inselepisode nicht in Amerika, sondern in den Molukken spielt, kommt schwerlich *weit mehr als Schnabel für Eichendorff als Stoffquelle in Betracht;* JANITZA (o.c.p. 34) widerspricht seinen eigenen Feststellungen zur Verwandtschaft mit der Insel Felsenburg.

55 Guzman wie Alvarez, so das Argument, reiten als Schalke auf einem Esel. JANITZA o.c.p. 37.

56 Cf. HKA XI, p. 261.

57 WETZEL o.c. geht auf die Frage nicht ein.

III

> *[...] die Lebensmeerfahrt wird angetreten unter dem wachen und segenspendenden Auge eines je und je Überlebenden, der verlorenen und wieder aufgefundenen Gestalt von Gestern, und begleitet von der grüßenden Geste aller Nachkommenden, der noch nicht ins Licht des Geschichtlichen getretenen Präfiguration von Morgen.* Oskar Seidlin[58]

Eichendorff stattet die *Meerfahrt* mit den vier Liebesgeschichten des Antonio und Sanchez aus in der Rahmenerzählung und des Alonzo und Diego in der *Geschichte des Einsiedlers.* Alle verfallen dem Venustrug, doch während die Chargen im Wahnsinn umkommen, finden die Helden, Antonio und Diego, zu weltlicher und geistlicher Erfüllung. Die Konstellation soll hier nicht immanent, sondern aus den Merkwörtern erschlossen werden, die der Text von außen aufnimmt. In das täuschende Spiel der Benennungen ist auch Alvarez einbezogen. Ein *Nest von Sirenen* (M 755) sichtet man vor der Insel, *schlanke weibliche Gestalten, die in der Flut spielend auftauchen und wieder verschwinden.* Und *der Hauptmann wird verliebt, bindet ihn!* (M 755). Auch dieser Einfall ist darauf angelegt, diffuse Bedeutung vorzutragen. Er nimmt das Verständnis des Lesers nach drei Seiten in Anspruch, da er intern die verliebte Zwischenhandlung eröffnet und mit dem mythologischen Apparat der Erzählung bekannt macht: *»Frau Venus, Urgande, Megära, das kommt und geht so!« rief der Hauptmann ungeduldig aus und benannte das Eiland* [...] *ohne weiteres die Venusinsel, von der Frau Venus, die nicht da war* (M 779). Zum anderen schließt er die *Meerfahrt* extern mit dem erzählenden Werk zusammen. Wer die Erstlingserzählung, *Das Marmorbild,* kennt, wird die Allegorese in der nachgelassenen entsprechend deuten. Eichendorff liebt es, Personen des heidnischen Mythos in Sinnbilder der Verlockung zu verwandeln[59]. Sie stehen auch hier als Figurationen seiner christlichen Hieroglyphik, der Text selber gibt es zu verstehen, wenn er ihre Magie desillusioniert: *Frau Venus hat ja niemals auf Erden wirklich gelebt, sie war immer nur so ein Symbolum der irdischen Liebe, gleichsam ein*

58 L. c. p. 100.

59 Cf. BELLER o. c. Auch die Lyrik setzt dieses Stilmittel ein. Über Sirenen als *Sinnbilder der Verlockung* F. UHLENDORFF in Aurora 18 (1958), p. 23 sqq.

Luftgebild, eine Schimäre. Horatius sagt von ihr: Mater saeva cupidinum (M 757). Angesichts der Verflechtungen erscheint aber ein dritter Aspekt von Belang. Denn Eichendorff spielt mit dem Sirenenabenteuer aus der Odyssee (12. Gesang) auf den romantischen Typus der Epopöe an. Erst das vermittelt der vorgeblichen Seegeschichte die darin unübliche Liebeshandlung, wir versuchen zu klären, da nicht etwa an Parodie der Abenteuer bei Circe oder Kalypso zu denken ist; auch die Aeneis, deren Heros unter dem Patronat der Venus umherirrt, entfällt als Referenz. Nicht mit den epischen Mustern des Klassizismus, sondern mit einem christlichen Heldengedicht identifiziert sich die romantische Theorie: mit den *Lusiaden* des Camoens.

Schlegels berühmte Würdigung verhält sich analog zu dem aus der *Meerfahrt* ersichtlichen Konzept. Weder der spanische *Cid* noch die *Araucana* des Ercilla, dieses als bloße Reise- und Kriegsbeschreibung in Versen eingestuft, vermögen seine Forderungen an die Epopöe zu befriedigen. *Das Heldengedicht muß beides vereinen, historische Wahrheit und Größe, und das freie Spiel der Fantasie im Wunderbaren; es mag dieses nun erdichtet und mythisch sein, oder selbst auf dem geschichtlichen Gebiet sich darbieten*[60]. Dieser Ansicht entspricht Camoens, da er ganz auf die historische Wahrheit der Ostindienzüge mit Vasco da Gama baut. *So wie den Spaniern die amerikanische Wildnis, so war seiner Nation das reiche Indien zu Teil geworden*[61]. Ergriffen vom Pathos der Weltumseglung, an welcher er teilnahm, löst sich Camoens von der Autorität Vergils und erschafft das exotisch durchsetzte Nationalepos der Portugiesen: *Wie den Schiffer berauschende Wohlgerüche, schon von fern anwehend, in Wellen und Mühsal erquicken und ihm die Nähe von Indien verkünden; so weht ein blühender, ja berauschender Duft durch dieses unter dem indischen Himmel ersonnene Gedicht; es ist der südlichste Glanz darüber verbreitet, und obwohl einfach in der Sprache, ernst in der Absicht und Anlage, übertrifft es an Farbe und Fülle der Fantasie bei weitem den Ariost,* [...] *alles was irgend aus der älteren Geschichte seines Volks,*

60 Friedrich SCHLEGEL, Kritische Ausgabe, ed. H. EICHNER, Bd. 6, Abt. 1, Paderborn, München, Wien 1961, p. 265.
61 Ibid. p. 265.

ritterlich, schön, groß, edel und liebevoll rührend war, ist in dieses Gedicht eingeflochten und in ein Ganzes verwebt. [...] *unter allen Heldengedichten der alten und neuen Zeit, ist keines in dem Grade national, und niemals ist auch seit dem Homer, ein Dichter von seiner Nation in dem Maße verehrt und geliebt worden, wie Camoens*[62].

In den Wiener Vorlesungen über die *Geschichte der alten und neuen Literatur*, deren elfte diese Sätze enthält, hatte als Student der junge Eichendorff gesessen. Es ist schlecht denkbar, daß ihm, der seine Mitschrift abends nacharbeitete[63] und bis zu seinem Fortgang im Hause der Schlegels freundschaftlich verkehrte, das Urteil entfallen sein sollte. Noch lange nach der Wiener Zeit verwendet Eichendorff gestaltende Figuren aus Schlegels Werk, wenn nicht sogar dessen Sonett *An Camoens* (1807)[64]. Zudem mochte er von Tieck an die Stelle erinnert worden sein, der in seiner historischen Novelle vom *Tod des Dichters* (d.i. Camoens) zwei Jahre vor Abfassung der *Meerfahrt* eine Reprise geliefert hatte[65].

Das alles war zu bemerken, weil es mit Eichendorffs Nomenklatur einen Zusammenhang bildet. Eine Venusinsel nämlich beschreibt auch Camoens, widmet er doch den auf der *Ilha de Venus* statthabenden Freuden der Portugiesen den 9. und 10. Gesang der *Lusiaden.*

Noch einmal begegnet eine analoge Verkettung der ausstattenden Motive. Tanzende Nereiden statt spielender Sirenen bewillkommnen die Seefahrer vor der Küste (IX. Gesang, 50. Stanze), die sich anfangs ausnimmt wie das von Antonio (nach Campe) gesichtete Land (cf. p. 173f.):

62 Ibid. p. 266.

63 Cf. D. W. SCHUMANN, Friedrich Schlegels Bedeutung für Eichendorff. In: Jb. Hochstift NF 1966, p. 344.

64 Ibid. p. 380, pass.

65 Tiecks Camoens spricht Schlegel hier im Tone Campes (K 203) nach: *Ganz andre, wichtigere Reiche werden uns, auf wundersame Art unterthan, als jene wilden Horden, die der großmüthige Colomb und der gelehrte Florentiner Vespucci entdeckte [...] Auch wird im Westen Brasilien unser. Und jetzt sind es noch nicht achtzig Jahr, daß Vasco de Cama jenen märchenhaften Orient, das Land der Wunder, entdeckte.* Ludwig TIECK, Schriften, Bd. 19, Berlin 1845, p. 221. Schlegels Gedankengang kehrt in dem langen Räsonnement des Hauptmanns über den Rang der *Lusiaden* wieder, die er nach Vergleichung mit Homer und Virgil über die Ritterepen der Italiener – Pulci, Boiardo, Trissino u. a. – sowie ebenfalls über den *edlen Ercilla* stellt; ibid. pp. 473–476.

Drei Hügel, schön und anmuthvoll, erhoben
Sich himmelan in zauberischer Pracht.
Von Blum' und Gras in buntem Schmelz umwoben,
Im Eiland hier, das heitre Wonn' umfacht[66].

Zu Eichendorffs Insel gehört das *rings von Felsen eingeschlossene* (M 757) Tal, sie sehen *in ein weites, gesegnetes Tal wie in einen unermeßlichen Frühling hinein. Blühende Wälder* [...] *Kokospalmen* [...] *glitzernde Bäche* [...] *fremde bunte Vögel* [...] *wie abgewehte Blütenflocken* (M 763) füllen es aus, und das ist das romantische Pendant zu der von Camoens entworfenen Ideallandschaft[67]. Den ausstattenden Katalogen preziöser

66 Luis DE CAMOENS, Die Lusiaden. Dt. J. J. C. Donner. Stuttgart 1833, p. 310.

67 55.

In schönem Thale, das die Hügel spaltet,
Vereinen sich die klaren Quellen dann,
Und bilden eine Fläche, schön entfaltet,
Dass Schön'res keine Phantasie ersann:
Und über ihr hängt Laubwerk, schön gestaltet,
Als wie bereit, zu schmücken sich fortan,
Wenn sich's beschaut in des Crystalles Reine,
Der es in sich abmalt im Widerscheine.

56.

Zum Himmel sieht man tausend Bäume ragend.
Mit Obste, schön und düftereich, geschmückt,
Der Pomeranzen milde Früchte, tragend
Die Farbe, die an Daphne's Haar entzückt:
Nach Stützen sucht zur Erde niederschlagend,
Der Citrusbaum, von gelber Last gebückt:
Die Prachtlimonen, die von Dufte thauen,
Sind schön gewölbt, wie Busen zarter Frauen.

57

Die wilden Stämme, die der Hügel Räume
Mit laubigem Gezweige rings umblühn,
Sind Herculs Pappeln, sind die Lorbeerbäume.
[...]

60.

Die Teppiche, mit deren zartem Schleier
Sich dort die Erde frisch und ländlich schmückt,
Schuf Achämenia nicht in solcher Feier,
Als ihre Pracht im dunkeln Thal entzückt.
[...]

62.

Der glänzende Jasmin, die Anemona

Pflanzen und Tiere der Mittelmeerwelt, aus welchen Camoens seine Landschaft synthetisiert, entspricht Eichendorffs nicht weniger künstliche Erstellung alten Gartens[68]. Und die hier beginnende Liebesgeschichte zwischen der *Frau Venus,* der schönen Alma, und Antonio, korrespondiert zu der dort gerahmten Episode. Venus, die *Herrin, groß und mächtig, im Pomp erscheinend, königlich und prächtig*[69], wird die Braut des Gama; nach dem Bedürfnis epischer Erhebung erfüllt sich die Liebesromanze des Leonardo und der Ephyra (IX, 75–83), und jeder Portugiese führt am Ende eine Nymphe heim (X, 143) – was dem Erfüllungsschema entspricht, dem die Geschichte des Antonio und der Alma folgt.

Wir sagen nicht, die *Meerfahrt* bilde die berühmte, noch in Humboldts *Kosmos* besprochene[70] Episode der *Lusiaden* nach. Dem würden die Entlehnungen aus Irvings Bericht von der Liebschaft des Diaz widersprechen. Aber die Konvergenz der Fabeln in der sie beziehenden und überbauenden Erzählung macht sichtbar, daß eine Abbildung ihrer Schematik vorliegt. Mit einer Meerfahrt überdies bestreitet Camoens die *Lusiaden*: Eichendorffs Drang und Fähigkeit zu symbolischer Verkürzung mit dem rechtzei-

Glühn, von des Morgens Thränen überthaut:
[...]
Dort heben sich aus dichtem Waldespfade
Der Hase, die Gazell' in banger Hast:
Hier trägt im Schnabel zum geliebten Neste
Der Vogel Futter für die kleinen Gäste.

Ibid. pp. 310–313. Bemerkenswerte Parallelen ergeben sich auch aus der konzentrischen Ordnung (Str. 55, 57 *rings um* [...]) der generalisierenden (Str. 56 *tausend, Obst*), auf die abstraktesten Epitheta *(schön, klar, frisch)* bauenden Ausstattung mit heimischen Requisiten *(Quellen, Morgen, Pracht, Waldespfade, Hase)*: Dies ist auch Eichendorffs Technik der Landschaftsgestaltung.

68 Die Liebesszene mit der *Frau Venus* (M 771) leitet ein Landschaftsbild ein: *Gänge und Beete mit Buchsbaum eingefaßt, lagen umher, eine Allee führte nach dem Meere hin, die Kirschbäume standen in voller Blüte. Aber die Beete waren verwildert, Rehe weideten auf den einsamen Gängen, an den Bäumen schlangen sich üppige Ranken wild bis über die Wipfel hinaus, von wunderbaren hohen Blumen durchglüht* (M 770).

69 CAMOENS o.c.p. 320.

70 *Die Episode der Zauberinsel bietet freilich das reizendste Gemälde einer Landschaft dar; aber die Pflanzendecke ist gebildet, wie eine Ilha de Venus erfordert, von »Myrten, dem Citrus-Baume, duftenden Limonen und Granaten«: alle dem Klima des südlichen Europa's angeeignet. Bei dem größten der damaligen Seefahrer, Christoph Columbus, finden wir mehr Freude an den Küstenwäldern* [...] *aber Columbus schreibt ein Reisejournal.* Kosmos II, p. 61.

tigen Erscheinen von Donners Übersetzung 1833 veranschlagt, legt den Schluß auf die Anregung seiner Einbildungskraft nahe. Und die Unsicherheit bei der Wahl des Titels, der in den nachgelassenen Entwürfen zuerst *Die Insel der Königin* lautet[71], liefert dafür ein zusätzliches Argument.

Eichendorffs unverbindlich benennende Darstellung der Venusinsel bleibt für sich gesehen Beiwerk. Als *allegorische Mythe* dagegen, wie man zeitgenössisch die Erfindung des Camoens deutet[72], wäre der Venustrug der Meerfahrer plausibler zu fassen – freilich nicht ohne erkannt zu haben, daß die *Meerfahrt* die Kategorien geltend macht, nach welchen Schlegels Theorie das portugiesische Epos verstand. Das Ritterliche, Schöne, Große, Edle, Rührende stellen romantisch versetzt auch die abenteuerlichen Szenen Eichendorffs vor Augen. Wohl zum geringsten Teil manifestiert sich seine Poetik in den Landschaftsentwürfen dieser Erzählung, deren hieroglyphische Konzeption etwa man in dem – von Friedrich und Dorothea Schlegel mitredigierten[73] – Wiener Jugendroman nachlesen kann. Die in *Ahnung und Gegenwart* geäußerte Ansicht, *daß jede Gegend schon von Natur ihre eigentümliche Schönheit, ihre eigene Idee hat, die sich mit ihren Bächen, Bäumen und Bergen, wie mit abgebrochenen Worten, auszusprechen sucht*[74], wird zwar auch in der *Meerfahrt* noch aufgeboten[75]. Aber die Umstilisierung der Vorlagen zu einer sie alle vereinnahmenden neuen Erzählung zeigt, daß nicht die naturelle Folie, sondern die Buchszenerie, der sie entnommen wurde, symbolisch gesetzt ist.

Die Mittelbarkeit seines Stils, noch in den sangbarsten Liedern gegeben, hat man selten als das Ergebnis intellektueller Bemühung genommen: und doch zielt Eichendorff allenthalben darauf, seine poetischen Gestaltungen an den magischen Idealismus zu binden, der ihm von Novalis überkommen war. Zumal die *Meerfahrt* führt vor, in welchem Umfang die Topoi, an deren rührender Wirkung man Eichendorff gerne erkennt, in gedankli-

71 Janitza, o.c.p. 1.
72 *Die ganze Ilha de Venus ist eine allegorische Mythe.* A. Humboldt, Kosmos II, p. 123, not.
73 Cf. Schumann l.c.p. 344 sq., pass.
74 NGA Bd. 2, p. 96.
75 Antonio findet keine Schnörkel und Metaphern für seine Rede an den König, *denn der steigende Morgen vergoldete rings um sie her die Anfangsbuchstaben einer wunderbaren, unbekannten Schrift* (M 765).

chen Figuren gefaßt sein können. Die Ausstattung der Inseln mit hier paganen, dort christlichen Landschaftsbildern und die Ablösung des Eroberungszuges in die Indianerwelt durch fromme Einkehr auf der zweiten Insel bezeugen ein wohlüberlegtes geschichtsphilosophisches Konzept. Die Liebesgeschichte Antonios und Almas, gegen den Heidentrug auf der Venusinsel inszeniert, bringt darüber hinaus ein theosophisches Moment in die Erzählung[76].

Es wird sich noch zeigen, wie entschieden die doppelsinnige Anlage der Erzählung ihre Bedeutung festlegt. Sehen wir vorerst, daß auch das unterlegte Material verschiedenen Kategorien sich zuordnet, da Campe und die Kolumbusbiographik Geschichte dokumentieren, die Lusiaden dagegen poetische Mythe. Es erklärt sich mit Eichendorffs Bindung an die frühromantische Theorie, daß die *Meerfahrt* diesen Gegensatz nicht ausdrückt. Schlegels Betrachtung der *Lusiaden*, so zeigte sich, unternimmt es, Geschichte und Sage gleichermaßen ins Wunderbare zu transzendieren. Dies ahmt die *Meerfahrt* nach und berichtigt mit dem unscheinbaren Rekurs auf Camoens unsere Überlegungen zum Sinn der entnommenen Chiffren. Eichendorff hat es nicht darauf angelegt, Geschichte in Mythe zu wandeln, sondern, beide als Modi des Wunderbaren begreifend, auf die Inszenierung ihres romantischen Typus.

Ein Teil der Magie, die man Eichendorffs Stilisierungen zuspricht, erweist sich hier als idealistischer Bildungszauber, besteht als historische und theoretische Reminiszenz. Am Ende mag dies die thematische Bindung der *Meerfahrt* erklären. Der spanischen Dichtung des Goldenen Jahrhunderts hatte die Romantik längst die Emanation ihrer eigenen Ideen zugeschrieben, als Eichendorff daran ging, die geschichtliche Welt der Entdecker in eine poetische Mythe zu fassen. Das Christliche der Gesinnung und das Nationale des Stoffes, die Schlegel an den *Lusiaden* hervorhob, ließen sich unmittelbarer und schlichter der Überlieferung zur Tat des Kolumbus entnehmen. Selbst ein ästhetisches Merkmal der *Lusiaden*, ihre symbolische Anlage, gestand die idealistische Geschichtsphilosophie der *Komposition* der Entdeckungsreisen zu[77]. Und so stellt sich die

76 Es liegt nahe, im Namen Almas (= span. Seele) den Schlüssel zu einer Liebesallegorie zu suchen, deren Gegenstand die romantische Seelenbrautschaft nach dem Vorbild des Novalis darstellt. Das mystische Moment gelangt ja auch durch die mehrsinnige Traumformel und die Einsiedlergestalt in die Erzählung.

77 Cf. not. 92.

Meerfahrt dar wie der dichterische Vollzug der Teilnahme Eichendorffs am geschichtsphilosophischen Denken der Romantik, dessen vielseitige Verzweigung nicht nur in die literarhistorischen Arbeiten, sondern in das gesamte poetische œuvre hinein noch erschlossen sein will.

IV

Er hat im Letzten recht behalten – weil eben Glaube im Rechte bleibt.
Reinhold Schneider[78]

Gleichwohl kann man es nicht dabei belassen, in der *Meerfahrt* nur eine novellistische Inszenierung der Geschichtsauffassung zu sehen, die Eichendorff früher gewann. Die romantischen Züge sind zwar bemerklich genug. Aber nicht sie, sondern ihre Mobilisierung gegen den Erwartungshorizont der dreißiger und vierziger Jahre gilt es im Folgenden wahrzunehmen.

Friedrich Schlegel war es, der das in den *Lusiaden* gefundene südlich Phantastische, indisch Berauschende der idealistischen Kulturkritik als Wertmaße gewonnen hatte. Überhaupt hatten die Erschließung orientalischer Dichtung und Mythologie, der Exotismus des beginnenden 19. Jahrhunderts in den *Ideen des Athenäum* ihren Ausgang genommen und eine bildungsgeschichtliche Wende bezeichnet, die man schwerlich außer acht lassen kann, will man Eichendorffs *Meerfahrt* aus ihren literarischen Aneignungen heraus verstehen. Weltliterarischen Ausgriff, klassische Anverwandlung des Fremden unternahm die frühromantische Schule ja nicht. Das indische *Land der Wunder* (das auch Tiecks biographische Camoens-Novelle beschwört) galt ihr als geistige Externe, als der Entwurf eines Märchens, dessen entlegene Reize für das Ungenügen am bürgerlich Beschränkten zu entschädigen vermochten. Selten pflegt man in Würdigung romantischer Überlieferungen an die Wirkung zu denken, welche die indische Entdeckung auf die bald hybride blühende Reiseliteratur, auf die Fernlanddichtung über die Jahrhundertwende hinaus ausübte. Ein Werk wie Eichendorffs Erzählung aus dem *fabelhaften Wunderreiche* des Atlantik ist daher nicht richtig zu verstehen, verkennt man, wie es diesen Vorgang literarischer Vererbung bricht. Die *Meerfahrt* liegt nicht thematisch beiseite, nur weil sie im spanischen Geschichtsmilieu gründet. Die

78 E. heute, p. 216.

Romantik erkannte im Spanischen die europäische, schwächere Spielart des Orientalischen, das war ebenfalls von Schlegel zu erfahren: *Im Orient müssen wir das höchste Romanitische suchen, und wenn wir erst aus der Quelle schöpfen können, so wird uns vielleicht der Anschein von südlicher Glut, der uns jetzt in der spanischen Poesie so reizend ist, wieder nur abendländisch und sparsam erscheinen*[79]. Der Eichendorff vorgreifende Calderón-Übersetzer von der Malsburg bezeugt die allgemeine Beliebtheit dieser Ansicht, wenn er über die spanische Dichtung urteilt, daß sie zwar das *orientalische Element, jedoch sanft überfließend in die mildere abendländische Gemüthlichkeit*[80] enthalte. Wir können annehmen, daß Eichendorff, gegen 1840 mit der Übersetzung Calderóns beginnend, solche Urteile sehr genau kannte und ihnen in der Wahl der Quellen für die *Meerfahrt*, wenn nicht in der Wahl des spanischen Kolorits überhaupt folgte. Er hat sie in seiner literargeschichtlichen Würdigung der *Autos sacramentales* ins Universelle umgebogen: *im Grunde geht alle Poesie auf nicht Geringeres als auf das Ewige, das Unvergängliche und absolut Schöne, das wir hienieden beständig ersehnen und nirgends erblicken. Dieses aber ist* [...] *an sich undarstellbar, und kann nur sinnbildlich, das ist in irdischer Verhüllung und durch diese gleichsam hindurchschimmernd, zur Erscheinung gebracht werden. Alle echte Poesie ist daher schon ihrer Natur nach eigentlich symbolisch, oder mit anderen Worten eine Allegorie im weitesten Sinne*[81]. Es ist angebracht, nach diesen Sätzen aus der *Geschichte des Dramas* die Verwendung maritimer, spanischer, exotischer Verhüllungen in der *Meerfahrt* zu verstehen. Ein aus ihnen gewonnenes System transzendentaler Sinnbilder und Formeln soll auf den Leser wirken.

Anders als die romantische Theorie zeichnet die gegen die Kunstperiode agitierende Kritik der dreißiger Jahre den Sinn der *Meerfahrt* ab. Es ist aufschlußreich, den Reflex aufs Orientalische in einer Charakteristik nachzulesen, die Heinrich Laube 1835 den Romanen Postls widmete. Was bis in die Abfassungszeit der *Meerfahrt* hinein exotisch faszinierte, resümiert sie in abwinkenden Bemerkungen. *Wir sahen uns nach dem alten gestorbenen Asien um, wir rüsteten uns zu Reisen nach der mongoli-*

79 Rede über die Mythologie, Ed. c. T. II, 1, p. 320.
80 Einführung von E. F. G. O. v. der Malsburg (Übs.) zu: Don Pedro Calderón de la Barca: Schauspiele, Bd. 1, Leipzig 1819, p. IX.
81 NGA Bd. 4, p. 531.

schen Hochebene, Spanien und das Meer tröstete uns nur noch, Castilien, einförmig wie das Meer, ohne Straßen und Polizei schien den Romantikern das letzte Eldorado[82]. Solche Aussagen gehen zumal die *Meerfahrt* an, deren spanische und maritime Abenteuer an die ethnographische Reiseromantik anzuknüpfen scheinen, die seit den Saint-Pierre und Irving, Chateaubriand und Cooper, Pückler und Chamisso populär geworden war. Daß es besonders die Nachbarliteraturen waren, die den romantischen Habitus exotisch prägten, mag übrigens Laubes verhüllte Polemik gegen ihre hiesige Rezeption bestätigen. *Die Franzosen erfanden ihre Romantiker, die Engländer geben ihre Sprache für Amerikaner hin, Irving und Cooper schrieben, und wir Deutsche – wir lasen die französischen Romantiker und Irving und Cooper*[83]. Das nationale Argument, vom romantischen Orientalismus durch seinen politischen Akzent geschieden, läßt sich zwar an Eichendorffs Rekurs auf Irving erproben. Doch ist Eichendorffs Thematik weit weniger obsolet oder dem englischen Muster abgewonnen, als die Bemerkung, auf die *Meerfahrt* angewandt, besagen würde. Irving gerade steht ja nicht nur für den englischen Orient- und Spanienromantizismus, sondern er repräsentiert das der von der *Zeitbewegung* ergriffenen Generation des Vormärz angelegene amerikanische Thema.

Bekanntlich präzisierte der in den dreißiger Jahren aufblühende Amerikaroman mit seinen zeitkritischen Einlassungen den europamüden Habitus und gab der exotischen Utopie Schlegels einen greifbaren Bezug. Die eigentümliche Verquickung von schöngeistigem Eskapismus und revolutionärer Gesinnung, welche die Erzählungen der Zschokke, Willkomm, Lenau, Sealsfield kennzeichnet[84], war inzwischen notorisch geworden; ihr Aroma wahrzunehmen, bedingte Eichendorffs wachsame Teilnahme am Zeitgeschehen von selbst. Niederschlag der politischen Enttäuschung nach dem Juli 1830, Bestandteil der Europaskepsis im Vormärz, ist sie ersichtlich in die thematische Orientierung der *Meerfahrt* eingegangen, die mit den jungdeutschen Versuchen konkurriert, das zerrissene Lebensgefühl der Zeitgenossen in Verklärung des republikanischen Amerika literarisch zu heilen. *Amerika ist in unserer Zeit die gesuchteste Gramma-*

82 Heinrich Laube, Moderne Charakteristiken. Bd. 2, Mannheim 1835, p. 350.
83 Ibid. p. 346.
84 Näheres W. Imhoof, Der »Europamüde« in der deutschen Erzählungsliteratur. Horgen-Zürich, Leipzig 1930, Kpp. 4, 6, pass.

tik für Staats- und Erzählungskünstler geworden. Auch für die Romanschreiber hat Columbus gelitten. Man könnte wirklich zuweilen der wohlfeilen Redensart glauben, Europa sei lebensmüde[85]. Daß aus ähnlicher Beobachtung die *Meerfahrt* entstand, ist der Versetzung des Textes mit der Kolumbusbiographik einerseits, dem Typus des Europamüden andererseits, mit dem die Charakterisierung des Don Diego spielt, leicht zu entnehmen.

Das Thema hat Eichendorff schon früher beschäftigt. In den verschiedentlich europamüden Reminiszenzen seit *Ahnung und Gegenwart* beobachtete man seine schwankende Haltung zur Auswanderung, welche die politische Zeitkritik aus liberaler Gesinnung empfahl[86]. Auch die *Meerfahrt* bildete danach eine abenteuerliche Überformung der Emigrationsidee. Entsprechende Züge ergeben sich, wo die Erzählung die zeitgenössisch diskutierten Prinzipien kolonisatorischer oder missionarischer Auswanderung anspricht. Daß dem mißglückten Festungsbau, der Vertreibung der Spanier aus der Wildnis der Venusinsel die Einkehr beim Einsiedler folgt, macht Eichendorffs Stellungnahme unmißverständlich. Dem einen mit dem Sieg der Wilden, dem anderen mit der Verklärung des Eremitenlebens absagend, verwandelt er die Geschichte der Kolumbusreisen in eine romantische Parabel gegen Kolonisation und Auswanderung. Und die Bekehrung Almas wird von den Allegorien der Erzählung nicht als das Ergebnis einer Mission gezeigt, sondern als privater Schritt, der aus Liebe zu Antonio geschieht. Besonders merkwürdig aber wirkt am Ende der Beschluß der Abenteurer, *die neue Welt vorderhand noch unentdeckt zu lassen und vergnügt in die gute alte wieder heimzukehren* (M 806). Das hat weder dem Gang der Erzählung noch dem zuvor exponierten Entdekkungsabenteuer nach[87] eine zwingende Logik. Es wurde freilich geschrieben, als nach zeitgenössischen Erhebungen jährlich zwischen 22000 und 40000 Personen von Deutschland nach Amerika auswanderten[88].

In der großen Emigrationsbewegung der dreißiger Jahre, bezeugt durch

85 Laube l.c.p. 345.

86 Näheres H. Schulhof, Eichendorff und das Auswanderungsproblem. In: Der Oberschlesier 7, Breslau 1925, p. 292, pass.

87 [...] *sie fuhren immerzu und wollten mit Gewalt neue Länder entdecken* (M 751).

88 Zwischen 1830 und 1843. Cf. M. v. Boehn, Biedermeier. Deutschland von 1815–1847. Berlin o.J., p. 179.

die Erfahrungs- und Ratgeberbücher der Duden, Bromme, Lenau und vieler anderer, findet die *Meerfahrt* den wirklichen Gegenstand ihrer symbolischen Sprache.

Es bezeichnet Eichendorffs Darstellungsart, daß nur ein einziger Satz diesen Zusammenhang ablesen läßt. Überall sonst ist die Erzählung auf Überbauung bedacht, und das bedeutet nach den Vorstellugen Eichendorffs Verinnerlichung: *Alle Poesie ist nur der Ausdruck – gleichsam der seelische Leib der inneren Geschichte der Nation; die innere Geschichte der Nation aber ist ihre Religion*[89]. So sagt er in der Schrift *Zur Geschichte der neuern romantischen Poesie in Deutschland* (1846) und formuliert eine Maxime seines Dichtens von Anfang an. Die Gleichung gilt in dem Sinne auch für die *Meerfahrt,* daß diese ein nationales, nämlich spanisches, zugleich historisches, zudem geographisch entlegenes Abenteuer in Religion verwandelt. Und was es mit diesem seit den Theorien Tiecks und Wackenroders so weit ausholenden Begriff romantischer Innerlichkeit auf sich hat, das sagt die Erzählung denkbar genau. Man muß Eichendorffs Chiffrenkunst nicht erst aus philologischer Analyse kennen, um die Reihe der frommen Symbole zu verstehen, die der robinsonadisch spielende Schluß aufbietet. Wie die Meerfahrer auf weitere Entdeckungen, so verzichtet der Einsiedler auf die Rückkehr, er bleibt auf seinem *Fels* [...], *der die Wetter bricht* (M 807). Antonio eilt mit *Alma zum Schiff,* es verlangt ihn nach den *Gärten der Heimat* (M 806), und *Morgenrot* (M 807) dämmert über dem Aufbruch. Unauffällig bringt die mystische Wortkette noch einmal das Schema auf, nach welchem Alvarez über seine Reise sinnierte. Nicht ihr Besitz, das Streben nach der Königswürde, nicht die Erfüllung, sondern der Traum ist das Element seines Lebens. Den Himmel verlangt er nicht zu erreichen, *kommst du erst hin, ist's langweilig. Um ein Liebchen werben ist scharmant; heiraten: wiederum langweilig! Hoffnung ist meine Lust, was ich liebe, muß fern liegen wie das Himmelreich* (M 756). Die Taten der Meerfahrer finden ihren Sinn im Vollzug solchen Idealismus. Christliche Enthaltung wäre dargestellt, eine Reinigung des Missionsgedankens von den Unzuträglichkeiten politischer Praxis.

Es ist wohl kaum zufällig, daß zwei Jahre nach der *Meerfahrt* ein Gedicht von Eichendorff datiert, das mit beiden anspielenden Folgen in

89 NGA Bd. 4, p. 453.

auffälliger Beziehung steht. Sein Titel lautet in der Seemannssprache Campes *Der Pilot*, und es besingt ebenfalls eine *Meerfahrt*, von der es so heißt:

Glaube stehet still erhoben
Über'm mächt'gen Wellenklang,
Lieset in den Sternen droben
Fromm des Schiffleins sichern Gang.

Liebe schwellet sanft die Segel,
Dämmernd zwischen Tag und Nacht
Schweifen Paradiesesvögel,
Ob der Morgen bald erwacht?

Morgen will sich kühn entzünden,
Nun wird's mir auf einmal kund:
Hoffnung wird die Heimat finden
Und den stillen Ankergrund[90].

Auch ohne den Zusammenhang mit jenen geistlichen Gedichten zu erörtern, die außer den Liedern der *Meerfahrt* deren Themen und Formeln nachspielen – nebst dem *Pilot* (1837), *Der Schiffer* (1836) und *Eldorado* (1837), erst spät kommt *Der Auswanderer* (1856) hinzu – können wir sagen, daß diese Verse die Chiffren auflösen, mit welchen Eichendorff die Konzeption seiner Erzählung verschlüsselt. Wenn sie heraldische Reminiszenz aus der Kolumbusüberlieferung aufrufen, mag das die enge Bindung an die Quellen betonen: Das Familienwappen der Colombus trug die Devise *fides, spes, charitas*[91]. Bedeutsamer ist, daß die Anwendung des Gedichts auf das gegen die abenteuerlich pagane Komponente gerichtete Programm der *Meerfahrt* führt, daß sie das Verhältnis der beiden Handlungen und der Teile klärt. Glaube, Liebe, Hoffnung nämlich sind es, die den Ablauf der Abenteuer auf den beiden Inseln übergreifen. Gläubig (und abergläubisch) unternimmt die Mannschaft der *Fortuna* ihre Fahrt und die Erkundung der Insel. Liebestrug (Venus mater cupidinum) und fromme Christenliebe (Caritas) des Antonio und der Alma bestreiten die Zwischenhandlung. Hoffnung auf das Paradies im Himmelreich beflü-

90 NGA Bd. 1, p. 299.
91 Hier nach Belloy o. c. p. 203.

gelt Alvarez, und anders Diego auf seinem Felsen (Petrus), Hoffnung auf glückliche Heimkehr die Spanier der *Fortuna*. Eichendorffs idealistisches Denken bewirkt, daß er die Schlüssigkeit der Handlung nicht mit Psychologie, sondern mit dem Tugendschema herzustellen sucht, das sie symbolisiert. Kategorien der Innerlichkeit sind gemeint, Werthaltungen des romantischen Frömmigkeitstypus, daher auch das spanische Kolorit, das als ihr Vehikel dient. Sein Sinn ist mit dem Hinweis auf die orientalische Valeur ja nicht erschöpft. Die Verknüpfung mit dem amerikanischen Thema vielmehr gewinnt ihm korrektive Bedeutung, da es die bessere Heimat anmahnt. Dem Selbstverlust an die exotische Ferne, der Propagierung republikanischer Externe, wie sie im Amerikaroman üblich, zu antworten, das geht als Absicht aus der Anlage der *Meerfahrt* hervor.

Den Rückgriff auf den Kolumbusstoff und die *Lusiaden*, so ergibt sich nun, begründet Eichendorffs Einstehen für die Tradition. Seine Erzählung läßt die alten Zeugnisse symbolisch gelten: Was der Gegenwart mangelt, das bringt ihre poetische Umsetzung auf. Eichendorff deutet damit nach einer Gleichung zwischen Poesie, Historie, Religion ein idealistisches Geschichtsverständnis, das seinerseits den Entdeckungsreisen Kunstcharakter zusprach. *In Hinsicht auf Composition* – liest man noch im *Kosmos* (1847) – *hatten demnach die vergessenen Reisen des Mittelalters* [...] *die Einheit, welche jedes Kunstwerk erfordert; alles war an eine Handlung geknüpft, alles der Reisebegebenheit selbst untergeordnet. Das Interesse entstand aus der einfachen lebendigen, meist für glaubwürdig gehaltenen Erzählung überwundener Schwierigkeiten.* [...] *Eine solche Einheit der Composition fehlt meist den neueren Reisen: besonders denen, welche wissenschaftliche Zwecke verfolgen. Die Handlung steht dann den Beobachtungen nach* [...][92].

Auch dem widerspricht übrigens eine Überlegung aus der jungdeutschen Schule. Eigentümlich angeschlossen vermag zunächst Eichendorffs Drang aufs Innerliche zu wirken, wenn man für das kulturelle Panorama der dreißiger Jahre Gutzkows *Säkularbilder*[93] aufschlägt. In Europa, so heißt es da resümierend, gibt es nur mehr physikalische und mechanische Entdeckungen zu machen. Die asiatische, afrikanische, amerikanische Fremde ist zugänglich geworden; wenig Gelegenheit blieb der Phantasie,

92 *Kosmos* II, p. 70.
93 Erstm. pseud. BULWER, Die Zeitgenossen (1813).

den älteren Entdeckungen neue hinzuzufügen, eine Ansicht nach schlichtem Modell: *Der Phantasiemensch wandert aus und will neue Welttheile entdecken. Der Verstandesmensch erfindet. Das Neue, das Außerordentliche bricht sich allein Bahn in der Literatur, wie in der Technologie*[94]. Man muß sehen, wie Gutzkow daraus eine Aufgabe für die literarische Intelligenz ableitet, um den Sinn des in der *Meerfahrt* vorgeführten Verzichts auf die Entdeckung der neuen Welt richtig zu erfassen. Auch Gutzkow nämlich empfiehlt bei der gänzlichen Bekanntschaft mit den äußeren Gegebenheiten der (europäischen) Welt eine Wendung nach innen. Freilich ähnelt, was zwischen Paris und London moralisch zu entdecken blieb, der Erfindung, läuft, wie jungdeutsche Reisebilder vorzuführen lieben, aufs Psychologische hinaus. Die *vorzugsweise moderne Gestaltung der Literatur hat diese Seefahrten in das Innere der Menschenbrust übernommen*[95].

Für *zeitbewegt* also kann Eichendorffs Erzählung von der symbolischen Reise der Spanier nicht gelten. Anders als Gutzkow meint sie religiöse Innerlichkeit. Restaurativ bricht sie die Ansicht der nachklassischen Moderne, wenn sie in der Kategorie des Traums nach Calderón erzählt, wenn sie Abenteurer, Menschen der Phantasie, beschäftigt und im Gewand historisch fiktionaler Reiseschilderung Katechetik betreibt. Die moralischen Entdeckungen mögen *vielleicht noch den meisten geographischen Beigeschmack haben*[96], meint Gutzkow. Auf die *Meerfahrt* ist das Konzept nur übertragbar, wenn man es unterläßt, ihr, die das Ideale und Unwandelbare sucht, ein Interesse an den psychologischen und geographischen Sensationen der Moderne zuzuschreiben.

Eichendorff unternimmt es, die der literarischen Welt des Vormärz eigentümliche Mischung aus Europaskepsis, aus Exotismus und Sozialkritik idealistisch herzurichten. Der Rückwandlung in romantische Innerlichkeit dient das Instrumentarium, das er in der *Meerfahrt* gebraucht: Die abenteuerliche Fassung der Entdeckungsreisen gegen Campes aufgeklärte Moralistik; die Umsetzung innerer Nationalgeschichte in ihren Ausdruck – der Historiographie Irvings, Humboldts also in Poesie; die symbolistische Einflechtung emblematischer und robinsonadischer Ele-

94 Karl Gutzkow, Der Stein der Weisen. Säkularbilder T. 1, Gesammelte Werke, vollständig umgearbeitete Ausgabe, Bd. 9, Frankfurt 1846, p. 217.
95 Ibid. p. 229.
96 Ibid. p. 229.

mente aus Grimmelshausen und Schnabel; die restitutive Gestaltung des amerikanischen Themas gegen die der oppositionellen Zeitkritik. Von nichts anderem erzählt die *Meerfahrt* nach dieser Methode als von der Heilung verstörter Welterfahrung durch die Besinnung aufs geistige Herkommen, von der Heimkehr des Zerrissenen, dem sie die alten Figuren romantischer Naivität entgegenstellt, zur Christenheit oder Europa. Dabei bietet sich der restaurative Universalismus, den man in Eichendorff fand[97], besonders mit dieser Erzählung als entschlossene Teilnahme am kulturellen Fortgang dar. Die Grundgedanken der literarhistorischen und politischen Schriften sind in der *Meerfahrt* vielfach vorweggenommen. Es hieße, Eichendorffs Stil verkennen, ließe man sich vom Ungenauen seiner selbst aus Quellen bezogenen Dinglichkeit über die Unmittelbarkeit täuschen, die im Verhältnis seiner poetischen Stimmungen zu den sie regierenden Ideen besteht. Und nur in dem Sinne auch meidet Eichendorffs Dichtung die Bereiche des Gedankens und der Gefühle, daß sie eben keine Seelenanalyse und Charakterstudien betreibt. Die Erstreckung ins Begriffliche, das macht der Umgang mit den Materialien zur *Meerfahrt* ersichtlich, gehört in unterschätztem Maße zum Kalkül seiner Poetik, und wenn das Ethos des Bewahrens, der Gestus des Gedenkens sich in der *Meerfahrt* geschichtsdeutend niederschlagen, so geschieht es als Stellungnahme des Konservativen, der in den Chiffren spanischer Geschichtswelt seine Weltsicht ausdrückt. Noch 1854 erläutert Eichendorff, dem Sinn der *Meerfahrt* folgend, den kulturellen Aufbruch Spaniens aus Frömmigkeit: *nach dem endlichen Sturze Granadas war die Eroberung von Amerika, ihrer eigentlichen Bedeutung nach, auch nur eine Fortsetzung jenes großartigen* [sc. mittelalterlichen] *Kreuzzuges. Daher sehen wir, nachdem das übrige Europa schon längst in fahle Dämmerung verschwommen, die Hochebene Spaniens in Leben und Sitte noch immer vom Abendrot der scheidenden Romantik scharf und wunderbar beleuchtet*[98]. Das ist dem Verständnis der Erzählung als Memento aufgeschrieben.

97 Th. W. Adorno, Zum Gedächtnis Eichendorffs (1958). In eiusd. Noten zur Literatur I. Frankfurt/M. 1969, p. 107.
98 Zur Geschichte des Dramas. NGA Bd. 4, p. 515.

ANHANG

(Entsprechungen hervorgehoben)

I

Es war im Jahre 1540, als *das* valenzische *Schiff »Fortuna« die* Linie *passierte und nun in den Atlantischen Ozean hinausstach, der damals noch einem fabelhaften Wunderreiche glich, hinter dem* Kolumbus *kaum erst die blauen* Bergesspitzen *einer neuen Welt gezogen hatte.* Das Schiff hatte eben nicht das beste Aussehen, *der Wind pfiff wie zum Spott durch die Löcher in den Segeln, aber die Mannschaft, lumpig, tapfer und allezeit vergnügt, fragte wenig darnach, sie fuhren immerzu und wollten mit Gewalt neue Länder entdecken* (M 751).

II

Schon zwei Tage waren sie in derselben Richtung fortgesegelt, *ohne ein Land zu erblicken, als sie unerwartet in den Zauberbann einer* Windstille gerieten, die das Schiff fast eine Woche lang mit unsichtbarem Anker festhielt. Das war eine entsetzliche Zeit. [...] die Schiffsleute zankten *um nichts vor Langeweile, dann wurde oft auf einmal alles wieder so still, daß man die Ratten im unteren Raum schaben hörte.* Antonio hielt es nicht länger aus *und eilte auf das Verdeck, um nur frische Luft zu schöpfen* (M 751 f.).

III

Von da setzte Kolumbus seinen Lauf noch immer weiter gegen Süden fort, *in der Absicht, nicht eher westlich zu segeln, als bis er dahin würde gekommen sein, wo der in Gedanken gezogene A e q u a t o r oder die L i n i e die Erdkugel in zwei gleiche Hälften theilt. Aber da er bis auf den dritten Grad der nördlichen Breite gekommen war – [...] so fiel eine so gänzliche* Windstille *ein, daß die Schiffe nicht aus der Stelle kommen konnten. Dabei schossen die Sonnenstrahlen ihnen so gerade auf den Kopf, und verursachten dadurch eine so große brennende Hitze*, daß die armen Leute vor Angst nicht wußten, wo sie bleiben sollten. *Die Weinfässer zerplatzten vor Hitze, alles Wasser auf dem Schiffe wurde faul; die Lebensmittel verdarben: die Schiffe selbst waren brennend heiß, und das* verzweifelnde Schiffsvolk *besorgte in jedem Augenblicke, daß dieselben in Brand gera-*

then würden. Seht da, Kinder, die abermahlige traurige Lage, *worin unser armer* Kolumbus *sich befand! (K 187 sq.).*

IV

Und wie er noch so sann, kräuselte auf einmal ein leiser Hauch das Meer *immer weiter und tiefer, die Segel schwellten allmählich, das Schiff knarrte und reckte sich wie aus dem Schlaf, und aus allen Luken stiegen plötzlich* wilde, gebräunte Gestalten *empor, da sie die neue Bewegung spürten, sie* wollten sich lieber mit dem ärgsten Sturme herumzausen *als länger so lebendig begraben liegen.* Auf einmal schrie es »Land!« vom Mastkorbe, »Land, Land!« (M 753).

V

[...] und da die ängstliche Windstille zugleich aufhörte: *so wachte auch die* Hoffnung wieder in den Herzen seiner *schon halb entseelten* Gefährten *auf.* Sie lagen ihm darauf inständig an, *daß er bei seinem Vorsatze, noch weiter gegen Süden zu fahren,* doch nicht länger beharren *möchte, und er willfahrte ihnen diesmahl, indem er gegen Südwesten steuern ließ.*

Nachdem man nun schon viele Tage in dieser Richtungt fortgesegelt *war, hörte man* plötzlich vom Mastkorbe herab das angenehme Freudengeschrei: Land! Land! *erschallen (K 188 sq.).*

VI

Die letzte Macht der Mohren war zertrümmert, die Zeit war alt und die Waffen verklungen, *[...] da [...] sehnte sich [sc. mancher]* nach einer neuen Welt *[...] vor meiner Seele dämmerte bei Tag und Nacht* ein wunderbares Reich *[...] so* rüstete ich freudig ein Schiff aus (M 790f.).

Porque [...] despues *de vuestras Altezas* haber dado fin a la guerra de los moros que reinaban *en Europa, y haber* acabado la guerra *en la muy grande ciudad de Granada [...] pensaron de enviarme á mi Cristóbal Colon* á las *dichas* partidas de India *para ver los dichos* príncipes, *y los* pueblos *y* tierras, *y la disposicion dellas y de todo, y [...]* armé yo tres navíos (N 1 sq.).

Rätsel um Eichendorffs ›Ahnung und Gegenwart‹
Spekulationen

Detlev W. Schumann

Eichendorffs ›Ahnung und Gegenwart‹ ist ein großer Roman, wurde aber erst spät als solcher erkannt. Es ist erstaunlich, welche grotesk nüchternen, verständnislosen Urteile man in der älteren Forschung findet, etwa bei E. Höber und H. A. Krüger, deren Untersuchungen der Zeit des Naturalismus und seiner unmittelbaren Nachwirkungen angehören[1].

An dieser Stelle soll nicht die Wertung Eichendorffs und im besonderen seines Erstlingsromans historisch dargestellt werden. Sicher ist: seit der Jahrhundertwende ist sie in stetem Aufstieg begriffen. Nur zwei Beispiele seien kurz erwähnt. Man braucht nicht Nadlers Theorien und Tendenzen zu akzeptieren, um die Bedeutung seines Urteils über ›Ahnung und Gegenwart‹ zu erkennen, wenn er den Roman als »die erste geschlossene, wirklichkeitstreue, weil erlebte, Gegenwartsdichtung der Romantik« bezeichnet. Später findet auch der Franzose Marcel Brion »ce grand roman«, Eichendorffs wahres »maître-livre«, einzig in seiner Art[2]. Die

1 »Dargestellt ist der ganze roman in einer lyrischen, zerfliessenden sprache, die [...] alles in einander verschwimmen lässt. In einen einzigen grossen stimmungsnebel sind alle vorgänge und gestalten hineingetaucht. Will man den stoff fest anpacken, so quillt er zwischen den fingern auseinander. [...] Alle kräftigen linien fehlen in der zeichnung der personen [...]« (Eduard Höber, Eichendorffs Jugenddichtungen [Berlin 1894], S. 59). – »[...] die Armut in der Erfindung, die Monotonie in den Motiven, die unplastische Verschwommenheit des Hintergrundes, der Mangel an willens- und temperamentvollen Persönlichkeiten [!] [...] – das alles sind Schwächen, die auch der reife Dichter nie überwunden hat [...]« (Hermann Anders Krüger, Der junge Eichendorff: Ein Beitrag zur Geschichte der Romantik [Oppeln 1898], S. 166).

2 Josef Nadler, Literaturgeschichte der deutschen Stämme und Landschaften, III (2. Auflage, Regensburg 1924), 521. – Marcel Brion, L'Allemagne romantique (Paris 1962/63) II, 329 und 332. – Eine Gegenstimme aus neuerer Zeit ist die von Hermann August Korff, der in seinen an sich lesenswerten Ausführungen über

Aufwertung Eichendorffs und mit ihr die seines Erstlingsromans erhielten zweifellos einen starken Impuls durch die Jahrhundertfeier von 1957, zur Erinnerung an des Dichters Tod[3].

Die intensivere Beschäftigung mit ihm brachte auch qualitativ eine Vertiefung der Interpretation, eine überfällige Befreiung vom Lesebuch- und Männerchor-Eichendorff. Wilhelm Emrich z. B. ist zu nennen, der in einem eigentlich weit über den Titel hinausgehenden Aufsatz, ›Dichtung und Gesellschaft bei Eichendorff‹, das Christlich-Existentielle in dessen scheinbar so leicht erfaßbarer Kunst hervorhob, den Grundgedanken der »Erlösung von allen Entstellungen, die der Mensch dem Menschen, die der Mensch sich selber antut«, ja der Erlösung der »armen, gebundenen Natur« – im Sinne, fügen wir hinzu, des achten Kapitels des Römerbriefes[4].

Ist auch ein persönliches Bekenntnis hier gestattet? Der ›Taugenichts‹ war das einzige Buch meiner Kindheit, das ich, neun Jahre alt, dreimal hintereinander las, von der ersten bis zur letzten Seite. Später, als Student, entdeckte ich Eichendorffs Romane, zumal ›Ahnung und Gegenwart‹; seitdem hat diese faszinierende episch-lyrische Dichtung mich mehr als ein halbes Jahrhundert lang immer wieder in ihren magischen Bann gezogen – und in ihr Netz von Rätselhaftigkeiten.

Kurz gesagt: Ich halte das Werk für einen der erzählerisch fesselndsten, dichterisch ergreifendsten, gehaltlich profundesten deutschen Entwicklungsromane (und für immer noch zu wenig gelesen) – aber nicht für durchweg folgerichtig ausgearbeitet in den Einzelheiten des dargestellten Geschehens. Bei allem Mitgehen mit dem Dichter, aller Einfühlung muß der wissenschaftliche Interpret, der wirklich in die Handlungsgestaltung eindringt, auf Unebenheiten in ihr hinweisen. Das Geschehen und die gegenseitigen Beziehungen der Personen sind von Geheimnissen umwoben, die keineswegs alle gelöst werden; manches bleibt unerklärbar, ja widerspruchsvoll. Ganz deutlich sei ausgesprochen: Es handelt sich in

›Ahnung und Gegenwart‹ erklärt, der Roman habe »als das noch unreife Jugendwerk eines Dichters künstlerisch keine Bedeutung mehr«; nur eine historische billigt er ihm zu (Geist der Goethezeit, IV [Leipzig 1953], 443).

3 Damals konnte ich dem Andenken Eichendorffs ein Heft des Journal of English and Germanic Philology (LVI/4) widmen, mit Beiträgen von Oskar Seidlin, Helmut Rehder, Egon Schwarz und einem eigenen Aufsatz (Some Scenic Motifs in Eichendorff's ›Ahnung und Gegenwart‹).

4 Protest und Verheißung (Frankfurt/M. und Bonn 1960), S. 104–110. Unsere Zitate, deren zweites auf Eichendorff selbst zurückgeht: S. 109.

unserer Untersuchung nicht, oder jedenfalls nicht primär, um ästhetische Wertung oder weltanschauliche Deutung; es handelt sich um den Vesuch einer Entwirrung des komplizierten Gewebes der Ereignisse, Erinnerungen, Ahnungen, die nie durchgeführt worden ist. Dabei ist festzustellen, daß gerade Ungeklärtheit des Geschehens stimmungsmäßig von intensivierender Wirkung sein *kann.* Walther Killy betont diese Potenzierung des Magischen, wenn er in seiner bedeutenden Studie über ›Ahnung und Gegenwart‹ schreibt: »Im zufälligen Nacheinander der Lebensstationen und in der Unverständlichkeit ihrer Verknüpfung wird der Rätselcharakter des Daseins immer rätselhafter«[5]. Aber sollte man nicht unterscheiden zwischen geheimnisvoller Rätselhaftigkeit und offenkundiger Widersprüchlichkeit (der Killy nicht nachgeht)? Im Prinzip scheint mir jene dichterisch wirksam, diese illusionsstörend. Eine klare Trennungslinie ist allerdings nicht immer leicht zu ziehen.

Zur Entstehung von Eichendorffs Roman fließen die Quellen spärlich. Wann die Arbeit an ihm begann, wissen wir nicht. Am 27. Dezember 1810 schrieb der dichterisch dilettierende Graf Loeben, der den Brüdern Eichendorff während ihrer Heidelberger Studienzeit (1807/8) nahegestanden hatte, an Wilhelm, den älteren: »Eure Romane zu lesen und zu lieben bin ich sehr ungeduldig« (HKA[6], XVIII/1, 41). Sehr wahrscheinlich handelt es sich bei dem Josephs um ›Ahnung und Gegenwart‹, vielleicht um eine Vorstufe zum überlieferten Text; über Wilhelms damals geplanten Roman ist nichts bekannt. Josephs Tagebücher aus den nächsten Jahren erwähnen seinen eigenen des öfteren, doch beiläufig; abgeschlossen wurde er im Herbst 1812[7].

Am 3. Oktober 1814, also nach seiner Rückkehr aus dem ersten Befrei-

5 Walther KILLY, Romane des 19. Jahrhunderts: Wirklichkeit und Kunstcharakter (Lizenzausgabe, Göttingen 1967), S. 44.

6 Sämtliche Werke des Freiherrn Joseph von Eichendorff: Historisch-kritische Ausgabe, ursprünglich hg. von Wilhelm KOSCH und August SAUER (Regensburg, Verlag von J. Habbel), jetzt fortgesetzt unter der Leitung von Hermann KUNISCH (Stuttgart usw., Verlag von W. Kohlhammer). ›Ahnung und Gegenwart‹, hg. von Wilhelm KOSCH und Marie SPEYER, bildet Band III (1913). Die in Aussicht gestellte Neubearbeitung des Bandes war mir für den gegenwärtigen Aufsatz noch nicht zugänglich. – Zur Erleichterung der Benutzung anderer Ausgaben wird bei Zitaten auch das jeweilige Kapitel angegeben.

7 Vgl. z. B. HKA, III, xiii und besonders Thomas A. RILEY, Wann wurde ›Ahnung und Gegenwart‹ vollendet? im Jb. Aurora, XIX (1959), 65 ff.

ungskrieg, schreibt Eichendorff an Loeben, daß Friedrich und Dorothea Schlegel, beide in seiner Wiener Zeit (1810–13) ihm nahe befreundet, das Manuskript gelesen haben und daß Dorothea es mit »vielen Korrekturen und kleinen Abänderungen« versehen hat (HKA, XVIII/1, 62); welcher Art diese waren, wissen wir nicht. Auch Loeben erhält nun die Handschrift zur Lektüre. Er sendet sie zurück mit einem ausführlichen Brief (20. X. 1814), den der Empfänger dann mit einigen kurzen Randbemerkungen versieht. Neben etwas wortreichen Lobreden erscheint bei Loeben auch vereinzelter Tadel: »Bewundert habe ich die sich immer gleich bleibende Fülle, Zartheit, Duftigkeit und Anmut Deiner Darstellung, die unendlich reiche malerische Romantik Deines Gemüts und die köstlichen Adern von Ironie, welche das Ganze [...] durchlaufen« (HKA, XVIII/1, 64). Doch andrerseits: »Dein Roman enthält wohl zu viel unaufgelöst rätselhafte Gestalten [*], Erscheinungen und kleine seltsame Begebenheiten [*], die den Leser nur unruhig machen, und so den Eindruck des Ganzen durch zu große Mannigfaltigkeiten schwächen« (a. a. O.). Zu den zwei von uns durch Sternchen gekennzeichneten Stellen bemerkt Eichendorff am Rande des Briefes: »Sehr wahr.« Loebens Urteil kontrastiert mit dem späteren Killys, das oben angeführt wurde. Es sei aber darauf hingewiesen, daß seine Kritik, der Eichendorff zustimmt, sich nicht auf das Geheimnisvolle, Rätselhafte an sich bezieht, sondern auf dessen störende Überfülle (»zu viel«).

Um den Versuch, auf solche rätselhaften Elemente, ja auf Inkongruenzen einiges Licht zu werfen, handelt es sich in der gegenwärtigen Studie. Daß sie nicht beansprucht, durchweg zu handgreiflichen Ergebnissen zu führen, geht aus dem Untertitel hervor: Spekulationen.

Nach Loeben haben offenbar auch manche wissenschaftlichen Kritiker gewisse Unebenheiten in der Gestaltung der Fabel gespürt. Sie führen zwar, soweit ich sehe, diesen Gedanken nicht näher aus – aber wie käme es sonst zu der wiederholten, durch werkexterne Gründe nicht gestützten Behauptung einer Diskontinuität in der Genesis des Romans? So vermutet z. B. Ewald Reinhard, die Jugendgeschichte der Brüder Friedrich und Rudolf sei ursprünglich »für einen biographischen Roman berechnet« gewesen, der Fragment blieb und »dessen wertvollere Überreste wir in diesen späteren Kunstbau vermauert wiederfinden«[8]. Auch die Herausge-

8 Eichendorffstudien, Münster 1908, S. 50f.

ber von ›Ahnung und Gegenwart‹ in der HKA geben in einer Anmerkung (III, 498) der Vermutung Ausdruck, daß einzelne Teile Umarbeitungen eines älteren Textes darstellen. Und Josef Nadler verkündet mit Gewißheit: »Zwei völlig verschiedene Entwürfe aus erheblich verschiedenen Zeiten hat der Dichter miteinander verwoben und durch einen Leitgedanken nachträglich zur Einheit erhoben [...].«[9] In allen diesen Fällen handelt es sich um intuitive Behauptungen, die der Unterstützung durch nachprüfbare Argumente entbehren; jedenfalls werden solche nicht mitgeteilt.

Handschriftliches Material kommt für unsere Zwecke nicht in Frage. Schon zur Zeit der Herausgabe von Band III der HKA durch W. Kosch und M. Speyer (1913) war wenig vorhanden (vgl. dort S. vii und xii), und seit 1945 fehlen erhaltene Vorstufen völlig. Andrerseits hat auch keiner der genannten Kritiker es unternommen, die Hypothese einer komplizierten Entstehungsgeschichte des Romans aufgrund innerer Evidenz im einzelnen zu beweisen. Solche Untersuchung gehört nun zu unserer Aufgabe.

Kehren wir zurück zu Loebens Bemerkung über des Romans »zu viel unaufgelöst rätselhafte Gestalten, Erscheinungen und kleine seltsame Begebenheiten« und zu Eichendorffs doppeltem »Sehr wahr« am Rande! Merkwürdig ist in der Tat, daß bei wiederholtem Lesen immer mehr Rätsel auftauchen. Bei mancher Szene fragt man: Was geschieht eigentlich? Oder genauer: Was für hintergründiges Geschehen wird angedeutet? Was für geheime Verbindungen walten zwischen Person und Person? Neben dem, was ausdrücklich dargestellt wird, gibt es Dinge, die in einem magischen Zwielicht liegen, in das Handlungsgefüge, so wie es ist, nicht ohne weiteres hineinpassen und vielleicht manchmal durch die Annahme zu erklären sind, daß sie einst, auf irgendeiner Ebene der Entstehungsgeschichte, eine episch positive Funktion hatten. Sogleich sei noch einmal betont, daß sie für das Atmosphärische, die magische Stimmung besonders wirksam sein können. Mit solchen Problemen vor allem soll diese Studie sich befassen – nicht um zu mäkeln, sondern um zu klären, was sich innerhalb der andeutungsreich-komplizierten Handlung klären läßt, und um Stellen, die etwa unerklärbar bleiben, als solche zu kennzeichnen – was in seiner Weise auch zur Entwirrung beiträgt.

Manchmal handelt es sich um Ungereimtheiten, die keine tiefere Bedeutung für das Ganze haben und wohl auf Flüchtigkeit beruhen. Am Anfang

9 Nadler, a. a. O. (vgl. oben Anm. 2), S. 519.

des Romans verläßt Rosa das Wirtshaus an der Donau, wo sie und auch die reisenden Studenten übernachtet haben, in einem vierspännigen Wagen (S. 8 [Kap. II]). Um die Mittagszeit sieht Friedrich sie und ihre Begleiter in der Ferne auf der Landstraße dahinreiten (S. 11f. [Kap. II]); vom Wagen ist hier keine Rede mehr, und die Ausflucht, dieser könne von Sattelpferden begleitet sein, wäre eine schwache Verlegenheitslösung. Noch später aber finden wir Rosa auf derselben (so scheint es) Reise wieder im Wagen (S. 18 [Kap. III]). Oder: die (nicht mit Namen genannte) junge Braut, die zuerst im achten Kapitel erscheint (S. 86), ist im zehnten, das wenig später im gleichen Sommer spielt, bereits »seit lange« verheiratet (S. 111); daß die Spanne zwischen den beiden Zeitpunkten für »seit lange« zu kurz sein muß, ergibt sich daraus, daß sie ein Bruchteil ist der Periode zwischen S. 62f. im sechsten Kapitel, wo Rosa plötzlich Friedrich und seine Genossen verläßt, und S. 112ff. im zehnten, wo wir ihren ersten – allerdings etwas überfälligen – Brief an ihn nach der Trennung finden.

Als Rudolf Angelina aus Venedig entführt, sehen sie von ihrem Boot auf der Adria »die Sonne [...] prächtig über der Küste von Italien auf[gehen]« – also, *mirabile dictu,* im Westen (S. 301 [Kap. XXIII]). Die Ursache gerade dieser Verwirrung ist übrigens nicht allzu schwer zu finden. Sonnenaufgang ist ein Motiv, das Eichendorff (wie übrigens auch den Sonnenuntergang) vorzüglich liebt und höchst wirkungsvoll verwendet, besonders, wo es sich um eine Aufbruchsstimmung handelt. »Die Sonne war eben prächtig aufgegangen«, so beginnt unser Roman. »Die Sonne ging eben prächtig auf«, so endet er – und gerade das Ende zeigt Friedrich wie auch Leontin im Aufbruch zu einem neuen Leben. Ein Lieblingsmotiv Eichendorffs ist andererseits auch Italien; es erscheint im ›Taugenichts‹, im ›Marmorbild‹, in ›Dichter und ihre Gesellen‹. In der Stelle, von der wir ausgingen, verbinden sich nun – fast zwangsmäßig – beide Elemente in einer Weise, die hier der Realität völlig widerspricht; sie verbinden sich um so leichter, als in des Dichters – wie auch in unserer – Vorstellung Italien und hellglänzendes Sonnenlicht zusammengehören[10]. Ich weiß von keinem Interpreten, der hier die Inkongruenz der Motive bemerkt hätte.

10 »Namen wie Donau und Rhein, Regensburg und Italien [...] sind [...] Abkürzungen, in denen eine Summe aus Gemütswerten sich repräsentiert, sie decken sich mit den benannten Erscheinungen nicht« (KILLY, a.a.O. [vgl. oben Anm. 5], S. 41.

Zuweilen dürfte, was auf den ersten Blick widersprüchlich erscheint, beabsichtigt und sinnvoll sein. In Kapitel II bricht Friedrich, nachdem er mit Hilfe eines tapferen, schönen und verführerisch-mangelhaft bekleideten Mädchens die Banditen abgewehrt hat, schwer verwundet und bewußtlos in der Waldmühle zusammen. In Kapitel III berichtet Erwin(e)[11], seine nun als Knabe verkleidete Mitstreiterin und Retterin, sie habe ihn »blutig und ohne Leben am Wege liegen« sehen und eine vorüberfahrende Dame (Rosa) habe dann beide nach Leontins Schloß gebracht (S. 18). Das ist zum Teil unwahr. Die tatsächlichen Ereignisse und die eigene Mitwirkung dabei verschweigt Erwin(e) wohlweislich, wie leise angedeutet wird durch die einleitenden Worte: »Der Knabe besann sich [!] einen Augenblick und erzählte dann [...].« Der Grund ist wohl: Erwin(e) will ihre Identität mit dem allem Anschein nach verlotterten Mädchen in der Waldmühle verbergen, um sich ganz (»Ewig, mein Herr«) an Friedrich anschließen zu dürfen. Offenbar hat in Wirklichkeit sie selbst den jungen Edelmann aus der Mühle an den Wegrand geschleppt, wo Rosa dann beide gefunden hat. Leontins Äußerung gegenüber Friedrich »Meine Schwester hat Sie unterwegs in einem schlimmen Zustande getroffen und gestern abends zu mir auf mein Schloß gebracht« (S. 21 [Kap. III]) wirft kein Licht auf die Einzelheiten des Geschehens[12]. Ohne die Worte »gestern abends« würde man übrigens einen bedeutend längeren Zeitraum als eine einzige Nacht zwischen dem zweiten und dem dritten Kapitel annehmen. Nach seiner schweren Verwundung am Ende von Kapitel II öffnet Friedrich zu Beginn von Kapitel III »das erstemal« die Augen, schaut alsbald »mit gesunden Sinnen« in die Welt, steht auf und reitet dann mit Leontin nach Rosas benachbartem Schloß.

Gehen wir nun über zu rätselhaften Zügen, die für eine kritische Beurteilung der Handlung und der in ihr agierenden Personen von tieferer Bedeutung sind!

11 Wir nehmen uns die Freiheit, dies mignonhafte Wesen je nach den Erfordernissen der Situation und des Kontextes als *Erwin* und *er* oder *Erwine* und *sie* zu bezeichnen, sehr oft auch als *Erwin(e)*. Im Roman erscheint die Gestalt durchweg als *Erwin* und *er*, bis nach ihrem Tod ihr weibliches Geschlecht entdeckt wird.

12 Das Vorbild für die Szene ist deutlich die Fürsorge der Amazone (Therese) für den verwundeten Wilhelm Meister (›Lehrjahre‹, Viertes Buch, Kapitel VI).

Als das Mädchen in der Waldmühle, vor ihrer Umwandlung in Friedrichs knabenhaften Schützling Erwin, den Helden zum erstenmal erblickt, betrachtet sie ihn mit einem fast atemberaubenden »freudigen Erstaunen« (S. 14 [Kap. II]). Woher rührt dies Erstaunen, und warum ist es freudig? Weder hier noch weiterhin wird ein Grund angegeben. Ist es einfach die sinnliche Freude eines heranwachsenden Mädchens an der schönen, ritterlichen Gestalt des jungen Mannes? Dafür scheint die Stelle zu andeutungsreich und geheimnisvoll zu sein. Komplizierend wirkt, daß die Freude alsbald ins Negative umschlägt: indem Erwine Friedrich nach seiner Schlafkammer führt, blickt sie ihn furchtsam an. Und weiter: »Sie sah sich nach der Türe um, dann wieder nach Friedrich. Ach, Gott! sagte sie endlich, legte die Hand aufs Herz und ging zaudernd fort. Friedrich kam ihr Benehmen sehr sonderbar vor, denn es war ihm nicht entgangen, daß sie beim Hinausgehen an allen Gliedern zitterte« (S. 14f.). Schämt sie sich ihrer verwahrlosten Erscheinung, ihrer liederlichen Kleidung? Das allein erscheint kaum als adäquate Erklärung für diese Erschütterung, deren Motivation offenbar psychisch tief gelagert ist, aber für den Leser ungeklärt bleibt und vielleicht, trotz Eichendorffs Zustimmung zu Loebens brieflicher Kritik, ungeklärt bleiben *soll*; denn die Wirkung des Änigmatischen ist eben stärker als die des Offenbaren. Wir werden später über Erwin(e) noch manches zu sagen haben.

Oder: Der Minister, bei dem Friedrich in der Residenz eine Audienz hat, erkundigt sich nach seinen Familienverhältnissen »mit wenigen sonderbaren Fragen«, aus denen der Graf mit großer Verwunderung ersieht, daß der zugeknöpfte Staatsmann »in die Geheimnisse seiner Familie eingeweihter sein müsse, als er selber« (S. 138 [Kap. XII]). Diese Aussage des Dichters erweckt im Leser eine Erwartung umfassender Enthüllungen, die dann aber im Fortgang der Erzählung nur zum Teil erfüllt wird. Das Motiv der Information des Ministers über Friedrichs geheimnisvolle Familienverhältnisse wird nicht wieder aufgenommen; zudem verliert der Leser es infolge des spannenden und mit großer dichterischer Intensität dargestellten Geschehens bald aus den Augen.

Es gibt viele andere Rätsel. Leontin z. B. bereitet dem Verständnis des öfteren Schwierigkeiten. Zunächst sei kurz erwähnt, daß seine Persönlichkeit nicht ganz einheitlich dargestellt ist. In Kapitel IV glaubt Friedrich, »von jeher bemerkt zu haben, daß Leontin bei aller seiner Lebhaftigkeit doch eigentlich kalt sei« (S. 32). Wieso »von jeher«? Sie kennen einander doch erst ganz kurze Zeit; der Ausdruck wirkt wie ein Fremdkörper, wie ein Überbleibsel aus einer anderen Konzeption der Gestalt. Ferner aber steht dies abwertende Urteil Friedrichs, das der Dichter selbst hier in keiner Weise negiert oder modifiziert, in vollem Widerspruch zu dem Bild von Leontins Wesen, das wir weiterhin gewinnen. Da ist Kälte das letzte, was man ihm vorwerfen kann. Nur eine Stelle sei angeführt. Inmitten des ästhetischen Geschwätzes der Residenz denkt Friedrich daran, wie Leontin früher im abendlich dunkelnden Wald »manchmal so seltsame Gespräche über Poesie und Kunst hielt, wie seine Worte, je finsterer es [...] wurde, zuletzt eins wurden mit dem Rauschen des Waldes und der Ströme und dem großen Geheimnisse des Lebens«, wie sie »erquickten, stärkten und erhoben« (S. 146 [Kap. XII]). Sollte Leontin im Laufe der Genesis des Romans an Statur zugenommen haben[13]?

Indem Friedrich ihm zuerst gegenübersteht, erstaunt er sogleich über die große Ähnlichkeit zwischen ihm und seinem, des Helden, seit vielen Jahren verschollenen Bruder; nur sieht Leontin »frischer und freudiger« aus als der verbitterte Rudolf (S. 21 [Kap. III]). So erklärt Friedrich auch im Gespräch mit Rosa: »[...] eines ältern Bruders erinnere ich mich sehr deutlich. [...] Dein Bruder Leontin sieht ihm sehr ähnlich und ist mir darum um desto teurer« (S. 47 [Kap. V]).

Dies Motiv durchzieht den Roman. Gegen Ende, als die zwei Freunde

13 In diesem Zusammenhang sei erwähnt, daß er als eine eigentümliche Synthese von Arnim und Brentano erscheint, die Eichendorff 1810 in Berlin kennen gelernt hatte. Im Roman heißt es von ihm, im Gegensatz zum deutsch aussehenden Friedrich: »[...] seine ganze Gestalt hatte etwas Ausländisches« (S. 38 [Kap. V]). So hat er z. B., wie Brentano, schwarze Augen (S. 161 [Kap. XIII.]). In Kapitel VIII lesen wir: »Er [Leontin] beherrschte nicht, wie der besonnene Dichter, das gewaltige Element der Poesie, der Glückliche wurde von ihr beherrscht« (S. 84). Jahrzehnte später schreibt Eichendorff: »Arnim gehörte zu den seltenen Dichternaturen, die, wie Goethe, [...] besonnen *über* dem Leben stehen und dieses frei als ein Kunstwerk behandeln. Den lebhafteren Brentano dagegen riß eine übermächtige Phantasie beständig hin [...]. [Arnim] erschien im vollsten Sinne des Worts wie ein Dichter, Brentano dagegen selber wie ein Gedicht [...].« (›Halle und Heidelberg‹, in: ›Erlebtes‹, HKA, X, 422). Andrerseits wiederum hat Leontin etwas Ritterlich-junkerliches, das sich zu beherrschter Männlichkeit klärt (S. 254 [Kap. XX]); dies verbindet ihn eher mit Arnim. Auch ist er, wie Arnim und im Gegensatz zum kleinen Brentano, schlank und hochgewachsen (S. 85 [Kap. VIII]). Merkwürdigerweise bestreitet Eichendorff selbst Leontins Ähnlichkeit mit Arnim in einer Randbemerkung zu Loebens Brief vom 20. Oktober 1814 (XVIII/1, 67).

den psychisch schwer belasteten Rudolf auf seiner einsamen Burg gefunden haben, sagt Friedrich, die Gestalt des »tapfern, gerechten, rüstigen Knaben«, der sein Bruder einst war, habe ihm stets beim Anblick Leontins vorgeschwebt (S. 290 [Kap. XXII]). Leontin selbst berichtet von der Erschütterung, die er erlebte, als er einmal auf dem Waldweg zu seinem heimlichen Liebchen den ihm noch unbekannten Rudolf, »lang und unbeweglich« an einem Baum stehend, antraf; er meinte, sich selbst zu erblicken, und auch das Mädchen hielt die zwei Männer – ihn, den Liebesheischenden, und den sie warnenden Rudolf – für eine und dieselbe Person (S. 283 [Kap. XXI]).

Bei Leontins und Friedrichs Besuch im Schloß der »weißen Frau« (der durch ihre Metanoia völlig zur charismatischen Gestalt gewandelten Angelina) ergibt sich eine Szene, deren Geheimnisse zum Teil nie geklärt werden. Sie sei hier mit einiger Ausführlichkeit besprochen. Wir lesen:

> Leontin war [...] in das erste Zimmer hineingetreten [...]. Ein altes, auf Holz gemaltes Ritterbild hing dort an der Wand, über welche der Abend zuckend die letzten ungewissen Strahlen warf. Leontin trat erschüttert zurück, denn er erkannte auf einmal das beleuchtete Gesicht des Bildes. In demselben Augenblick trat ein alter Bedienter [...] in das Zimmer und schien heftig zu erschrekken, als er Leontin ansah. Um Gottes willen, rief Leontin ihm zu, [...] wer ist der Ritter dort? Der Alte entfärbte sich und sah ihn lange ernsthaft und forschend an. Das Bild ist vor mehreren hundert Jahren gemalt, eine zufällige Ähnlichkeit muß Sie täuschen, sagte er hierauf wieder gesammelt und ruhig. (S. 102f. [Kap. IX]).

Warum dies Bild Leontin erschüttert, wird erst viel später erklärt. Er sagt zu Friedrich: »Ich weiß nicht, ob du noch unsres Besuches auf dem Schlosse der Frau v. A. gedenkest[14]. Dort sah ich ein altes Ritterbild, vor dem ich augenblicklich zurückfuhr. Denn es war offenbar sein Porträt. Es waren meine eigenen Züge, nur etwas älter und ein fremder Zug auf der Stirn über den Augen« (S. 284 [Kap. XXI]).

In Leontins Worten »sein Porträt« bezieht sich das Possessivum (wie ein hier nicht zitierter Teil des Absatzes zeigt) auf jene spukhaft drohende Gestalt, der er einst nachts im Wald begegnet ist, also auf Rudolf. Das Bild ist demnach das *tertium comparationis* zwischen diesem (»sein Porträt«) und ihm selbst (»meine eigenen Züge«). Das alles kann nicht als Spiel des Zufalls gemeint sein; jedoch weder hier noch sonstwo werden im Text des

14 Hier liegt ein Versehen vor. Gemeint ist die »weiße Frau«. Eine Frau v. A. gibt es im Roman nicht; Herr v. A., Julies Vater, ist ersichtlich ein Witwer.

Romans aus der Ähnlichkeit Folgerungen betreffs etwaiger Blutsverwandtschaft gezogen.

Leontins Bestürzung rührt wohl, mehr noch als von der Erinnerung an die unheimliche Begegnung, davon her, daß zu eben jener Stunde das Mädchen, mit dem er der niederen Minne pflag, auf mysteriöse Weise gestorben ist (a.a.O.).

Ob das Gemälde wirklich Rudolf darstellt oder ihm nur ähnelt, bleibt übrigens in einem eigentümlichen Zwielicht. Leontin bezeichnet es, wie wir gesehen haben, als »offenbar sein [d.h. Rudolfs] Porträt«. Andrerseits aber nennt er es »alt«. Auch der Verfasser als objektiver Berichterstatter wendet dies Wort auf das Bild an im oben zitierten Bericht über Leontins Erschrecken bei dessen Anblick. Bemerkenswert ist ferner die Schilderung von Leontins Gespräch mit dem wunderlichen Ritter, den er im Umkreis des Herrn v. A. kennen lernt und der ihm von seinen Besuchen bei einem geheimnisvollen »Philosophen«, eben Rudolf, erzählt. »Leontin«, lesen wir, »war mit ganzer Seele gespannt, denn die Beschreibung von demselben stimmte auffallend mit dem alten Ritterbilde überein, dessen Anblick ihn auf dem Schlosse der weißen Frau so sehr erschüttert hatte« (S. 112 [Kap. X]). Auch hier bringt das Wort »alt« wieder Doppeldeutigkeit hervor. Der Diener spricht dem geheimnisvollen Porträt sogar ein Alter von mehreren Jahrhunderten zu; aber er, aus ungeklärten Ursachen durch Leontins Frage tief beunruhigt, mag geheimnisvolle Beweggründe für einen Ablenkungsversuch haben[15].

Hinzugefügt sei noch, daß der »fremde Zug« über des abkonterfeiten Ritters Augen durchaus auf Rudolf hinweist, von dessen Stirnnarbe mehrmals die Rede ist; sie stammt, scheint es, von einer Verwundung, die er in seiner Soldatenzeit erlitten hat[16].

Übrigens wird Rudolf immer wieder mit ritterlicher Tracht in Verbindung gebracht. Friedrich erzählt von einem Kindheitstraum: »Ich sah [...] Rudolf in einer Rüstung, wie sie sich auf einem alten Ritterbilde auf

15 Eine ähnliche Situation haben wir in dem Bild von der Heiligen Anna und ihrem Töchterchen Maria. Auch dies bezeichnet Eichendorff als »alt«, und doch deutet er an, daß Maria hier ein Porträt der noch kindlichen Angelina darstellt, in welchem Fall auch dies Gemälde nicht eigentlich »alt« genannt werden kann. Vgl. S. 240 (Kap. XVIII), 253 und 269 (Kap. XX).

16 Vgl. S. 267 (Kap. XX), 269 (Kap. XXII), 298 (Kap. XXIII).

unserem Vorsaale befand[17], durch ein Meer von durcheinander wogenden, ungeheuren Wolken schreiten, wobei er sich mit einem langen Schwerte rechts und links Bahn zu hauen schien.« Ritterliche Vermummung trägt er, als sein dämonischer Feind und Doppelgänger, jetzt Angelinas Gatte, blindwütig in sein Schwert anstürmend, tot zusammenbricht, und ebenso (etwa das identische Kostüm?) auf dem Maskenball in der Residenz, auf den wir später eingehen werden. Und zwar sieht er dort aus, als wäre »irgendein altes Bild [...] aus seinem Rahmen ins Leben hinausgetreten«[18].

Nun ist es doch wohl eine alte Spielregel vorrealistischer Dichtung, daß, wo eine Ähnlichkeit zweier Gestalten angedeutet wird, eine Blutsverwandtschaft zwischen beiden bestehen muß. Man nehme als Beispiel ein Werk, das nicht eben »romantisch« ist: ›Nathan der Weise‹. Beim Anblick des Tempelherrn ruft Nathan, in seinem Gedächtnis forschend, aus: »Wo sah ich doch dergleichen?« (Akt II, Szene 5). Die Frage löst sich alsbald: dergleichen sah er in Saladins Bruder Assad, der, Christ geworden, sich Wolf von Stauffen nannte (Akt II, Szene 7). Auch der Sultan selbst wird durch den Ritter an seinen langentschwundenen Bruder erinnert. Der Tempelherr, stellt sich heraus, ist dessen Sohn.

So oft findet der Leser in ›Ahnung und Gegenwart‹ Hinweise auf die physiognomische Ähnlichkeit von Rudolf und Leontin, daß man eine Erklärung erwartet – die dann doch ausbleibt. So drängte sich dem Verfasser der gegenwärtigen ›Spekulationen‹ die Frage auf: Könnte Leontin etwa in einer älteren Konzeption der Fabel Rudolfs, und damit auch Friedrichs, leiblicher Bruder gewesen sein? Sollte der Roman, so wie er jetzt vorliegt, gewissermaßen in einem übertragenen, gleichnishaften Sinn ein Palimpsest sein, indem nämlich eine frühere Version durch die spätere hindurchscheint? Das sei als Hypothese ausgesprochen, aber als eine ernst zu nehmende; sie mag angefochten

17 Auch Rosa erwähnt ein Ritterbild im Schloß ihrer Eltern (S. 216 [Kap. XVIII]). Die verschiedenen Ritterbilder sind wohl romantisch-dekorative Versatzstücke und haben keine erkennbare geheimnisvolle Verbindung miteinander. Eichendorff selbst ließ sich als junger Mann in schwarzer Ritterkleidung mit goldener Kette und Stickerei abkonterfeien (Tagebuchvermerk vom 3. XI. 1803 [HKA, XI]).

18 Für den ganzen Absatz vgl. S. 49 (Kap. V); S. 309 und 313 (Kap. XXIII); S. 122 f. (Kap. XI).

werden, sollte aber nicht unbesehen beiseite geschoben werden. Daß es keine Varianten und Paralipomena gibt, die helfen könnten, sei ins Gedächtnis zurückgerufen.

Erwägenswert wäre allenfalls noch die Möglichkeit, daß die Ähnlichkeit des Ritters auf dem »alten« Bild sowohl mit Leontin wie mit Rudolf in etwas arg unrealistischer Weise einst die Abstammung beider von einem gemeinsamen Urahn andeuten sollte. Diese Lösung scheint mir aber zu vulgär-romantisch für Eichendorff.

Zu erwähnen ist übrigens, daß Leontin einmal tatsächlich als Friedrichs Bruder bezeichnet wird. In der Einsamkeit erinnert sich der Held, daß Leontins Schloß in der Nähe sein müsse, und macht sich auf, »diesen seinen Bruder und jene Waldberge wiederzusehen« (S. 251 [Kap. XX]). Aber das Wort dürfte hier im übertragenen Sinn gebraucht sein – »Herzbruder« war eine häufige Anrede z. B. zwischen Arnim und Brentano – und ist nicht beweiskräftig für die ›Palimpsesttheorie‹[19].

Eins ist gewiß. Wenn Leontin in einer früheren Konzeption Friedrichs Bruder war, dann war seine von diesem geliebte Schwester Rosa auch dessen eigene. Oder fehlte sie etwa anfangs überhaupt? Wenn nicht, dann mußte sie eine ganz andere Rolle spielen als im Text, wie er vorliegt. Die Annahme einer – wenn auch durchaus unbewußten, schuldlosen und verinnerlichten – Inzestliebe ist bei Eichendorff unwahrscheinlich; solche Problematik liegt seiner Dichtung fern. Liebte Friedrich auf dieser hypothetischen Frühstufe etwa die Gräfin Romana, die ja eine glänzendere, leidenschaftlichere, dämonisch-fesselndere Gestalt ist als die schöne, aber im ganzen doch matter geratene Rosa, leicht gelangweilt und im Grunde etwas langweilig[20].

Ohne weiteres sei zugestanden, daß unser Indizienmaterial in diesem spezifischen Zusammenhang recht kärglich ist. Immerhin sei – ganz am Rande – eine Stelle erwähnt, die allenfalls als auf ein ursprünglich nahver-

19 Im Rahmen einer von der unseren gänzlich verschiedenen Fragestellung (typologisch, nicht genealogisch) betont Wolfgang PAULSEN, daß Leontin ein Spiegelbild Friedrichs sei, »eine Figur gleichsam aus demselben menschlichen Material geformt, das unter anderen Lebensbedingungen jedoch andere Äußerungsformen zuläßt« (Eichendorff und sein Taugenichts, Bern und München, 1976, S. 86).

20 Erwähnt sei, daß die Herausgeber des Romans in der HKA umgekehrt gerade in Romana eine im Laufe der Arbeit eingeschobene Gestalt vermuten (S. 498); das Argument dafür scheint mir schwach.

wandtschaftliches Verhältnis zwischen Friedrich und Rosa hinweisend aufgefaßt werden könnte. Es handelt sich um den Traum, den sie zu Anfang von Kapitel XVII berichtet. Darin tritt Friedrich auf sie zu, und obwohl sie ihn zum erstenmal zu sehen vermeint, scheint er ihr doch längst bekannt (S. 215). Er führt sie dann – in ihrem Traum – durch ein wildes Gebirge, und schließlich, in hoher, kalter Luft, sagt er zu ihr: »Wir sind zu Hause!« (S. 216). Hat das »wir« eine besondere Bedeutung? Nirgends wird im Roman angedeutet, daß Friedrich und Rosa je in einem konkreten Sinn ein gemeinsames Zuhause hatten, und die angeführte Stelle ist überhaupt schwerlich in einem realistisch-biographischen Sinn zu verstehen. Sie sei keineswegs stark betont.

In Verbindung mit der physiognomischen Ähnlichkeit zwischen Leontin und Rudolf ist noch ein weiteres Problem zu besprechen. Auf der Redoute in der Residenz (Kapitel XI) zieht eine »höchst seltsame Maske« Friedrichs Aufmerksamkeit auf sich. Wir zitieren ausführlich:

> Es war ein Ritter in schwarzer, altdeutscher Tracht [...]. Die Gestalt war hoch und schlank, sein Wams reich mit Gold, der Hut mit hohen Federn geschmückt, die ganze Pracht doch so uralt, fremd und fast gespenstisch, daß jedem unheimlich zumute ward, an dem er vorüberstreifte. [...] Friedrich sah ihn fast mit allen Schönen buhlen. Doch alle machten sich gleich nach den ersten Worten schnell wieder von ihm los, denn unter den Spitzen der Ritterärmel langten die Knochenhände eines Totengerippes hervor[21]. [...] (S. 122f.)
> Er blieb vor Friedrich stehen und sah ihm scharf ins Gesicht[22]. Dem Grafen grauste, [...] denn hinter der Larve des Ritters schien alles hohl und dunkel, man sah keine Augen. Wer bist du? fragte ihn Friedrich. Der Tod von Basel, antwortete der Ritter und wandte sich schnell fort. Die Stimme hatte etwas so Altbekanntes und Anklingendes aus längstvergangener Zeit, daß Friedrich lange sinnend stehen blieb. (S. 124)

Später, als das Fest zu Ende geht und die meisten Gäste bereits die Masken abgelegt haben, glaubt Friedrich, »mit einem flüchtigen Blicke Leontin totenblaß und mit verwirrtem Haar in einem fernen Winkel schlafen zu sehen« (S. 125). Man darf annehmen, daß dies unheimliche Wesen identisch ist mit dem ebenfalls unheimlichen schwarzen Ritter. Wer aber ist der?

21 Die »Knochenhände« haben wir uns natürlich als künstlich befestigt oder als Nachahmung vorzustellen.

22 Warum? Glaubt der Ritter, ihn zu erkennen? Klingen bei ihm irgendwelche Erinnerungen an?

Durch unkritisches Lesen des Textes hat man sich – z.B. in den Anmerkungen der HKA (S. 500) – zu der Annahme verleiten lassen, daß es sich wirklich um Leontin handle; aber sie ist unhaltbar. Zunächst: Friedrich sieht die Gestalt mit einem *flüchtigen* Blick in der *Ferne* und glaubt nur momentan, Leontin zu erblicken, der in seinem vitalen, jäger- und junkerhaften Wesen tatsächlich ganz anders ist als der leichenhaft blasse, unheimliche »Tod von Basel«. Besonders aber: die Redoute findet statt am Abend von Friedrichs Ankunft in der Residenz, die gar nicht weit entfernt ist von der Gegend, in der die vorangehenden Kapitel gespielt haben[23], und erst zwei Tage vor Friedrichs eigener Abreise hat Leontin das Schloß von Julies Vater (Herr v. A.) verlassen, wo die zwei Freunde zuletzt hausten (S. 115ff. [Kap. X]). Sie haben also ganz kürzlich miteinander gesprochen, und so passen auf Leontin in keiner Weise die oben zitierten Worte über die Stimme, die »etwas so Altbekanntes und Anklingendes aus längstvergangener Zeit« hat.

Dazu kommt folgendes Argument. Wäre der schwarze Ritter Leontin, so würden doch wohl weiterhin Zusammenkünfte von diesem und Friedrich in der Residenz erwähnt werden. Aber erst nach geraumer Zeit begegnen die Freunde einander wieder, und zwar durch Zufall, als Friedrich auf seinem Ritt zu Romana Leontin in der Gesellschaft wandernder Schauspieler antrifft (S. 161 [Kap. XIII]).

Nein, der schwarze Ritter dürfte Rudolf sein, der – wir wissen es – Leontin physiognomisch so sehr ähnelt, dessen Stimme Friedrich tatsächlich seit »längstvergangener Zeit«, nämlich vielen Jahren, nicht gehört hat und der, wie wir anderwärts erfahren, aus seiner Wildnis zuweilen Streifzüge ins Menschenland unternimmt (S. 316 [Kap. XXIV]). Und wie hier die schlafende Gestalt totenblaß ist und wirres Haar hat, so wird an anderer Stelle von Rudolf ausdrücklich gesagt, er sehe »mit seinen verworrenen Haaren und bleichem Gesicht fast gespensterartig« aus (S. 292 [Kap. XXII]).

Auf dem Ball ist auch Rosa, mit einer ungenannten Begleiterin (wahrscheinlich Romana). Der unheimliche Ritter flüstert im Vorübergehen der

23 Auf einem mehrtägigen Ausflug von Leontins Schloß in die Berge haben die Reisenden »eine weite Aussicht ins ebene Land, wo man die blauen Türme der Residenz an einem blitzenden Strome sich ausbreiten [sieht]« (S. 62 [Kap. VI]). Später ist einmal die Rede von einem Berggipfel, von dem man sowohl die Residenz sehen kann wie die Gegend, wo Herr v. A. lebt (S. 165 [Kap. XIII]).

einen Dame – es dürfte sich um Rosa selbst handeln – etwas zu, was sie bestürzt (S. 123). Warnt er sie vielleicht vor den Absichten des überaus charmanten und ebensosehr charakterlosen Erbprinzen, der – einer von zwei den Frauen nachdrängenden vermummten Männern – auch auf dem Ball ist und um Rosas Gunst buhlt (S. 124)? Später im Roman wird sie sein Opfer[24].

Wie aber käme gerade Rudolf dazu, sie zu warnen? Woher kennt er sie überhaupt? Eine hypothetische Möglichkeit wäre, daß hier wieder eine frühere Konzeption von Rudolf als Leontins – und damit auch Rosas – Bruder durchschimmert. In dem Fall dürften wir vielleicht annehmen, daß der sonst so misanthropische und nihilistische Mann sie in brüderlicher Besorgnis warnt – wie er übrigens auch Leontins Geliebte im Walde »streng und ernsthaft« mahnt, sogar religiös-eindringlich: sie solle lieber Gott als die Männer lieben (S. 283 [Kap. XXI]). Vielleicht aber handelt es sich bei Rudolfs geflüsterten Worten und Rosas Bestürzung nur um eine romantische Mystifikation, ein nicht kausal begründetes Stimmungsmotiv.

Gehen wir zu einer anderen Gestalt über: zu der rätselhaften Angelina[25]. Von ihren frühen Jahren erfahren wir durch Friedrichs Bericht über seine eigene Kindheit, bei welchem Rosa – ähnlich wie Mariane bei dem Wilhelms in den ›Lehrjahren‹ – gelangweilt einschläft (Kap. V). Angelina

24 Daß es sich in der Tat um den Erbprinzen handelt, wird später in Kapitel XIV (S. 188) bestätigt: Friedrich »glaubte [...] in des Prinzen Reden dieselbe Stimme wiederzuerkennen, die er auf dem Maskenballe, da er Rosa zum ersten Male wiedergesehen, bei ihrem Begleiter [...] gehört hatte«. Dazu kommt (a. a. O.) die Erinnerung an des Prinzen Stimme bei noch einer anderen Gelegenheit am Abend jenes Balles (vgl. S. 128 [Kap. XI] in Verbindung mit S. 214 [Kap. XVI]). – Im geheimnisvollen Geschehen von ›Ahnung und Gegenwart‹ kann *glauben* auf richtige oder falsche Deutungen hinweisen; gewöhnlich bezeichnet es intuitive Erkenntnis, manchmal aber auch Selbsttäuschung. Eichendorff will sicherlich dem Leser etwas mitteilen, wenn er Friedrich glauben läßt, die Stimme müsse die des Erbprinzen sein; aber auf der Redoute glaubt der Held fälschlich, »mit einem flüchtigen Blick« im unheimlichen Ritter Leontin zu erkennen. Der Zweck der Täuschung ist, die Ähnlichkeit zwischen Leontin und Rudolf zu betonen.

25 Unter dem Namen Angela geistert eine verwandte Gestalt durch den Novellenentwurf ›Unstern‹ und andre Fragmente; vgl. besonders Hermann KUNISCH, Die Frankfurter Novellen- und Memoiren-Handschriften von Joseph v. Eichendorff in: Jahrbuch des Freien Deutschen Hochstifts, 1968, S. 356 und 377f.

stammt aus Italien und lebt mit ihrem Vater längere Zeit auf dem Schloß, wo die verwaisten Brüder Friedrich und Rudolf Aufnahme gefunden haben. Eine von Friedrichs frühesten Erinnerungen ist, wie sie, »ein wunderschönes kleines Mädchen«, doch älter als er, an der Wasserkunst sitzend welsche Lieder sang (S. 47). Man beachte diese Angaben: auch sie war noch ein Kind, so daß also der Altersunterschied zwischen beiden nicht allzu groß sein kann. Dieser Punkt wird uns später beschäftigen.

Sie kehrt nach Italien zurück. Später trifft Rudolf, der heimlich aus dem Schloß seiner Pflegeeltern entwichen und eine Weile Soldat gewesen ist, sie zufällig in Venedig[26]. Sie ist gegen ihren Willen fürs Kloster bestimmt, aber er entführt sie nach Rom, wo sie ihm nach Jahresfrist eine Tochter gebiert. Etwas später verschwindet sie mit jenem bereits erwähnten namenlosen Erzfeind Rudolfs, der von Zeit zu Zeit, dämonisch auftauchend, in dessen Schicksal eingreift. Als Angelina mit ihm Deutschland durchreist, stiehlt eine Zigeunerin ihr Kind, wie Rudolf, als er viele Jahre später auf seinen Irrfahrten in eine Räuberbande hineingerät, einer Bemerkung des Enkels eben dieser Zigeunerin entnimmt. Er ahnt sogleich den Zusammenhang. In seinem Lebensbericht erzählt er: »Ich sprang auf und drang in [den jungen Zigeuner], mir die Geraubte sogleich zu zeigen. Bestürzt über meinen unerklärlichen Ungestüm, antwortete er mir: Das geraubte Fräulein wuchs teils unter uns, teils unter unsern Brüdern in einer Waldmühle auf, wo sie vor einigen Tagen plötzlich [...] verschwunden ist, ohne daß wir wissen, wohin?« (S. 307 [Kap. XXIII]). »So war also Erwine deine Tochter!« fällt hier Friedrich seinem Bruder ins Wort. Ein vor vielen Jahren von Rudolf selbst geschaffenes Medaillon mit dem Bildnis der noch kindlichen Angelina, das man nach Erwines Tod auf ihrem bloßen Leib gefunden und das Friedrich an sich genommen hat, bestätigt die Vermutung[27].

Kurz nachdem Rudolf von Erwines Verschwinden aus der Waldmühle gehört hat, kommt die Nachricht, auf einem nahen Schlosse solle der Geburtstag des Besitzers, eines reichen Grafen, gefeiert werden; die Strauchdiebe machen sich auf, um ungeladen zu erscheinen, mit ihnen auch Rudolf. Der Graf aber ist eben jener Quäler, der ihm Angelina

26 Hierzu und zum Folgenden vgl. den Lebensbericht, den Rudolf in Kapitel XXIII nach dem Zusammentreffen mit Friedrich und Leontin ablegt.

27 S. 269 (Kap. XX); S. 298 (Kap. XXIII). Für das Folgende vgl. S. 308ff. in Kapitel XXIII.

entführt hat; jetzt ist er ihr Gatte. Der unheimliche Gegner findet dann, wie schon oben (S. 217) erwähnt wurde, bei seinem Ansturm auf Rudolf denTod. Dieser selbst flieht auf einem Kahn – vermutlich noch in dem Ritterkostüm, das er auf dem Schloß aus einem Haufen von herumliegenden Masken hervorgezerrt hat und das womöglich dasselbe ist wie jenes, welches er später auf der Redoute in der Residenz trägt. Schließlich landet er bei einer einsamen Burg im Gebirge, auf der er bei einem Einsiedler Aufnahme findet und die später sein Eigentum wird. Hier treffen dann gegen Ende des Romans Friedrich und Leontin mit ihm zusammen.

Was aber wird aus Angelina? Sie ist, völlig metamorphosiert, niemand anders als die weiße Frau. Wir lesen: »Leontin hatte sich, als Rudolf das Schloß der Angelina beschrieb, an jenen kurzen Besuch erinnert, den er [...] mit Friedrich auf dem Schlosse der weißen Frau abgelegt, und konnte sich der Vermutung nicht erwehren, daß diese vielleicht Angelina selber war« (S. 314 [Kap. XXIII]). Es besteht kein Grund, diese Worte anders denn als eine leicht verhüllte Aussage des Dichters aufzufassen.

Die weiße Frau ist eine geheimnisvolle, von gnadenreicher Atmosphäre umwehte Gestalt. Julies Vater, Herr v. A., beschreibt sie als eine »reiche Witwe, die vor einigen Jahren plötzlich in diese Gegend kam und mehrere Güter kaufte«. Dann fährt er fort:

> Sie ist im stillen sehr wohltätig, und, seltsam genug, bei Tag und bei Nacht, wo immer ein Feuer ausbricht, sogleich bei der Hand, wobei sie dann die armen Verunglückten mit ansehnlichen Summen unterstützt. Die Bauern glauben nun ganz zuversichtlich, sobald sie nur erscheint, müsse das Feuer sich legen, wie beim Anblick einer Heiligen. Übrigens empfängt und erwidert sie keine Besuche, und niemand weiß eigentlich recht, wie sie heißt, und woher sie gekommen; denn sie selber spricht niemals von ihrem vergangenen Leben. (S. 100f. [Kap. IX])

So sieht auch Leontin beim Brand des Jagdschlosses des Herrn v. A. auf einmal, inmitten der Flammen, eine weibliche Gestalt in weißem Gewand, die sich ruhig hin und her bewegt. »Gott sei Dank«, rufen die Bauern, »wenn die da ist, wird's bald besser gehn« (S. 97 [Kap. VIII]). Und tatsächlich gelingt es Leontin, Julie sicher durch die Flammen zu tragen.

Angelina ist also eine zur Heiligkeit geläuterte Sünderin, gewissermaßen eine feudale Magdalenengestalt. Ein Vorbild dürfte Arnims Gräfin

Dolores sein[28]. Eigentümlich ist, daß bei der Wandlung der sinnlich-triebhaften, erotisch ungebundenen Angelina zur weißen Frau der konkrete Vorgang selbst mit keinem Wort berichtet wird. War diese Metanoia eine plötzliche? War sie eine allmähliche? Wir erfahren es nicht, denn sie spielt sich gewissermaßen hinter der Szene ab. Warum wohl? Das scheint eine schwer oder kaum zu beantwortende Frage. Ist es denkbar, daß es sich ursprünglich um zwei verschiedene Gestalten handelte und daß diese dann, durch ein kühnes hagiographisches Fiat, zu einer einzigen verbunden wurden, die psychologisch-realistisch nicht mehr recht greifbar ist, aber romantisch-dichterisch faszinierend und dazu Symbol einer religiösen Grundüberzeugung, des Glaubens an Gnade?

So kommen wir zu jener allegorischen Figur über dem Grabe, das Friedrich und Leontin finden, als sie das Gebirge auf dem Wege zu Rudolfs Burg durchstreifen, und zwar in einer Gegend, die Friedrich mit plötzlichem *déjà vu* als den Schauplatz seiner Kindheitserlebnisse erkennt. Auf einem Gipfel entdecken sie die Ruine des Schlosses, in dem er selbst, Rudolf, Angelina einst zusammen lebten. Menschenwerk vergeht, zerfällt – aber es gibt Dinge, die vom Bleibenden, Ewigen Kunde geben:

> Sie kletterten über die umhergeworfenen Steine [in die Ruine] hinein und erstaunten nicht wenig, als sie dort ein steinernes Grabmal fanden, das ihnen durch seine Schönheit sowohl, als durch seine mannigfaltige Bedeutsamkeit auffiel. Es stellte nämlich eine junge, schöne, fast wollüstig gebaute weibliche Figur dar, die tot über den Steinen lag. Ihre Arme waren mit künstlichen Spangen, ihr Haupt mit Pfauenfedern geschmückt. Eine große Schlange, mit einem Krönlein auf dem Kopfe, hatte sich ihr dreimal um den Leib geschlungen. Neben und zum Teil über dem schönen Leichnam lag ein altgeformtes Schwert, in der Mitte entzwei gesprungen, und ein zerbrochenes Wappen. Aus dieser Gruppe erhob sich ein hohes, einfaches Kreuz, mit seinem Fuße die Schlange erdrückend. (S. 277f. [Kap. XXI])

Friedrich erschrickt und weiß nicht, warum die Miene dieser weiblichen Gestalt ihn doch so wunderbar anzieht. Dann erkennt er sie: »[...] es war das schöne Kind, mit dem er damals in dem Blumengarten seiner Heimat gespielt; nur das Leben schien seitdem viele Züge verwischt und seltsam entfremdet zu haben« (S. 278).

28 Den tiefen Eindruck dieses Romans auf den jungen Eichendorff zeigen Friedrichs Eintreten für ihn auf der ästhetisierenden Soirée in der Residenz und sein Gespräch mit dem einfachen Mann vom Lande (S. 153ff. [Kap. XII]).

Man darf wohl annehmen, daß Eichendorff hier bewußt ein christliches Gegenstück zu dem dionysisch-wollüstig-untergangsträchtigen Standbild von Violette in Brentanos ›Godwi‹ im Sinne hat[29]. Die Stelle ist in allen Einzelheiten zu betrachten, denn sie drückt das aus, was erzählerisch im Roman ausgespart ist: Angelinas Wandlung. Auch diese steinerne Gestalt ist von sinnlicher Schönheit. Sie ist mit weltlichem Prunk geschmückt. Die Schlange erinnert an die im Paradies: Sinnbild der Verführung. Sie ist gekrönt; sie beansprucht die Herrschaft im Reiche dieser Welt. Dreifach umschlingt sie den Leib der Frau, die scheinbar ganz in ihrer Gewalt ist. Aber während Schild und Schwert, Sinnbilder weltlich-adliger Würde und Ehre, zerbrochen sind, ragt hoch über allem das Kreuz empor, ähnlich wie zu Anfang des Romans das über dem Donaustrudel (S. 4 [Kap. I])[30]. Und es ragt nicht nur – statisch – empor, es erdrückt – dynamisch – »mit seinem Fuße« die Schlange (was übrigens visuell schwer vorstellbar ist). Das hat es, so müssen wir die Stelle verstehen, auch in Angelinas Leben getan.

Über ihren Entführer und Jugendgeliebten Rudolf, von dem in unserer Untersuchung schon viel die Rede war, ist nicht allzuviel hinzuzufügen. Immerhin: betrachten wir zunächst kurz die Darstellung seines Wesens! Er ist eine von Eichendorffs Standpunkt aus negativ gesehene Faustgestalt – negativ, doch nicht ohne menschliche Einfühlung und Teilnahme[31]. Den »tapfern, gerechten, rüstigen Knaben«, dessen Bild in Friedrichs Erinnerung lebt (S. 290 [Kap. XXII]), findet dieser schließlich äußerlich und innerlich verwildert wieder. Verfehlte Erziehung hat ihn früh in psycho-

29 Zweiter Teil, Kapitel XV–XVII. Überhaupt fehlen nicht Anklänge an ›Godwi‹.

30 Vgl. S. 557 ff. in meinem in Anmerkung 3 angeführten Aufsatz. Ferner: Horst MEIXNER, Romantischer Figuralimus: Kritische Studien zu Romanen von Arnim, Eichendorff und Hoffmann (Frankfurt/M. 1971), S. 110 ff. – Unklar ist, wieso auf dem zerbrochenen Schild Friedrichs Familienwappen erscheint.

31 Welche problematischen Möglichkeiten in Eichendorff selbst lagen, zeigt nichts deutlicher als ein Brief seines Bruders Wilhelm an ihn vom 8. VII. 1814. Da ist die Rede von dem bösen Geist, der sie beide seit Jahren mit einem »Zauberkreis« umzogen, sie »unstet und armselig durch die ganze wilde Welt« gepeitscht habe (HKA, XIII, 42). Und welche Rolle spielt bei Eichendorff das Motiv des Abgrunds! – Zu Rudolf als Faust-Gestalt vgl. S. 172 ff. in meinem Aufsatz: Eichendorffs Verhältnis zu Goethe (Literaturwissenschaftliches Jahrbuch, N. F., IX [1968]).

pathische Menschenscheu und Verfolgungswahn getrieben (S. 295f. [Kap. XXIII]). Mit seinem wirren Haar und bleichen Gesicht sieht Rudolf jetzt fast gespensterartig aus; sein Witz ist »scharf ohne Heiterkeit, wie Dissonanzen einer großen, zerstörten Musik, die keinen Einklang finden können oder mögen« (S. 291f. [Kap. XXII]). Er berichtet selbst seinen Lebenslauf. Nach dem Verlust Angelinas lockte ihn die Philosophie »unwiderstehlich in ihre wunderbaren Tiefen«. Damals lag die Welt wie ein großes Rätsel vor ihm, und »die vollen Ströme des Lebens rauschten geheimnisvoll, aber vernehmlich« an ihm vorüber. Mit eisernem Fleiß studierte er »alle Philosopheme«, aber die alten wie die neuen Systeme führten ihn »entweder von Gott ab, oder zu einem falschen Gott«. Da stürzte er sich selbstzerstörerisch »in den flimmernden Abgrund aller sinnlichen Ausschweifungen und Greuel« (S. 304f. [Kap. XXIII]).

Im letzten Kapitel nehmen die lange getrennten, soeben erst wieder vereinigten Brüder endgültig Abschied voneinander (S. 334 [Kap. XXIV]). »Du willst ins Kloster?« fragt der ältere. Friedrich bejaht und erkundigt sich seinerseits nach Rudolfs Plänen. »Nichts«, ist die verzweifelt-wortkarge Antwort. »Ich bitte dich«, sagt Friedrich, »versenke dich nicht so fürchterlich in dich selbst. Dort findest du nimmermehr Trost. Du gehst niemals in die Kirche.« – »In mir«, erwidert Rudolf, »ist es wie ein unabsehbarer Abgrund, und alles still.« Friedrich spürt des Bruders tiefinnerliche Erschütterung, dringt in ihn, erinnert ihn an sein Geständnis der Vergeblichkeit aller weltlichen Philosophie, fleht: »So wende dich denn zur Religion zurück, wo Gott selber unmittelbar zu dir spricht, dich stärkt, belehrt und tröstet!« – »Du meinst es gut«, ist die Gegenrede, »aber das ist es eben in mir: ich kann nicht glauben.« Damit kehrt er sich ab und verschwindet mit langen Schritten in den Wald hinein, um nach Ägypten, »dem Lande der alten Wunder«, zu wandern und sich der Magie zu ergeben. Es ist eine Szene von starker dichterischer Wirkung.

Dem allen gegenüber sind einzelne Züge zu erwähnen, die mit dem nihilistischen Bild von Rudolf merkwürdig kontrastieren. Daß er Rehe zähmt und mit ihnen lange Gespräche führt, daß er Narren um sich sammelt, viele von ihnen durch Beschäftigung, durch die Einsamkeit seiner waldumgebenen Burg, durch reine Bergluft heilt und sie dann, nach gerührtem Abschied, in die Welt zurückschickt (S. 316 [Kap. XXIV]) – das alles ist auch bei einem Mann von lädierter Innerlichkeit verständlich. Schwerer in das Bild einzufügen ist, was Leontin berichtet aus der

Zeit seines heimlichen Liebesverhältnisses mit dem Mädchen im Walde. Da sei eines späten Abends Rudolf (den die Geliebte, wie wir gesehen haben, wegen seiner Ähnlichkeit mit Leontin für diesen selbst hielt) gekommen und habe sie (wie ebenfalls schon erwähnt wurde) ermahnt, lieber Gott als die Männer zu lieben (S. 283 [Kap. XXI]). Wahrhaftig merkwürdig ist auch das Lied, das Rudolf singt, als er zuerst klar ins Blickfeld des Lesers tritt, und das, wenn nicht ausdrücklich von christlich-jenseitiger Zuversicht, so doch deutlich von einer solchen zur immanenten Ordnung und Harmonie der Welt zeugt:

Ein Stern still nach dem andern fällt,
Tief in des Himmels Kluft,
Schon zucken Strahlen durch die Welt,
Ich wittre Morgenluft.

[...]

Da hebt die Sonne aus dem Meer
Eratmend ihren Lauf:
Zur Erde geht, was feucht und schwer,
Was klar, zu ihr hinauf.

[...]

Der Mensch nun aus der tiefen Welt
Der Träume tritt heraus,
Freut sich, daß alles noch so hält,
Daß noch das Spiel nicht aus.

[...]

Die Sonne steiget einsam auf,
Ernst über Lust und Weh,
Lenkt sie den ungestörten Lauf
In stiller Glorie. –

(S. 287 f. [Kap. XXII])

Bemerkenswert ist, wie Eichendorff dann in der letzten Strophe des Liedes gewissermaßen leicht ins Negative umbiegt im Versuch, es doch als vom Nihilisten Rudolf gesungen einigermaßen zu rechtfertigen:

Und wie er dehnt die Flügel aus,
Und wie er auch sich stellt:
Der Mensch kann nimmermehr hinaus,
Aus dieser Narrenwelt.

Rudolf und Angelina sind also Erwin(e)s Eltern. Da fehlt es allerdings nicht an chronologischen Schwierigkeiten, ja Unstimmigkeiten, die vielleicht nicht tieferer Bedeutung entbehren.

In Friedrichs frühesten Erinnerungen erscheint Angelina, wie wir schon sahen, als »ein wunderschönes *kleines* Mädchen«; Rudolf gedenkt ihrer, mit Hinblick auf etwa dieselbe Zeit, als eines »lieblichen [...] *Kindes*«[32]. Danach kann der Altersunterschied zwischen Friedrich und Angelina nicht allzu groß sein. Dürfen wir jenen zur Zeit seiner frühesten Erinnerungen auf vier Jahre schätzen, dies auf höchstens elf? Das ergäbe einen maximalen Unterschied von sieben Jahren[33].

Zu Beginn des Romans, als der Held gerade die Universität verlassen hat, sollen wir ihn uns wohl, bei dem frühen Beginn des damals üblichen *triennium academicum*[34], als ungefähr zwanzigjährig vorstellen; das war, nebenbei gesagt, das Alter, in dem Joseph von Eichendorff Heidelberg verließ (und zwar trotz einer längeren Unterbrechung seines Studiums durch den Krieg von 1806/7). Das Mädchen in der Waldmühle, dessen Reize Friedrich allzuwenig verhüllt findet und das dann mit erstaunlicher Entschlossenheit ihm gegen die Schnapphähne zu Hilfe kommt und das Leben rettet, dürfte wohl mindestens vierzehn sein, also nicht mehr als sechs Jahre jünger als er selbst, der seinerseits nach unserer obigen Berechnung höchstens sieben Jahre jünger ist als ihre Mutter, Angelina. Diese mag demnach zu jenem Zeitpunkt ungefähr siebenundzwanzig sein – und soll doch die Mutter einer (mindestens) vierzehnjährigen Tochter

32 S. 47 (Kap. V) und 296 (Kap. XXIII). Die Hervorhebung stammt in beiden Fällen von mir.

33 Auf dem oben erwähnten Medaillon, das Rudolf nach dem heimlichen Verlassen des Schlosses seiner Pflegeeltern zur Erinnerung an Angelina geschaffen hat und das später auf dem Leib der toten Erwine gefunden wird, ist die Dargestellte sogar nur »etwa neunjährig« (S. 269 [Kap. XX] in Verbindung mit S. 298 [Kap. XXIII]). Das beweist nicht, daß dies ihr Alter zur Zeit von Rudolfs Flucht war; doch läge es immerhin nahe zu vermuten, daß er sie so malt, wie er sie zuletzt gesehen hat.

34 Vgl. Friedrich PAULSEN, Geschichte des gelehrten Unterrichts auf den deutschen Schulen und Universitäten (2. Aufl., Leipzig 1896, 97), II, 127 f. und 226 f.

sein; sie müßte also als (etwa) Dreizehnjährige Erwine geboren haben und – ein Jahr früher – als Zwölfjährige mit Rudolf von Venedig nach Rom geflohen sein[35]. Die zwei letzten Altersberechnungen stehen aber in vollem Widerspruch zu den spontanen Vorstellungen, die der Roman im Leser erweckt.

Kehren wir auf einen Augenblick zu Rudolf zurück! Seine früheste Erinnerung ist die an die Feuersbrunst, die ihm beide Eltern nahm (S. 294 [Kap. XXIII]). Demnach ist er bis zu etwa vier Jahren älter als sein Bruder Friedrich, der Vater und Mutter, wie er sich ausdrückt, »niemals gesehen« hat[36] (S. 47 [Kap. V]) und der seinerseits nach unserer Berechnung allenfalls sechs Jahre älter sein dürfte als Rudolfs Tochter Erwine. Die zeitliche Unstimmigkeit bei Rudolfs Vaterschaft ist also noch viel offensichtlicher als die bei Angelinas Mutterschaft.

Der Leser verzeihe die komplizierte Rechnerei, und besonders wolle der Dichter das tun! Aber auch chronologische Widersprüche gehören zu den Rätseln um ›Ahnung und Gegenwart‹. Es ist denkbar, daß auch sie auf verschiedene Konzeptionen zu verschiedenen Zeiten zurückgehen.

In die größten Schwierigkeiten geraten wir bei der Betrachtung von Erwin(e). Hier ergeben sich zwei ganz verschiedene perspektivische Bildebenen: die eine ist die vordergründige der kontinuierlichen Fabel des Romans, die andere eine hintergründige verstreuter Andeutungen und Ahnungen.

Was episch über ihr Leben berichtet wird, ist in konzentriertester Form folgendes: Sie ist Rudolfs und Angelinas Tochter, in Rom geboren; als ihre Mutter sich von Rudolfs mysteriösem Feind entführen läßt, nimmt sie ihr Töchterchen mit; auf der (oder einer) Reise wird Erwin(e) als kleines Kind von einer Zigeunerin gestohlen; danach lebt sie unter räuberischem Gesindel im Wald, bis sie sich Friedrich, dessen Leben sie rettet, anschließt.

Nun zu der anderen perspektivischen Ebene, die vielleicht als »metepisch« bezeichnet werden kann. Da gibt es merkwürdige Dinge. Einmal spricht Erwin(e) zu Friedrich von »einem großen Walde [...] und einem

35 Rudolf berichtet: »Ein Jahr hatten wir so zusammen gelebt, als mir Angelina eine Tochter gebar« (S. 302 [Kap. XXIII]).

36 Sinngemäß muß dies natürlich bedeuten: er erinnert sich nicht, sie je gesehen zu haben.

kühlen Strome und einem Turme darüber [...] wie aus dunklen, verworrenen Erinnerungen, oft alte Aussichten aus Friedrichs eigener Kindheit plötzlich aufdeckend« (S. 189 [Kap. XIV]). Der »große Wald« ist der spezifische Bereich Rudolfs[37], aber in demselben Waldgebirge liegt auch das Schloß (= Turm?), an das Friedrichs eigene Kindheitserinnerungen sich knüpfen und dessen Ruinen er in Kapitel XXI auf dem Wege zu seinem Bruder findet (S. 277 f.). Wie aber kann Erwin(e), angesichts ihres Alters und ihres Lebenslaufs, aufgrund verworrener Erinnerungen Aussichten aus *Friedrichs* Kindheit aufdecken? Das paßt nicht zu dem, was episch über sie berichtet wird. Im fünfzehnten Kapitel wird das Motiv leicht abgewandelt: da findet und liest Friedrich »abgebrochene Bemerkungen« von ihr über ihr Dasein, »wunderschöne Bilder aus der Erinnerung an eine früher verlebte Zeit und Anreden an Personen, die Friedrich gar nicht [kennt]« (S. 193). Was für »wunderschöne Bilder« kann sie in ihrer entwürdigenden Jugend erlebt haben? Was für ein Grund besteht zu betonen, daß sie sich an Personen erinnert, die Friedrich nicht kennt?

Auf der Reise an den Rhein erklärt Erwin »voller Freuden, er erblicke ganz in Hintergrunde einen Berg und einen hervorragenden Wald, den er gar wohl kenne«, worauf Leontin ihn, ohne daß er es merkt, in Verwunderung über dies *déjà vu* ernsthaft ansieht (S. 197 [Kap. XV]). Wie kann Erwin es haben? Wann kann er am Rhein gewesen sein? Welche hintergründige Bedeutung hat Leontins ernsthaft-verwunderter Blick? Offenbar beziehen sich auch diese Dinge auf Zusammenhänge, die auf der epischen Ebene nicht zur Sprache kommen[38].

37 In ihrer letzten zusammenhängenden Rede vor dem Tode sagt Erwin(e): »Dort, wo die Sonne aufgehn wird, ist ein großer Wald, in dem Walde wohnt ein Mann mit dunklen Augen und einer langen Schramme über dem rechten Auge, der kennt mich und euch alle...« (S. 267 [Kap. XX]; wir erinnern uns, daß Rudolf eine Narbe auf der Stirn hat). Ein wenig später ist die Rede von den »rätselhaften Worte[n], die Erwin sterbend von dem Alten im Walde gesagt hatte« (S. 269 [Kap. XX]); auch auf S. 267 erscheint er in einem Angsttraum Erwine(s) als »der Alte«. Als er zuerst sichtbar vor den Leser tritt, bezeichnet Eichendorff ihn jedoch als »einen großen, schönen, ziemlich jungen Mann an dem Eingang des Waldes« (S. 288 [Kap. XXII]); und tatsächlich, haben wir gesehen, kann er nur wenige Jahre älter als Friedrich sein.

38 Wir werden allerdings später die Möglichkeit besprechen, daß zu einer Zeit der Roman am Rhein spielen sollte. Rheinnähe gilt dann wohl auch für den Wald, in dem die Zigeunerbande hauste. Aber könnte dann Erwin(e), als Kind geraubt und unter Dieben aufgewachsen, diese Landschaft »voller Freuden« betrachten?

Zu alledem finden wir eine Reihe von Stellen, in denen Erwin durch Gesang Friedrich an seine früheste Jugend erinnert. So lesen wir in Kapitel IV: »Das Lied, das er sang, rührte [Friedrich] wunderbar, denn es war eine alte, einfache Melodie, die er in seiner Kindheit sehr oft und seitdem niemals wieder gehört hatte« (S. 36). Beim Besuch auf dem Schloß der weißen Frau hört der Held dann abermals dies »sonderbare Lied aus seiner Kindheit, das manchmal auch Erwin in der Nacht gesungen« und das er selbst »sonst nirgends wieder gehört« hat (S. 102 [Kap. IX]). Auch im zwanzigsten Kapitel erklingt es wieder, und Friedrich erkennt die Stimme der (jetzt wieder als Mädchen auftretenden) Erwine, die dann, unmittelbar vor ihrem Tode, klagend zu ihm sagt: »[...] ich sang die besten alten Lieder, die ich wußte, aber du erinnertest dich nicht mehr daran, ich konnte dich niemals erjagen [...]« (S. 267).

Diese Stellen müssen wir als metepisch bezeichnen. Denn woher soll Erwin(e) dies Lied oder diese Lieder kennen? Nach der epischen Handlungsgestaltung war sie nie auf dem Schloß, wo Friedrich die frühesten Jahre seines bewußten Lebens verbrachte, weder damals noch später. Sie kann sie aber auch nicht indirekt durch Angelina kennen; von der wurde sie früh durch Entführung getrennt. Vielmehr: mit ihren dunklen Erinnerungen an »alte Aussichten aus Friedrichs [...] Kindheit«, mit ihrer Kenntnis von Liedern, die er nur damals gehört hat, erscheint sie hier auf eigentümliche Weise geradezu verschmolzen mit ihrer Mutter, die tatsächlich Friedrichs Gespielin war und damals von Rudolf alte deutsche Lieder lernte (S. 299 [Kap. XXIII]).

Einen Übergang finden wir in einem Passus aus dem zwanzigsten Kapitel. Da (S. 253) bemerkt Friedrich beim Anblick Erwines aus einiger Entfernung zunächst eine auffallende Ähnlichkeit mit dem Mädchen in der Waldmühle (mit dem sie tatsächlich identisch ist), glaubt aber dann »jenes wunderschöne Kind aus längstverklungener Zeit wiederzusehen«, mit dem er als Knabe gespielt hat, also Angelina. Hier ist allerdings eine rationale Lösung möglich, ja einfach: die Tochter sieht der Mutter ähnlich. Problematisch hingegen ist eine Stelle am Ende von Kapitel XX: nach Erwin(e)s Tod findet Friedrich auf ihrem Körper das von Rudolf geschaffene Medaillon mit dem Porträt, das er als das der noch kindlichen Angelina erkennt.

> Er betrachtete es lange gerührt und stillschweigend. Da fielen ihm die rätselhaften Worte wieder ein, die Erwin sterbend von dem Alten im Walde gesagt hatte. Er zweifelte nicht, daß dieser um vieles wissen müsse, was ihnen Licht über das sonderbare Leben der Verstorbenen und ihren Zusammenhang mit seiner eigenen Kindheit geben könne. Er erzählte es Leontin. Dieser erschrak darüber und ward bei jedem Worte aufmerksamer [...]. (S. 269)

Wer ist die Verstorbene? Von Angelinas Tod erfährt Friedrich erst in Kapitel XXI, als er ihr Grabmal findet (S. 277f.). Alo muß die Dahingeschiedene, trotz des Genuswechsels (»Erwin [...] der Verstorbenen«) Erwin(e) selbst sein. Wieso aber kann sie in einem Absatz, worin von ihrer Mutter als einstiger Gespielin Friedrichs die Rede ist, ihrerseits in »Zusammenhang mit seiner [...] Kindheit« stehen? Jedenfalls kann dieser Zusammenhang auf der *epischen* Ebene nur ein ganz indirekter sein – eben durch Angelina. Merkwürdig ist nun aber, daß ein bedeutender Interpret einschränkungslos erklärt, »die Mignonfigur Erwin« sei »das Mädchen, das [Friedrich] schon als Kind geliebt und das er völlig vergaß im Strudel des Lebens«[39]. Das entspricht in keiner Weise den epischen Gegebenheiten.

Und eine weitere Frage: warum erschrickt Leontin bei Friedrichs Bericht über Erwines letzte Worte? Das ist wieder eine der geheimnisvollen inneren Erschütterungen, die das ganze Buch durchziehen. Sie gehört demselben metepischen Bereich an wie Erwin(e)s freudiges Erstaunen (und dann Erschrecken) beim Anblick Friedrichs in der Waldmühle, wie dessen Verwunderung über des Ministers Eingeweihtheit in die verborgensten Geheimnisse seiner Familie oder die Leontins bei Erwin(e)s *déjà vu* am Rhein, wie die Bestürzung des alten Dieners bei der Begegnung mit Leontin im Schloß der weißen Frau[40]. Alle diese Stellen setzen Beziehungen voraus, die nie aufgeklärt werden und die nicht immer in die dominierende (epische) Handlungsgestaltung hineinpassen. Könnte es sein, daß diese metepischen Elemente eine frühe Stufe in der Entstehungsgeschichte des Romans darstellen, eine Stufe, auf der sie sich irgendwie in die Gesamtfabel einfügten (und daß Eichendorff sie dann wegen ihres

39 Wilhelm EMRICH, Skizze einer Ästhetik der Geschichte, in: Protest und Verheißung (vgl. oben Anm. 4), S. 20.

40 Vgl. oben S. 213, 230, 215.

magisch-atmosphärischen Wertes beibehielt)? Da wären wir wieder bei der Palimpsest-Hypothese angelangt.

Es ist nun vom Besuch der zwei Hauptgestalten auf dem Landsitz der weißen Frau (Kap. IX) zu sprechen, wo Leontin, wie wir oben sahen, das ihn erschütternde Ritterbild erblickt. Das Schloß ist neuerbaut, in harmonisch-klassischem Stil. Die Vorderseite zeigt Säulen und eine breite, in terrassenhaften Absätzen ansteigende Treppe, geschmückt mit Orangen- und Zitronenbäumen und hochwachsenden Blumen (S. 101). »Höchst seltsam!« sagt Leontin, »diese Baumgruppen, Wäldchen, Hügel und Aussichten erinnern mich ganz deutlich an gewisse Gegenden, die ich in Italien gesehen [...]. Es ist wahrhaftig mehr als eine zufällige Täuschung« (S. 102).

Hierzu ist einiges zu bemerken. Zunächst: nicht nur die geschilderte Bau- und Gartenkunst, sondern auch die weitere Umgebung mit ihrer Vegetation, ihrer Bodenform und sogar ihren Fernsichten hat südliches Gepräge, was an die Vorstellungskraft des Lesers einige Ansprüche stellt: wie verpflanzt man eine ganze Landschaft? Aber wir können natürlich, wenn wir einen rationalen Ausweg suchen, annehmen, daß Angelina als Wohnsitz eine irgendwie an die italienische Heimat erinnernde Gegend gewählt hat. Übrigens ist bisher nie davon die Rede gewesen, daß Leontin je in Italien war, und auch für die Weiterentwicklung der Handlung bleibt sein geheimnisvolles *déjà vu* bedeutungslos, ein blindes Motiv. Die Episode wirkt als Fremdkörper.

Aber eine wichtigere Frage taucht auf. Wir lesen:

> Alles war still, es schien niemand zu Hause zu sein. Auf der Stiege lag ein schönes, etwa zehnjähriges Mädchen über einem Tamburin [...] eingeschlummert. [...] Das Mädchen wachte auf, als sie an sie herankamen, und schüttelte erstaunt die schwarzen Locken aus den muntern Augen. Dann sprang sie scheu auf und in den Garten fort, während die Schellen des Tamburins [...] hell erklangen. (S. 101)

Wer ist diese junge Südlich-schwarzhaarige mit dem Tamburin? Sie erscheint sonst nirgends im Roman. Und auch an dieser Stelle hat sie keine Funktion, ist sie in den Fortgang der Handlung in keiner Weise verflochten. In was für einer Beziehung insbesondere steht sie zur Schloßherrin Angelina, die jetzt die weiße Frau ist? Sollte sie etwa ursprünglich als deren Tochter konzipiert sein? Und auch Rudolfs? Angelina könnte durchaus die Mutter einer Zehnjährigen sein. Bei der Annahme von

Rudolfs Vaterschaft bleiben chronologische Schwierigkeiten; aber sie sind immerhin geringeren Grades als im Falle Rudolf–Erwine[41].

Wenn sie Angelinas Tochter ist, fällt diese Rolle für Erwine fort – und wir haben gesehen, daß bei der Letztgenannten solches Verwandtschaftsverhältnis oft mit dem andeutenden Bericht in metepischen Stellen, bei denen wir hypothetisch eine frühe Konzeption vermuteten, in Konflikt ist, daß manchmal zwischen diesen und der dominierenden epischen Gesamtfabel des Romans Widersprüche bestehen. Wenn nun aber Erwine nicht Angelinas geraubtes Kind ist und nicht unter Zigeunern aufwuchs, wird sie verfügbar für die Erklärung solcher schwierigen Stellen. Dann erscheinen die geheimnisvollen Andeutungen über eine frühe Beziehung zwischen ihr und Friedrich verständlich, und verständlich wird auch ihr freudiges Erstaunen bei der Begegnung mit ihm in der Waldmühle: es handelt sich wahrscheinlich ursprünglich um eine – angedeutete, nicht ausgesprochene – Anagnorisis.

Eine Episode des Romans bedarf noch ausführlicher Besprechung: Friedrich und Leontins Reise an den Rhein und den Rhein hinab im fünfzehnten Kapitel. Im zweiten Sommer der Handlung erscheint Leontin, einem plötzlichen Impuls folgend, nachts an Friedrichs Bett und fordert ihn zur Reise auf. Da gilt kein Zaudern; alsbald sitzen sie und Erwin(e) im Wagen[42].

Die Residenz, in der ›Ahnung und Gegenwart‹ seit dem Maskenball zu Beginn des Zweiten Buches (Kap. XI) hauptsächlich gespielt hat, trägt deutlich die Züge von Wien, wo Eichendorff sich von 1810 bis 1813 aufhielt, also während der Niederschrift des Romans; so scheint z. B. der Minister, der in die Geheimnisse von Friedrichs Familienleben mehr als dieser selbst eingeweiht ist, Metternich zum Urbild zu haben[43]. Daß die

41 Wir erinnern uns: Rudolf kann auf der Grundlage der vorliegenden Version höchstens vier Jahre älter sein als Friedrich, der zu Beginn des Romans etwa zwanzig sein dürfte. (Die Episode des Besuchs im Schloß der weißen Frau scheint deutlich noch demselben Sommer anzugehören, mit dem die Handlung einsetzt.)

42 Die Rheinreise wird in Kapitel XV auf den Seiten 195–204 dargestellt.

43 Vgl. HKA, III, 503, wo übrigens noch andere allenfalls in Betracht kommende Prototype für den Minister erwähnt werden. Auch für die Redoutensäle in Kapitel XI hat man ein Wiener Vorbild nachweisen können; vgl. HKA, III, 499 f.

Reisenden innerhalb einer einzigen Nacht den Rhein erreichen, soll uns nicht zu lehrhafter Kritik auf Grund der Landkarte verführen[44].

Friedrichs und Leontins Bad bei Sonnenaufgang in den »kühlen Flammen« des »aus wunderreicher Ferne, von alten Burgen und ewigen Wäldern« kommenden Stromes »vergangener Zeiten und unvergänglicher Begeisterung« bedeutet für beide eine »Weihe der Kraft« für den schweren und schließlich tragisch vergeblichen Freiheitskampf, der ihnen bevorsteht (S. 196). Dann steigen sie zu einer hochgelegenen alten Burg hinauf und schauen ins weite Land hinaus. Erwin meint, in der Ferne einen Berg und einen ihm wohlbekannten Wald zu erblicken, worauf Leontin »den Knaben ernsthaft und verwundert« ansieht (S. 197). Wir haben die Stelle bereits oben (auf S. 230) besprochen und gefunden, daß es sich um rätselhafte Dinge handelt, die dem metepischen Bereich angehören.

Aber auch Leontin selbst, erfahren wir, scheint mit dieser in geheimnisvoller Ferne liegenden Gegend vertraut zu sein. Daß er in der Tat am Rhein kein Fremder ist, wird bestätigt durch seine Behauptung, daß er jede Klippe im Strom »auswendig« kenne, und durch seine Fähigkeit, das Boot, das die Reisenden besteigen, in der Nacht flußabwärts zu steuern (S. 202). In Rudolfs Lebensbericht hören wir später, daß dieser selbst und Friedrich am Rhein geboren sind und erst nach dem – allerdings frühen – Tod ihrer Eltern in eine andere Gegend kamen (S. 295 [Kap. XXIII]). Von weiteren Anzeichen dafür, daß die Romanhandlung auf einer früheren Entwicklungsstufe viel enger mit der Rheinlandschaft verbunden war als in der endgültigen Form, werden wir alsbald sprechen. Hier sei zunächst – durchaus hypothetisch – bemerkt: *Wenn* die Fabel ursprünglich eine enge Verbindung mit dem Rhein hatte, *wenn* Leontin einst Friedrichs Bruder war und *wenn* damals eine frühe Beziehung zwischen Erwin(e) und Leontin bestand, dann werden die mysteriösen Worte »[Leontin] sah den Knaben ernsthaft und verwundert an« bedeutungsvoll. Sie entsprechen Erwin(e)s eigenem Erstaunen beim Anblick Friedrichs in der Waldmühle; auch bei Leontin mag es sich um eine dunkel geahnte, nicht klar erkannte Anagnorisis handeln.

Was nun weitere Hinweise auf eine ursprünglich engere Verbindung mit der Rheingegend betrifft, so ist folgendes festzustellen.

44 Vgl. oben Anm. 10.

Wir haben gesehen, daß die drei Reisenden in einer einzigen Nacht von der Residenz an den Rhein gelangen, und haben es dabei abgelehnt, einen geographisch begründeten Protest zu erheben. Was aber geschieht jetzt? Leontin schlägt vor, in der Nacht stromabwärts nach der Residenz zu fahren (S. 201 f. [Kap. XV]). Erst reiste man also von der Residenz im Wagen *an den Rhein*, jetzt liegt sie *am Rhein*[45]. Das weist deutlich auf eine ältere, rheinische Konzeption des Raumes der Handlung gegenüber der endgültigen danubischen; diese Konzeption ist natürlich zu verknüpfen mit Eichendorffs Erinnerungen an seine Studienzeit in Heidelberg, die später in ›Dichter und ihre Gesellen‹ eine erhebliche Rolle spielen. Die heidelbergisch-rheinische Hypothese wird nun vollauf bestätigt durch eine Stelle aus einem zur Zeit der Herausgabe des Romans in der HKA noch vorhandenen und dort in den Anmerkungen zitierten Entwurf. Es handelt sich um Friedrichs Ausritt aus der Residenz auf dem Wege zu Romana. Da lesen wir, daß dieser ihn durch die »gewundenen Heidelberger grünen Bergschluchten« führt (S. 512).

Vorsichtig sei noch ein weiterer Punkt erwähnt, welcher zu der grundsätzlich richtigen Assoziation (nicht Identifizierung) der Residenz mit Wien nicht recht paßt. Als Friedrich am Freiheitskampf der Bergbewohner, also der Tiroler, teilnimmt, belauscht er einmal nächtlicherweile den Feind. Einige angetrunkene Offiziere gröhlen das »fürchterliche« Reiterlied aus ›Wallensteins Lager‹, wozu einer schrill den Dessauer Marsch pfeift (S. 235 f. [Kap. XVIII]). Um Franzosen kann es sich nicht handeln (obwohl eine sehr unkritische Kritik manchmal von solchen spricht), sondern nur um deutsche Rheinbündler. Einen dieser Offiziere im Dienst des fremden Unterdrückers kennt Friedrich, so erfahren wir, aus der Residenz, einen Mann, der noch vor kurzem im Kreis des Erbprinzen sich idealistisch-patriotisch gebärdet hat. Solch charakterloser Wankelmut weist eher auf die Atmosphäre eines Rheinbundstaates als auf die im Österreich des heroischen Jahres 1809. Ferner: als Friedrich und Leontin

45 In einem Brief des schrulligen Viktor, der auf dem Gute des Herrn v. A. lebt, an Friedrich erscheinen die Worte: »weit von hier am Rheine« (S. 209 [Kap. XVI]). Und ferner: »Die Sonne geht gerade in der Gegend auf, wo [...] die Residenz liegt und der Rhein geht« (S. 211). Nähmen wir den Dichter beim Wort, dann müßte das Gut westlich vom Rhein liegen, sogar weit westlich – und also auf damals französischem Gebiet. Wahrscheinlich aber verbinden sich hier die intensiv romantischen Motive Sonnenaufgang und Rhein ähnlich wie an anderer Stelle Sonnenaufgang und Italien (vgl. oben S. 211).

nach Friedensschluß heimlich in die Residenz schleichen, erfahren sie, daß sie beide wegen ihrer Teilnahme am Krieg »mit Lehn und Habe dem Staate verfallen« sind (S. 273 [Kap. XXI]). Welchem Staate? Doch wohl kaum dem österreichischen. An anderer Stelle wird von Friedrich sogar ausdrücklich gesagt, daß »der Fürst, dem er angehörte, [...] unter den Feinden [war]«, also ein französischer Vasall, und daß daher seine Güter konfisziert worden sind (S. 243 [Kap. XIX]). Auch diese Stellen deuten auf den Rheinbund und damit auf eine Lokalisierung des Geschehens in der Nähe des Rheines[46].

Schließlich ein Wort über den folgenden Punkt. Ein mysteriöses Element in der Schilderung der Rheinreise sind die zwei Jäger, die zu Friedrich und Leontin stoßen, ohne von ihnen erkannt zu werden, obwohl sie, wie wir später erfahren (S. 270 [Kap. XXI]), Leontins von Friedrich geliebte Schwester Rosa und deren ihn liebende Freundin Romana sind, in männlicher Verkleidung[47]. Mir ist nicht klar, warum diese mit der Haupthandlung nicht fest verklammerte Episode in die Schilderung der Rheinreise eingefügt ist. Geht die Mystifikation hier nicht zu weit, um von der Phantasie des Lesers akzeptiert zu werden? Könnte es sich auch hier um einen Restbestand aus einer anderen Handlungsfügung in einer früheren Konzeption handeln? Eine Frage – keine Behauptung.

Wir sind am Schluß und fassen aufs knappste zusammen.

Vieles in ›Ahnung und Gegenwart‹ deutet darauf hin, daß die endgültige Form des Romans wesentlich abweicht von Eichendorffs frühen Konzeptionen – in den Beziehungen der Personen zueinander und auch in der Lokalisierung der Handlung. Diese frühen Konzeptionen werden aber zuweilen in oder hinter dem vorliegenden Text sichtbar, was zu

46 Nachträglich finde ich, daß der Gedanke einer mit Heidelberg und der Rheingegend verknüpften Frühkonzeption schon in der älteren kritischen Literatur erscheint, und zwar in dem oben in Anm. 1 genannten Buch von H. A. KRÜGER, (S. 143) und besonders in Adolf DYROFFS Aufsatz Zur Komposition von Eichendorffs Roman ›Ahnung und Gegenwart‹ in: Der Wächter, IX (1926–27), 228–233, 238–246, 276–282. Leider verliert Dyroff sich in einem positivistischen Gestrüpp, indem er es unternimmt, zahllose dichterische Einzelheiten von personalbiographischen und topographischen Fakten abzuleiten.

47 Eine Nebenbemerkung: in Romanas Schloß stehen »fast in allen Zimmern [...] Türen und Fenster offen« (S. 170 [Kap. XIII]; vgl. S. 205 [Kap. XVI]). Es ist erstaunlich, bei Eichendorff Symbolik Freudscher Art anzutreffen.

epischer Verwirrung führt, manchmal aber auch zu einer Intensivierung der magischen Atmosphäre.

Eigentümlich ist besonders die oft betonte körperliche Ähnlichkeit von Leontin und Rudolf; der Gedanke, daß sie ursprünglich Brüder sein sollten, drängt sich auf. Rätselhafter noch sind die mannigfachen dunklen Andeutungen ganz früher Beziehungen zwischen Friedrich und Erwin(e), Andeutungen, die ebenfalls mit dem kontinuierlichen epischen Bericht nicht in Einklang zu bringen sind. War Erwin(e) ursprünglich überhaupt Rudolfs und Angelinas Tochter? Oder fiel diese Rolle etwa dem schwarzhaarigen Mädchen zu, das in der vorliegenden Fassung einmal namenlos auftritt, um alsbald wieder zu verschwinden?

Als gesichert erscheint, daß der Roman ursprünglich am Rhein spielen sollte.

Es sei noch darauf hingewiesen, daß Eichendorffs erzählerische Entwürfe oft beträchtliche Metamorphosen durchmachten. Wie verschieden sind z. B. die Pläne für die Handlungsgestaltung in den fragmentarischen Versionen des ›Unstern‹ oder in den fünf Ansätzen zu einer Versnovelle aus dem Dreißigjährigen Krieg[48]!

Und schließlich sei erwähnt, daß Eichendorff in seinem späteren Roman, ›Dichter und ihre Gesellen‹ (1834), sorgfältig darauf bedacht ist, Geheimnisse und Verwirrungen früher oder später zu klären. Bei aller romantischen Stimmung herrscht hier epische Ordnung. Dies Werk seiner mittleren Jahre enthält einige sprachlich, atmosphärisch-stimmungsmäßig, gehaltlich sehr starke Stellen – aber der Jugendroman hat, scheint mir, eine wesentlich größere Intensität.

Im übrigen: es handelt sich bei unserer Untersuchung – das sei am Schluß noch einmal betont – nicht um dogmatische Feststellungen, sondern um Fragen, für die es in vielen Fällen eine sichere Lösung überhaupt nicht gibt. Der Untertitel heißt: Spekulationen.

48 Die Aufzeichnungen zu ›Unstern‹ sind am leichtesten zugänglich in Band II der ›Neuen Gesamtausgabe der Werke und Schriften‹ Eichendorffs, hg. von Gerhart BAUMANN in Verbindung mit Siegfried GROSSE (Stuttgart 1957/58). Die Fragmente der ›Versnovelle‹ finden sich in der in unserer Anmerkung 25 angeführten Veröffentlichung von Hermann KUNISCH. Zum ›Unstern‹ vgl. die die Fragmente neu ordnende Abhandlung von Dietmar KUNISCH, Textkritische Studien zu Eichendorffs Novellenfragment ›Unstern‹, Litw. Jb. NF 2, 1961, S. 69–102. – [Beide Fragmente jetzt auch in Werke, Band IV, Winkler: München 1980, »Unstern« S. 155–175, Versnovelle S. 199–201. (A. R.)]

Der Regierungsrat Joseph von Eichendorff
Zum Verhältnis von Beruf und Schriftstellerexistenz im Preußen der Restaurationszeit*, mit Thesen zur sozialhistorischen und wissenssoziologischen Perspektive einer Untersuchung von Leben und Werk Joseph von Eichendorffs

Wolfgang Frühwald

Sie müssen wieder dichten, und um so vehementer, als die Gedanken in der Berliner Beamten-Welt ausgehen. Sie müssen die Turm-Glocke sein, die bei dem platten Gewichte herum, oben anschlägt.

(Th. v. Schön am 3. 1. 1826 an F. A. v. Stägemann)

* Die vorliegende Arbeit ist die ausgearbeitete Fassung eines Vortrages, der zuerst auf dem Kongreß der CAUTG 1978 in London/Ontario (Kanada) gehalten wurde; für den vorliegenden Druck wurden die Anmerkungen um neuere Literaturhinweise ergänzt. Auch in dieser Fassung ist sie den kanadischen Kollegen Hans Eichner, Michael Hadley und dem Freunde Anthony W. Riley gewidmet. – Sie versteht sich als ein Plädoyer für eine autorbezogene Sozialgeschichte der Literatur, welche die Verbindung zur Geistesgeschichte nicht verlieren sollte. Einzelne hier ausformulierte Hinweise wurden bereits in meiner *Eichendorff-Chronik* (München 1977) gegeben, auf die für das in den Anmerkungen reduzierte Belegmaterial verwiesen sei. Hans Pörnbacher hat das Verdienst, erstmals zusammenfassend die Beamtentätigkeit Joseph von Eichendorffs dargestellt zu haben (Joseph Freiherr von Eichendorff als Beamter, dargestellt auf Grund bisher unbekannter Akten. Dortmund 1964), doch ist die zugehörige Aktenpublikation bisher nicht erschienen. Sie müßte nun auch den in Bamberg neu gefundenen Privatnachlaß des Ministers Karl von Stein zum Altenstein mit berücksichtigen. Innerhalb der biographischen Eichendorff-Forschung hat, soweit ich sehe, bisher nur Paul Stöcklein, in seiner lesenswerten und unveralteten Studie, von Pörnbachers Funden Gebrauch gemacht; Paul Stöcklein, Joseph von Eichendorff in Selbstzeugnissen und Bilddokumenten, Reinbeck 1963 (rowohlts monographien 84). – Mit den Thesen des hier vorliegenden Aufsatzes hat sich bisher lediglich Dietmar Kunisch (Joseph von

Eichendorff: Fragmentarische Autobiographie. Ein formtheoretischer Versuch. München 1985, S. 97–99) auseinandergesetzt. Er betont – durchaus bedenkenswert – stärker als ich den Einfluß der liberalistischen und hegelianischen Kritik auf die Entwicklung Eichendorffs zu einem »literarischen Sonderbündler« und hält meinen Begriff des »gebildeten Beamten« für überfrachtet. Er hat dabei übersehen, daß hier weniger der *Begriff* als die *Idee* eines gebildeten Beamtentums gefragt ist und daß meine Rekonstruktion einer solchen Idealvorstellung im Gegenteil noch lückenhaft ist. Nicht um die – kaum vorhandene – reale Basis eines solchen Beamtentums geht es, sondern um die Konfrontation dieser von Eichendorff immer wieder beschworenen und in das Alter geretteten Idee mit der mechanistischen Verwaltungsvorstellung der Berliner Ministerialbureaukratie.

1. Die ›gewöhnliche juristische Laufbahn‹

Am 5. Oktober 1801 reisten der dreizehnjährige Joseph Freiherr von Eichendorff und sein fünfzehnjähriger Bruder Wilhelm von ihrem Geburts- und Wohnort, Gut Lubowitz bei Ratibor in Oberschlesien, nach Breslau ins Internat, in dem sie dann drei Jahre und noch während des ersten Studiensemesters blieben. Es war dies ein beim preußischen Adel um die Wende vom 18. zum 19. Jahrhundert noch durchaus ungewöhnlicher Vorgang: die Söhne des vielfachen Gutsbesitzers Adolf Freiherrn von Eichendorff wurden der Obhut ihres Hofmeisters entzogen und in eine bürgerliche Erziehungsanstalt gebracht. Damit wurde die Grundlage für eine solide und selbst in den Ritterakademien des 18. Jahrhunderts nicht übliche Berufsausbildung der beiden Barone gelegt. Friedrich II. von Preußen hatte ja schon 1784 gegenüber seinem schlesischen Provinzialminister beklagt, »daß die jungen Edelleute wie die Schweine erzogen werden, und wenn sie dann an die Regimenter kommen, so wissen sie von Ehre, Ambition und anständiger Conduite nichts und gehen lauter lüderliche Streiche, weil sie nicht gelernt haben und nicht dazu erzogen wurden, wie sie sich anständig betragen müßten«[1].

Der Entschluß, die Söhne in Internatserziehung zu geben, ging, wie so viele Entscheidungen in der Familie Eichendorff, von der energischen Mutter der Brüder, Karoline von Eichendorff, aus. Der Familiengeschichte ist zu entnehmen, weshalb sie diesen ungewöhnlichen und recht einsamen Entschluß fassen mußte. Selbst die tapfere und rasch entschie-

1 Zu den wirtschaftsgeschichtlichen Daten vgl. Dietmar STUTZER, Die Güter der Herren von Eichendorff in Oberschlesien und Mähren. Würzburg 1974. Dort auch S. 35, Anm. 42 das aus Grünhagen übernommene Zitat Friedrichs des Großen.

dene Karoline von Eichendorff nämlich ist – nach Joseph von Eichendorffs Tagebuch – am 24. Juni 1801 »schreklich ohmächtig worden«[2], als sie von ihrem Gatten, der seit dem 19. Juni dieses Jahrs auf der Flucht vor seinen Gläubigern war, brieflich das ganze, ihr bisher verheimlichte Ausmaß seiner Verschuldung erfuhr. Adolf von Eichendorff war es gelungen, in kürzester Zeit ein großes Vermögen zu den geerbten und erheirateten Gütern hinzuzugewinnen und es in groß angelegten Spekulationen wieder zu verlieren. Die scheinbar so idyllische Jugend Joseph von Eichendorffs, vom Autor selbst in Roman, Erzählung und Lyrik verklärt, von manchem Heimatforscher dann ins Sentimentale transformiert, ist durchzogen von den verzweifelten und vergeblichen Versuchen des Vates, wenigstens den Lebensunterhalt der Familie aus dem Totalkonkurs seiner Güter zu retten. Jene Gedichte, auf die sich bis heute der Ruhm Joseph von Eichendorffs gründet, entstanden in den Jahren, in denen die Familie Eichendorff verarmte. Die Eltern des Dichters waren seit 1809 nahezu ohne Einkommen, vor der Zwangsvollstreckung ihrer Schulden rettete sie lediglich das 1807 erlassene und 1814 auslaufende preußische Generalmoratorium[3].

Am 22. Juni 1801 schrieb Adolf von Eichendorff an sein »liebstes Carolinel« in dem Brief, der vermutlich die schreckliche Ohnmacht auslöste:

> Ohngeachtet der Anschein wider mich ist, so bin ich doch ganz außer Schuld, denn es waren so verwickelte Umstände, daß ich nicht anders handeln konnte. Gott ist mein Zeuge. Ich habe Euch alle zu reichen Leuten machen wollen, derweilen hat uns Gott gestraft [...] Ich habe niemandem was getan, nur bezahlen kann ich nicht. Gott, meine Kinderle, wenn ich daran gedenke, so blutet mir das Herze[4].

Gut und Schloß Lubowitz, wo man noch in Eichendorffs Jugend gelebt haben soll »wie im ewigen Leben«[5], kamen 1823 unter den Hammer und damit in fremden Besitz.

Dies ist, in kurzen Zügen, die sozialhistorische Grundlage dafür, daß es

2 Sämtliche Werke des Freiherrn Joseph von Eichendorff. Historisch-kritische Ausgabe (HKA). Bd. XI. Tagebücher, S. 11.

3 Vgl. dazu STUTZER (s. Anm. 1), S. 20f. und 31ff.

4 Karl Freiherr VON EICHENDORFF, Der Zusammenbruch des Eichendorff'schen Grundbesitzes in Schlesien. Ein Brief und seine Folgen. In: Aurora 1934, S. 22.

5 Lubowitzer Tagebuchblätter Joseph von Eichendorffs. Mit Erläuterungen hg. v. Alfons NOWACK. Groß-Strehlitz 1907, S. 81.

im Leben Joseph von Eichendorffs überhaupt zu einer Konfrontation von Beamtendasein und Schriftsteller-Existenz kommen konnte, daß in Eichendorffs Werk die Formel vom »Beamten und Dichter«[6] erscheint, daß der Autor nicht, wie viele seiner adeligen Freunde, wie etwa Otto Heinrich Graf von Loeben oder der Baron Friedrich de la Motte Fouqué, als Gutsbesitzer und Offizier, die Poesie als das illusionierende Element eines von materiellen Sorgen freien Lebens betrachten und betreiben konnte.

Ein Studium, wenn es nicht als eine interessante Nebensache, als bloßes Bildungsstudium betrieben wurde, bedeutete für die Zeit und den Stand Eichendorffs in erster Linie Berufsausbildung, näherhin die Ausbildung zum Staatsbeamten. Von den insgesamt 227 Studenten der Universität Königsberg im Jahre 1820 bildeten sich mehr als die Hälfte, nämlich 117, zu Richtern und Verwaltungsbeamten aus, noch im Jahre 1830 waren es 157 von 454 Studenten[7].

Nur auf diesem Hintergrund ist auch das Eichendorffs Leben und Werk entscheidend beeinflussende, sensationelle Auftreten der Romantiker an der Universität Heidelberg (1806/08) zu verstehen. Sie provozierten die von den Juristen beherrschte Arbeitsuniversität, an der das Studieren getrieben wurde, »als ob es das ganze Jahr Karwoch sei«[8], mit dithyrambischer Zwecklosigkeit. »Eine kauderwelsche Einrichtung ist an dieser Universität«, so berichtete Joseph Görres am 25. November 1806, »die dicken Herren mit den breiten Schultern und den Brotkörben drüber, lassen sich gemächlich auf ihren Polstern nieder und belegen den ganzen Tag mit ihren Collegen. Die anderen, Philosophen, Philologen und dergleichen, müssen sich dann an den Rändern andrücken.«[9] Die

6 HKA XII, S. 39. Brief Eichendorffs vom 5. Mai 1832 an Johann Karl Heinrich Philipsborn: »Kehre ich jetzt nach Königsberg zurück, so bin ich, das fühle ich sehr deutlich, als Beamter und Dichter unausbleiblich für immer begraben.«

7 Hans-Jürgen BELKE, Die preußische Regierung zu Königsberg 1808–1850. Köln und Berlin 1976, S. 208.

8 Joseph VON GÖRRES, Gesammelte Briefe. Hg. von Marie GÖRRES. Erster Band. Familienbriefe. München 1858, S. 477.

9 Ebd. S. 479. Zum Folgenden vgl. ebd. S. 491 und Clemens Brentanos Schilderung des »Brotneides« unter den Lehrern in Heidelberg und des »unwissenschaftlichen gemeinen Geistes unter den Studenten«: Das unsterbliche Leben. Unbekannte Briefe von Clemens Brentano. Hg. v. Wilhelm SCHELLBERG † und Friedrich FUCHS. Jena 1939, S. 380 ff. (Brief vom 19. Juni 1808).

»dicken Juristen«, denen die Wut des jungen Privatdozenten galt, konnten mit ihren Vorlesungen pro Semester zwischen 3000 und 4000 Gulden verdienen, die Theologen nur zwischen 500 und 900 Gulden; Verdienstchancen hatten Philosophen und Theologen nur, wenn es ihnen gelang, mit einem Sensation und Interesse weckenden Kolleg in den Arbeitsalltag der paukenden Studenten einzubrechen. So führte sich Joseph Görres in Heidelberg mit einer *Ankündigung philosophischer und physiologischer Vorlesungen im Winterhalbenjahre 1806–7* ein, von der selbst sein Bruder in der Tollheit, Clemens Brentano, noch 1826 meinte, sie sei ihm eben »passiert«[10]. Joseph von Eichendorff und sein Bruder Wilhelm gehörten zu den wenigen Heidelberger Jurastudenten, die sich von den dezidiert polemischen Ankündigungen Görres'[11] auf Dauer beeinflussen ließen. Ihr Heidelberger Arbeitstag war genau eingeteilt; um Görres' »göttliches Collegium« hören zu können, stand Joseph von Eichendorff täglich um 5 Uhr morgens auf und paukte abwechselnd an einem Tag Jurisprudenz, am anderen Fremdsprachen.

In der Hoffnung auf ein Staatsamt studierten die Brüder Eichendorff, in

10 Vgl. den Text der *Ankündigung*, die von der Vossischen Partei sogleich heftig angegriffen wurde, in: Joseph GÖRRES, Ausgewählte Werke in zwei Bänden. Hg. v. Wolfgang FRÜHWALD, Bd. I. Freiburg, Basel, Wien 1978, S. 138 ff. und die zugehörigen Erläuterungen. Den Zusammenhang dieser Kriegserklärung an die in Heidelberg herrschende rationalistische Wissenschaftsauffassung mit Brentanos und Görres' Satire von *BOGS dem Uhrmacher* hat Elisabeth Stopp in ihrem aufschlußreichen Beitrag zum Frankfurter Brentano-Kolloquium verdeutlicht (Elisabeth STOPP, Die Kunstform der Tollheit. Zu Clemens Brentanos und Joseph Görres' *BOGS der Uhrmacher*. In: Clemens Brentano. Beiträge des Kolloquiums im Freien Deutschen Hochstift 1978. Hg. v. Detlev LÜDERS. Tübingen 1980, S. 359–376). – Zum Zitat vgl. Brentanos Brief vom 9. Februar 1826 an Joseph Görres: »Ich, der ich wohl weiß, daß ein großer steter Verkehr mit den Wellen der Welt dazu gehört, um stets als glatter gefälliger Kiesel aus dem Flußbett geholt zu werden, dachte an Deine kuriose, innere und teilweis äußere Einsamkeit und fürchtete, es möchte Dir so eine Heidelberger Colleg-Anzeige passiert sein [...]« (Joseph VON GÖRRES, Gesammelte Briefe. Dritter Band. Freundesbriefe. (Von 1822–1845.) Hg. v. Franz BINDER. München 1874, S. 222).

11 Vgl. GÖRRES, Briefe, Bd. I (s. Anm. 8), S. 491. Die Brüder Eichendorff haben lange Zeit »aus Liebe« zu Görres »wie die Narren alles« in seinem Stile geschrieben. Vgl. GÖRRES, Briefe, Bd. II, S. 80 f. Wie weit es »Gedankenleerheit und ein aufmerksames Zuhören von Görres' Vorlesungen beim Menschen bringen« kann, dafür gibt das Tagebuch von Gerhard Friedrich Abraham Strauß ein einprägsames Beispiel. Vgl. Eichendorff-Kalender 1924, S. 48.

einer politisch und geistig aufgeregten Zeit, an den Universitäten Halle, Heidelberg und Wien. In Wien legten sie ihre Schlußexamina mit ausgezeichnetem Erfolg ab. Wenige Tage nach Abschluß dieser Examina verließ Joseph von Eichendorff, in einem – wie er später schrieb – »Anfall von Patriotismus«[12], die österreichische Hauptstadt, um sich mit seinem Freunde Philipp Veit als freiwilliger Jäger im Lützowschen Korps anwerben zu lassen. Mit hitzigem Temperament[13] gab Eichendorff damit seinem Lebensweg eine entscheidende Richtung.

Sein Bruder Wilhelm, der sich nicht für den patriotischen Aufbruch gegen Napoleon begeistern konnte, blieb nämlich in Wien zurück; er gelangte dadurch, auf Vermittlung Adam Müllers, in den österreichischen Staatsdienst und dort in eine einflußreiche Beamtenstellung, wie sie Joseph zeitlebens vergeblich angestrebt hatte. Anders als sein Bruder, der gerade im preußischen Staatsdienst noch poetisch produktiv geblieben oder sogar wieder geworden ist, fühlte sich Wilhelm von Eichendorff, als er im November 1813 zur Tiroler Landeskommission nach Trient geholt wurde, von der Poesie getrennt. Seit drei Viertel Jahren, so schrieb er an Joseph Mitte Juli 1814, habe sich die Poesie in Versen von ihm verabschiedet, doch fährt er fort: »Ich glaube nicht, daß wir Feinde sind und hoffe daher, wieder mit ihr zusammenzutreffen [...]«[14]. Was zunächst in der Turbulenz der ersten Berufsjahre begründet war und Wilhelm von Eichendorff schon 1814 zu der noch näher zu erläuternden, von Görres und Brentano übernommenen, Trennung von poetischem Leben und poetischer Produktion veranlaßte, erhielt bald auch einen politischen Akzent. Im Gegensatz zu Preußen, wo die Ideen der Reformzeit zumindest in einzelnen Provinzialverwaltungen zeitweilig noch ein Refugium hatten, wurden im Österreich der Restaurationszeit, vor allem in den von Nationalitätenkämpfen erschütterten Südtiroler und oberitalienischen Provinzen, schon früh Toleranz und Großzügigkeit bei der Amtsführung des Liberalismus verdächtigt. Die Dichtung ist in der Auffassung des frühen 19. Jahrhunderts ein so sensibler Indikator der Gesinnung, daß

12 Eichendorff an Philipp Veit (vermutlich 1815); HKA XII, S. 14f.

13 Vgl. dazu Paul STÖCKLEINS (s. Fußnote *) Kapitel über *Taten und Leiden eines heftigen Temperaments* und seine Hinweise auf die Wandlungen eines »halbverwilderten Gemüts«.

14 Wilhelm von Eichendorff in seinem großen Bekenntnisbrief vom Juli 1814 an den Bruder; HKA XIII, S. 53.

Wilhelm von Eichendorff, seit 1815 Gubernialkonzipist in Innsbruck, bald zwischen seiner beruflichen Karriere und seinem Dichtertum zu wählen hatte. Weil er aber seine Gesinnung nicht mehr öffentlich durch Poesie, sondern lediglich noch durch Amtshandlungen kundtat, konnte er, der keineswegs im Parteisinne liberal, aber freizügig und großmütig gesinnt war, trotz heftiger Angriffe der ihn überwachenden Polizeiagenten bis zum Kreishauptmann von Trient aufsteigen. 1841 freilich wurde von der Wiener Hofkanzlei bereits sein »Mangel an Energie« gerügt; im Revolutionsjahr 1848 aber wurde er seines Amtes enthoben und nach Innsbruck strafversetzt. So ist es nicht verwunderlich, daß Julie von Eichendorff, Wilhelms Frau, 1849 im Nachlaß ihres Gatten nur noch »mehrere unvollendete Dichtungen, teils heiteren teils schwermütigen Inhalts« fand und ein an sie gerichtetes Gedicht »aus dem Jahre 1848, da er schon seinen Tod ahnte«[15]. Wilhelm von Eichendorff nahm 1819 mit einem wenig bekannten Gedicht an den Bruder Abschied von der Poesie.

Wenig ist zurückgeblieben
Von des Sängers alten Trieben,
von dem heimatlichen Port.

Nur noch ein'ge Liebeswunden
Aus den lauen Sommerstunden
bluten sanft und heimlich fort.[16]

Es scheint, als ob die Sehnsucht nach einem poetischen Leben, von dessen Möglichkeit die Brüder Eichendorff in Görres' Heidelberger Vorlesungen gehört hatten[17], der Gegensatz zwischen »die Poesie tun« und

15 Vgl. Christine SCHODROK, Wilhelm von Eichendorff, des Dichters Bruder. In: Aurora 1966, S. 17 u. ö. Dietmar Stutzers im Manuskript abgeschlossene Monographie über Wilhelm von Eichendorff hat offenkundig noch keinen Verleger gefunden.

16 Hermann Freiherr VON EICHENDORFF, Joseph Freiherr von Eichendorff. Sein Leben und seine Schriften. 3. Aufl. Neubearbeitet v. Karl Freiherrn VON EICHENDORFF u. Wilhelm KOSCH. Leipzig 1923. S. 100f. Die allzu unbekannten Gedichte und Briefe Wilhelm von Eichendorffs verdienten einen Neudruck.

17 Vgl. dazu die Mitteilung von J. Georg Müller an seinen Bruder Johannes von Müller (im Juli 1807): »Die akademische Zeit dürfte für das Genie wichtiger sein, wenn es nicht von philosophischen Laffen verdorben wird. Ein solcher, exempli gratia, nämlich Görres in Heidelberg, begann neulich ein Collegium über das Weltgebäude also: Meine Herren, es gibt nur zwei Klassen von

»die Poesie schreiben«, die prägende Leitlinie in der Existenz Joseph von Eichendorffs gewesen ist. Er ist, trotz dem späten Geburtsjahr, vor allem auch deshalb Romantiker gewesen, weil sich der gesamte Umriß seines Werkes bis zum Jahre 1815 herausgebildet hatte und der Grundbestand seiner Lyrik bis zu diesem Zeitpunkt entstanden war. Sieht man von thematischen Wandlungen einmal ab, so hat eine Entwicklung von Eichendorffs poetischer Vorstellungwelt, seiner Bildsprache und seines Stiles nur noch in geringem Ausmaß stattgefunden. In richtiger Erkenntnis der Verwurzelung seines Werkes in der Jugend hat Eichendorff die erste Sammelausgabe seiner Lyrik seinem »Bruder Wilhelm Freiherrn von Eichendorff zur Erinnerung an gute und schlimme Tage« gewidmet. Entfaltet allerdings hat sich dieses Werk dann im Alltag des Beamtendaseins in Danzig, Königsberg und Berlin.

Unter einem poetischen Leben, dem die in Eichendorffs Werk verbreitete Differenzierung zwischen den Poeten und den poetischen Menschen entspricht, verstand Eichendorff nicht etwa die Verarbeitung des Lebens zu Poesie, sondern einen ideellen Daseinsentwurf, an dem sich die Existenz orientierte. Damit aber ist das poetische Werk nur *eine* Nachricht vom Leben im Reich der Ideen, welche die empirische Realität durchdringt. In einzelnen Momenten der persönlichen und der allgemeinen Geschichte fallen inneres und äußeres Leben zusammen, so daß das Handeln, die aktive Teilnahme am poetischen Leben, den Entwurf des Planes, die Poesie also, erübrigt. Die Dichtkunst erschien demnach Eichendorff »läppisch [...] in Zeiten, wo der Herr wieder einmal unmittelbar die Sprach der Poesie zu den Völkern redet«[18]. Als eine solche Phase erschien ihm im Rückblick seine Begegnung mit der romantischen Bewegung, mit Steffens, Görres, Brentano, Arnim, Friedrich Schlegel

Menschen, 1) die mit poetischem Geist gesalbet sind, 2) die Philister, und so ging er zu seiner Metaphysik des Weltgebäudes über.« (Der Briefwechsel der Brüder J. Georg Müller und Joh. v. Müller. Hg. v. E. HAUG. Frauenfeld 1843, S. 419). In dieser Vorlesung »über den Himmelsbau« haben die Brüder Eichendorff hospitiert.

18 Eichendorff an Görres am 30. August 1828 (HKA XII, S. 30). Aus dieser Grundüberzeugung heraus lehnte Eichendorff politische Dichtung ab. Es sei das Albernste, »was diesem undiplomatischen Götterkinde begegnen kann«, daß es mit den Philistern »ganz und gar politisch« werde, »wo nicht die Politik selbst Poesie wird, wie in den [...] Jahren 1807–1809 und 1813«. (HKA XII, S. 45f.; Brief an Theodor von Schön vom 10. Januar 1834).

u.a.; als eine solche Phase erschien ihm auch die Aufbruchstimmung der Freiheitskriege, die Bewegung, welche der Regierungsantritt Ludwigs I. in Bayern hervorrief, und selbst noch der Beginn der Revolution von 1848. Dieser Enthusiasmus eines poetischen Lebens machte den Alltag des Beamtendaseins schwer erträglich; der Wechsel zwischen Plan und Versuch der Ausführung markierte tiefe Einschnitte im Leben des Dichters. Was ihn von der Generation der etwa ein Jahrzehnt älteren Romantiker scheidet, ist nicht nur die Individualisierung von deren Vorstellung einer Poetisierung des Lebens, sondern auch das Bewußtsein, daß romantische Literatur nur noch ein Inseldasein in einer sich rasch wandelnden Welt führen konnte. Jenes bekannte »zu spät«, das in zahlreichen Gedichten Eichendorffs und vor allem im Unstern-Entwurf auftritt, ist nicht aus der Realität gewonnen, sondern schon Ingredienz des ideellen Daseinsentwurfes, damit Motiv des Werkes. Eichendorff hat im Alter Kindheit und Jugend (bis zum Ende der Freiheitskriege) als eine ununterbrochene Folge begeisterter und begeisternder Momente gesehen. In dieser Poetologie wurzelt der sehnsüchtig verklärte Motivkomplex Heimat, Lubowitz, Erinnerung, Bruderliebe – auch in seiner theologischen Dimension.

Zwischen den Feldzügen 1814/15 tat der Autor einen zweiten existenzentscheidenden Schritt. Er heiratete gegen den Willen der Mutter nicht die von dieser ausgesuchte reiche Braut, sondern eine arme Gutsbesitzerstochter. Die letzte Chance zur Sanierung des Eichendorffschen Familienbesitzes war damit vergeben. Es scheint sogar, als hätte der Sohn die Eltern mit dieser von ihnen nicht gewünschten Ehe vor vollendete Tatsachen gestellt. Am 7. April 1815 heiratete er in Breslau Luise von Larisch; seine Eltern nahmen an der Trauung nicht teil. Am 30. August des gleichen Jahres schon kam Hermann von Eichendorff in Berlin zur Welt. Die prüden Erben des Dichters haben bis weit in unser Jahrhundert hinein dieses wenig wichtige, aber doch charakteristische Faktum durch die Fälschung des Geburtsdatums von Eichendorffs ältestem Sohn verheimlicht.

Mit dieser Ehe waren die künftigen, wirtschaftlichen Verhältnisse Eichendorffs entschieden; damit hatte er eine Familie und kein Geld. Mit großer Energie ging er nun an den Aufbau einer beruflichen Existenz, hatte er doch schon 1814 dem Freunde Loeben mitgeteilt, er könne sein poetisches Talent nicht als so entschieden und sich und der Welt genügend betrachten, um sich zu einer Ausschließung »von aller anderen tüchtigen

Arbeit zu berechtigen«[19]. Die wenigen Versuche, mit der Poesie Geld zu verdienen, waren kläglich gescheitert, noch hatte die Flut der Restaurationspublizistik nicht eingesetzt.

So wurde Eichendorff auf dem Wege der normalen juristischen Laufbahn Referendar, Assessor und schließlich am 31. Januar 1821 Konsistorial- und Schulrat bei der westpreußischen Provinzialregierung in Danzig. Zehn Jahre blieb er faktisch Assistent des Oberpräsidenten Heinrich Theodor von Schön, ehe er 1831, ohne Versetzungsbescheid, ohne dort auch nur willkommen zu sein, mit Urlaub von Königsberg nach Berlin reiste und dort 13 Jahre lang, stets aushilfsweise, in den verschiedensten Ministerialbehörden beschäftigt wurde. Alle seine Versuche, eine feste Anstellung in Berlin zu erhalten, schlugen fehl. Ständig in der Gefahr, wieder nach Ostpreußen abgeschoben zu werden, bewarb er sich um die verschiedensten Ämter, um eine Anstellung beim Generalpostmeister, beim Außenministerium, beim Kultusministerium, um die Intendanz der königlichen Museen; erst 1841 wurde er für das zu reorganisierende Oberzensurkollegium in Aussicht genommen.

Die Eichendorff-Forschung hat kaum Kenntnis davon genommen, daß nicht nur in diesen dreizehn Vertretungsjahren (1831–1844), sondern schon bei der Übersiedelung Eichendorffs nach Berlin und schließlich bei seiner widerwilligen Bewerbung um eine Stelle beim Oberzensurkollegium ein Problem liegt, das tief nicht nur in die Bedingungen seines poetischen Werkes, sondern auch in dessen Thematik eingegriffen hat[20].

19 Briefe Eichendorffs an Otto Heinrich von Loeben. Mitgeteilt von Karl Freiherrn von Eichendorff. In: Aurora 1929, S. 68. (Brief vom 10. August 1814).

20 Es ist m. E. deutlich, daß die landläufige Trennung von poetischer und beruflicher Tätigkeit für das Werk Eichendorffs nicht aufrecht erhalten werden kann; daß Poesie für ihn keineswegs Fluchtraum aus einem unbefriedigenden Beamtenalltag gewesen ist, daß er vielmehr in Danzig und Königsberg die Symbiose von Beamten- und Dichtertum erlernt hat, die er nach 1831 vergeblich im kulturellen Zentrum Berlin anzuwenden versuchte. Die Berliner Amtsjahre bedeuten in diesem Zusammenhang nichts anderes als die kontinuierliche Demontage eines Idealbildes des preußischen Beamten, wie es von den Reformern allen Widerständen zum Trotz noch lange festgehalten wurde. Daß Eichendorff versuchen mußte, dieses Idealbild in Berlin zu realisieren, versteht sich von selbst, weil man in den zentralen Provinzen des Königreiches Preußen die Provinz Preußen für »ein Stück Halbasien« hielt. »Infolgedessen wurde eine, meist nicht freiwillige Versetzung nach Königsberg oder gar nach Gumbinnen ›ungefähr mit dem Gefühl‹ aufgenommen, ›mit welchem man eine

Eichendorff wurde zwar 1841 zum Geheimen Regierungsrat ernannt, gleichzeitig aber bei der Besetzung der neu errichteten katholischen Abteilung im preußischen Kultusministerium übergangen; sein bisheriges Gehalt von 2295 Talern wurde kassiert, das neue, nunmehr allerdings gesicherte, Gehalt auf 2000 Taler festgesetzt. Für den Dichter mußte daher die versprochene Anstellung beim Oberzensurkollegium wie eine versteckte Degradierung wirken. Die frühen Eichendorff-Biographien haben weiter in dem Bestreben, den Dichter auch als Beamten in günstigstem Lichte erscheinen zu lassen, übersehen, daß Eichendorff als Hilfsarbeiter in den verschiedenen Berliner Ministerialbehörden keine Entscheidungsbefugnisse hatte. Erst die Anordnung Eichhorns vom 2. Oktober 1841 bestimmte, »daß er künftighin an den Geschäften und Sitzungen der Abteilung für die katholischen Kirchenangelegenheiten teilzunehmen habe«[21] und damit wohl auch abstimmungsberechtigt war.

2. *Der ›gebildete Beamte‹*

Als Eichendorff 1821 nach Westpreußen und dann nach Königsberg versetzt wurde, kam er in den Einflußbereich des Oberpräsidenten Heinrich Theodor von Schön (1773–1856), der eine der umstrittensten, aber auch interessantesten Erscheinungen auf der Bühne preußischer Politik in der ersten Hälfte des 19. Jahrhunderts gewesen ist. Die pesönliche Bekanntschaft mit Immanuel Kant war für Schöns Leben entscheidend; die Kantische Philosophie und die Sauerkrautsuppe, so äußerte er sich im Alter, hätten ihm das Leben erhalten. In Schön, dem Mitarbeiter des Freiherrn vom Stein, setzte sich der Geist der preußischen Justizaufklärung über die Zeit der preußischen Reformen hinaus fort; am Bild des patriarchalischen Herrschers hielt er unverrückbar fest, doch hatte der Untertan, der sich dem Willen des Königs beugte, ein Recht auf die private Glückseligkeit. »Dieser Oberpräsident war ›ein Satrap, der nach oben mit Ungnade und nach unten mit Freiheit spielte‹, wie man treffend gesagt hat. Er wurde der Abgott des preußischen Liberalismus, aber Staatskanzler ist er doch nicht geworden. Er hat die konstitutionelle Periode Preußens nicht einleiten dürfen, und er hat im enttäuschten

gezwungene Versetzung von St. Petersburg nach Sibirien‹ aufnehmen mochte« (BELKE, s. Anm. 7, S. 47).

21 PÖRNBACHER (s. Fußnote *), S. 52.

Ehrgeiz sich gerächt durch die Herausgabe seiner Denkwürdigkeiten [...]«[22]. Bei Theodor von Schön lernte Eichendorff, was es heißt, ein gebildeter Beamter zu sein. Für Schön nämlich gehörten die poetischen Ambitionen seines Mitarbeiters nicht zu den schönen Nebensachen, er sah in ihnen nicht eine liebenswürdige Freizeitbeschäftigung, sie waren ihm Ausweis für die Befähigung Eichendorffs, ein hoher preußischer Beamter zu sein.

Es ist kein Zufall, daß der seit dem Druck der Erzählung *Das Marmorbild* (1818) in der literarischen Öffentlichkeit kaum noch hervorgetretene Joseph von Eichendorff nun im Jahre 1823 mit Drama, Lyrik und Erzählung wieder auf sich aufmerksam machte und damit eine neue, entfaltete Stufe seines Werkes präsentierte. Die dramatische Satire *Krieg den Philistern* erschien als Vorabdruck in den *Deutschen Blättern* und im gleichen Jahr als Buch, im September und Oktober 1823 erschien in den *Deutschen Blättern* das erste Kapitel der Erzählung *Aus dem Leben eines Taugenichts;* zugleich wurde Eichendorff zum Hausdichter der Danziger Liedertafel, wobei mit den Vertonungen seiner Gelegenheitsgedichte jener primäre Rezeptionsstrang beginnt, der den Dichter bis zum heutigen Tag zum meist vertonten deutschen Autor gemacht hat[23]. Eines der Lieder,

22 Franz SCHNABEL, Deutsche Geschichte im neunzehnten Jahrhundert. Die vormärzliche Zeit (Herder-Bücherei, Bd. 206) Freiburg, Basel, Wien 1964, S. 95. Vgl. zu Schön auch: Marion Wilson GRAY, Theodor von Schön and Prussian Reforms 1806–1808. Wisconsin 1971. Die der älteren Forschung (insbesondere Hans ROTHFELS, 1937) verpflichtete Darstellung Schöns von Gerhard KRÜGER (... gründeten auch unsere Freiheit. Spätaufklärung, Freimaurerei, preußisch-deutsche Reform, der Kampf Theodor v. Schöns gegen die Reaktion. Hamburg 1978) leidet neben der Überbetonung der freimaurerischen Perspektive daran, daß sie die neueren Arbeiten von Hartmut BOOCKMANN (s. Anm. 30 und 32) nicht kennt, daher ein überholtes Bild Theodor von Schöns vermittelt. Auch das Verhältnis Schöns zu Eichendorff wird in dieser Darstellung zu stark harmonisiert, wie Krüger die Behauptung der älteren Eichendorff-Literatur wiederholt, Eichendorff habe wegen des »ihm schließlich unerträglich werdenden Verhältnisses zu Minister v. Eichhorn ... um seine Entlassung aus dem Staatsdienst« gebeten (S. 200).

23 Für die beiden letzten Drittel des 19. Jahrhunderts sind weit über 5000 Eichendorff-Vertonungen belegt. Vgl. Eckart BUSSE, Die Eichendorff-Rezeption im Kunstlied. Würzburg 1975. Es ist also nicht verwunderlich, daß Gerhart Hauptmann die Degeneration des Bürgertums satirisch an Eichendorff-Liedern beleuchtete. In seiner »Berliner Tragikomödie« *Die Ratten* (1911) singt ein als Gesangsverein getarnter Ganovenchor neben »Deutschland, Deutschland über

das Eichendorff 1823 für die Danziger Liedertafel geschrieben und 1825 erstmals veröffentlicht hat: *Trinklied* (»Viel essen macht viel breiter«), ist von Theodor von Schön und dem Regierungspräsidenten von Marienwerder, Eduard von Flottwell, dem späteren Oberpräsidenten der Provinz Posen, propagiert und verbreitet worden, weil sich beide in diesem Lied porträtiert fanden. »Flottwell«, schrieb Theodor von Schön 1854 an Magnus von Brünneck, »[...] kann mit Leichtigkeit sich Ideen aneignen, er ist aber nicht ideenreich, wie schon Eichendorff in seinem Gedicht: In die Höh', ihn... und mich darstellt [...]«[24].

Man könnte, diese Detailbefunde generalisierend, überspitzt, aber einprägsam sagen, daß innerhalb der höheren preußischen Beamtenschaft in der ersten Hälfte des 19. Jahrhunderts Karriere durch Poesie zu machen war und Eichendorff sich dieser Strömung eingefügt hat. Die uns noch immer geläufige Unterscheidung zwischen ›reiner‹ Lyrik und Gelegenheitsdichtung ist den Zeitgenossen der Romantik und gar der Biedermeierzeit fremd gewesen; Eichendorff selbst hat keinen Qualitätsunterschied etwa zwischen den in der Abteilung *Wanderlieder* und *Sängerleben* oder den in der Abteilung *Zeitlieder* seiner Gedichte stehenden Texte gesehen. Für den Autor ist das erfolgreiche Gedicht häufig auch ein gutes Gedicht.

Mit den Widmungsexemplaren seiner Werke verfolgte Eichendorff im Zusammenhang dieser nicht unbedeutenden Zeitströmung deutlich den doppelten Zweck der Karriere als Dichter und Beamter. Dies ist weder moralisch, noch politisch, noch ästhetisch anfechtbar, da die Poesie mit einer uns heute fremden Selbstverständlichkeit zum Alltag des gebildeten Beamten in Preußen gehörte. Friedrich August von Stägemann zum Beispiel, seit 1810 vertrauter Mitarbeiter des Staatskanzlers Hardenberg, seit 1817 Mitglied des preußichen Staatsrates und damit Theodor von Schöns bevorzugte Bezugsperson in der Berliner Zentrale, wurde seiner vaterländischen Gesänge wegen der preußische Tyrtaios genannt[25]. Der ›gesellschaftliche Gebrauchswert‹ seiner Lyrik wurde von den Zeitgenos-

alles« auch »Wer hat dich, du schöner Wald« und »In einem kühlen Grunde« (3. Akt).

24 HKA XIII, S. 289.

25 Zur poetischen Produktion Stägemanns vgl. Friedrich SENGLE, Biedermeierzeit. Deutsche Literatur im Spannungsfeld zwischen Restauration und Revolution 1815–1848. Bd. II: Die Formenwelt. Stuttgart 1972, S. 492, 520, 573. Das folgende Zitat ebd. S. 492. Vgl. auch Erich MAYR, Friedrich August von Stägemann. Diss. München 1913.

sen keineswegs gering eingeschätzt. In seinem Hause ist Clemens Brentano Luise Hensel erstmals begegnet, weil das literarische Gesellschaftsspiel die Künstler Berlins in diesen Salon lockte. Im Hause Stägemanns las Brentano sein patriotisches Festspiel *Victoria und ihre Geschwister*, das niemals auf einer öffentlichen Bühne aufgeführt wurde, jedoch als Deklamationstext über solche, halb öffentliche Lesungen verbreitet wurde; aus dem Liederspiel im Hause Stägemann entstanden die im Umkreis von Luise Hensels Lyrik bekannten Gärtnerlieder, aber auch die Lieder aus dem Zyklus *Die schöne Müllerin*[26]. Zur geselligen Spielatmosphäre der Zeit gehörten eben nicht nur die ›tableaux vivants‹ und die ›toilettes parlantes‹, sondern auch die lebenden Gedichte, die in der Kritik und den zahllosen Lese- und Kunstgesellschaften der Zeit diskutiert wurden. Die Berliner Mittwochsgesellschaft, der Eichendorff zunächst als korrespondierendes, dann als ordentliches Mitglied angehörte, spiegelt in ihrer Mitgliederliste auch das gebildete Beamtentum der Zeit[27].

Franz Kugler (1808–1858), vortragender Rat im preußischen Kultusministerium, ist ein anderer, hier beispielhaft zu nennender Name. Der Schwiegervater Paul Heyses, der Eichendorff zum Paten seiner Tochter bat, war als Maler, Zeichner, Dichter und Kunsthistoriker gleichermaßen einflußreich. Bekannt wurden seine Eichendorff-Porträts; sein Lied »An der Saale hellem Strande« fand Aufnahme in die Schulliederbücher, seine Novelle *Die Incantada* schien Paul Heyse und Hermann Kurz noch wert, im *Deutschen Novellenschatz* abgedruckt zu werden.

Eichendorff also gehörte einem Beamtenkreis an, in welchem aktive künstlerische Betätigung den Nachweis der Bildung und damit der Tauglichkeit für das Staatsamt erbrachte. In der Hierarchie der Vorzugsexemplare seiner Werke spiegelt sich deutlich das Bewußtsein ihrer karrierefördernden Wirkung. *Krieg den Philistern* ließ er noch sehr vorsichtig – durch den Freund Julius Eduard Hitzig – den Räten im Berliner

26 Vgl. Frank SPIECKER, Luise Hensel als Dichterin. Eine psychologische Studie ihres Werdens auf Grund des handschriftlichen Nachlasses. Freiburg i. Br. 1936, S. 57ff. und 149ff. Da der Großteil von Luise Hensels handschriftlichem Nachlaß im Zweiten Weltkrieg verbrannt ist, ist Spieckers Buch als Materialsammlung immer noch brauchbar.

27 Vgl. Liederbüchlein der Mittwochs-Gesellschaft. Erstes Heft. No. 1–15. (Veranlaßt durch Aussetzung eines Preises für das beste Gesellschaftslied nach einer allbekannten Melodie.) Mit einer Nachricht über die Gesellschaft und ihre Verfassung. Berlin 1827.

Kultusministerium, Georg Heinrich Nicolovius und Johann Heinrich Schmedding, überreichen, spätere Texte übersandte er dem Minister Karl von Stein zum Altenstein, aber schon mit dem Drama *Der letzte Held von Marienburg* (1830) griff er gleichsam nach den Sternen: das eine der Vorzugsexemplare sandte er an Goethe, das andere an den preußischen Kronprinzen Friedrich Wilhelm, von dem er wußte, daß er an der 1817 in Angriff genommenen Restaurierung des Deutschherrenschlosses Marienburg persönlich interessiert war. Im Mai 1830 versandte er diese Widmungsexemplare, im Juli hielt er sich kurz in Berlin auf, wohin er dann im Juni 1831 endgültig aufbrach; die Vorzugsexemplare seines Dramas, auf das er große Hoffnungen setzte, sollten ihm doch wohl den Weg nach Berlin ebnen.

Mit diesem von der Eichendorff-Forschung recht stiefmütterlich behandelten Text stoßen wir auf eine kultur- und ideengeschichtliche Strömung, für deren Entstehung und Entwicklung das gebildete Beamtentum fast eine Notwendigkeit zu nennen ist. Das historisch-romantische Drama *Der letzte Held von Marienburg* wurde auf Befehl des Oberpräsidenten Theodor von Schön in Hartungs Hofdruckerei in Königsberg gedruckt und ist vielleicht sogar auf seine Anregung hin entstanden. Es gehört in den Zusammenhang der Wiederherstellung der Marienburg, an der unter Schöns Leitung seit langem gearbeitet wurde. Die Restaurierung der alten Burg des Deutschen Ordens, die erst seit 1772 in preußischem Besitz war und zunächst als Magazin und Pferdestall verwendet wurde, ist sichtbarer Ausdruck der aus dem Geiste der Stein-Hardenbergschen Reformen entstehenden preußischen Nationalkultur, die vom Reformbeamtentum – der Name Wilhelm von Humboldt steht hier beispielhaft für viele andere Namen – getragen wurde. Der Freiherr vom Stein wollte es nicht länger hinnehmen, daß Preußen weiterhin »von besoldeten, buchgelehrten, interesselosen Bürolisten« regiert wurde; wie die Franzosen der friderizianischen Militärmaschinerie bei Jena und Auerstedt 1806 die entscheidende Niederlage bereitet hatten, so versuchte er der »Schreibmaschinerie« ihren 14. Oktober 1806 zuzufügen[28]. Ausschlaggebend waren dabei weniger die in der Folgezeit erlassenen Verordnungen zur Neuregelung des Beamtentums als vielmehr das in diesem Beamtentum erweckte

28 Vgl. u.a. Fritz WINTERS, Abriß der Geschichte des Beamtentums. Mannheim, Berlin, Leipzig ²1929, bes. S. 46ff.; Albert LOTZ, Geschichte des deutschen Beamtentums. Berlin 1909, S. 325ff.

Repräsentationsdenken, das in den vierziger Jahren dann zu einer heftigen Auseinandersetzung zwischen den Provinzialbehörden und dem Berliner Zentralismus führte.

Die Marienburg nun sollte im Osten des zerrissenen preußischen Staatsgebietes lebendiges Denkmal der preußischen Geschichte werden. Lebendiges Denkmal aber bedeutete Erneuerung und Aneignung der Geschichte, nicht aus dem Geiste der friderizianischen Armee, sondern aus dem Geiste der Poesie. Der hier gemeinte Poesiebegriff, vorbildlich von Gneisenau formuliert[29], umfaßte die Gesamtheit der Künste, da für Eichendorff »die bildenden Künste doch eigentlich nur ein anderer Dialekt der Poesie sind«[30]. Der Dichter also – und hier begegnen wir einem romantischen Kerngedanken – ist der wahre Geschichtsschreiber, da es nur ihm möglich ist, die geheime, heilige Geschichte des Individuums mit

29 Ein Neudruck dieser wichtigen Bemerkungen Gneisenaus (als Kontext zu Kleists Drama *Prinz Friedrich von Homburg*) findet sich jetzt bei Klaus KANZOG, Heinrich von Kleist. Prinz Friedrich von Homburg. Text. Kontexte. Kommentar. München 1977, S. 162. Vgl. ebd. auch das Kapitel *Der preußische Staat und die Poesie*, S. 157ff.

30 Brief vom 3. Oktober 1837 an den preußischen Kronprinzen. PÖRNBACHER (s. Fußnote *), S. 38. – Hartmut BOOCKMANN hat in einer bewundernswert reichhaltigen und aus den Quellen gearbeiteten Abhandlung (Das ehemalige Deutschordensschloß Marienburg 1772–1945. Die Geschichte eines politischen Denkmals. In: Geschichtswissenschaft und Vereinswesen im 19. Jahrhundert. Beiträge zur Geschichte historischer Forschung in Deutschland von Hartmut BOOKMANN, Arnold ESCH, Hermann HEIMPEL, Thomas NIPPERDEY, Heinrich SCHMIDT. Göttingen 1972 [Veröffentlichungen des Max-Planck-Instituts für Geschichte 1], S. 99–162) die Orientierung Theodor von Schöns an einer fast hegelianisch verstandenen »Idee« verdeutlicht (S. 118). Er hat gezeigt, wie Schön all das, was er »auf dem Wege von Politik und Verwaltung nicht erreichen konnte«, durch den Wiederaufbau der Marienburg zu fördern versuchte, so daß dieser Aufbau die Fortsetzung der »in Schöns Augen abgebrochenen Reform des preußischen Staates« sein sollte (S. 129). Eichendorff unterscheidet von Schön – in diesem Zusammenhang – »die deutsche Deutung« der Ordensritter und ihres Schlosses von einer nationalpreußischen Deutung (BOOCKMANN, S. 136). Daß sich im Deutschland des 19. Jahrhunderts weder Schöns, noch Eichendorffs Traum erfüllten und das, was »von Schöns Plan schließlich verwirklicht wird, ... Schein und Maskerade« ist (BOOKMANN, S. 120), ist ihnen nicht anzulasten. Alle Darstellungen des Verhältnisses Eichendorffs zu Schön leiden an der noch immer unzureichenden Erschließung von Schöns Nachlaß und am Fehlen einer zureichenden Biographie dieser zentralen Gestalt zwischen Aufklärung und Romantik (BOOKMANN, S. 118). Vgl. auch Hartmut BOOKMANN, Die Marienburg im 19. Jahrhundert. Berlin 1982.

der Geschichte des Staates zu verbinden. Die Geschichte der Menschen, als die des Einzelnen im Bezug zu seiner Gemeinschaft, ist die von den Romantikern bewußt gemachte und auf ihrem Einheitsgedanken basierende Vorstellung von Geschichte, nicht im Sinne von Tradition, sondern von Kontinuität. Lyrik ist demnach nicht der Ausdruck unumschränkter Subjektivität, sondern in diesem Verständnis – wie es im Vorwort zu Stägemanns *Historischen Erinnerungen in lyrischen Gedichten* (1828) heißt – »ein Beitrag zur Geschichte des Vaterlandes«[31].

Die Marienburg gehörte im Denken Schöns und Eichendorffs dem von Thomas Nipperdey benannten Typus des national-monarchischen oder national-dynastischen Denkmals an, des Denkmals »der durch den Bezug zum Monarchen konstituierten und geeinten Nation«[32]. Sie hat durchaus »sakralen Charakter«, sie »ist Tempel und Heiligtum, herausgehoben aus dem Getriebe der Stadt, der Weg zu dieser Stätte ist als Wallfahrtsweg konzipiert, und kultisch-religiöse Feiern« werden dort begangen. Als restauriertes Denkmal preußischer Geschichte mutet sie dem »Betrachter ein subjektives Empfinden und Erleben an, die Idee des Denkmals vollendet sich erst in der Einstellung des Betrachters«. Eine solche Denkmalsidee wollte Theodor von Schön zur Propagierung nicht den Architekten alleine überlassen; »sein« Historiker Johannes Voigt hatte schon 1824 mit der *Geschichte Marienburgs, der Stadt und des Haupthauses* vorgearbeitet, »sein« Dichter und Oberpräsidialrat Joseph von Eichendorff sollte diese Idee nochmals poetisch konzentriert bewußt machen. Der somit als ein poetischer Geschichtsschreiber zu charakterisierende, im Rahmen seiner Dienstgeschäfte kunst- und kulturschöpferische Beamte ist Gestaltsymbol einer – zumindest vorgestellten – Einheit von

31 Friedrich August VON STÄGEMANN, Historische Erinnerungen in lyrischen Gedichten. Berlin 1828, S.V.

32 Thomas NIPPERDEY, Nationalidee und Nationaldenkmal in Deutschland im 19. Jahrhundert. In: Historische Zeitschrift 206 (1968), S. 533; zu den folgenden Zitaten vgl. ebd. S. 537f. Zur Denkmalsbewegung des 19. Jahrhunderts vgl. auch WILHELM HANSEN, Nationaldenkmäler und Nationalfeste im 19. Jahrhundert. Lüneburg 1976 und die dort in den Anm. 7–10, 12, 17, 32 u.ö. angegebene Literatur. Besonders zu verweisen ist auf den älteren Aufsatz von Franz Schnabel (Die Denkmalskunst und der Geist des 19. Jahrhunderts. In: Die Neue Rundschau 50, 1939) und auf Hartmut BOOCKMANN, Denkmäler. Eine Utopie des 19. Jahrhunderts. In: Geschichte in Wissenschaft und Unterricht 28 (1977), S. 160–173.

Kultur- und Staatsnation, wobei die Vorstellung von der kulturellen Einheit des politisch zerrissenen deutschen Volkes, eine bis in die jüngste Zeit festgehaltene Fiktion deutscher Literatur, von Fichtes *Reden an die deutsche Nation* ebenso ausgeht, wie von Arnims und Brentanos kunstvoller Restaurierung »alter deutscher Lieder« in *Des Knaben Wunderhorn*.

Wie die Marienburg im Osten, so sollte der Kölner Dom im Westen des preußischen Staatsgebietes stolzes Denkmal deutschen Geistes, deutscher Kultur und Geschichte sein. Die preußische Nationalkultur und ihre partikularstaatliche Denkmalsidee mündeten in die schon von Joseph Görres, Eichendorffs bewundertem Lehrer, wohl zuerst in den Heidelberger Vorlesungen propagierten deutschen Denkmalsidee[33]. Friedrich Wilhelm IV. suchte im Kölner Dombaufest 1842[34] zu vollenden, was er als Kronprinz in der Marienburg begonnen hatte. Die »Denkmalskirche«[35] sollte Symbol deutscher, kultureller und staatlicher Einheit sein; für die Romantiker, für Görres etwa und Eichendorff, sollte sie Symbol

33 Daß Joseph Görres in seinem ersten Heidelberger Semester in der Vorlesung über *Ästhetik und Geschichte der Künste* auch *Des Knaben Wunderhorn* behandelt hat, ist durch eine Nachschrift dieses Kollegs sicher bezeugt (Joseph GÖRRES. Geistesgeschichtliche und literarische Schriften II [Kap. 1808–1817]. Hg. v. Leo JUST. Köln 1955. S. VII = GÖRRES, Gesammelte Schriften, Bd. IV), doch hören die Brüder Eichendorff bei Görres erst ab Sommersemester 1807. In dieser Zeit wurde die Auseinandersetzung um *Des Knaben Wunderhorn* härter, so daß anzunehmen ist, daß Görres auch in seinen weiteren Vorlesungen die aktuellen Bezüge hergestellt hat. Jedenfalls vergleicht er in seiner Rezension des *Wunderhorns* (in den *Heidelbergischen Jahrbüchern der Literatur* 1809/10) die von Arnim und Brentano angewandte Methode der Textrestaurierung mit einem möglichen Weiterbau des Kölner Doms (vgl. GÖRRES, Gesammelte Schriften, Bd. IV, S. 45).

34 Zur Fertigstellung des Kölner Doms vgl. u. a.: Der Kölner Dom. Bau- und Geistesgeschichte. Katalog der Ausstellung im Historischen Museum Köln 1956; Der Kölner Dom. Festschrift zur Siebenhundertjahrfeier 1248–1948. Köln 1948; Gertrud KLEVINGHAUS, Die Vollendung des Kölner Doms im Spiegel deutscher Publikationen der Zeit 1800 bis 1842. Diss. Saarbrücken 1971; Ludger KERSSEN, Das Interesse am Mittelalter im deutschen Nationaldenkmal. Berlin, New York 1975; Der Kölner Dom im Jahrhundert seiner Vollendung. 2. Essays zur Ausstellung der Historischen Museen in der Josef-Haubrich-Kunsthalle Köln. Hg. v. Hugo BORGER. Köln 1980; Religion – Kunst – Vaterland. Der Kölner Dom im 19. Jahrhundert. Hg. v. Otto DANN. Köln 1983 (mit literarhistorischen Beiträgen von Rolf Christian ZIMMERMANN und Walter HINCK).

35 NIPPERDEY, (s. Anm. 32), S. 546; vgl. auch ebd. S. 550.

des auf der gemeinsamen, christlichen Kultur basierenden Staates werden. Eichendorff war an der Vorbereitung zur Vollendung des Kölner Doms im Zeichen von Denkmalsidee und -bewegung poetisch und dienstlich beteiligt. Er gehörte zusammen mit Peter Cornelius und dem Bildhauer Christian Daniel Rauch dem Berliner Vorstand des Kölner Dombauvereins an; die von ihm verfaßte *Aufforderung zur Teilnahme* am Berliner Verein für den Kölner Dombau erschien in der *Allgemeinen Preußischen Staatszeitung* am 3. April 1842. In eine Zeit der erneuten Konfrontation zwischen Deutschland und Frankreich klang in dieser Aufforderung nicht nur der Gedanke einer aus der Anschauung und dem Erlebnis gemeinsamer Kultur und Geschichte erwachsenden deutschen Nation an – »das Kunstwerk«, so hieß es, könne »nur durch die Vereinigung des ganzen in freier Liebe zusammenwirkenden Deutschlands in seiner erhabenen Größe emporsteigen«[36] –, sondern auch die nationalistisch gefärbte Abwehr jener Bedrohung, die 1840 mit der Überführung der Leiche Napoleons von St. Helena nach Paris manifest geworden schien:

> Wohlan denn! es gilt den Ausbau eines Kunstwerkes auf deutschem Boden! So trete denn das deutsche Volk in allen seinen Stämmen und Gauen zusammen, so weit die deutsche Zunge reicht, und stifte seiner Eintracht und christlich brüderlichen Liebe ein neues Denkmal, welches mit den Gedenkzeichen der zusammenwirkenden Volksstämme geschmückt, Deutschlands ernsten Willen verkünde, daß dieser Tempel stets auf deutschem Boden und unter deutscher Obhut stehen soll.

Hier sind zahlreiche Elemente der Denkmalsbewegung zusammengefaßt; neben die Begriffe von Kultur- und Staatsnation tritt der der Sprachnation; die Idee der christlichen gegen die laizistische Kultur ist gegen den deutschen Liberalismus gerichtet, wie auch gegen die aus Frankreich einströmenden, demokratischen Ideen; die Einheit des südlichen und des nördlichen Deutschland wird im gemeinsamen Dienst der kunstliebenden Könige Bayerns und Preußens an der Sache des Dombaus beschworen. Daß der Dom, als im Jahre 1880 die aus französischen Beutekanonen gegossene Kaiserglocke seine Vollendung einläutete, nicht ein Denkmal deutscher Kultur, sondern eher eines des deutschen Chauvinismus geworden ist, daß er im äußeren Erscheinungsbild schon, durch die Zerstörung der ihn umringenden Häuser auf eine Bühne gestellt, wilhelminische Theatralik und Fassadenkultur verdeutlichte, war das

36 HKA X, S. 123. Das folgende Zitat ebd. S. 123f.

Ergebnis einer späteren Entwicklung, die mit der zielstrebigen Zerstörung des gebildeten Beamtentums begonnen hatte.

Zu der Zeit, als Theodor von Schön, Joseph von Eichendorff, Eduard von Steinle, Sulpice Boisserée, Peter Cornelius und viele andere die Idee einer preußischen Nationalkultur begeistert in Stein, Bild und Poesie umzusetzen versuchten, entwickelte sich eine Ideologie preußisch-deutscher Mitte gegen die Despotie des zaristischen Rußland und die ›égalité‹ des 1789 und 1830 erneut demokratisch infizierten Frankreich[37]. Kunst und Kultur wurden als die Basis eines patriarchalisch und organizistisch vorgestellten Staatsaufbaus propagiert. Es ging um die Möglichkeit eines dritten Weges zwischen dem tatsächlich regierenden Gespenst des Neoabsolutismus und dem drohenden Gespenst einer ›ewigen‹ Revolution. Der Kampf um diesen dritten Weg, also der Kampf innerhalb der Reformopposition, ging um das Prinzip der Mitbestimmung von Provinzialständen oder eine geschriebene Verfassung, wobei Eichendorff, wie Theodor von Schön und seine Freunde, auf der Seite der provinzialständischen Oppostion standen. In ihrem Kreise wurde schon früh die Idee eines spezifisch deutschen Künstlerkönigtums gepflegt, wobei Kunst und Poesie das Medium sein sollten, welches die Regierenden und das Volk in der Gemeinschaft der Staatsfamilie verbindet. Der von romantischen Künstlern gepflegte Kult der Königin Luise, der mit Johann Gottfried Schadows *Gruppe der Prinzessinnen* (1796/97) begann und sich über Novalis' *Glauben und Liebe oder Der König und die Königin* (1798), über Achim von Arnim, Kleist und Adam Müller bis zu Clemens Brentanos Plan eines Gedichtes auf Christian Daniel Rauchs Grabmal der verstorbenen Königin fortsetzte, gehört in diesen Zusammenhang. In der ehelichen Gemeinschaft mit einer poetisch idealisierten Königin, die Novalis in Goethes Natalie »zufällig« porträtiert fand, war Friedrich Wilhelm III. für die Dichter

Der Bürgertugend Bild
Auf unserm Throne [...][38].

37 Vgl. dazu u. a. Wolfgang FRÜHWALD, »Ruhe und Ordnung«. Literatursprache – Sprache der politischen Werbung. Texte, Materialien, Kommentar. München 1976, bes. S. 154f.

38 Zitat aus Clemens Brentanos *Kantate auf den Tod Ihrer Königlichen Majestät Louise von Preußen* (1810). Zum Luisenkult der Romantiker vgl. Wolfgang

Noch 1815 schwärmte Clemens Brentano über Rauchs Denkmal der Königin im Charlottenburger Mausoleum: »[...] es ist meiner Empfindung nach eine ungemeine Menschenfreundlichkeit und Volksliebe des guten Königs, daß er seinem Volke vergönnt, sich hier auch der verschwundenen holdseligen Frau zu erinnern, welche in mancher gemeinsamen Not wie ein Pfand des Himmels, daß es einst besser werden sollte, unter ihm einherging«[39].

Nun wird deutlich, weshalb der Besuch des bayerischen Königs Ludwig I. bei Goethe 1827, durch den ein regierender deutscher Fürst dem »Dichterfürsten« nicht Audienz gab, sondern sie bei ihm nahm, in der bürgerlichen Öffentlichkeit Deutschlands so große Begeisterung hervorgerufen hat. »Ich bin *stolz* drauf«, so gab Rahel Varnhagen der Zeitstimmung des gebildeten Bürgertums Ausdruck, »gegen England und Frankreich: daß sie sehen, was bei *uns* vorgeht! Bald wird man das von einem König *verlangen;* ohne daß es ein Artikel der Charte sei.«[40] In der Begeisterung der neuen Aufbruchstimmung, die sich aus dem restaurativ erstarrenden Preußen deutlich nach Bayern verlagert hatte, suchte auch Eichendorff in seinem bekannten Brief an Joseph Görres – vergeblich – Anschluß »an die tiefe Bewegung, den jungen König und das ganze großartige Walten in Bayern« zu gewinnen[41], ohne zu wissen, daß der Görreskreis und der bayerische König schon längst in Widerspruch geraten waren. Jetzt wird auch verständlich, weshalb auf die Zusendung von Eichendorffs Drama *Der letzte Held von Marienburg* zwar der preußische Kronprinz, nicht aber Goethe antwortete; man fand das Drama unter dem Spielzeug von Goethes Enkel, der Goldschnitt soll noch 1910 zusammengeklebt haben. Goethe roch an der Idee einer preußischen Nationalkultur nicht nur bereits den Schwefelatem der chau-

FRÜHWALD, Das Spätwerk Clemens Brentanos (1815–1842). Romantik im Zeitalter der Metternich'schen Restauration. Tübingen 1977, S. 74ff.; Wulf WÜLFING, Die heilige Luise von Preußen. Zur Mythisierung einer Figur der Geschichte in der deutschen Literatur des 19. Jahrhunderts. In: Bewegung und Stillstand in Metaphern und Mythen. Fallstudien zum Verhältnis von elementarem Wissen und Literatur im 19. Jahrhundert. Hg. v. Jürgen LINK und Wulf WÜLFING. Stuttgart 1984, S. 233–275.

39 GÖRRES, Briefe, Bd. II, S. 467.

40 Karl August Varnhagen VON ENSE, Rahel. Ein Buch des Andenkens für ihre Freunde. Dritter Teil. Berlin 1834, S. 291.

41 HKA XII, S. 30. (Brief an Görres vom 30. August 1828).

vinistischen Pervertierung; er, der die Zerstreuung der Deutschen in die Diaspora wünschte, da sie im einzelnen zwar vortrefflich, im ganzen aber miserabel seien, war, seiner Zeit entfremdet, längst in die Bereiche der Weltliteratur entwichen; das besondere »nationale Interesse«[42], das Eichendorff an seinem Drama hervorhob, konnte er daher nicht teilen.

3. *Die Trennung von Bürokratie und Poesie*

Der Zeitpunkt, zu dem sich die Idee einer deutschen Kulturnation, der auf die gemeinsame Kunst und Kultur gegründeten Einheit deutschsprachiger Länder, zu einer reaktionären Ideologie zu entwickeln begann, zu dem also Geistes- und Gesellschaftsgeschichte in Deutschland gefährlich weit zu differieren begannen, läßt sich relativ genau bestimmen. Theodor von Schön forderte 1841 seinen Abschied aus dem aktiven Staatsdienst, den er 1842, nach dem dritten Gesuch, auch erhielt. Damit gestand er die Niederlage der Provinzialverwaltung gegen den Berliner Zentralismus des zeitweilig mächtigen Polizeiministers von Rochow ein. Schön wurde am 3. Juni 1842 unter Beibehaltung des Ranges und Titels eines Staatsministers von sämtlichen Ämtern entbunden, zugleich aber wurde er zum Burggrafen von Marienburg ernannt, es wurden ihm »die fernere Verwaltung aller auf dies Schloß und dessen Erhaltung bezüglichen Angelegenheiten, so wie der dazu ausgesetzten Fonds« übertragen[43]. Wenig später (am 9. Januar 1843) übernahm Eichendorff, auf Schöns Wunsch und durch eine Kabinettsordre des Königs beauftragt, die Abfassung einer Schrift über die Geschichte der *Wiederherstellung des Schlosses der deutschen Ordensritter zu Marienburg*. Dieses 1844 erschienene Buch ist das letzte Werk, das Eichendorff im Amt geschrieben hat; am 13. Mai 1844 übersandte Schön dem König die Prachtexemplare, am 30. Juni dieses Jahres unterzeichnete Friedrich Wilhelm IV. Eichendorffs Pensionierungsurkunde.

Die im Streit um Schöns Rücktritt sichtbare Trennung von politischer Verwaltung und Kulturverwaltung hat mehr als exemplarische, nämlich

42 Brief Eichendorffs an einen unbekannten Verleger (datiert: 11. Juni 1829). Vgl. Ungedruckte Briefe Eichendorffs. Neue Folge. Mitgeteilt von Karl Freiherrn von Eichendorff. In: Der Wächter I (1918), S. 81.

43 Aus den Papieren des Ministers und Burggrafen von Marienburg Theodor von Schön. Zweiter Teil. Dritter Band. Berlin 1876, S. 547f.

fast symbolische Bedeutung. Schön selbst, aber auch seinem ehemaligen Oberpräsidialrat von Eichendorff, war dies durchaus bewußt. Eichendorffs Schrift über die Wiederherstellung der Marienburg ist nichts anderes als der Schwanengesang des gebildeten Beamtentums in Preußen. Eichendorff schrieb mit der Geschichte der Restaurierung des preußischen Nationaldenkmals, dessen Erfahrungen zu dieser Zeit im Kölner Dombaufest schon fruchtbar gemacht worden waren[44], die Geschichte der Idee von der Volkwerdung Preußens aus dem Geiste seiner Geschichte, seiner Kunst und seiner Religion. Die ästhetische Absicht des restaurierten Schlosses wird so beschrieben:

> Es ist die gesunde, kräftige und in ihrer Einfachheit allen klare Schönheit der Formen, in welche das Volk unbewußt und zu innerem Frommen sich allmählich hineinlebt, wie ja überall jene Geschlechter die schönsten und kunstsinnigsten sind, die in großer Gebirgsnatur oder auf ihren mit Kunstdenkmalen geschmückten Plätzen täglich mit den Göttern vekehren[45].

Um die gleiche Zeit hat Ludwig I. von Bayern mit dem groß angelegten Umbau Münchens, zumal mit dem Bau der Ludwigstraße, ganz ähnlich den Gedanken einer ästhetischen Erziehung des Menschen Stein werden lassen. Wenn aber Eichendorff wenige Zeilen nach der zitierten Stelle aus der Volkwerdung der Preußen heraus auf die Nationwerdung der Deutschen im Zeichen einer Kunst verweist, die auf das Kreuz deutet, »unter dem das Volk schon einmal für König und Vaterland gestritten und gesiegt« habe, so ist dieser Rückverweis auf die Freiheitskriege unmittelbar mit jenem Satz zu konfrontieren, den Johann Albrecht Eichhorn, der neue preußische Kultusminister, über Fichte, den Schöpfer des Begriffes der Kulturnation, in eben diesem Jahre 1844 gesprochen haben soll: »Wenn Fichte käme und wollte jetzt hier Reden halten wie an die deutsche Nation im Jahre 1808, ich wäre der erste, sie ihm zu verbieten.« Dieser Satz ist das Epitaph der preußischen Reformen und mit ihnen des gebildeten Beamtentums.

Das Ende der nachzuzeichnenden Entwicklung, die dezidierte Tren-

44 Theodor von Schön war bei der Vorbereitung des Kölner Dombaufestes 1841 gebeten worden, seine Erfahrungen über die öffentliche Anteilnahme an der Wiederherstellung der Marienburg mitzuteilen. Vgl. Eichendorff-Chronik, S. 185.

45 Joseph von Eichendorff, Die Wiederherstellung des Schlosses der deutschen Ordensritter zu Marienburg; HKA X, S. 112; das folgende Zitat ebd.

nung von Bürokratie und Poesie in der Zeit des Vormärz, wurde hier vorweggenommen; doch ist unser Blick nochmals zurückzulenken auf das Jahr 1831, um Joseph von Eichendorffs Rolle im Kräftespiel zwischen ständischer Provinzialopposition und dem Zentralismus der Berliner Ministerialbürokratie zu kennzeichnen.

Eichendorff hat immer wieder versucht, von der »Schneelinie«, wie er den Königsberger Wohnort bezeichnete, wegzukommen; er wollte in ein Zentrum kultureller Bewegungen, an den Rhein, nach München oder nach Berlin. Theodor von Schön, der, bei aller Freundschaft zu Eichendorff, stets auch politisch dachte, wollte sich diesen Wunsch offenkundig zunutze machen. Er plante – soweit dies aus den veröffentlichten Dokumenten zu erschließen ist – 1830, als Eichendorff in Königsberg nicht mehr zu halten war, um dadurch Einfluß auf die preußische Kirchenpolitik zu gewinnen, den im Kultusministerium für die katholischen Angelegenheiten zuständigen Rat Johann Heinrich Schmedding, den er des Ultramontanismus verdächtigte, nach Ostpreußen unter seine Dienstaufsicht versetzen zu lassen und den toleranten, ihm vertrauten Eichendorff an seine Stelle ins Kultusministerium zu befördern. Dieser Versuch Schöns gehört in den Zusammenhang seiner Furcht vor Kryptokatholizismus und Proselytenmacherei, die ihn 1826 an die Existenz eines alle evangelischen Länder überziehenden Netzes von Agenten der katholischen Kirche glauben ließ. Als diese Verdächtigungen in Berlin nicht ernst genommen wurden, denunzierte Schön den Direktor der geistlichen und der Unterrichtsabteilung des Kultusministeriums, Georg Heinrich Ludwig Nicolovius, er sei heimlich zum Katholizismus übergetreten. Mit der Schön 1827 wegen dieser Kampagne erteilten Rüge des Königs war die Affäre keineswegs abgeschlossen. Schöns Ängste bestanden unvermindert fort, und Eichendorff scheint sein höchster Einsatz in dem nun beginnenden politischen Spiel gewesen zu sein. Schon am 31. Dezember 1829 ist einem Brief Schöns an Stägemann zu entnehmen, daß er »an den Grafen Lottum wegen des Baron von Eichendorff« geschrieben hat; im Brief an Stägemann vom 26. Januar 1830 wird dann die Frage Eichendorff unmittelbar mit der Kirchenpolitik in Preußen und zumal mit der Haltung des Kultusministeriums gegenüber der katholischen Kirche in der Diözese Ermland verbunden:

Sollen wirklich die Klöster aufs neue durch polnischen Auswurf bevölkert werden? und soll ich wirklich vorzugsweise päpstlicher Ober-Präsident sein? Sie haben doch meine beiden Briefe an den Grafen Lottum in dieser Sache, und wegen Baron Eichendorff gelesen? [...] *Sie würden mich sehr verbinden,* wenn Sie mir bald über das etwas mitteilten was über Baron Eichendorff beschlossen ist. Ich nehme Schmedding gleich, um nur dem braven Eichendorff zu helfen[46].

Schön machte aber 1830/31 einen für Eichendorffs berufliche Existenz entscheidenden politischen Fehler, da er nach dem Tode Hardenbergs die Machtverhältnisse in der Berliner Bürokratie falsch einschätzte. 1825 schon wandte er sich in seiner Ratlosigkeit an Stägemann: »Sonst schrieb ich in solchen Zeiten an den Staats-Kanzler. An wen schriebe ich jetzt? Ich glaubte bis vor kurzem, daß Minister Lottum der Mann jetzt sei, aber der Minister Schuckmann hat mir unlängst [...] geschrieben, mit Minister Lottum wäre das man nichts, ich möchte nur ihm schreiben [...]«[47]. Der Staats- und Kabinettsminister Heinrich Graf von Wylich-Lottum, an den sich Schön 1829 in seinen kirchenpolitischen Nöten wandte, hatte keineswegs den Einfluß, den er ihm offenkundig trotz begründeter Zweifel zuschrieb. Eichendorff aber geriet damit, vielleicht nicht ohne sein Einverständnis, in den Schnittkegel der Interessen von Provinzial- und Zentralbürokratie; er wurde als Schöns Speerspitze in Berlin und als Repräsentant des zurückzudrängenden Reformbeamtentums zielstrebig in den Bereich abgedrängt, der für die Zentralisten das einzig adäquate Betätigungsfeld der gebildeten Beamtenschaft zu sein schien: das schärfer denn je gehandhabte literarische Zensurwesen.

Die Bilder der Ohnmacht, der rückwärts gewandten Sehnsucht, des ständigen Aufbruchs, die nach 1830 neu in das Werk des Dichters aufgenommene historische Dimension und das Motiv dämonischer Langeweile sind von dieser, über ein Jahrzehnt andauernden, Berufssituation mit beeinflußt. Das Gedicht *Der Isegrim,* entstanden vor 1837, darf nicht grundsätzlich auf die Beamtentätigkeit Eichendorffs bezogen werden, sondern ist aus dieser speziellen, unbefriedigenden Situation zu

46 Briefe und Aktenstücke zur Geschichte Preußens unter Friedrich Wilhelm III. vorzugsweise aus dem Nachlaß von F. A. von Stägemann. Hg. v. Franz RÜHL, Bd. III. Leipzig 1902, S. 452 und 454. Vgl. dazu auch PÖRNBACHER (s. Fußnote *), S. 39ff. Eichendorff wurde wohl kaum, wie Pörnbacher meint, in Berlin seiner »Unauffälligkeit« wegen übersehen, sondern ein Opfer politischer Konstellationen.

47 RÜHL (s. Anm. 46), S. 237f.

erklären, in der nicht die Idee, sondern gedankenloses Schreiben gefragt ist:

Aktenstöße nachts verschlingen,
Schwatzen nach der Welt Gebrauch,
Und das große Tretrad schwingen
Wie ein Ochs, das kann ich auch.

Aber glauben, daß der Plunder
Eben nicht der Plunder wär',
Sondern ein hochwichtig Wunder,
Das gelang mir nimmermehr.
[...][48]

Den vom Berliner Zentralismus gezüchteten Typus des Beamten hat Theodor von Schön 1841 als den des unverantwortlichen, mechanistisch agierenden Schreibers gekennzeichnet: »In England heißen solche Leute clerks (Schreiber), in Frankreich employés, commis, beauftragte, berufene Schreiber. Bei uns heißen sie Geheimräte.«[49] Durch zahlreiche Texte Eichendorffs, durch Lyrik, Erzählung und Drama, zieht sich dieses, nunmehr genauer zu fassende Schreiber-Thema, das jedoch neben dem sozial-historischen Bezug den literarischen zum »Schreiber«, als der Allegorie des versteinerten Verstandes, in Klingsohrs Märchen nicht verleugnet:

Es liegen wohl Federn neben
Und unter und über mir,
Sie können mich alle nicht heben
Aus diesem Meer von Papier.

Papier! wie hör' ich dich schreien,
Da alles die Federn schwenkt
In langen, emsigen Reihen –
So wird der Staat nun gelenkt[50].

48 Eichendorffs Gedicht *Der Isegrim* erschien erstmals in den gesammelten *Gedichten* 1837.
49 SCHÖN (s. Anm. 43), Bd. III, S. 257.
50 Zitat aus dem Gedicht *Der Unverbesserliche* (»Ihr habt den Vogel gefangen«), Erstdruck 1833.

Eichendorffs Gedicht *Dank,* das in der Handschrift *1839* überschrieben ist und in dem – nach Paul Stöckleins anregender Interpretation – der Dichter »die Schicksalsfigur seines Lebens klar überblickt«[51], bezieht sich im Sinne der charakterisierten Verbindung von individueller Lebensgeschichte und Geschichte des Staates auch auf die zu Ende gegangene Epoche preußischer Reformhoffnungen.

Am deutlichsten wird Eichendorffs von Schön beeinflußte, politische und publizistische Außenseiterposition am Beispiel des Streites um die Redaktion der 1831 gegründeten *Historisch-politischen Zeitschrift,* welche ein Gegengewicht gegen die revolutionären Ideen des Jahres 1830 schaffen sollte. Schon Eichendorffs erster Beitrag *Über Garantien* wurde von Eichhorn, damals Direktor der Deutschlandabteilung des preußischen Außenministeriums, und dem ersten Redakteur der Zeitschrift, Leopold von Ranke, abgelehnt; die geplante Zusammenarbeit endete, ehe sie recht begonnen hatte. Der Aufsatz *Über Garantien* ist ein spätes Bekenntnis des Reformbeamtentums, in dem Eichendorff das deutsche Prinzip der Verwaltung im Gegensatz zu absolutistischen und konstitutionalistischen Zeittendenzen propagiert. Eine geschriebene Konstitution wird definitiv als »die Arznei erkrankter Treue« abgelehnt. »Jenes deutsche Prinzip aber ist«, so heißt es in diesem mißachteten Bekenntnis, »und zwar am ausgebildetsten in Preußen, vorzüglich in dreierlei Hauptbeziehungen praktich durchgeführt, nämlich: *durch Zugänglichkeit der Ämter für alle dazu Befähigte, [...] durch kollegialische Verhandlung der Behörden, [...] endlich durch Unabsetzbarkeit der Beamten [...].* Jene gesetzlich festgestellte, allen Gebildeten eröffnete Konkurrenz, welche, wenigstens ihrem Prinzip nach, Gunst oder Ungunst, bei der Anstellung ausschließt, und wo also ein jeder, nach dem Maße seines Verdienstes, eigentlich sich selbst anstellt, ist gleichsam eine offene Einladung an die gesamte Nation, an ihrer eigenen Verwaltung, nicht durch abstrakte Abhandlungen von der Rednerbühne, sondern selbsttätig und praktisch teilzunehmen [...]. Ein auf solche Weise organisierter Beamtenstand wird begreiflicheweise jederzeit, nicht eine feindliche Macht dem Volke gegenüber, sondern notwendig einen integrierenden Teil, eine lebendige, sich im Wechsel der Zeiten immer wieder verjüngende Repräsentation des Volkes bilden, durch

51 Stöcklein (s. Fußnote *), S. 156.

welches dieses an der Verwaltung selbst faktisch partizipiert.«[52] Dies also ist der 1833, im Jahr des Entstehens von Eichendorffs Aufsatz, längst unzeitgemäße Kerngedanke des gebildeten Beamtentums, den Schön und seine Freunde noch immer vertraten. Die ideale Verwaltung ist Repräsentant eines durch Kunst, Wissenschaft und Religion zum Bewußtsein seines Wertes und seiner Würde gelangten Volkes. »Liebe und Treue« sind das Band, welches somit den König mit seinem von der Beamtenschaft repräsentierten Volke verbindet; es sind jene auch literatursprachlich ständig begegnenden Begriffe Eichendorffs, die der mechanistischen Bürokratie des Absolutismus, wie der auf Kodifikation und Rechtssicherheit pochenden Verfassungsbewegung schroff widersprachen. Eichendorff habe, so hieß es schon 1832, für die Redaktion der *Historisch-politischen Zeitschrift* »nicht das erforderliche Zeug«[53]. Noch 1839 freilich erklärte der ebenfalls in Schöns Umgebung wirkende und lehrende Karl Rosenkranz, Professor an der Universität Königsberg, »das gebildete Beamtentum zum Träger der Staatsgesinnung, indem es für eine lebendige Entwicklung des Staates eintrete, und sah in ihm auch die Substanz für die Fortbildung der preußischen Verfassung«[54].

1840 begann mit dem Vordringen der Hofpartei gegen die Provinzialverwaltung, die Enttäuschung um sich zu greifen. In die sich verschärfende Auseinandersetzung nach dem Königsberger Huldigungslandtag im September 1840 war Eichendorff unmittelbar verwickelt, da Theodor von Schön diesen mit großen (Verfassungs-)Hoffnungen begonnenen Landtag mit einer von Eichendorff verfaßten Rede eröffnete und Eichendorff zu den wenigen Freunden gehörte, denen Schön seine bald als revolutionär denunzierte Schrift *Woher und Wohin? oder Der preußische Landtag im Jahre 1840* zusandte. Es ist offenkundig, daß nur noch die Person Theodor von Schöns, in Ostpreußen, vielleicht sogar bei Eichendorff in Berlin, die volle Einsicht in den herrschenden Beamtenapparat verhinderte. 1841 formulierte zum Provinziallandtag in Danzig der Königsberger Arzt Johann Jacoby in der Schrift *Vier Fragen*, die man in Berlin wiederum Theodor von Schön zur Last legte, »das Gebrechen des teuern

52 Joseph VON EICHENDORFF, Über Garantien; HKA X, S. 342–344.

53 Stägemann am 9. April 1832 an Ignaz von Olfers. Vgl. RÜHL (s. Anm. 46), S. 495.

54 BELKE (s. Anm. 7), S. 60f. Karl Rosenkranz ist Eichendorffs Nachfolger in der Gunst Theodor von Schöns in Königsberg geworden.

Vaterlandes: Beamtengewalt und politische Nichtigkeit seiner selbständigen Bürger.« Und nach dem Rücktritt Theodor von Schöns leugnete 1842/43 auch Karl Rosenkranz »die Gefahr einer ›Beamten-Hierarchie‹ nicht mehr so absolut wie im Jahre 1839«[55].

Der Polizeiminister von Rochow, Schöns heftigster Gegner in Berlin, verwendete 1841 ein anonymes Huldigungsgedicht an den Oberpräsidenten als Waffe gegen dessen angeblich revolutionäre Gesinnung und die seiner Provinz. Für Schön war damit der Zeitpunkt gekommen, den er 1836 hatte kommen sehen und der ihn schließlich zum endgültigen Rücktritt bewegte: »[...] wir rücken dem Punkte immer näher, wo es, wie Gneisenau sagte, ein Verbrechen sein wird, in den Jahren 1807–1814, zum Guten mitgewirkt zu haben.«[56]

So war nach Schöns Entlassung Eichendorffs Ausscheiden aus dem aktiven Staatsdienst nur noch eine Frage der Zeit. Er fühlte sich zu recht auf verlorenem Posten; daß dem *Taugenichts* von 1823/26 in den dreißiger Jahren sein melancholischer Bruder *Unstern* folgte, verdeutlicht den Wandel der Zeit. Eichendorff war nach 1841 einer der wenigen Vertreter der gebildeten Beamtenschaft in der preußischen Verwaltung. Er fühlte sich als Relikt eines politisch diffamierten, einflußlos gewordenen und im Grunde überflüssigen Beamtentums. Am 10. August 1843 stellte er sein erstes Pensionsgesuch, das ihm, nach einer Wiederholung am 25. Februar 1844, am 30. Juni 1844 schließlich gewährt wurde.

Mehr als jeder andere Romantiker war Eichendorff in seinem Beruf, wie auch im poetischen Werk, dem vorzeitigen Alterungsprozeß unterworfen, einem Resonanzverlust, der sich innerhalb seines Berufes in der dreizehnjährigen Hilfsarbeiter-Tätigkeit bezeugte, innerhalb des Werkes nicht in mangelnder Rezeption, aber in dessen Trivialisierung durch jene dilettantischen Biedermeierautoren, die sich seine Schüler nannten[57]. Otto von Bismarck faßte die Unstern-Situation in Eichendorffs Leben, aber

55 BELKE, S. 61.

56 Schön am 20. Mai 1836 an Stägemann. Vgl. RÜHL (s. Anm. 46), S. 575.

57 Vgl. dazu die Belege in der Einleitung der Eichendorff-Chronik, S. 5f. Diese Trivialisierung Eichendorffs durch August Corrodi, Emanuel Geibel, Paul Heyse u.a. ging der von Eberhard Lämmert beschriebenen Verfügbarkeit von Eichendorffs Werk für nationalistische Ideologien voraus. Vgl. Eberhard LÄMMERT, Eichendorffs Wandel unter den Deutschen. Überlegungen zur Wirkungsgeschichte seiner Dichtung. In: Die deutsche Romantik. Poetik, Formen und Motive. Hg. v. Hans STEFFEN. Göttingen 1967, S. 219ff.

auch jenes völlige Mißverständnis gegenüber dem gebildeten Beamtentum, über das sich die Zeit mit brutalem Schritt hinweggesetzt hatte, zusammen, als er am 17. März 1851 an seine Frau schrieb: »Eichendorff habe ich schon; weißt Du, daß der Mann noch lebt? wohnt hier im Kadetten-Korps bei seinem Schwiegersohn, der dort Lehrer oder Offizier ist. Laß es Deiner Begeisterung keinen Abbruch tun, daß er – Geheimer Regierungsrat ist.«[58]

*

Eichendorff hat am Motiv des Bruderzwistes, autobiographisch grundiert durch sein Verhältnis zu Wilhelm, der zugunsten seines Amtes der Poesie abgeschworen hat, die Frage nach dem Verhältnis von Beruf und Schriftstellerexistenz thematisiert. »Beruf« aber heißt für ihn – zum Beispiel in *Dichter und ihre Gesellen* – Beamtendasein. Er hat diesen Zwist keineswegs, wie manchen andern Konflikt, als eine tragische oder gar dämonische Auseinandersetzung dargestellt. Selbst die berühmte Tableau-Szene am Ende des *Taugenichts*, in der – sichtbar an der buntscheckigen Kleidung des Helden – scheinbar Unvereinbares vereinbart wird, hat die innige Verbindung von Poesie und Beruf zum Thema. Dieses Tableau zeigt die Kunst (den Taugenichts) in einem lebenden Bild vereint mit der Liebe (der schönen, gnädigen Frau), der Wissenschaft (den Studenten) und dem tätigen Leben (dem Portier): »›Oh‹, rief ich voller Freuden, ›englischen Frack, Strohhut und Pumphosen und Sporen! und gleich nach der Trauung reisen wir fort nach Italien, nach Rom, da gehn die schönen Wasserkünste, und nehmen die Prager Studenten mit und den Portier!‹«[59] Ein Fazit dieser Erzählung ist also nicht, wie man gemeint hat, romantischer Antikapitalismus[60], sondern das Postulat, daß die Kunst Gegensätze versöhnt, daß sie Harmonie und Einheit stiftet; jedoch nur jene Kunst, welche durch »die prosaischen Gegensätze« des bürgerlichen Berufes befestigt und konzentriert ist und somit »am besten vor der poetischen Zerfahrenheit, der gewöhnlichen Krankheit der Dichter von Profession«,

58 Otto von Bismarck, Die gesammelten Werke. Bd. XIV, I. Berlin 1933, S. 200.
59 Joseph von Eichendorff, Aus dem Leben eines Taugenichts, letzter Absatz.
60 Vgl. Alexander von Bormann, Philister und Taugenichts. Zur Tragweite des romantischen Antikapitalismus. In: Aurora 1970/71, S. 94 ff.; und dazu: Alfred Riemen, Die reaktionären Revolutionäre oder Romantischer Antikapitalismus? In: Aurora 1973, S. 77 ff.

bewahrt[61]. In all seinen Werken hat Eichendorff den Berufspoeten verdammt und nicht zufällig in seiner Besprechung von Brentanos Märchen dessen Dictum aus der *Geschichte vom braven Kasperl und dem schönen Annerl* zitiert, wonach einer, »der von der Poesie lebt, [...] das Gleichgewicht verloren« habe; »und eine übergroße Gänseleber, sie mag noch so gut schmecken, setzt doch immer eine kranke Gans voraus.«[62] Er hat die vom Jungen Deutschland propagierte freie Schriftstellerexistenz in seinen Satiren verspottet und läßt Dryander in *Dichter und ihre Gesellen* sagen: »Profession vom Dichten machen, das ist überhaupt lächerlich, als wenn einer beständig verliebt sein wollte und noch obendrein auf öffentlicher Straße.«[63] Überall hat bei ihm der poetische Mensch den Vorrang vor dem bloßen Poeten; die Kunst zutiefst empfinden können, ist ebenso »poetisch«, wie sie erschaffen.

Dieser Autor nun geriet nach seiner Pensionierung in eine groteske Situation. Er wurde durch das Ausscheiden aus dem Amt in die Rolle des freien Schriftstellers gedrängt, übernahm Auftragsarbeiten, schrieb Kritiken und eine polemische Literaturgeschichte im Dienste der Katholischen Bewegung. Grotesk war die Situation vor allem in Wien 1847, wo Eichendorff, zum ersten und zum letzten Mal in seinem Leben, öffentlich den Ruhm des Dichters genoß. Er wurde in der Concordia und, zusammen mit Giacomo Meyerbeer, vom Wiener Männergesangsverein gefeiert; er wurde aber auch von den niederösterreichischen Landständen und dem juridisch-politischen Leseverein, den Keimzellen der Wiener Revolution 1848, eingeladen. Eichendorff konnte es kaum verborgen bleiben, daß der juridisch-politische Leseverein das »Thermometer für die Stimmung in Wien« gewesen ist, nach Grillparzer sogar die »Pulvermühle für eine künftige Explosion«[64]. Daran ist die Paradoxie der Situation kenntlich: der unfreiwillig freie Schriftsteller wurde fast zum Komplizen der Revolution, weil nach der von der reaktionären Bürokratie erzwungenen Tren-

61 Eichendorffs Brief vom 25. Mai 1848 an Lebrecht Dreves, HKA XII, S. 90. Vgl. auch Hans Jürg LÜTHI, Dichtung und Dichter bei Joseph von Eichendorff. Bern und München 1966, S. 240.

62 Joseph Freiherr VON EICHENDORFF: Neue Gesamtausgabe der Werke und Schriften in vier Bänden. Hg. v. Gerhart BAUMANN in Verbindung mit Siegfried GROSSE. Bd. IV. Stuttgart 1958, S. 887.

63 Joseph VON EICHENDORFF, Dichter und ihre Gesellen. 3. Buch 20. Kapitel (BAUMANN/GROSSE, s. Anm. 62, Bd. II, S. 663).

64 Zu den Eichendorff-Feiern in Wien 1847 vgl. Eichendorff-Chronik, S. 200 ff.

nung von Amt und Schriftstellerexistenz das oppositionelle Element dieser Existenz isoliert worden war. Der freie Schriftsteller aber wurde in den Staaten des Deutschen Bundes meist per definitionem der Opposition zugerechnet. In Wien wurde Eichendorff als der »letzte Romantiker« gefeiert, und mit ihm der von der Restauration unterdrückte Geist der Freiheitskriege; bejubelt wurde der »deutsche« Sänger Eichendorff, der als Kronzeuge eines jetzt schon in der Geschichte wurzelnden freiheitlichen Denkens galt.

Die Groteske aber wäre unvollständig ohne einen Blick auf die Kenntnis Eichendorffs in anderen deutschen Ländern. In jener Zeit nämlich, in der er erstmals öffentlich die Früchte seines Schriftstellerruhmes pflücken konnte, wurde Eichendorff in *Wigands Konversationslexikon* und im *Regensburger Konversationslexikon für das katholische Deutschland* als im Jahre 1846 gestorben verzeichnet. Mir scheint, daß diese Falschmeldungen, zusammen mit den Feiern in Wien, exemplarische Bedeutung haben. Jenes Werk Eichendorffs nämlich, welches die Zeit überdauert hat und das mehr bedeutet als nur Ergänzung, mühsame Fortsetzung oder Ruf in den Tag, ist – vielleicht mit Ausnahme zweier Memoirenkapitel – in den späten vierziger Jahren abgeschlossen; in dem Augenblick also, in dem die fruchtbare, existenz- und werkprägende Synthese von Poesie und Beruf endete.

ANHANG

Thesen zur sozialhistorischen und wissenssoziologischen Perspektive einer Untersuchung von Leben und Werk Joseph von Eichendorffs

Die folgenden Thesen, die tatsächlich nur als Thesen, nicht als Forschungsergebnisse gelesen sein wollen, sind eine erste Gesprächsgrundlage für die Darstellung der stark zu differenzierenden Positionen romantischer Autoren im Zeitalter der Metternichschen Restauration[65].

1. Joseph von Eichendorffs poetisches Werk wurzelt in einer ersten Phase (bis etwa 1815) in der begeisterten und begeisternden Begegnung des jungen Dichters mit der romantischen Bewegung (Arnim, Brentano,

65 Der Begriff eines »Zeitalters der Metternichschen Restauration«, in dem sich das »konservative Denken« entwickelte, ist hier eine historische Epochenbezeichnung, die nicht ideologisch mißdeutet werden sollte.

Fouqué, Görres, Loeben, Adam Müller, Dorothea und Friedrich Schlegel). Duch diese Begegnung wird der weiterhin nur noch wenig entwikkelte und entwickelbare Grundbestand seiner Themen, Motive, Bilder und Problemkonstellationen geprägt, der sich auch durch die Erschließung der historischen Dimension (seit der Erfahrung der revolutionären Ereignisse im Umkreis der französischen Julirevolution) nicht mehr entscheidend wandelt, sich jedoch entfaltet.

In einer zweiten Phase (etwa bis zur Märzrevolution in Deutschland 1847/48) wird dieses Werk von jener Symbiose von Poesie und Beruf getragen, welche das ›gebildete Beamtentum‹ Preußens in der Vorstellung des Reformkonservativismus kennzeichnete.

Eichendorffs poetisches Werk zerbricht in dem Augenblick, in dem diese Symbiose gewaltsam (vgl. die Vorgänge um Schöns und Eichendorffs Pensionierung) zerbrochen wird.

Eine solche relativ statische, in ihrer Entwicklung früh zum Abschluß gekommene Gestalt scheint eine typologische Konstante des Werkes von Autoren des ›konservativen Denkens‹ bis weit in die Moderne hinein (vgl. etwa das Werk Thomas Manns seit 1912) zu sein.

2. In der literarhistorisch und biographisch orientierten Eichendorff-Forschung hat man sich daran gewöhnt, das Beamtendasein des Dichters als Hindernis für die volle Entfaltung seiner ästhetischen Möglichkeiten zu betrachten. Der Beruf ist aus dieser Perspektive lediglich die – wegen der Verarmung der Familie – notwendige, materielle Basis des Dichtertums. Er wird mit Seufzern als ein notwendiges Übel ertragen; jede Unmutsäußerung des Autors über die Eintönigkeit des Beamtenalltags gilt als Beleg für die These einer Trennung von Beamtendasein und Schriftsteller-Existenz.

Durch den Wechsel der Perspektive, aus welcher das Werk des Beamten Eichendorff als Lebensaufgabe ernst genommen wird, gelingt die Widerlegung dieser Trennungshypothese und der Beweis einer Integration von Werk und Person Eichendorffs. Daraus resultieren neue Interpretationsmöglichkeiten für die nur scheinbar einem oberflächlichen Harmoniepostulat unterworfenen Schlüsse von Eichendorffs Romanen, Erzählungen und Dramen. In der Zeit des »langfristigen und tiefgreifenden, manchmal plötzlich vorangetriebenen Erfahrungswandels«, unter dessen Eindruck »sich seit der Mitte des achtzehnten Jahrhunderts ein tiefgreifender Bedeutungswandel klassischer topoi vollzogen [hat], daß alte Worte neue Sinngehalte gewonnen haben, die mit Annäherung an unsere

Gegenwart keiner Übersetzung mehr bedürftig sind«[66], propagiert Eichendorff – im Rückgriff auf einen idealistischen Grundgedanken[67] – noch einmal die Poesie als mögliches Integrationsmoment eines unaufhaltsam expandierenden und schließlich sich explosionsartig ausbreitenden Wissensstoffes. Zu diesem Gedanken der Integration gehört auch die an der eigenen Person demonstrierte Einheit von poetischem Werk und Beruf.

3. Zentrale Motivkomplexe Eichendorffs wurzeln in dieser Vorstellung poetischer Integration empirischen Wissens:
a. der Motivkomplex der Poesie als der Heimatsprache des Menschen, zu identifizieren mit dem in allen Dingen schlafenden und durch das »Zauberwort« zu weckenden Lied. Die Literatursprache ist in Zeiten sich auflösender Weltbilder und der ›Sprachverwirrung‹ ein letztes Verständigungsmedium der sich einander entfremdenden Menschen.
b. der Motivkomplex charakteristischer Verspätung und Zeitentfremdung, wie er etwa im *Unstern* in der *Meerfahrt*, im *Incognito* und anderen Texten hervortritt. Er ist das epochentypische Pendant – orientiert am beschleunigten Erfahrungwandel – zur Vorstellung von der integrierenden Funktion der Dichtersprache.

Wenn dabei Eichendorffs Bildsprache an Intensität, Schärfe und symbolischer Tiefe gewinnt, was sie an Entwicklungsmöglichkeiten (etwa im Bereich des naturwissenschaftlichen Wortschatzes, des mikroskopischen Erzählens etc.) verliert, so ist der Autor – fast gegen seinen Willen – an dem von Koselleck beschriebenen »tiefgreifenden Bedeutungswandel klassischer topoi« beteiligt. Die zeitgenössischen Mißverständnisse von Eichendorffs Sprache, ihre Trivialisierung durch die ›Schüler‹, Corrodi, Geibl, Heyse etc., ihre Denunzierung als altmodisch und überholt, etwa durch Wolfgang Menzel u.a., ergeben sich naturgemäß aus diesem Vorgang des Bedeutungswandels.

Das gebrochene Verhältnis Eichendorffs zu der sich entwickelnden modernen Geschichtswissenschaft (z.B. zu Ranke und Droysen) und

66 Vgl. Reinhart KOSELLECK, Einleitung zu: Geschichtliche Grundbegriffe. Historisches Lexikon zur politisch-sozialen Sprache in Deutschland. Hg. v. Otto BRUNNER, Werner CONZE, Reinhart KOSELLECK. Bd. I, Stuttgart 1972, S. XV.

67 In diesem Zusammenhang scheint mir die wissenssoziologische Analyse des bekannten frühromantischen Begriffes einer »progressiven Universalpoesie« möglich und nötig.

seine schließliche Resignation gegenüber dem zur Spezialisierung drängenden Wissen – er verzichtet darauf, der Biograph Theodor von Schöns zu werden –, lassen sich aus dem zentralen Bemühen poetischer Integration verstehen.

4. Innerhalb des hier anvisierten Integrationsmodelles, welches das Werk des Autors mit seinem Selbstverständnis wieder in Beziehung bringt, ergibt sich dann nicht nur die Einheit von Werk und Person, von Poesie und Beamtendasein, sondern auch die Einheit des umstrittenen Werkes selbst, die meist infragegestellt ist, weil die publizistischen Teile von den ›eigentlich‹ poetischen Teilen getrennt werden. Dabei ist die Aufwertung traditionell unbeachteter Werkteile im historischen Kontext eine Folge der durch den Perspektivenwechsel ermöglichten Integration.

5. Am Modell Eichendorff könnte das Verhältnis von Kunst und Realität in der ersten Hälfte des 19. Jahrhunderts überprüft werden, da die vom Autor bevorzugten Gattungen und Formen, seine Themen, Bilder und Motive und seine zeitgenössische Wirkung in eine ›Sozialgeschichte von Ideen‹ eingeordnet werden könnten. Historische Dramen entstehen bei ihm u. a. als Auftragsarbeiten in der durch den Dienstvorgesetzten angeordneten, zumindest angeregten Zusammenarbeit mit einem Fachhistoriker; ein großer Teil von Eichendorffs Lyrik ist Gesellschaftskunst, didaktisch ausgerichtet, geschrieben für Liedertafeln und Gesangsvereine, deren Leitideen Eichendorff zugleich im Musikunterricht der von ihm dienstlich betreuten Schulen zu verwirklichen strebte; satirische, polemische und politische Texte schreibt er im Zusammenhang eines staatlichen Zeitschriftenprojektes, von dessen Fortgang er dann wegen seiner Option für ständische Ideen ausgeschlossen wird.

6. Diese aus dem Werke Joseph von Eichendorffs und seinem situativen Kontext entwickelten Symptome lassen sich einer Haltung zuordnen, welche Karl Mannheim als die des »konservativen Denkens« gekennzeichnet hat[68]. Im Sinne von Klaus Epsteins Konservativismus-Typologie

68 Karl MANNHEIM, Das konservative Denken. Soziologische Beiträge zum Werden des politisch-historischen Denkens in Deutschland. In: DERS., Wissenssoziologie. Auswahl aus dem Werk, eingel. u. hg. v. Kurt H. WOLFF. Neuwied am Rhein u. Berlin. 2. Aufl. 1970, S. 408–508. Der hier vorgenommene thesenhafte Bezug auf die Wissenssoziologie von Karl Mannheim bedeutet nicht, daß ich all seinen Ergebnissen zustimme. Vor allem in der überdimensionierten Betonung von Adam Müllers Schriften und in der Beurteilung der literarischen Romantik scheint mir Mannheims 1927 erstmals erschienene Darstellung des »konservati-

gehört Eichendorff dem Reformkonservativismus an[69], wie ja überhaupt der »weithin pejorative Gebrauch des Begriffs ›konservativ‹ [...] bis heute ein deutsches Spezifikum« ist[70].

Eichendorffs Zuordnung zum konservativen Denken läßt sich belegen durch die prägenden Einflüsse, die er von seinen Lehrern Joseph Görres (in Heidelberg) und Adam Müller (in Wien) erhalten hat, durch seinen Freiheitsbegriff, welcher die Anlehnung an eine liberalistische ›égalité‹ ablehnt, und schließlich durch sein vom epochalen Bewußtsein geprägtes Zeiterlebnis, das ihn, wie sein großes Vorbild Goethe, die Gegenwart nicht »als den Anfang der Zukunft«, sondern »als die letzte Etappe der Vergangenheit« erleben ließ[71]. Als ›epochales Bewußtsein‹ ist jene Stimmung zu kennzeichnen, welcher der alte Goethe im Briefwechsel mit Zelter zuerst seine Stimme geliehen hat, das Gefühl, »mit vielleicht noch wenigen die Letzten [...] einer Epoche [zu sein], die so bald nicht wiederkehrt«. Es ist eine Stimmung, »die von nun an durch das ganze Jahrhundert in dem lauten Taumel von Maschine und Mammon als dunkler Unterton mitklingen wird und der Schopenhauer, Jakob Burckhardt und Nietzsche – bald resigniert und bald zornig herausfordernd – den stärksten Klang geliehen haben.«[72]

Auch in der Sinndeutung des historischen Phänomens ›Adel‹ gehört Eichendorff zu den gewichtigen Kronzeugen des konservativen Denkens. Er propagiert gegen das revolutionäre ›égalité‹-Prinzip den Adel als ein notwendiges Strukturelement nicht einer historisch bedingten, sondern jeder menschlichen Gesellschaft: »Aber nur die völlige Barbarei kann ohne Adel bestehen. In jedem Stadium der Zivilisation wird es, gleichviel unter welchen Namen und Formen, immer wieder Aristokraten geben,

ven Denkens« noch allzu sehr der Wesensdiskussion der zwanziger Jahre verhaftet. Allerdings ist festzuhalten, daß die moderne, literarhistorisch orientierte Romantikforschung eine gründliche Auseinandersetzung mit Mannheims provozierenden Thesen bislang versäumt hat.

69 Vgl. Klaus Epstein, The Genesis of German Conservativism. Princeton, New Jersey 1966. Deutsch unter dem Titel: *Der Ursprung des Konservativismus in Deutschland.* (1973).

70 Vgl. dazu Dieter Borchmeyer, Höfische Gesellschaft und französische Revolution bei Goethe. Adliges und bürgerliches Wertsystem im Urteil der Weimarer Klassik. Kronberg/Ts. 1977, S. 268.

71 Vgl. Mannheim, Das konservative Denken, S. 439.

72 Vgl. Franz Schnabel, Deutsche Geschichte im neunzehnten Jahrhundert. Die moderne Technik und die deutsche Industrie (Herder-Bücherei Nr. 208) Freiburg i. Br. 1965, S. 264 f.

d.h. eine bevorzugte Klasse, die sich über die Massen erhebt, um sie zu lenken. Denn der Adel (um ihn einmal bei dem traditionell gewordenen Namen zu nennen) ist seiner unvergänglichen Natur nach das ideale Element der Gesellschaft; er hat die Aufgabe, alles Große, Edle und Schöne, wie und wo es auch im Volke auftauchen mag, ritterlich zu wahren, das ewig wandelbare Neue mit dem ewig Bestehenden zu vermitteln und somit erst wirklich lebensfähig zu machen.« Diese Sätze aus Eichendorffs Altersschrift *Der Adel und die Revolution* könnten geradezu als ein Programm konservativen Denkens bezeichnet werden[73].

Die Ablehnung einer geschriebenen Verfassung, als »Arznei erkrankter Treue«[74], gehört in diesem Zusammenhang in die konservative Entdekkung der Kategorie von Leben und Lebendigkeit. Lebendig ist die Idee, nicht der Begriff. So lehnt Eichendorff auch den »Begriff« des Staates ab und kämpft zeitlebens für seine »Idee«, wobei er als die stärkste aller Garantien staatlichen Lebens »das seit Jahrhunderten in gemeinschaftlicher Lust und Not bewährte Band wechselseitiger Liebe und Treue« proklamiert; »mit einem Wort: nicht der tote Begriff des abstrakten Königs mit zu regierenden arithmetischen Zahlen, sondern der lebendige individuelle König, der nicht dieser oder jener sein kann, sondern eben unser König ist in allem Sinne.«[75] Das im gleichen Text *(Über Garantien)* evozierte Bild der Staatsfamilie gehört seit der propagandistischen Verklärung des Familienlebens Friedrich Wilhelms III. und der Königin Luise zum Bildfundus romantisch-konservativen Staatsverständnisses[76].

Konservativismus ist also – im Gegensatz zu Traditionalismus oder gar zur Reaktion – für Eichendorff ein »objektiv-geistiger Strukturzusammenhang«[77], innerhalb dessen das Lebendige, die Idee Platz ergriffen hat. Totalität, Einheit und Ganzheit spielen die traditionell herausragende Rolle in diesem Denken, das in der Synthese von Poesie und Beruf diese Ganzheit abzubilden versucht.

73 Historische, politische und biographische Schriften des Freiherrn Joseph von Eichendorff. Mit Unterstützung von Hugo Häusle hg. v. Wilhelm KOSCH (HKA Bd. X) Regensburg 1911, S. 405. Vgl. dazu MANNHEIM S. 470ff.

74 Joseph VON EICHENDORFF, Über Garantien. In: HKA X, S. 344. Vgl. MANNHEIM S. 484ff.

75 Vgl. Joseph VON EICHENDORFF, Über Garantien. In: HKA X, S. 343f.

76 Vgl. dazu FRÜHWALD, Das Spätwerk Clemens Brentanos (s. Fußnote 1), S. 74ff.

77 So definiert MANNHEIM (S. 414) den politischen Konservativismus »gegenüber der ›Subjektivität‹ des einzelnen Individuums«.

7. Als Abbild des Gegensatzes von Volk und Herrscher prägt die in der ersten Hälfte des 19. Jahrhunderts vor allem in Preußen sichtbare Auseinandersetzung zwischen dem die Provinzialverwaltung beherrschenden Adel und der rationalistisch denkenden Zentralbürokratie (in Berlin) auch das Staatsverständnis Eichendorffs. Geht der Dichter zunächst noch von der Vorstellung des »historischen Ineinanderlebens von König und Volk zu einem untrennbaren nationalen Ganzen« aus[78], das heißt von der Vorstellung der Staatsfamilie, in welcher die gebildete, vom Adel gestellte Beamtenschaft das Gesamtvolk repräsentiert, so ist die um 1830 deutlich erkennbare Trennung von Adel und zentralistischer Bureaukratie für ihn eine Verfallserscheinung. Durch diese Trennung erst wird die geschriebene Verfassung als die »Arznei erkrankter Treue« notwendig[79]. Die Parteinahme des Königs für die zentralistisch-rationalistische Bureaukratie, gegen das in den Provinzen (vor allem in der Provinz Preußen) herrschende ständestaatliche Denken, ist für Theodor von Schön, wie für seinen ehemaligen Oberpräsidialrat Joseph von Eichendorff, nicht nur Symptom für das Ende des ›gebildeten Beamtentums‹, sondern auch für die Ablösung des reformkonservativen Denkens durch die Reaktion. Diesen Ablösungsprozeß erlebte Eichendorff leidend, handelnd und dichtend im Berlin der Jahre 1831 bis 1844. Doch hielt er auch in diesen Jahren an dem vielfältig in seinem Werk erscheinenden Lebensmotto fest:

Von der Poesie sucht Kunde
Mancher im gelehrten Buch,
Nur des Lebens schöne Runde
Lehret dich den Zauberspruch; [...][80]

78 Joseph von Eichendorff, Über Garantien. In: HKA X, S. 343. Wie wenig sich Eichendorffs politische Überzeugungen zwischen 1819 und 1845 gewandelt haben, ist daran erkennbar, daß er seine Probearbeit *Was für Nachteile und Vorteile hat der katholische Religionsteil in Deutschland von der Aufhebung der Landeshoheit der Bischöfe und Äbte, desgleichen von der Entziehung des Stifts- und Klosterguts mit Wahrscheinlichkeit zu erwarten?* 1845 – eventuell für einen Druck – nur geringfügig überarbeitete. Diese Überarbeitung wird durch die Anspielungen auf die Heilig-Rock-Wallfahrt nach Trier und ihre politischen Folgen belegt. Vgl. Sibylle von Steinsdorff (Einführung von Wolfgang Frühwald): »... jene Influenza religiöser Zerfahrenheit.« Eine unbekannte Streitschrift Joseph von Eichendorffs gegen den Deutschkatholizismus und seine Folgen. In: Aurora 42 (1982), S. 57–79.

79 Zum Verhältnis von Adel und Bureaukratie in Preußen vgl. Mannheim S. 450ff.

80 Zitat aus dem Gedicht *Das Bilderbuch*, dessen Entstehungsdatum unbekannt ist.

Der ornithologische Taugenichts
Zum Vogelmotiv in Eichendorffs Novelle

Gero von Wilpert

Taugenichtse haben es so an sich, braven Bürgern das Leben schwer zu machen. Und da es in den anderthalb Jahrhunderten seit dem Erscheinen von Eichendorffs »Taugenichts« der braven Bürger immer noch mehr gab als der Taugenichtse, ist die Zahl derjenigen, die sich freiwillig – aus Liebe zur Sache oder zum Taugenichts – oder gezwungenermaßen – etwa als Schullektüre – mit ihm befaßt haben, Legion.

Es läßt sich bei allem Wohlwollen nicht behaupten, und es wäre auch ein Widerspruch der Begriffe, daß diese massenhafte Beschäftigung dem Taugenichts allzu gut bekommen wäre.

Allzu selbstverständlich, allzu unkompliziert erscheint doch diese Dichtung, als daß sie einer intensiveren Durcharbeitung und interpretatorischen Deutung bedürfe. Und so ist es nicht verwunderlich, daß der »Taugenichts« bis heute im allgemeinen Bewußtsein als das gilt, wofür man ihn seit seinem Erscheinen gehalten hat: als Höhepunkt und Gipfel der romantischen Erzählkunst, als klarste Aussage romantischen Weltverständnisses, als typische Dokumentation des deutschen Fernwehs.

Das erscheint selbst für einen Taugenichts, dem man eine Wandlungsfähigkeit nicht unbedingt abverlangen will – auch die moralische Bewertung der Wandlungsfähigkeit ändert sich ja mit den Zeitläuften –, nahezu unverständlich angesichts eines so vielgelesenen Textes. Es erklärt sich aber wohl daraus, daß die vordergründige Problemlosigkeit der Erzählung den Vertretern unserer Disziplin nicht allzu attraktiv erschienen sein mag – wächst doch auch hier das Ansehen des Gelehrten mit dem Schwierigkeitsgrad der Probleme, mit denen er sich befaßt.

Nur eines verwundert in diesem Zusammehang: Während sonst der berufsmäßige Literaturinterpret nur allzu rasch dazu neigt, Werke, die seinen deuterischen Impetus nicht reizen, und zumal solche, die sich ohne sein eigenes Dazutun populärer Beliebtheit erfreuen, abfällig zu beurteilen, fehlen negative Äußerungen zum »Taugenichts« fast völlig.

Die einzige Kritik, die mir bekannt ist, stammt aus dem Erscheinungsjahr 1826 und vermutlich von Wolfgang Menzel: »Man erwartet etwas Komisches und findet nur langweilige Rührung. Der Taugenichts taugt auch gar nichts, und hat nicht einen Fetzen von jener göttlichen Bettelhaftigkeit der Tagediebe bey Shakespeare und Cervantes, es fehlt ihm alles, was man Humor nennt«[1].

Der letzte Satz über den Mangel an Humor spricht dabei wohl eher gegen den Verfasser, und die ablehnende Kritik eines so nationalistischen Literaten wie Menzel berührt um so merkwürdiger, als gerade der deutsche Nationalismus sich später ausgerechnet Eichendorffs »Taugenichts« zum Grundbuch seiner Auffassung von deutschem Wesen nehmen sollte. Diese Tatsache aber wiederum erklärt die merkwürdige Zurückhaltung bei an sich zu erwartenden negativ-kritischen Stimmen: Wer wollte sich schon mit dem vermeintlichen deutschen Nationalcharakter anlegen.

Es ist hier nicht der Ort, zu untersuchen, wie es zu dieser Identifizierung des Deutschen mit dem Taugenichts gekommen ist, aber Feindpropaganda war sicher nicht der erste Anlaß. Gewiß trägt dazu der Wunschtraum-Charakter der Novelle ebenso bei wie die psychologisch verständliche Haltung, dasjenige, womit man sich individuell nicht identifizieren möchte, dem man insgeheim aber doch zustimmt, generalisierend als Ausfluß deutschen Wesens zu deklarieren und sich dann nicht mehr als der allein Betroffene zu fühlen.

In unserem Zusammenhang kommt es nur darauf an, vor dem Versuch einer Deutung kurz den Weg der bisherigen »Taugenichts«-Rezeption aufzuzeigen. Und für diese Haltung der Identifikation mit dem Nationalcharakter mögen aus dem ersten Jahrhundert der »Taugenichts«-Rezeption hier nur zwei symptomatische Beispiele stehen.

»Der Taugenichts ist after all nicht mehr und nicht weniger als eine Verkörperung des deutschen Gemüts, die liebenswürdige Type nicht eines Standes bloß, sondern einer ganzen Nation«, schreibt Theodor Fontane an Paul Heyse am 6. Januar 1857[2].

Und zwei Menschenalter später nennt Thomas Mann unseren Helden

1 Cottas Morgenblatt für gebildete Stände, 8. August 1826, zit. Carel TER HAR, Joseph von Eichendorff: Aus dem Leben eines Taugenichts, 1977, S. 180.
2 Zit. P. STÖCKLEIN, Eichendorff, 1963, S. 168.

in den »Betrachtungen eines Unpolitischen«: »überzeugend und exemplarisch deutsch, und obgleich sein Format so bescheiden ist, möchte man ausrufen: wahrhaftig, der deutsche Mensch!« und wieder »ein in seiner Anspruchslosigkeit rührendes und erheiterndes Symbol reiner Menschlichkeit...: des deutschen Menschen.«[3]

Das ist zweifelsohne eine sehr optimistische Einschätzung wennschon nicht des Taugenichts, so gewiß doch des deutschen Wesens. Aber es hat damit leider nicht sein Auslangen.

Bewegten sich diese frühen Inanspruchnahmen des Taugenichts als Vertreters typisch deutschen Wesens noch auf einer relativ wertfreien, vorurteilslosen Ebene, so erreichte der Eichendorff- und »Taugenichts«-Kult immer dann seine unqualifizierte Hochblüte, wenn die Volksnähe des »Taugenichts« im Verbund gesehen wurde mit politischen Motiven.

Das gilt einerseits für die Zeit des Nationalsozialismus, die den heimatverwurzelten Sänger des deutschen Waldes ineins sah mit dem Kämpfer der Lützower Jäger in den Befreiungskriegen. Sie kam dann zu so abstrusen Formulierungen wie denen von Friedrich Bethge: »So gehen auch hier Stille und Kanonendonner, Heroismus und Innerlichkeit eine echt deutsche Einheit ein.«[4]

Das gilt aber ebenso für die Berufsvertriebenen der Nachkriegszeit in der Bundesrepublik, die in der literarischen Leistung Eichendorffs ihr juristisches »Recht auf Heimat« untermauert sehen wollen.

Diese ganze Zeit einer höchst vordergründigen, unreflektierten Eichendorff- und »Taugenichts«-Verehrung, der es eben nicht auf eine werkgerechte Interpretation, sondern nur auf einen Appell ans Emotionale ankam, weil sie wußte, daß die deutsche Volksseele für Wälder, Auen und Nachtigallen anfällig ist, hat im Grunde dem echten Verständnis des »Taugenichts« viel stärker geschadet als genützt, ja, sie hat ihn geradezu abgenutzt und für Jahrzehnte den echten Zugang mit Phrasen und Vorurteilen verbarrikadiert.

So darf es nicht wundernehmen, daß die literaturwissenschaftliche Interpretation der wohl meistgelesenen deutschen Novelle nach dem zweiten Weltkrieg nahezu auf einer tabula rasa einsetzen mußte und dies

3 Th. MANN, Das essayistische Werk, Bd. 4, 1968, S. 284.

4 F. BETHGE, Bekenntnis zu Eichendorff, in: Der Oberschlesier 20, 1938, S. 637, zit. E. LÄMMERT, Eichendorffs Wandel unter den Deutschen, in: Die deutsche Romantik, hg. H. Steffen, ^{2}1970, S. 222.

paradoxerweise zu einem Zeitpunkt geschah, als das Interesse der breiten Öffentlichkeit an dem Werk im Abnehmen begriffen war. Damit konnte die Germanistik wiederum einer beliebten Tradition folgen, nämlich derjenigen, bereits hinlänglich in der Öffentlichkeit bekannte Werke vor ihren Lesern zu »retten«.

Dieser Neuansatz der »Taugenichts«-Interpretation erfolgte nun etwa gleichzeitig auf drei verschiedenen Ebenen.

Erstens einer psychologisch-geistesgeschichtlichen Ebene, vertreten besonders durch Josef Kunz[5] und Egon Schwarz[6]. Beide argumentieren vom Erlebnis des Helden aus: Das Streben nach Selbstverwirklichung der in ihm angelegten Seinsmöglichkeiten leitet den Taugenichts in die Ferne und führt ihn schließlich zur eigenen Bestimmung seines Seins und damit in die Heimat zurück. Kunz geht dabei einen dem unsrigen entgegengesetzten Weg und schließt aus einer Art pflanzenhafter Verwurzelung des Helden im Heimatboden auf ein vegetatives Lebensgefühl.

Die zweite Ansatzebene, vertreten vor allem durch Benno von Wiese[7] und Gwilym Tegai Hughes[8], geht von der literarischen Struktur des Textes aus und versteht ihn als Glücksmärchen oder halb allegorischen Weg durch die Welt. Sie befaßt sich erstmals auch mit erzähltechnischen und thematisch-motivischen Zügen und geht einzelnen von ihnen nach. Ohne zu umwerfend neuen Erkenntnissen zu gelangen, gerät sie am stärksten in die Nähe einer werkimmanenten Interpretation. Der einzige Vorwurf, der gegen sie zu erheben ist, ist der einer nicht ausreichend beharrlichen Verfolgung der einzelnen Motive.

Die dritte Richtung – und wenn man sie als die modernste bezeichnet, besagt das keineswegs, daß sie die richtigste ist – ist die soziologische. Die Bezeichnung »literatursoziologisch« wäre hier fehl am Platze, weil sie mit Literatur nahezu nichts mehr gemein hat. Sie nimmt ihren Ausgangspunkt von einem etwas verunglückten Aufsatz von Georg Lukács über Eichendorff[9], verunglückt vor allem deshalb, weil Lukács hier den vergeblichen Versuch unternimmt, Eichendorff in die Phalanx der Realisten einzuord-

5 J. KUNZ, Eichendorff, 1951.
6 E. SCHWARZ, Der Taugenichts zwischen Heimat und Exil, in: Etudes Germaniques, 12, 1957, S. 18–33.
7 B. VON WIESE, Die deutsche Novelle von Goethe bis Kafka, 1, 1956, S. 79–96.
8 G. T. HUGHES, Eichendorff: Aus dem Leben eines Taugenichts, London 1961.
9 G. LUKÁCS, Deutsche Realisten des 19. Jahrhunderts, 1951, S. 49–65.

nen. Lukács sieht im Taugenichts verkörpert die »romantische Opposition gegen den heranwachsenden Kapitalismus«[10] und eine polemische Auflehnung gegen die bürgerliche Ordnung der kapitalistischen Gesellschaft. Die Novelle dokumentiert für ihn bei aller »weltanschaulichen Unklarheit«[11] »die verworrene oppositionelle Sehnsucht Eichendorffs«[12].

Es ist bezeichnend für die soziologische Orientierung der jüngsten deutschen Literaturwissenschaft, daß dieser Ansatz zwei Nachfolger gefunden hat, obwohl schon Thomas Mann erklärt hatte, der »Taugenichts« entbehre »jedes sozialkritischen Willens.«[13]

Margaret Gump[14] hat in einer vergleichenden Studie dreier Taugenichtsfiguren den Vorwurf weltanschaulicher Unklarheit auf das Verhältnis des Taugenichts zur Philisterwelt ausgedehnt und kommt in ihrer Untersuchung allerdings eher zu einer Rechtfertigung des strebsamen, sinnbezogenen, schöpferischen Bürgertums.

Alexander von Bormann[15] dagegen vergrößert noch den Abstand zwischen dem konfliktlos das Bestehende akzeptierenden Philister einerseits, der das Produkt der Verhältnisse ist, und dem Taugenichts andererseits, der sich durch Leistungsverweigerung der bürgerlich-kapitalistischen Verhaltensnorm entzieht. Im Taugenichts verkörpere sich die kritische Haltung Eichendorffs zur bürgerlich-kapitalistischen Ideologie, und der einzige Vorwurf, den man dem Taugenichts machen könne, sei der, daß er revolutionäres Bewußtsein weder selbst entwickeln noch im Leser wachrufen könne. Infolge ihrer Absorption in der kapitalistischen Gesellschaft gewinne die Novelle vielmehr eine systemetablierende Funktion, indem sie den sozial Geknechteten geheime Wunschträume vorspiegele, die ihnen das Alltagsleben vorenthält. Der Taugenichts also als der verhinderte Revolutionär – bis zu diesem Extrem versteigt sich die moderne spekulative Literaturinterpretation auf der Suche nach den Vorvätern sozialistischer Gesellschaftskritik.

Überblickt man diese z.T. diametral entgegengesetzten Vesuche, den Taugenichts für nationale, psychologische oder prämarxistische Tenden-

10 Ebd. S. 60.
11 Ebd. S. 62.
12 Ebd. S. 64.
13 A.a.O., S. 280.
14 M. Gump, Zum Problem des Taugenichts, in: DVJ 37, 1963, S. 529–557.
15 A. v. Bormann, Philister und Taugenichts, in: Aurora 30, 1970, S. 94–112.

zen in Anspruch zu nehmen, so ergibt sich daraus vielleicht nur der eine Befund, daß entweder die Interpreten weit übers Ziel hinausgeschossen sind und sich zu wenig am Text selbst orientiert haben, oder daß der Text selbst so vage und unscharf ist, daß er derart kontroverse Deutungen zuläßt. Damit aber wäre zugleich ein negatives Werturteil über die Dichtung abgegeben.

Die vermeintliche Unschärfe von Eichendorffs Erzählstil beruht wohl in erster Linie auf seiner Bildersprache oder genauer: auf der geringen Bedeutung, die man ihr beimißt. Nur allzu leicht und allzu oberflächlich lassen sich seine ständig wiederkehrenden Bildmotive zusammenfassen:

Die rauschenden Wälder und die einsamen grünen Wiesen, die verwilderten Gärten mit verfallenen Statuen und plätschernden Brunnen, die sprudelnden Quellen und die verworren rauschenden Ströme, die prächtig aufgehende Sonne und der Traumglanz des Mondes, die Klänge des Waldhorns und die jubilierenden Lerchen in der klaren Luft, die Blicke weit über Täler und Höhen bis zum Blau der lockenden Ferne.

All das wirkt beim ersten Lesen nur allzu leicht wie der Bilderzauber eines effektbewußten Kulissenmeisters, der die meistgefragten Versatzstücke nur zur rechten Zeit und am rechten Ort aus seiner Trickkiste zu holen braucht, um den typisch Eichendorffschen Einklang zwischen Seelenstimmung und Naturbild aufs schönste zu belegen. Betrachtet man die Bilder als solche – und ihr traditioneller Gebrauch im 19. Jahrhundert legt das unwillkürlich nahe –, so sind sie freilich nichts weiter als Klischees, die auf Abruf bereitstehen und am geeigneten Ort zweckentsprechend und mit garantierter Wirkung eingesetzt werden können.

Erst in jüngster Zeit ist man einer Anregung nachgegangen, die Werner Kohlschmidt[16] gegeben hat, und man ist auf breiter Ebene zu der Erkenntnis gelangt, daß Eichendorffs Naturbilder nicht nur abgegriffene Klischees, Versatzstücke aus dem romantischen Opernfundus sind, sondern daß sie in einer gewissen Verwandtschaft zu den barocken Emblemen stehen, nur daß sie sich sehr viel leichter und aus der genauen Beobachtung des Gebrauchs erklären lassen: sie sind quasi Chiffren, abkürzende Zeichen für höhere Zusammenhänge, Schwundstufen des Symbols, zwar nicht in jedem Einzelfall aus sich selbst heraus verständ-

16 W. Kohlschmidt, Die symbolische Formelhaftigkeit von Eichendorffs Prosastil, in: Ders., Form und Innerlichkeit, 1955, S. 177–209.

lich, sondern Zeichen, deren Bedeutung aus dem Textzusammenhang allein hervorgeht und diesen rückwirkend wieder verständlich macht.

Anhand einer solchen Chiffre nun, nämlich anhand des Vogelmotivs, soll hier ein neuer Zugang zum Verständnis des »Taugenichts« erprobt, damit also gleichzeitig die Aussagekraft eines einzelnen solchen Motivs für die Deutung des ganzen Werkes festgestellt werden. Die Deutung, die daraus resultiert, erhebt weder den Anspruch, neu, noch umwälzend zu sein. Sie soll nur aufzeigen, welche Wege die Motivanalyse eines einzelnen Bildes zur Gesamtdeutung des Werkes eröffnet, wieweit sie bereits beschrittene Möglichkeiten bestätigen oder widerlegen kann.

*

Nun ist das Vogelmotiv gewiß keines der seltensten und gesuchtesten Bilder in Eichendorffs Lyrik und Prosa, und logischerweise fällt es dem Erzähler schon nach den Gesetzen der Wahrscheinlichkeitsrechnung leichter, ein paar Vögel oder Vogelstimmen in die Landschaft zu setzen, als etwa sie durchweg mit geheimnisvollen Schlössern und verwunschenen Venusbildern zu bestücken. In der modernen Erzähltechnik, die sich dieser Fiktivität der Außenwelt durch bloße Wortsetzung sehr viel stärker bewußt ist, wiederholt diese Erfahrung etwa Pilenz, der fingierte Erzähler in Günter Grass' »Katz und Maus«, wenn er sagt: »Und so...werfe (ich) ein Volk vollgefressene Seemöven... in den sprunghaften Nordost, nenne das Wetter sommerlich...«[17]. Das soll heißen: Auch der Vogel in der Erzählung ist kein in der Natur vorgefundener, sondern bewußt zweckhaft verwandtes Requisit erzählerischer Absichten.

Die Häufigkeit des Vogelmotivs bei Eichendorff einmal zugestanden, ergibt dennoch eine bloße Frequenzstatistik im Vergleich mit ähnlich gelagerten Erzählungen wie etwa dem »Marmorbild« eine Zunahme der Vogelbilder im »Taugenichts« um rund 50 %[18]. Und das sollte auch dem abgehärteten Eichendorff-Leser auffallen.

Aber noch etwas sollte Aufmerksamkeit erregen: während es in den anderen Eichendorff-Texten vorwiegend »unzählige Vögel« schlechthin oder je nach Sonnenstand Lerchen oder Nachtigallen sind – so vor allem in »Ahnung und Gegenwart« –, die als Geräuschkulisse dienen und mehr oder

17 G. Grass, Katz und Maus, rororo 572, 1963, S. 6.
18 74 Erwähnungen auf 98 Seiten gegen 21 auf 43 Seiten im »Marmorbild«.

weniger stereotyp als Requisit des Stimmungszaubers eingesetzt werden können (hierzu wären noch genauere Untersuchungen erforderlich), überrascht der »Taugenichts« durch eine sehr viel differenziertere Vogelwelt.

Auch bei ihm gibt es natürlich die Gattungsbezeichnung »Vögel« (19mal) oder »Vöglein« (3mal), »Waldvöglein« (2mal) und »Zugvögel« (1mal) und selbstverständlich die obligatorischen »Lerchen« (8mal) und »Nachtigallen« (nur 3mal), aber darüber hinaus noch einen halben Brehm an Sperlingen, Goldammern, Rohrdommeln, Schwalben, Adlern, Dohlen, Eulen, Käuzchen, Schwänen, Wiedehopfen, Kranichen, Papageien und Kanarienvögeln bis hinab in die Niederungen des Geflügelhofes mit Hähnen, Hennen und Putern.

Das bezeugt nicht nur eine profunde ornithologische Ausbildung unseres Taugenichts, es bezeugt auch eine sehr viel genauere, überlegtere Verwendung des Vogelmotivs.

Eine der vordergründig auffälligsten Verwendungsmöglichkeiten etwa ist die Heranziehung von Vogelbildern zur Charakteristik von Figuren der Erzählung. So wird etwa – um die Terminologie der Verhaltensforschung anzuwenden – das Imponiergehabe des gräflichen Portiers im Wiener Schloß als »breit und prächtig wie ein aufgeblasener Puter« (S. 6)[19] beschrieben. Oder von dem Amtmann heißt es, daß er »hinter einem ungeheuren Dintenfasse und Stößen von Papier und Büchern und einer ansehnlichen Perücke wie die Eule aus ihrem Nest« (13) ausschaut. Der Spion, der Leonhard und Flora auf der Flucht aufspürt, wird scharfsichtigerweise mit einem Adler (41, 42) verglichen, und der beschränkte Kartoffelbauer, dem das Wort Pomeranzen noch nicht untergekommen ist, so daß er sie für Erdäpfel hält, wird treffend als »Knollfink« (28) bezeichnet. Der Wegelagerer kann in dieser Gesellschaft nur »Schnapphahn« (36)[20] heißen, und auch die frisch engagierte Kammerjungfer der Gräfin etwa trägt ja zum Zeichen der neu eingegangenen sozialen Abhängigkeit einen Kanarienvogel im Käfig mit sich herum (86, 91), wie ihn sonst bei Eichendorff sinnigerweise die Nonnen im Kloster als Spiegelbild ihrer selbst hegen[21].

19 Alle »Taugenichts«-Zitate der leichteren Zugänglichkeit halber nach der Reclam-Ausgabe 2354, 1970 u.ö.

20 Auf die Herkunft von Knollfink und Schnapphahn aus Grimmelshausen verweist C. ter Har, a.a.O., S. 101, 102 ohne Hinweis auf den gemeinsamen Nenner im Vogelmotiv.

21 »Schloß Dürande«, Reclam 2365, S. 57.

Solcher Gebrauch des Vogelmotivs in der Literatur ist durchaus traditionell. Man könnte allerdings angesichts der Tatsache, daß es sich bei allen so beschriebenen Figuren um chargierte Nebenrollen handelt, an eine Beeinflussung Eichendorffs durch die Vogelmasken tragenden Figuren der Commedia dell'arte denken und würde damit gewisse Parallelen zur Komödientradition Wiens, denen Robert Mühlher[22] nachgegangen ist, bestätigt finden.

Der Gebrauch des Vogelbildes im »Taugenichts« greift aber weit darüber hinaus. Es ist in der Sekundärliteratur oft beschrieben worden, wie die Stimmung des Taugenichts oft spontan von Kapitel zu Kapitel zwischen »himmelhoch jauchzend« und »zum Tode betrübt« schwankt, und es wäre geradezu verwunderlich, wenn nicht auch die Vogelwelt sich diesen Stimmungen anpassen würde, oder genauer: wenn seine Aufnahmefähigkeit für die Vogelwelt nicht von seiner Stimmungslage beeinflußt wäre. Wenn der Taugenichts fröhlich ist, jubilieren die Lerchen und Nachtigallen im Schichtwechsel:

»Einzelne Sterne traten schon am Firmamente hervor, von weitem rauschte die Donau über die Felder herüber, in den hohen Bäumen im herrschaftlichen Garten neben mir sangen unzählige Vögel lustig durcheinander. Ach, ich war so glücklich!« (19)

»Geputzte Landleute zogen überall zwischen Wiesen und Büschen nach der Kirche. Ich war recht fröhlich im Herzen, die Vögel sangen über mir im Baume...« (27).

»Eine Lerche sang schon hoch über dem stillen Tale. Da wurde mir auf einmal ganz klar im Herzen bei dem Morgengruße, und alle Furcht war vorüber.« (36)

»Die Vögel sangen lustig in allen Wäldern, die Täler waren voller Schimmer, aber in meinem Herzen war es noch vieltausendmal schöner und fröhlicher!« (55)

In all diesen Fällen treten Vogelwelt und Gemütsverfassung in direkter Relation zueinander, eines dient zur Verstärkung und Dokumentierung des anderen. Ist der Taugenichts hingegen verzagt oder betrübt, so verstummt für ihn die Vogelwelt:

»Die Vögel, die alle noch ein großes Geschrei gemacht hatten, als die

22 R. MÜHLHER, Eichendorffs Erzählung »Aus dem Leben eines Taugenichts«, 1962.

letzten Sonnenstrahlen durch den Wald schimmerten, wurden auf einmal still, und mir fing beinah an angst zu werden in dem ewigen einsamen Rauschen der Wälder.« (29–30)

Der Gesang der Vögel als Chiffre der inneren Gestimmtheit vestärkt und betont die Übereinstimmung von Außenwelt und Innenwelt – auch das ist eine herkömmliche literarische Technik, der wir im einzelnen nicht nachgehen wollen; wichtig erscheint im Augenblick nur, daß es sich in den meisten Fällen um schlichtweg »Vögel« ohne nähere Qualifikation handelt. Genauere Spezifizierung aber tritt immer dann ein, wenn allegorische Nebentöne beschworen werden.

Während der mysteriösen Fahrt zum geheimnisvollen Felsenschloß, als es dem Taugenichts vorkommt, als führe er »in ein großes Grabgewölbe hinein« (46), bemerkt er nur schreiende Käuzchen und Dohlen, also vermeintlich Vögel von übler Vorbedeutung. Während seines römischen Abenteuers mit der falschen Gräfin erhebt lediglich ein kreischender Papagei seine Stimme (69) und veranschaulicht damit das Imitierte, Unechte seiner Herrin.

Sinnbild melancholischer Stimmung, des Todes und der Tiefe sind schließlich die Schwäne. Sie ziehen langsam neben ihm, als ihm am Weiher »zum Sterben bange« ist (10); ihr Bild begleitet ihn (20) zum vergeblichen Rendezvous mit der »schönen gnädigen Frau«, und sie schwimmen »langsam im Kreise« (93), als der Taugenichts in den Schloßgarten zurückkehrt und die Mädchen im Kreis um ihn tanzen: beides Zeichen für das Zyklische in der Komposition der Erzählung wie im Lebenslauf des Taugenichts, der an den Ausgangspunkt seiner Liebe zurückkehrt. In ähnlicher Weise verklammert die Goldammer motivlich Anfang und Ende der Erzählung: Sie ist sowohl der erste als auch der letzte Singvogel, der in ihr erwähnt wird, und sie »sang auch wieder, als wäre seitdem gar nichts in der Welt vorgegangen« (92).

Das Vogelmotiv wird an einer kompositorisch so wichtigen Stelle, wenn der Ring des Lebens sich schließt, ein Erfahrungsbereich ausgekreist ist, zum strukturbildenden Bauelement – und das in einer Erzählung, deren lockerer Aufbau schon als notorisch gerügt worden ist.

Wir haben bisher das Vogelmotiv als ein erzähltechnisches und kompositorisches Leitmotiv, als stimmungerzeugend und stimmungspiegelnd untersucht, und wir müssen nun nach den Gründen dafür fragen, warum es im »Taugenichts« eine so zentrale Rolle spielt. Es läge nun nahe, gerade von der zuletztgenannten Goldammer her auf eine Affinität der Taugenichtsfigur zum Vogelmotiv dadurch zu schließen, daß man sein Ausweichen nach Italien und seine Rückkehr mit dem Verhalten eines Zugvogels in Parallele setzt.

In der Tat liefert der Text auch dafür Handhaben. Während der Taugenichts noch seine Einnehmerstelle innehat, heißt es:

»Zwischen den Morgenstreifen hoch am Himmel schweiften schon einzelne zu früh erwachte Lerchen, und der Postillon nahm dann sein Posthorn und fuhr weiter und blies und blies – da stand ich lange und sah dem Wagen nach, und es war mir nicht anders, als müßt' ich nur sogleich mit fort, weit, weit in die Welt. –« (17)

Zweimal erscheint im Text die Gleichsetzung des Wanderers mit dem Zugvogel (84.90), zweimal wird sogar der Taugenichts selbst mit einem Vogel verglichen, »der aus seinem Käfig ausreißt« (25.88), und er selbst wählt den Vergleich mit den Kranichen: »Ich zeigte bloß auf ein paar Kraniche, die eben hoch über uns durch die Luft zogen, und sagte: ich müßte nun auch so fort und immer fort, weit in die Ferne!« (56)

Es soll gar nicht in Abrede gestellt werden, daß hier eindeutige Parallelen vorhanden sind und eine der wesentlichen Funktionen des Vogelmotivs in der Erzählung deren Herausarbeitung ist. Nur erscheint eine vorschnelle Gleichsetzung von Taugenichts und Zugvogel doch als zu vordergründig und erschöpft noch nicht die im Text angelegten Möglichkeiten der Interpretation.

Die moderne Erzählforschung hat den Begriff der Perspektive entwikkelt – nicht nur die Perspektive des Erzählers oder Narrators, der im »Taugenichts« mit dem Helden identisch ist und dessen vergnügter Unkompliziertheit wir besondere Reize abgewinnen, sondern auch den der perspektivischen Optik, des Erzählerstandpunkts während des Erzählvorgangs oder des Blickwinkels, aus dem heraus berichtet wird. Die Dekuvrierung des Danziger Kleinbürgermiefs erfolgt in Günter Grass' »Blechtrommel« in wesentlichen Zügen aus einem Blickpunkt unterhalb des Familientisches, aus der Perspektive eines erwachsenen Dreijährigen. Und wenn schon im ganzen Leben des Taugenichts ebenfalls einiges ungewöhnlich ist, so erwischen wir ihn doch insgesamt viermal ebenso in einer für einen Erwachsenen, wennschon Quasi-Künstler, besonders ungewöhnlichen Situation: er verbringt, um einen Titel von Marguerite Duras zu verwenden, »ganze Tage in den Bäumen« – von einem Taugenichts zumindest erwartet man, daß er sie unterm Baum schnarchend zubringt:

1. Als er der »schönen gnädigen Frau« die Blumen für das Kostüm zum Schloßball abliefern soll, spürt er das Bedürfnis, auf den Birnbaum zu klettern, fühlt sich dort »in Sicherheit« (21) und übernachtet sogar im Geäst »wie eine Nachteule« (23), so daß sich morgens die Vögel »verwundert ihren seltsamen Schlafkameraden« ansehen. Sein Ausblick auf das Geschehen unter ihm (21) und in die morgendliche Landschaft (24) ist im wahrsten Sinne des Wortes eine »Vogelperspektive«: »Da richtete ich mich in meinem Baume auf und sah seit langer Zeit zum ersten Male wieder einmal so recht weit in das Land hinaus, wie da schon einzelne Schiffe auf der Donau zwischen den Weinbergen herabfuhren und die noch leeren Landstraßen wie Brücken über das schimmernde Land sich fern über die Berge und Täler hinausschwangen« (24).

2. Die gleiche Zuflucht auf einem Baum – allerdings diesmal auf einer Linde und überdies vergeblich, sucht er vor den beiden vermeintlichen Räubern, die sich später als Leonhard und Flora entpuppen (34).

3. Das dritte Mal findet er sich beim italienischen Schloß »im Wipfel eines hohen Baumes, der am Abhange stand« (53), wiegt sich auf den Ästen und überblickt wiederum die Landchaft, als ihn die mißverstandene Botschaft erreicht.

4. Das vierte und letzte Mal klettert er auf der Flucht aus dem italienischen Schloß »auf den Wipfel einer hohen Tanne« (59), um seinen Verfolgern zu entkommen; aus der Vogelperspektive beobachtet er ihre vergebliche Suche und ihre Verwirrung.

Das Motiv des Bäume-Erkletterns ist bei Eichendorff allerdings nicht auf den »Taugenichts« beschränkt; es findet sich bereits mehrfach, autobiographisch durch Jugenderlebnisse in Lubowitz bedingt, in »Ahnung und Gegenwart«, so daß sich Graf Loeben bei Eichendorff beschwerte »Das Bäumebesteigen nimmt kein Ende«[23] und Eichendorff solche Kritik mit einem »Bravo!« als berechtigt anerkannte. Die intensive Wiederverwendung im »Taugenichts« bedarf daher keiner Rechtfertigung, sondern einer Erklärung durch die Besonderheit der Situation. Die von G. T. Hughes angebotene Deutung als Flucht in die Einsamkeit[24] oder als Erhebung

23 J. v. Eichendorff, Werke, historisch-kritische Ausgabe Bd. XIII, S. 61.
24 Hughes, a. a. O. S. 51.

über das natürliche Niveau aus Furcht vor dessen Einflüssen[25] scheint mir nicht weit genug zu greifen. Der Zusammenhang von Vogelmotiv und Vogelsperspektive dagegen findet in ihm eine Stütze, die sich aus dem einheitlichen Motivgebrauch des Werkes ableitet und überdies noch weiter untermauert werden kann.

Die Perspektive von einem erhöhten Aussichtspunkt aus, ob Baum, Hügel oder Bergeshöhe, durchzieht auch sonst den ganzen »Taugenichts«-Text in einem Maße, daß einzelne Belege gar nicht nötig sind (11, 15, 24, 27, 60, 65, 73, 81, 92, 93, 98). Schon der Ausblick vom Birnbaum, wie oben zitiert, war dafür ein typisches Beispiel. Der Ausblick von oben in eine Landschaft bis zum in der Ferne rauschenden Fluß, zumal bei Sonnenuntergang, gehört nun zweifellos zu den typischsten Tableaus von Eichendorffs Naturbeschreibung. Ob er zu den stereotypen Versatzstükken zu rechnen ist, oder ob ihm nicht selbst wieder eine motivische Funktion zukommt wie einem seiner Bestandteile, dem rauschenden Strom, als Chiffre für den inneren Drang in die Ferne, bedarf ebenso wie das Vogelmotiv einer detaillierten Spezialuntersuchung. Man wird dazu übergehen müssen, vieles bei Eichendorff nicht mehr als den klassischen Topos der amönen Landschaft zu betrachten.

Wenn dieser Landschaftsausblick von der Höhe her hier gleichzeitig für das Vogelmotiv in Anspruch genommen wird, so geschieht dies unbeschadet seiner Funktion für das Landschaftserlebnis aufgrund einer anderen auffallenden Stilbeobachtung. Vom Zugvogel-Motiv und der Identifikation des Taugenichts mit ihm war schon die Rede, doch diese Identifikation reicht noch weiter, wie ein paar Belegstellen zeigen:

Als der Taugenichts als Gärtnerbursche angestellt wird, ist ihm »wie einem Vogel, dem die Flügel begossen worden sind« (6), bei der gräflichen Landpartie sitzt er »wie eine Rohrdommel im Schilfe« (10); nach der ersten, konfusen Nacht in Rom singt er »Wenn ich ein Vöglein wär'« (63) und wird daraufhin von dem Maler angesprochen: »Du singst ja wie eine Lerche« (63). Der geistliche Herr auf dem Donauschiff äußert sich über den erwarteten Bräutigam »Er soll ein lustiger Vogel sein« (88), und nach der Donaufahrt schwärmen die Reisenden an Land aus »wie Vögel, wenn das Gebauer plötzlich aufgemacht wird« (91).

Man könnte sogar noch weiter gehen und darauf verweisen, daß der

25 Ebd.

Vater den Taugenichts »nicht länger füttern« (3) will, daß er ganz wider seine sonstige Gewohnheit zum Frühaufsteher wird (8), daß ihn der »Adler» »aufs Korn nimmt« (41), daß er »Kratzfüße« (48) macht und daß er seine Mahlzeiten vorzüglich im Freien einzunehmen pflegt und mitunter durch das Horn des Postillons daran gestört wird – wie ein aufgescheuchter Vogel läßt er sein Mahl liegen.

Die Zahl solcher kleinen Züge ließe sich noch beliebig vermehren; sie alle sprechen für eine gewisse Affinität des Taugenichts zur Vogelwelt. Und in einem anderen Sinn als die Tierkarikaturen unserer früheren Beispielreihe tun dies auch einige Bilder aus der Vogelwelt, die der Taugenichts in positivem Sinn auf seine Umwelt anwendet.

Da heißt es zweimal von zwei verschiedenen Mädchen, daß sie ihr »Schnäbelchen« (31, 88) in Wein oder in einen Becher tunken. Nach der Flucht von Leonhard und Flora vor dem Spion entdecken die Wirtsleute am Morgen »das leere Nest« (44), und der geistliche Herr auf dem Donauschiff erkennt die Prager Studenten wie »Vögel an ihren Federn« (87).

Die Herkunft dieser Bilder aus der Vogelwelt ist unstreitig, und dennoch steht ihr metaphorischer Charakter oder ihr Vergleichswert der restlosen Identifizierung im Wege: fast immer heißt es »wie ein Vogel«. Ehe daraus die Konsequenzen zu ziehen sind, muß jedoch noch ein weiteres sprachliches Bild beobachtet werden, das in enger Relation zum Vogelmotiv steht, nämlich das des Fliegens.

»Wer da fliegen kann, nimmt Flügel« (37), singt Guido alias Flora kurz nach ihrer Begegnung, und die Sehnsucht des Taugenichts kurz vor seiner Rückkehr ins Schloß äußert sich in dem Stoßseufzer »Wenn ich nur *heute* Flügel hätte!« (87). In Verfolgung dieses Wunsches zieht er seine Geige hervor und spielt auf, denn Musik macht ihn den Vögeln gleich, er geigt, »daß die Vögel im Walde aufwachen« (37). Musik und Gesang als Stimmungslied, Lust an der Welt, am Zauber der Natur, als Lob des Schöpfers sind Ausdruck für die Weiträumigkeit und Unermeßlichkeit der Welt, Lied, das in die Weite klingt. Sie sind das gemeinsame Medium des Lebensgefühls für Mensch und Vogel, oder, wie es Guido/Flora ausdrückt:

»Hat Gesang doch auch noch Schwingen,
Nun so will ich fröhlich singen!« (38)

In Gesang, Musik und Geigenspiel wachsen dem Taugenichts die Schwingen, die ihn über die irdische Schwerkraft erheben, ihm ätherische Leichtigkeit, Unbeschwertheit verleihen, ihm und seinen Lesern das Gefühl der Schwerelosigkeit geben. Das wahre Gefühl des Fliegens aber entsteht beim Taugenichts immer in Verbindung mit der Reisegeschwindigkeit von erhöhter Warte aus.

Kaum haben ihn am Anfang der Geschichte die beiden fremden Damen zum Aufspringen auf ihren Reisewagen aufgefordert, heißt es: »wir flogen über die glänzende Straße fort« (5). Kaum sprang er auf den Wagen der beiden Maler Guido und Leonhard, »so flogen wir schon fort« (39), wobei er »oft ellenhoch in die Höhe flog« (39). Und als er die mißverstandene Aufforderung zur Rückkehr ins Schloß erhält, schämt er sich seiner Freude vor dem alten Weibe und »flog wie ein Pfeil bis in den allereinsamsten Winkel des Gartens« (55), ja selbst auf dem Donauschiff stellt sich das Gefühl ein, als »flogen wir nun im schönsten Morgenglanze zwischen den Bergen und Wiesen hinunter« (86). Noch deutlicher wird die Beziehung zwischen beiden Bildbereichen, als er sein Gefühl auf dem Kutscherbock der Maler beschreibt: er hatte »ein prächtiges Leben, wie der Vogel in der Luft, und brauchte doch dabei nicht selbst zu fliegen« (39). Das Vogelleben scheint als ein Erstrebenswertes, als schwereloses Dem-Himmel-nahe-Sein: »Mir war so kühl und fröhlich zumute, als sollt' ich von dem Berge in die prächtige Gegend hinausfliegen.« (39)

Von solch erhöhtem Standpunkt aus stellt sich erneut im Zusammenhang mit der Bewegung die Perspektive des Vogelflugs ein, und man gewinnt den Eindruck, Eichendorff scheue nicht davor zurück, stilistische Unschärfen in Kauf zu nehmen, um diese Perspektive auch dort durchzusetzen, wo sie sachlich auf Schwierigkeiten stößt.

»Wir fuhren nun über Berg und Tal« (44) heißt es an einer Stelle, obwohl man über Tal wohl nicht fahren, sondern allenfalls fliegen kann; und an anderem Orte: »Unter mir Saaten, Büsche und Wiesen bunt vorüberfliegend« (5), obwohl doch der Reisewagen sicher keinen Flurschaden anrichtete, sondern auf der Straße und nicht quer über Büsche und Saatfelder fuhr. Oder an anderer Stelle: »Ich freute mich *in* der lauen Luft.« (15)

Letztlich läßt sich auch die geographische Crux der Interpreten mit der Stelle im 7. Kapitel, wo der Taugenichts entgegen landläufiger Auffassung Rom am Meer (60) liegen sieht, nur unter Zuhilfenahme der Vogelperspektive lösen.

Aus der Häufigkeit dieser Motivkomplexe Vogel und Fliegen im Zusammenhang mit dem Ätherischen von Gesang und Musik als äquivalente Äußerung resultieren aber nicht nur die Leichtigkeit und Schwerelosigkeit der Taugenichts-Erzählung, sondern auch das Schwebende und Ungebundene in seinem Lebenslauf – auch das sind jedoch sicher wohlgeplante Nebenergebnisse. Darüber hinaus hat der Motivkomplex über das Stimmungsmäßige und Perspektivische hinaus eine weitergreifende Bedeutung. Es wäre auch nach diesen Weiterungen immer noch zu einfach, den Taugenichts mit einem Zugvogel gleichzusetzen, der, nestflüchtig, nach Süden zieht und wieder heimfindet, dem wie den Prager Studenten die ganze Welt offensteht (83) und der »in dem großen Bilderbuche, das der liebe Gott uns draußen aufgeschlagen hat« (84), studiert.

*

Mit dem Bild vom Bilderbuch Gottes aber kommt das religiöse Moment der Motivdeutung ins Spiel. Das Reisen und Wandern des Taugenichts ist zugleich die Pilgerfahrt eines gläubigen Menschen von unbeschränktem Gottvertrauen durch die Welt.

»Das Reisen« – sagt Faber in »Ahnung und Gegenwart« – »ist dem Leben vergleichbar. Das Leben der meisten Menschen ist eine immerwährende Geschäftsreise vom Buttermarkt zum Käsemarkt; das Leben der Poetischen dagegen ist ein freies, unendliches Reisen nach dem Himmelreich.«[26] Entsprechend hat auch der Taugenichts bei seinem Besuch im römischen Maleratelier das Gefühl, »als wenn wir in den Himmel hineinsteigen wollten« (64).

Damit kommt aber gleichzeitig ein neuer Gesichtspunkt des Vogelmotivs zur Geltung, der über das Stimmungsmäßige, das Ätherische, das Erhabene und das Wandermotiv hinausragt: Das Vogelähnlichsein als Unbeschwertsein vom Irdischen bedeutet zugleich ein Gottnahesein, der vielbeschriebene Verzicht auf das Streben nach irdischen Gütern ein absolutes Vertrauen in die göttliche Führung.

Die erste Strophe der ersten Lyrikeinlage postuliert die Wanderschaft als einen Gnadenerweis Gottes:

26 »Ahnung und Gegenwart« I, 5, J. von Eichendorff, Werke, hg. W. Rasch, 1971, S. 570.

»Wem Gott will rechte Gunst erweisen,
den schickt er in die weite Welt« (4)

Aber nicht diese erste Strophe, sondern die vierte Strophe desselben Liedes »Der frohe Wandersmann« wird bezeichnenderweise im Text wiederholt:

»Den lieben Gott laß ich nur walten;
Der Bächlein, Lerchen, Wald und Feld
Und Erd' und Himmel will erhalten,
Hat auch mein' Sach' aufs best' bestellt« (4 u. 25)

In Italien, sagt der Portier, »sorgt der liebe Gott für alles« (26), und entsprechend bekennt der Taugenichts: »Ich befahl mich daher Gottes Führung« (29).

Nach alledem bedarf es wohl kaum des Hinweises darauf, worauf hier angespielt wird: Es ist natürlich Matth. 6, 26: »Sehet die Vögel unter dem Himmel an: sie säen nicht, sie ernten nicht, sie sammeln nicht in Scheunen, und euer himmlischer Vater nährt sie doch.« Wenn man schon so weit geht, die Leistungsverweigerung des Taugenichts in der modernen Leistungsgesellschaft als Ausfluß der romantischen Opposition gegen die Gesellschaft des Frühkapitalismus zu interpretieren, dann muß man auch schon so weit gehen, zuzugeben, daß die ursprüngliche Aufforderung dazu im Matthäusevangelium vorliegt. Sonst erkennt man nur die Federn, aber nicht die Vögel.

Dies aber ist, mit anderen Worten, die Grunderfahrung des Taugenichts auf seinem Weg durch die Welt: die absolute Verläßlichkeit der Führung Gottes und das stete Vertrauen auf die schützende Hand Gottes über ihm, das Bewußtsein vom Eingebettetsein des Menschenlebens in seinem Glücksverlangen, des irdischen Lebens und der gesamten Natur in die gütige göttliche Ordnung, das ihn auch in Stunden der Verzweiflung nicht verläßt und das durch die Natur, durch die Vögel, durch ihren Gesang und den Glockenklang ständig an sich gemahnt. Diese Ruhe und Sicherheit in der Geborgenheit bestimmt auch seine Zuversicht auf dem Gang in die Ferne, der ganz offensichtlich durch Gottes Hand geführt und geleitet wird. Nur dem Wissen von der vorsorglichen Güte Gottes erwächst jenes unbekümmerte Vertrauen, das zugleich Grundstimmung der Novelle ist.

Was aber seine Abenteuer, seine Wanderung betrifft, so müssen wir wohl eines festhalten, das oft genug übersehen worden und doch eigentlich selbstverständlich ist:

Der »Taugenichts« ist keine Erzählung von wildromantischen Abenteuern und Zufälligkeiten – sie erscheint nur so aus der Sicht des naiven Helden, der nicht hinter die Zusammenhänge blickt, sie nicht durchschaut – auch dann noch kaum, als sie ihm am Schluß erklärt werden. Eichendorff bedient sich zwar um romantischer Effekte willen der Sichtweise des Toren, der im Gegensatz etwa zu dem rein praktisch denkenden Portier noch dem zweckfreien Schönen der Schöpfung offen ist – aber Eichendorff hält gleichzeitig für weniger naive Leser am Ende eine rationalere Erklärung der Ereignisse bereit.

Von dort aus gesehen ist all das, was der Taugenichts als eine verwirrende Abfolge von Abenteuern erlebt, eine Kette einander auslösender Ereignisse, also in Wirklichkeit eine wohlgeplante – man verzeihe den modernen Ausdruck – vorprogrammierte und ferngesteuerte Gesellschaftsreise als einzelner. Der Taugenichts allein, auf sich gestellt, ein reiner Tor ohne Kenntnisse fremder Sprachen, ohne einen Anflug von Geographiekenntnissen, ohne ein Verhältnis zu Geld und Erwerb, wäre dazu gar nicht in der Lage. Aber seine Reise in die Welt wird gelenkt und geführt von einem Höheren, dem er vertraut, nicht zuletzt auch von jener seltsamen Gesellschaft im Schloß und insbesondere von Aurelie.

Von ihr bekennnt Leonhard nach der Rückkehr: »Obgleich Ihr in diesem Mantel bis an den Gestaden des Tiber dahinrauschtet, das kleine Händchen Eurer gegenwärtigen Braut hielt Euch dennoch am äußeren Ende der Schleppe fest, und wie Ihr zucktet und geigtet und rumortet, Ihr mußtet zurück in den stillen Bann ihrer schönen Augen.« (95) Von hier aus wird auch jener Traum verständlich, in dem Aurelie dem Taugenichts am ersten Tag nach seinem Weggang vom Schloß erscheint; sie kam »eigentlich langsam geflogen zwischen den Glockenklängen, mit langen weißen Schleiern, die im Morgenrote wehten« (27), und »ihre Schleier wurden immer länger und länger und flatterten... wie Nebelstreifen, hoch am Himmel empor.« (28)

Die fliegenden Schleier sind nicht nur das dehnbare, aber nicht zerreißbare Band, das die Liebenden verbindet, sie sind zugleich die Flügel Aurelies, die sie dem Lebensgefühl des Taugenichts gleichstellen. In einer früheren Vision sieht er Aurelie als »still, groß und freundlich wie ein Engelsbild, so daß ich nicht recht wußte, ob ich träumte oder wachte« (7).

Und noch deutlicher ist die Vision während der Kahnfahrt: »Die schöne Frau, welche eine Lilie in der Hand hielt, saß dicht am Bord des Schiffleins und sah stillächelnd in die klaren Wellen hinunter, die sie mit der Lilie berührte, so daß ihr ganzes Bild zwischen den widerscheinenden Wolken und Bäumen im Wasser noch einmal zu sehen war, wie ein Engel, der leise durch den tiefen blauen Himmelsgrund zieht.« (10/11)

Aurelie erscheint als der Schutzengel des Taugenichts auf seinem Weg durch die Welt; daher ist er auch mit keiner der ihm angebotenen Versorgungsheiraten einverstanden. Aber auch andere übernehmen an entscheidenden Phasen der Erzählung diese Rolle: auf dem Schiff wird der »Engel« durch den Geistlichen abgelöst, der den Bräutigam an die richtige Stelle seiner Bestimmung zurückleitet.

Das Menschenleben als gelenkt durch einen freundlich sorgenden Gott, das Leben eines Taugenichts als der glückhaft geführte Weg eines lauteren, gottvertrauenden Menschen, der in den Tag hineinlebt und sich von vornherein darüber klar ist« »Unser Reich ist nicht von dieser Welt« (25), das nur kann das Resümee einer solchen Motivierung in der Erzählung sein, deren Schlußsatz dann lautet: »Es war alles, alles gut«. Auch das ist eine Anspielung auf den biblischen Schöpfungsbericht, nämlich die Qualitätskontrolle des siebten Tages: »Und siehe da, es war sehr gut« (1. Mos. 31 bzw. 25) – nicht umsonst nennt sich der Taugenichts ein Sonntagskind (1), dessen Hauptziel es ist, die Schönheit und Gelungenheit der Schöpfung zu bewundern und sie in seinen Liedern zu preisen. Und auch das verbindet ihn mit dem Vogel: das Lied als Preis der Schöpfung.

Das alles zusammengenommen, so will mir scheinen, ergibt aber weder ein romantisches Wunschtraummärchen der unmotivierten Glückserfüllung noch ein spezifisch deutsches Wesensbild, geschweige denn ein Dokument des romantischen Antikapitalismus, sondern schlichtweg ein christliches Bekenntnis des Glaubens an die Schönheit der Welt und an die Gotteskindschaft des Menschen.

Und von hier aus wird auch verständlich, warum die Zeitgestaltung der Erzählung so unverbindlich bleibt und unser Held namenlos bleiben muß: es gilt jederzeit für jedermann. Er muß gar nicht einmal ein Taugenichts sein – geschweige denn ein ornithologischer.

Joseph von Eichendorff*

Hans Eichner

Das erzählerische Lebenswerk von Joseph von Eichendorff (1788–1857) beginnt mit der 1808/09 entstandenen, aber erst postum veröffentlichten Jugendarbeit *Die Zauberei im Herbste* und endet mit dem 1857 erschienenen Kleinepos *Lucius.* In diesem halben Jahrhundert schuf er außer seinen beiden großen Romanen zehn Erzählungen in Prosa von so unterschiedlicher Art und ungleichem Wert, daß sie nicht auf einen gemeinsamen Nenner gebracht werden können.

Die Zauberei im Herbste, ein unreifer Entwurf, den wohl nur ein Zufall vor der Vernichtung bewahrt hat, war Eichendorffs erster Versuch, das Venusmotiv zu gestalten, zu dessen Symbolik er zeitlebens immer wieder zurückgekehrt ist. In seiner zweiten Erzählung, *Das Marmorbild,* entstanden um 1816/17, erstveröffentlicht 1819, hat er diesem Motiv einen erstaunlichen Bedeutungsreichtum verliehen und es zur Darstellung von psychologischen Einsichten benutzt, die seiner Zeit weit vorauseilten.

Schon recht bald nach dem Abschluß von *Das Marmorbild* scheint Eichendorff die Arbeit an seiner berühmtesten Erzählung, *Aus dem Leben eines Taugenichts,* aufgenommen zu haben. Im Jahr 1823 erschien in den »Deutschen Blättern für Poesie, Literatur, Kunst und Theater« ein Vorabdruck der ersten beiden Kapitel; das ganze Werk wurde erst 1826 veröffentlicht, zusammen mit einem Nachdruck von *Das Marmorbild* und einem Anhang mit Gedichten.

Auf diese frühen Höhepunkte von Eichendorffs novellistischer Kunst folgten zwei Erzählungen ganz anderer Art. 1831/32 entstand die Literatursatire *Viel Lärmen um Nichts,* deren Erzähltechnik von großem Interesse ist, die sich aber mit längst vergessenen literarischen Fehden befaßt und daher heute kaum mehr gelesen wird. Sie erschien 1832 in der Berliner Zeitschrift »Der Gesellschafter«. Nicht selbst veröffentlicht hat Eichendorff die wahrscheinlich zur selben Zeit entstandene Satire auf das

* Bibliographische Hinweise am Ende des Artikels.

Hambacher Fest, *Auch ich war in Arkadien;* ihr literarischer Wert ist gering.

Rund um 1835/36 griff Eichendorff das Venusmotiv ein drittes Mal auf. In der damals entstandenen Erzählung *Eine Meerfahrt* landet ein Schiff an einer geheimnisvollen Insel im Atlantik, deren Beherrscherin wie die dämonisierte Göttin der mittelalterlichen Venussagen Jünglinge in ihren Bann schlagen kann. Die Erzählung, in der fast jedes Ereignis durch ein ähnliches wiederholt und abgewandelt wird und fast jede Gestalt sich in seltsamer Doppelung in einer anderen spiegelt, ist sehr kunstvoll aufgebaut, fällt aber trotz vieler dichterischer Schönheiten im Vergleich mit dem *Marmorbild* etwas ab: Sie erreicht weder die psychologische Tiefe noch die Prägnanz der frühen Novelle und bringt in ihrem Gehalt trotz der viel größeren Länge kaum Neues. Eichendorff war mit dem Manuskript, das 1864 aus dem Nachlaß veröffentlicht wurde, unzufrieden und wollte es völlig umarbeiten (HKA I 156), konnte sich aber anscheinend nie zu dieser Aufgabe entschließen[1].

In seinen beiden nächsten Erzählungen, *Das Schloß Dürande* (Erstdruck 1837) und *Die Entführung* (Erstdruck 1839), wird das Venusmotiv aus dem *Marmorbild* auf eine andere Weise wieder aufgenommen. Im *Marmorbild* hat Florio zwischen Bianka und Venus zu wählen, im *Schloß Dürande* Graf Hippolyt zwischen Gabriele und den Verlockungen der Pariser Gesellschaft, in *Die Entführung* Graf Gaston zwischen Leontine und der Gräfin Diana. Das ist immer dieselbe Konstellation, derselbe Kontrast zwischen dem einfachen Mädchen, das den Bereich christlicher Gesittung repräsentiert, und dem scheinbar viel glanzvolleren Bereich heidnischer Schönheit und Sinnenlust. Florio, Hippolyt und Gaston erliegen alle zunächst der Verlockung, treffen schließlich aber doch noch die richtige Wahl. Dabei ist es ebenso charakteristisch für Eichendorff, daß er so oft auf dasselbe Motiv zurückgriff, wie daß er ihm jedesmal neue Möglichkeiten abgewann. Er konnte das Schema mit solchem Erfindungsreichtum abwandeln, daß die Entsprechungen selbst in der Fachliteratur über ihn fast durchweg übersehen wurden. Im *Schloß Dürande* ist die Liebesgeschichte ein Element einer Dichtung, deren Schwergewicht auf ihrem politischen Gehalt liegt; Hippolyt ist eine Nebenfigur, der heidni-

1 Als Eichendorff 1841 und 1847 von Brockhaus um einen Beitrag zur »Urania« gebeten wurde, zog er es vor, die Bitte des Verlegers abzulehnen, statt ihm das Manuskript der *Meerfahrt* zu schicken (FRÜHWALD, s. L., S. 150, 183, 205).

sche Bereich wird mit knappen Worten bloß angedeutet, die zu jedem Opfer bereite Gabriele überragt alle anderen Gestalten der Erzählung an seelischer Größe. In der *Entführung* mag man bei der ersten Lektüre den Eindruck haben, daß das Schwergewicht auf die Charakteristik der Gräfin Diana fällt, in der, wie ihr Name verrät, die Venusgestalt auf eine zunächst vielleicht paradox wirkende Weise variiert wird: An die Stelle der Göttin der Wollust tritt hier die Göttin der Keuschheit, die aber den Jünglingen, denen sie sich in überheblichem Stolz verweigert, nicht weniger verderblich sein kann als eine Venus, die sich ihnen hingibt. Die Struktur der Erzählung erweist sich aber nur als sinnvoll, wenn man die Wahl, die Gaston zu treffen hat, als ihr Grundthema erkennt[2].

Die zwei letzten Erzählungen Eichendorffs gehören nicht zu seinen besten. In *Die Glücksritter* (Erstdruck 1841) begleiten wir den vitalen, verwahrlosten, biderben Bummelstudenten Suppius und seinen Freund Klarinett auf einer ziellosen und abenteuerlichen Reise, auf der sie ihr Glück machen sollen. Dabei hat sich Klarinett, wie so viele Eichendorffsche Helden, zwischen zwei Frauen zu entscheiden, die verschiedene Lebensformen repräsentieren. Die Erzählung erinnert in ihrer humoristischen Grundstimmung und manchen Einzelmotiven an den Taugenichts, arbeitet aber mit viel grobschlächtigeren Mitteln und strebt den lyrischen Zauber des früheren Werkes nicht an. *Libertas und ihre Freier* ist ein satirisches Märchen, in dem Eichendorff seiner Enttäuschung über die Ereignisse von 1848/49 Ausdruck verlieh, von denen er sich eine geistige

2 O. Seidlin, der *Die Entführung* eine verworrene »Doppel-Erzählung« nennt, die den »Zusammenhang mit sich selbst« verliert (s. L., S. 267), scheint diese Thematik nicht erkannt zu haben. Auch J. Kunz (Eichendorff. Höhepunkt und Krise der Spätromantik. Oberursel 1951) wird ihr nicht gerecht. Diana wird in der Erzählung mit einer »zauberischen Sommernacht« verglichen, »die, alles verlockend und verwirrend, über seltsame Abgründe« scheint (1373). Dem jungen Grafen Olivier, den die Liebe zu ihr in den Tod treibt, ist es, als er sie zum letztenmal sieht, »als hätt' er eine Hexe erblickt« (1374). Gaston lernt sie in einer alten verfallenen Burg kennen, »in der es der Sage nach spuken sollte« (1376); ihr Spiegelbild im Wasser kommt ihm vor wie eine »Nixe« (1387f.). König Louis XV. vergleicht sie mit der »Waldfrau [...] mit dem Zauberblick, von dem die Jäger sprechen« (1376). Wie Kunz trotz dieser Hinweise auf den dämonischen Bereich, dem Diana angehört, zu dem Ergebnis kommen konnte, Gaston habe sich am Schluß der Erzählung für Leontine entschieden, obwohl er wisse, »daß der höhere Rang bei Diana ist« (S. 105), ist unbegreiflich.

Erneuerung in Deutschland erhofft hatte[3]. Seine Bemühungen, die Satire zu veröffentlichen, scheiterten, und wir besitzen sie nur in der verstümmelten Form, in der sie Hermann von Eichendorff 1864 für den Druck in den *Sämmtlichen Werken* herausgab.

Obwohl solche Entscheidungen gewiß meist anfechtbar sind, sei die Behauptung gewagt, daß sich aus Eichendorffs Erzählungen fünf auswählen lassen, die zum Kanon des besten gehören, was deutsche Erzählkunst geleistet hat. Dies sind, in der Reihenfolge der Erstdrucke, *Das Marmorbild, Aus dem Leben eines Taugenichts, Das Schloß Dürande, Die Entführung* und *Eine Meerfahrt.* von diesen fünf Erzählungen sollen im folgenden die ersten drei eingehender besprochen werden.

Das Marmorbild: In seinen *Gesta regum Anglorum* (um 1125) erzählt William von Malmesbury die Geschichte von einem jungen Edelmann, der seinen Ehering, um ihn beim Ballspiel nicht zu verlieren, an den ausgestreckten Finger einer Venusstatue steckt. Die Statue krümmt den Finger, so daß der Edelmann den Ring nicht wieder abziehen kann. Damit ist er der Venus verfallen und kann aus ihrem Bann nur durch schwarze Magie erlöst werden. Eichendorff kannte diese Sage, die im Mittelalter in vielen Varianten verbreitet war[4], durch eine Nacherzählung in einem Sammelwerk aus dem siebzehnten Jahrhundert[5]. Ebenso vertraut war er mit der Sage vom Venusberg, in den in Tiecks *Der getreue Eckart und der Tannenhäuser* ein zauberischer Spielmann die Jünglinge verlockt. Die Faszination, die dieser Sagenkreis auf Eichendorff ausübte, war so stark, daß nicht weniger als drei seiner Erzählungen auf ihm basieren, von denen er selbst jedoch nur eine – *Das Marmorbild* – veröffentlicht hat. Hier ist

3 Vgl. HILLACH u. KRABIEL, s. L. I, S. 163 ff.

4 Th. ZIOLKOWSKI, Image as Theme: Venus and The Ring. In: DERS.: Disenchanted Images. A Literary Iconology.Princeton 1977, S. 18–77. P. F. BAUM, The Young Man Betrothed to a Statue. In: PMLA 34 (1919), S. 523–579. W. PABST, Venus und die mißverstandene Dido: Literarische Ursprünge des Sibyllen- und des Venusberges. Hamburg 1955.

5 *Die Teuffelische Venus,* in: E. W. HAPPEL, Größeste Denkwürdigkeiten der Welt oder so genandte Relationes curiosae. Hamburg 1687, III, S. 470. Weitere Anregungen verdankte Eichendorff der Spukgeschichte *Die seltzahme Lucenser-Gespenst,* ebd., III, S. 510–516 (nachgedr. in Friedrich Baron de la Motte Fouqué und Josef Freiherr von Eichendorff, hrsg. v. M. KOCH [= Deutsche National-Literatur. Bd. 146, 2. Abt.], S. 157–164).

ihm ein Kunstwerk von außerordentlicher Prägnanz geglückt, wie es wohl nur in diesem Stadium der Romantik entstehen konnte: *Das Marmorbild* ist ein »Novellenmärchen« (Fouqué)[6], in dem eine durchaus märchenhafte Handlung mit einem erstaunlich modern anmutenden psychologischen Realismus verknüpft ist.

Beim ersten Zugang zu der Erzählung mag uns eine knappe, vereinfachende Zusammenfassung behilflich sein. Florio, ein junger Edelmann, ist auf Reisen. Eben in der Stadt Lucca angekommen, nimmt er an einem Fest teil, auf dem er ein junges Mächen kennenlernt, zu dem er sich im Lauf des Abends »fast unwillkürlich [...] gesellt«. In der Nacht darauf träumt er von ihr, eilt ins Freie und kommt auf seiner nächtlichen Wanderung zu einem »marmornen Venusbild«, das die Augen zu ihm aufzuschlagen und die Lippen zum Gruß zu öffnen scheint und eine magische Anziehungskraft auf ihn ausübt. Von einem »tiefen, unbestimmten Verlangen« gequält, versucht er am nächsten Tage vergebens, das Marmorbild wieder aufzufinden, begegnet jedoch einer Dame von großer Schönheit, die unverkennbar die Züge des Venusbildes trägt und jeden Gedanken an die junge Bianka in ihm verdrängt. Auf sein dringendes Verlangen bringt ihn der Ritter Donati, den Florio auf dem Fest kennengelernt hat, ein zweites Mal zu der Dame, die ihn in ein einsames Gemach ihres Palastes führt. Da hört er von draußen ein »altes, frommes Lied«, das ihm bewußt macht, daß er sich »aus sich selber verirrt« hat, und ihm ein Stoßgebet entlockt, auf das hin der dämonische Bereich, in dem er befangen ist, sich plötzlich in seinen wahren Farben zeigt. Ein Sturm bricht aus, die Marmorbilder in dem Gemach erheben sich drohend von ihren Gestellen, und es gelingt Florio nur mit knapper Not, sich ins Freie zu retten. Einige Tage später deutet der Sänger des »frommen Liedes«, der Dichter Fortunato, das Geschehen: In der Umgebung von Lucca liegt ein alter Tempel der Venus, die jeden Frühling »aus der erschrecklichen Stille des Grabes [...] in die grüne Einsamkeit ihres verfallenen Hauses« hinaufsteigt und »durch teuflisches Blendwerk die alte Verführung« an jungen sorglosen Gemütern übt. Florio jedoch hat der Verführung widerstanden und den Weg zu sich selbst zurückgefunden. Er trifft Bianka wieder, erkennt sie in ihrer ganzen Schönheit und verlobt sich mit ihr.

Wie Egon Schwarz gezeigt hat, hat dieser Handlungsverlauf ein fast

6 Fouqué an Eichendorff, 31. 12. 1817; zit. bei Weschta, s. L., S. 32.

allegorisches Gepräge, dessen Sinn sich schon zum Teil aus den sprechenden Namen ergibt. Bianka ist, wie ihr Name verrät, Sinnbild der keuschen Liebe, während Venus, die »mater saeva cupidinum«[7], den zügellosen Geschlechtstrieb verkörpert. Auch die beiden Jünglinge in der Erzählung haben sprechende Namen. Florio ist der »blühende«, aufblühende Jüngling, der im Gegensatz zu dem reiferen, »glücklichen« Fortunato erst lernen muß, das »wilde Tier«[8] in seiner Brust zu beherrschen. Dazu reicht das Gewisssen, das im *Marmorbild* von Florios Diener verkörpert wird[9], nicht aus: Nur weil das »fromme Lied« im entscheidenden Augenblick den kindlichen Glauben in ihm erneuert, kann Florio den Verlockungen der Venus widerstehen. Seine Rückkehr in den Bereich christlicher Gesittung wird besiegelt durch seine Verlobung mit Bianka, die am Schluß der Erzählung »recht wie ein heiteres Engelsbild auf dem tiefblauen Grunde des Morgenhimmels« (1186) vor ihm steht.

Eichendorff mythisiert im *Marmorbild* also den Geschlechtstrieb; seine Erzählung leistet aber natürlich viel mehr, als daß sie einfach »eine bekannte Sache in Bildern ausdrückt, die von jeher dazu gedient haben, diese Sache auszudrücken«[10]. Im achtzehnten Jahrhundert unterschied man so scharf zwischen Liebe und Sinnlichkeit, daß F. H. Jacobi z. B. behaupten konnte, jeder »gutgeschaffene Mensch« müsse bei der ersten Regung von Liebe den Gedanken an sinnliche Lust verabscheuen; die »erste Bedingung der Liebe« sei, »Feindseligkeit gegen die tierischen Triebe«[11]. Dabei wurde die Liebe als ein rein seelisches, die Sexualität als ein rein körperliches Phänomen und die sexuelle Leidenschaft als ein

7 So nennt sie, Horaz zitierend, Antonio in *Eine Meerfahrt* (S. 1276).

8 Das Schloß Dürande (S. 1364); vgl. unten, S. 326 u. 330.

9 SCHWARZ, Marmorbild, s. L., S. 217f. Florio mischt sich in den festlichen Schwarm, wo sich der Kuppler der Venus, Donati, an ihn heranmacht, nachdem er sich von dem Diener getrennt hat. Als er der »Versuchung« nachgibt, dem »Nachhallen der vergangenen Lust« in die Nacht hinaus zu folgen, wo er auf das Venusbild trifft, muß er an dem Diener vorbei, der »eingeschlafen auf der Schwelle« liegt (1156f.). Schließlich wird er durch das »unermüdliche Zureden seines getreuen Dieners« (1180) veranlaßt, die Gegend von Lucca und damit den Bereich der Venus zu verlassen.

10 PIKULIK, s. L., S. 130. Das im folgenden über Florios Psychologie Gesagte ist Pikuliks Arbeit sehr stark verpflichtet.

11 F. H. JACOBI, Auserlesener Briefwechsel, Bd. 2. Leipzig 1827, S. 175; P. KLUCKHOHN, Die Auffassung der Liebe in der Literatur des 18. Jahrh. und in der deutschen Romantik. Halle [2]1931, S. 235.

»Einbruch von Außen« (Pikulik) betrachtet. Bei Eichendorff ergibt sich ein ungleich differenzierteres Bild. In der Neigung Florios zu Bianka, die sich während des Festes zu Anfang der Erzählung entwickelt, ist Körperliches und Seelisches nicht unterscheidbar. Er gesellt sich »fast unwillkürlich« zu ihr, und er küßt sie »auf die roten, heißen Lippen«, als er von ihrer menschlichen Substanz noch so gut wie nichts weiß[12]. Die Triebkräfte, die hier erweckt werden, entwickeln sich aber erst zur Gefahr für Florio, als sie sich von Bianka lösen und damit unpersönlich und »seelenlos« werden. Eichendorff hat diesen Lösungsprozeß sehr sorgfältig dargestellt. Florio träumt nach dem Fest, er führe

> mit schwanenweißen Segeln einsam auf einem mondbeglänzten Meer. Leise schlugen die Wellen an das Schiff, Sirenen tauchten aus dem Wasser, die alle aussahen, wie das schöne Mädchen [...] vom vorigen Abend. Sie sang wunderbar, traurig und ohne Ende, als müsse er vor Wehmut untergehen. Das Schiff neigte sich unmerklich und sank langsam immer tiefer und tiefer. 1156

Aus dem einen Mädchen sind viele und erst damit Sirenen geworden, die sein Schiff in den Abgrund ziehen.

Der Vorgang der Entpersönlichung wiederholt sich, nachdem Florio die Herberge verlassen hat. Er singt ein Lied, das mit einem Gruß an ein Mädchen endet, muß dann aber »über sich selber lachen, da er am Ende nicht wußte, wem er das Ständchen brachte. Denn die reizende Kleine mit dem Blumenkranze war es lange nicht mehr, die er eigentlich meinte.« Ihr Bild in seinem Herzen hat sich »unmerklich und wundersam verwandelt in ein viel schöneres, größeres und herrlicheres, wie er es noch nirgend gesehen« (1158). In Gedanken an dieses »herrlichere« Bild befangen kommt er nun zu dem Weiher, auf dem das Marmorbild der Venus steht, »als wäre die Göttin soeben erst aus den Wellen aufgetaucht« (1158). Aber was hier im Irrealis gesagt wird, ist wirklich der Fall, denn »eigentlich« steht hier keine Statue der Venus in ihrer ursprünglichen Pracht, sondern bloß ein »zum Teil zertrümmertes Marmorbild« inmitten von verfallenem Gemäuer (1181). Auf der Märchen-Ebene des Novellenmärchens machen

12 Noch überstürzter handelt Friedrich in *Ahnung und Gegenwart:* Er küßt Rosa, bevor er auch nur ihren Namen weiß. Der Nachweis, daß es sich hier nicht um das gedankenlos übernommene Klischee der Liebe auf den ersten Blick handelt, sondern um die Darstellung einer Beziehung, die mit sexueller Erregung beginnt, würde eine umfangreiche Untersuchung erfordern, die hier nicht geliefert werden kann.

sich also die Mächte der Tiefe in dem Augenblick mit ihrem »teuflischen Blendwerk« (1184) an Florio heran, in dem er der Versuchung offensteht. Auf der psychologischen Ebene taucht die Venus nicht aus den Wellen auf, sondern aus den Tiefen seiner eigenen Seele.

Florio, der ja nur »über sich selber lachen« kann, weil er die Vorgänge in seinem Innern nicht begreift, ist also in einem Irrtum befangen, wenn er meint, dieses Frauenbild »noch nirgend gesehen« zu haben. Er ist längst mit ihm vertraut. Der Seelenfänger der Venus, Donati, hatte sich auf dem Fest in Florios Vertrauen eingeschlichen, indem er ein erstaunliches, rational nicht erklärbares Wissen von seinen Kindheitserlebnissen an den Tag legte (1154). Eichendorff hat dieses Motiv, wie auch den Namen »Donati«, aus einer seiner Quellen[13] übernommen, wo es aber nur eine geringfügige Rolle spielt. In Eichendorffs Erzählung wird die durch dieses Motiv geschaffene Beziehung zwischen dem Bereich der Venus und Florios Kindheitserinnerungen systematisch ausgebaut. Das Wunschbild in seinem Innern hat solche Erinnerungen noch nicht heraufbeschworen, aber das Marmorbild im Weiher, das diesem Wunschbild entspricht, kommt ihm vor »wie eine lang gesuchte, nun plötzlich erkannte Geliebte [...], wie eine Wunderblume, aus der Frühlingsdämmerung und träumerischen Stille seiner frühesten Jugend heraufgewachsen« (1158). Als er dann der zu neuem Leben erwachten Venus begegnet, ist es ihm, »als hätte er [sie] schon lange gekannt und nur in der Zerstreuung des Lebens wieder vergessen und verloren«, und allmählich wird es ihm »immer deutlicher [...], daß er die Dame schon einmal in früherer Jugend irgendwo gesehen« (1163). Schließlich entsinnt er sich, »zu Hause in früher Kindheit« ein Gemälde von ihr gesehen zu haben, und als er ihr davon erzählt, entgegnet sie, daß »ein jeder glaubt, mich schon einmal gesehen zu haben, denn mein Bild dämmert und blüht wohl in allen Jugendträumen mit herauf« (1177f.).

Der vereinzelte Handlungssplitter in der alten Spukgeschichte, daß Donati um Florios Kindheit weiß, ist also von Eichendorff zu einem tragenden Motiv umgestaltet worden, das keinesfalls bloß mehr den Zweck haben kann, eine geheimnisvolle Atmosphäre zu schaffen. Eichendorff stellt dar, daß die von der Venus verkörperte Macht Florio nicht von außen her als etwas Fremdes anfällt, sondern aus den Tiefenschichten

13 *Die seltzahme Lucenser-Gespenst,* s. A. 5.

seiner Seele heraufdringt, und so ungern man sich auch bei einer Erzählung aus dem frühen neunzehnten Jahrhundert Freudschen Rüstzeugs bedient, wird man Lothar Pikulik zugestehen müssen, daß der seelische Vorgang, den Eichendorff hier so eindringlich dargestellt hat, die tiefenpsychologische Deutung herausfordert und daß die Wunschbilder, von denen Florio in früher Jugend an »schwülen Nachmittagen« geträumt hat, »den Sinn kindlicher, durch Amnesie verdrängter Sexualphantasien annehmen«[14].

Venus ist aber nicht nur die »wilde Mutter der Lüste«, sondern eine *heidnische* Gottheit, und wenn Florio zwischen Bianka und Venus, zwischen Fortunato und Donati wählen muß, so geht es nicht nur um den Gegensatz von Gesittung und Ausschweifung, sondern auch um den übergreifenden Kontrast von Christen- und Heidentum.

Eichendorff hat das unter anderm durch die zwei langen Lieder verdeutlicht, die Fortunato gegen Anfang und gegen Ende der Erzählung singt. Im ersten preist er Bakchus und Venus, ändert dann aber »Weise und Ton« und singt vom Tod, der als stillster der Gäste das Fest unterbricht und mit dessen Erscheinen die irdische Lust einem »himmlischen Sehnen« weicht, das uns »hinauf« zum Vater ruft (1152f.)[15]. Im zweiten Lied steht der Venus die Mutter Gottes als siegreiche Gegenspielerin gegenüber. Durch das Christentum überwunden und in die Unterwelt verdrängt, ist das Heidnische also zum Teuflischen geworden, zu einem bösen Spuk, der aber dennoch Inbegriff aller Pracht und Herrlichkeit des Irdischen geblieben ist.

Für diese Ambivalenz des Heidentums hat Eichendorff im *Marmorbild* das überzeugendste Symbol gefunden. In der »wirklichen« Welt dieser Erzählung ist es Sommer, im Reich der Venus aber – es wird nicht weniger

14 Pikulik, s. L., S. 131. – Eichendorff verwendet das Motiv der Kindheitserinnerungen auch am Anfang von *Ahnung und Gegenwart*, wo es dieselbe Funktion hat. Als Friedrich der ihm völlig unbekannten Rosa ins Auge blickt, fährt er »innerlichst zusammen. Denn es war, als deckten ihre Blicke plötzlich eine neue Welt von blühender Wunderpracht, uralten Erinnerungen und niegekannten Wünschen in seinem Herzen auf« (540).

15 Die Anregung durch Novalis, in dessen fünfter *Hymne an die Nacht* der Tod das »ewig bunte Fest der Himmelskinder und der Erdbewohner« unterbricht, ist offensichtlich.

als siebenmal darauf hingewiesen – ist es Frühling[16]. Während Jahreszeiten jedoch in steter Folge wiederkehren, ist die religiöse Entwicklung der Menschheit unwiderruflich: Der Frühling des Heidentums mitten im Sommer ist Blendwerk und heilloser Spuk – aber ein Spuk, der sich die ganze Herrlichkeit des Frühlings bewahrt hat und deshalb den Menschen immer wieder in seine längst überholte Vergangenheit zurücklocken kann. Heidentum *ist* Frühling im Sommer. Es ist der Glanz griechischer Kunst, frohlockende Sinnlichkeit, ungebrochene Einheit mit der Natur, Frühling des Menschengeschlechts, goldenes Zeitalter, dessen der Mensch nicht ohne verzehrende Sehnsucht gedenken kann, urzeitliches Paradies, dessen Bild in den Tiefen der Seele erhalten geblieben ist, so daß »ein jeder glaubt«, es wie Venus »schon einmal gesehen zu haben«. Es ist zugleich aber auch *unerlöste* Natur, beladen mit dem Fluch alles bloß Irdischen. Seine freudige Sinnlichkeit ist zur Sünde, die alten Götter sind zu Dämonen geworden; das urfrühe Paradies ist das Verbotene schlechthin, seine »großen seltsamen Blumen« sind *fleurs du mal,* und die Illusion, daß wir ungestraft dorthin zurückkehren können, ist »teufliches Blendwerk« (1184). Wer sich vom Lied des »zauberischen Spielmanns« betören läßt, der von »unermeßlicher Lust« im bloß Irdischen singt, der wird »vom Leben abgeschieden, und doch nicht aufgenommen in den Frieden der Toten, zwischen wilder Lust und schrecklicher Reue, an Leib und Seele verloren, umherirren und in der entsetzlichsten Täuschung sich selber verzehren« (1148, 1184). Aber wer dieses Lied nie vernommen hat – und nur weil Eichendorff auch dies wußte, konnte er eine Dichtung wie das *Marmorbild* schaffen –, der ist, wo nicht überhaupt blind für die Schönheit der Welt, zumindest kein Dichter.

Aus dem Leben eines Taugenichts: Eichendorffs Taugenichts ist nicht der erste Müllerjunge der Weltliteratur, der aus seinem Leben erzählt. Schon Lazaro Gonzales, der Held des ersten und berühmtesten aller Schelmenromane, *Das Leben des Lazarillo de Tormes* (1553?)[17], ist in einer Mühle zur Welt gekommen. Wie sein glücklicherer Nachfahre, von dem wir dies freilich nur vermuten können, ist Lazaro eine Halbwaise; wie dieser ist er

16 Sommer, S. 1147, 1179; Frühling, S. 1158, 1162 (zweimal), 1164, 1182 (zweimal), 1183. Siehe auch 1148, 1152.

17 1554 erschienen gleichzeitig 3 Ausg., die auf eine kurz vorher erschienene, nicht erhaltene Erstausg. zurückgehen müssen.

nicht unter seinem wirklichen, sondern unter einem Spottnamen bekannt; wie dieser berichtet er von den Abenteuern seiner Jugend, nachdem er es »zu seinem Glück« gebracht hat. Ob diese recht äußerlichen Entsprechungen auf Zufall beruhen, sei dahingestellt; es lohnt sich kaum, ihnen nachzugehen. In jeder wesentlichen Beziehung stellen die beiden Erzählungen – der »Roman« ist seltsamerweise kürzer als die »Novelle« – jedoch einen radikalen *Kontrast* dar, der uns behilflich sein mag, zur Welt des *Taugenichts* einen ersten Zugang zu finden.

Der Schelmenroman beginnt damit, daß uns die Namen von Lazaros Eltern und deren Geburtsort genannt werden. Damit wird ein »Wirklichkeitsanspruch« erhoben, den der Realismus alles Folgenden einlöst. In der Mühle am Tormes geboren, verliert Lazaro im Alter von acht Jahren seinen Vater, weil dieser beim Stehlen ertappt wird und »um der Gerechtigkeit willen Verfolgung erleidet«[18]. Bald danach wird der halbwüchsige Knabe einem blinden Vagabunden überlassen, in dessen Dienst er stehlen lernen muß, um nicht zu verhungern. Wenn der Roman ein Motto hätte, so müßte es von Bertolt Brecht stammen: »Erst kommt das Fressen, dann kommt die Moral«[19].

Eichendorffs *Taugenichts* beginnt so:

> Das Rad an meines Vaters Mühle brauste und rauschte schon wieder recht lustig, der Schnee tröpfelte emsig vom Dache, die Sperlinge zwitscherten und tummelten sich dazwischen; ich saß auf der Türschwelle und wischte mir den Schlaf aus den Augen; mir war so recht wohl in dem warmen Sonnenscheine. Da trat der Vater aus dem Hause; er hatte schon seit Tagesanbruch in der Mühle rumort und die Schlafmütze schief auf dem Kopfe, der sagte zu mir: Du Taugenichts! da sonnst du dich schon wieder und dehnst und reckst dir die Knochen müde und läßt mich alle Arbeit allein tun. Ich kann dich hier nicht länger füttern. Der Frühling ist vor der Tür, geh auch einmal hinaus in die Welt und erwirb dir selber dein Brot. – Nun, sagte ich, wenn ich ein Taugenichts bin, so ists gut, so will ich in die Welt gehn und mein Glück machen. Und eigentlich war mir das recht lieb, denn es war mir kurz vorher selber eingefallen, auf Reisen zu gehn. 1061

Das ist gewiß keine Mühe, wo die Fenster, mit Grimmelshausen zu reden, dem »Sant Nitglas« gewidmet sind[20] und deren Müller stehlen muß, um die Seinigen zu ernähren. Wo die Mühle liegt, erfahren wir nicht

18 La vida de Lazarillo de Tormes y de sus fortunas y adversidades. Edición de J. V. Ricapito. Madrid [1976], S. 101.
19 Zweites Dreigroschenoper-Finale.
20 Grimmelshausens Werke in 4 Bdn. Berlin–Weimar 1964, Bd. I, S. 6.

und brauchen wir nicht zu erfahren; denn während Lazaro immer wieder genaue Ortsangaben macht, so daß man in der Tat versucht hat, seine Wanderungen auf der Landkarte zu verfolgen, ist Eichendorffs Geographie im *Taugenichts* von notorischer Ungenauigkeit. Wie der Müller heißt, erfahren wir auch nicht, und dieses Verschweigen ist ebenso bewußtes Kunstmittel, wie im *Lazarillo* das genaue Benennen. Es gibt im *Taugenichts* keine scharf umrissenen Charaktere, deren einmalige Individualität durch einen Namen zu beglaubigen wäre, und die Namengebung beschränkt sich auf das Minimum, das Eichendorff braucht, um überhaupt erzählen zu können. Während Lazaro schließlich nicht einmal ein richtiger Müllerjunge ist, da sein Vater die Mühle, in der er arbeitet, nicht besitzt[21], so ist – gerade umgekehrt – der Taugenichts zwar gewiß ein Kind aus dem Volke, zugleich aber auch ein Künstler, den wir uns ohne seine Lieder und seine Geige kaum vorstellen können; und während sein späterer »Onkel« (1145), der Portier, ein *musicien servant* ist, dessen Musizieren zu seinen Dienstpflichten gehört, und die Studenten, denen sich der Taugenichts auf seiner Heimreise anschließt, Blasinstrumente spielen, weil die andern »heutzutage« nicht viel einbringen (1129), so spielt und singt der Taugenichts gleichsam um Gottes willen und nimmt, selbst wenn er zum Tanz aufspielt, allenfalls ein Glas Wein, aber keine plumpe Bezahlung an.

Daß der Taugenichts kein realistisch gezeichneter durchschnittlicher Müllerbursch ist, mag es Eichendorff leichter gemacht haben, die richtige Stillage für ihn zu finden, aber es gehört ohnedies zu den grundlegenden Konventionen alles Erzählens, daß an den Erzähler in seiner Eigenschaft als Erzähler keine realistischen Maßstäbe angelegt werden können. Schon der Stil des *Lazarillo* ist eine kunstvolle Mischung und Verschmelzung des Volkstümlichen und des Literarischen. So gewiß die vielen umgangssprachlichen Wendungen und die vorwiegend parataktische Gliederung in diesem Texte der Fiktion entsprechen, daß hier ein Mann aus den niedrigsten Volksschichten aus seinem Leben erzählt, so gewiß ist es auch, daß

21 »Mi padre, que Dios perdone, tenía cargo de proveer una molienda [...] más de quince años« (S. 100). Die Mitteilung, daß Tome Gonzales über fünfzehn Jahre Müller war, ist für den Handlungsverlauf ohne jede Bedeutung, hat aber dennoch große Aussagekraft: Nach fünfzehn Jahren Arbeit ist er noch immer darauf angewiesen, Mehl zu stehlen; nach fünfzehn Jahren wird er bei einer Verfehlung ertappt, muß die Familie verlassen und kommt ums Leben.

diesem armen Teufel, der nie lesen und schreiben gelernt hat, ein Autor die Feder führt, der sein Metier versteht[22]. Dem unbekannten Verfasser, der in der Vorrede seines Romans apologetisch auf seinen »grosero estilo« hinweist[23], wäre durchaus auch der *estilo culto* zuzutrauen. Über den *Taugenichts* ließe sich Ähnliches sagen, aber doch bloß als eine erste, recht grobe Annäherung. Der sprachliche Zauber, den diese Novelle ausstrahlt, ist nicht grundsätzlich anderer Art als in Eichendorffs anderen Erzählungen und Romanen. Um bei den ersten paar Sätzen des *Taugenichts* zu bleiben, die wir schon zitiert haben: Dieser Vorfrühling, der hier mit so wenigen Worten in unübertrefflicher Dichte heraufbeschworen wird, ist so typisch für Eichendorff, so unverkennbar sein Eigentum, als gäbe es keinen vorgeschobenen Ich-Erzähler aus dem Volke. Wie Eichendorffs Grafen und Gräfinnen immer wieder ans Fenster treten und von dort her mit einem Gefühl des Aufatmens und der Befreiung »in die freie Welt« hinausblicken, so hat der Taugenichts eben die Mühle verlassen. Vor seinen Augen, aus denen er sich noch den Schlaf wischt, scheint alles in der fröhlichsten Bewegung zu sein, aber das Ohr, ja sogar der Tastsinn hat so viel aufzunehmen wie das Gesicht: Das Rad an des Vates Mühle braust und rauscht, der Schnee tröpfelt emsig vom Dache, die Sperlinge zwitschern und tummeln sich dazwischen, und der Sonnenschein ist nicht bloß hell (was sich von selbst versteht und also nicht gesagt zu werden braucht), sondern auch *warm*. Die Tiefendimension, die in Eichendorffs Landschaften fast immer eine so bedeutende Rolle spielt, fehlt hier zwar; wohl aber findet sich auch hier bei aller Knappheit – und freilich auf eine unauffällige, dem Taugenichts als Erzähler genau angepaßte Weise – die »mythische Personifikation«, die Leo Spitzer und Richard Alewyn als charakteristisches Element von Eichendorffs Landschaften aufgezeigt haben[24]. Denn wenn der Müller sagt, daß der Frühling »vor der Tür« ist, so meint er zwar nur, daß die schöne Jahreszeit eben anbricht, für den Leser aber, der mit dem Taugenichts »auf der Türschwelle« sitzt, ist die »Redensart beim Wort genommen«[25]; »Der Frühling« ist wirklich »vor der Tür«.

22 Siehe dazu G. SILBERMANN, Über Sprache und Stil im Lazarillo de Tormes. Bern 1953.

23 *La vida de Lazarillo…*, S. 95.

24 L. SPITZER, s. L., S. 148ff. – [In diesem Band S. 10ff. (A. R.)] – R. ALEWYN, Eine Landschaft Eichendorffs. In: STÖCKLEIN, Eichendorff heute, s. L., S. 19–43.

25 ALEWYN, s. A. 24, S. 25.

Daß es Vorfrühling ist, dient nicht nur dem Zweck, die erwartungsvolle und doch so behagliche Stimmung zu schaffen, die vom Taugenichts fast so untrennbar ist wie seine Geige; dieses Naturkind muß in die Welt ziehen, wenn die Goldammer »Bauer, behalt deinen Dienst« vom Baum ruft. Genau so stimmig ist das Wenige, was wir über den Müller erfahren: Die Schlafmütze, die er »schief auf dem Kopfe« hat, ist das später immer wieder aufgenommene Symbol des Philistertums, und wenn der Müller »schon seit Tagesanbruch in der Mühle rumort« hat, so sorgt das gewählte Zeitwort dafür, daß wir nicht so sehr an wirklich sinnvolle Arbeit, als vielmehr an bloße Geschäftigkeit denken.

Auch mit diesen Hinweisen sind die nie genug zu bewundernden Eingangszeilen noch längst nicht voll ausgeschöpft; aber wir haben für unseren vorläufigen Zweck genug gesagt: Wenn Eichendorff – wie es ja gar nicht anders der Fall sein kann – seinem Taugenichts die Feder führt, so bedient er sich nicht großer Verstellungskünste, und wir sind ihm dankbar dafür. Aber dennoch ist es unverkennbar der Taugenichts, der hier erzählt[26]. Während *Das Marmorbild* zum Beispiel mit einem kunstvoll gebauten Satzgefüge beginnt, in dem von einem kurzen Hauptsatz eine lange Reihe von Nebensätzen abhängt, so erzählt der Taugenichts vorwiegend parataktisch. Acht kurze Hauptsätze folgen einander, bevor wir zum ersten Nebensatz kommen, und der ist ein Relativsatz mit dem Zeitwort in der Hauptsatzstellung, so daß das Relativpronomen durch ein »und« ersetzt werden könnte. (Solche Relativsätze, die wie Hauptsätze fungieren und auf die einfachste Weise für syntaktische Abwechslung sorgen, sind übrigens auch ein Stilzug des *Lazarillo*.) Diese extrem parataktische Gliederung wird natürlich nicht konsequent durchgehalten; das wäre langweilig. Aber ihr treten andere Stilzüge zur Seite, die uns nicht vergessen lassen, wer hier erzählt, die aber auch den *Taugenichts* zur humorvollsten Erzählung machen, die Eichendorff geschrieben hat. Zu diesen Stilzügen zählen vor allem die drastischen Beschreibungen. So steht etwa der Portier, den der Taugenichts zunächst für einen »großen Herrn« hält, »in Staatskleidern« in der Vorhalle des Schlosses, »mit einem oben versilberten Stabe in der Hand, und einer außerordentlich langen geboge-

26 Vgl. dazu RODEWALD (s. L.), der allerdings zu etwas anderen Ergebnissen kommt.

nen kurfürstlichen Nase im Gesicht, breit und prächtig wie ein aufgeblasener Puter« (1063); die Gräfin ist »wahrhaftig recht schön rot und dick und gar prächtig und hoffärtig anzusehn, wie eine Tulipane« (1067); der neue Hut, der dem Taugenichts geschenkt wird, funkelt in der Sonne, »als wär er mit frischer Butter überschmiert« (1092), und wenn der Taugenichts einen Geldbeutel in seine »tiefe Rocktasche« schiebt, so »plumpt« das »wie in einen tiefen Brunnen, daß es mich ordentlich hintenüber zog« (1096). Vor allem aber verdankt der *Taugenichts* sowohl die Komik als auch, an anderen Stellen, die lyrische Innigkeit seiner gewagten und ungewöhnlichen Erzählperspektive. Lazaro erzählt, wie das von einer realistischen Ich-Erzählung nicht anders zu erwarten ist, mit Distanz und Objektivität; er hat seine Wanderjahre längst hinter sich und überblickt sie. Der Taugenichts spricht zwar gelegentlich deutlich aus, daß »das alles [...] schon lange her« ist (1066), erzählt aber gleichsam aus der unmittelbaren Gegenwart heraus, als wäre er immer noch so unwissend und konfus, wie damals, als er unvermutet in einen »Roman« (1142) geriet, so daß die Kammerjungfer immer noch wie damals zu ihm sagen könnte, »Er weiß aber auch gar nichts« (1074). Wir haben schon gesehen, wie der Portier in seiner Livrée als »großer Herr in Staatskleidern« beschrieben wird, obwohl der Erzähler längst weiß, um wen es sich handelt. Das Atelier des deutschen Malers in Rom ist eine »lange, lange große Stube«, in der »große Gerüste« stehen, »wie man sie zum Birnabnehmen braucht« (1114), und als ihm dort Gemälde von Leonardo da Vinci und Guido Reni gezeigt werden, verwechselt er die »berühmten Meister« prompt mit den beiden angeblichen Malern, die ihn nach Italien mitgenommen haben, und behauptet, er kenne sie wie seine eigene Tasche (1116). Die Naivität, mit der dies alles erzählt wird, ist jedoch mit einer gehörigen Portion Verschlagenheit gemischt. Wenn in einer Er-Erzählung trocken berichtet würde, wie ein junger Bursche zwei Freunde, die im Wald auf ihn zureiten, völlig grundlos für Räuber hält, sich in einem Baum zu verstekken sucht, die Augen fest zudrückt, um nicht gesehen zu werden, und schließlich auf den Anruf »Wer ist da« mit einem »vor Schreck« »aus Leibeskräften« gebrüllten »Niemand« antwortet – wir würden ihn für dumm halten. So wie hier erzählt wird, wirkt es nicht dumm. Es ist drollig, komisch oder auch närrisch, aber da es vom Taugenichts selbst und noch dazu mit solch offensichtlicher Freude an der Narretei erzählt wird, wirkt es so »freiwillig humoristisch, daß keine unfreiwillige Komik aufkommen kann«[27]. Das gilt auch von den zahllosen Konfusionen, die beginnen, wenn der Taugenichts nicht entdeckt, daß der eine der angeblichen Maler ein verkleidetes Mädchen ist, und die ihren Höhepunkt auf dem einsamen Schloß erreichen, wo der Taugenichts selbst für ein verkleidetes Mädchen gehalten wird. Das ist um so erheiternder, da der Leser nicht nur längst weiß, warum zum Beispiel die Schloßbewohner in ein so »unvernünftiges Gelächter« (1103) ausbrechen, als der Taugenichts nach einer Pfeife Tabak verlangt, sondern sein Wissen den Fingerzeigen verdankt, mit denen der Taugenichts selbst seinen Text so reichlich gespickt hat.

Wir lachen also weit weniger *über* den Taugenichts als mit ihm, und das ist für die Wirkung dieser Erzählung von entscheidender Wichtigkeit. Es gibt nichts, was uns daran hindern könnte, uns mit ihm, solange wir uns im Bann der Erzählung befinden, zu identifizieren und seine lange »Vakanz« (1136) mitzugenießen – und das ist um so verführerischer, als dafür gesorgt ist, daß wir es mit gutem Gewissen tun können. Denn daß der Taugenichts sich ziellos in der Welt herumtreibt, statt seinem Vater beim »Rumoren« zu helfen, gehört nicht etwa bloß zu seinem drolligen Narrentum, sondern ist eine Tugend. Es ist nicht bloß der Vater, der ihn in die Welt schickt, sondern, wenn wir dem Taugenichts glauben dürfen, göttliche Fügung. Und nicht er ist der Träge – träg sind vielmehr die anderen, die weder die Sehnsucht kennen, die ihn in die Ferne treibt (denn es war ihm schon »selber eingefallen, auf Reisen zu gehn«, bevor ihn der Vater vor die Tür setzte), noch die Zuversicht besitzen, den »lieben Gott… walten« zu lassen:

Wem Gott will rechte Gunst erweisen,
Den schickt er in die weite Welt,
Dem will er seine Wunder weisen
In Berg und Wald und Strom und Feld.

Die Trägen, die zu Hause liegen,
Erquicket nicht das Morgenrot,
Sie wissen nur vom Kinderwiegen,
Von Sorgen, Last und Not um Brot. 1062

27 Thomas MANN, Betrachtungen eines Unpolitischen. In: DERS., Politische Schriften und Reden, Bd. I (= Fischer-Tb. MK 116). Frankfurt/M.–Hamburg 1968, S. 283.

Diese Zuversicht erweist sich schließlich auch als berechtigt; denn der Taugenichts braucht anscheinend nichts weiter zu tun, als seine Geige zu spielen, sich zu verlieben, sich treiben und Gott walten zu lassen, um, wie er es gleich zu Anfang vorausgesehen hat, sein »Glück [zu] machen«; gewinnt er doch nicht nur die »schöne gnädige Frau« (1114), sondern bekommt auch noch ein »weißes Schlößchen« samt Garten und Weinbergen als Brautgeschenk... Damit es dazu kommen kann, bedarf es freilich einer so langen Reihe von glücklichen Zufällen, daß die Novelle darüber beinahe zum Märchen wird:

> Märchenhaft ist schon die Begegnung mit den beiden Damen und die Einladung, in ihrem eleganten Wagen nach Wien zu fahren, kaum daß er das heimatliche Dorf verlassen hat; märchenhaft ist sein Leben auf dem Schloß und im Garten; märchenhaft ist die Art, wie er später von dem vagabundierenden Liebespaar, das er erst für Räuber, dann für zwei Maler hält, aufgefunden wird, als er mitten in der Nacht in dem unbekannten Walde umherirrt; märchenhaft sind alle weiteren kleinen Fügungen dieser Geschichte [...]. Gewiß, es geschieht alles auf natürliche Weise, es gibt keine Feen, Zauberer und Kobolde, es ist wie ein dauerndes Feriendasein, aber die Erzählung lebt von der Märchensaelde[28].

Aber das stört uns nicht – ganz im Gegenteil. Gerade wegen dieses märchenhaften Feriendaseins, in dem ein »ewiger Sonntag« herrscht, ist der Taugenichts zur populärsten Erzählung Eichendorffs und wohl auch der ganzen Romantik geworden. Von 1850 bis 1925 allein sind nicht weniger als hundert Neuauflagen und Nachdrucke erschienen[29] – und es waren nur allzuoft die vom Taugenichts so herzlich verlachten Philister, die sie kauften und dann bei der Lektüre ihren Wunschträumen nachhingen, ohne sich im geringsten verpflichtet zu fühlen, ihr Leben zu ändern.

Daß mit Eichendorffs Dichtung so viel Mißbrauch getrieben worden ist – Eberhard Lämmert hat darüber ausführlich berichtet –, ist gewiß kein Zufall. Viele seiner schönsten Dichtungen machen dem Leser die oberflächliche Lektüre sehr leicht, und insbesondere der *Taugenichts* gibt sich so unbeschwert, daß es nicht nur verständlich ist, wenn er so oft bloß als gemütvolle Ferienliteratur gelesen wird, sondern daß es fast spielverderberisch erscheinen mag, tiefer zu schürfen. Aber eine Erzählung, in der wirklich nichts als ein »ewiger Sonntag« herrscht, ist bei Eichendorff völlig undenkbar, und der *Taugenichts* ist gewiß keine solche.

28 v. Wiese, s. L., S. 82.
29 Lämmert, s. L., S. 221.

Georg Lukács färbt die Atmosphäre von Eichendorffs Erzählung ins Realistische um, wenn er den Taugenichts »seiner Charakteranlage nach« als »einen jener keineswegs genialen, aber urwüchsig begabten Bauernjungen« beschreibt, »die vom ›normalen‹ Betrieb der kapitalistischen Gesellschaft zumeist zu durchschnittlichen Arbeitsameisen nivelliert werden«[30]. Der Taugenichts ist wohl naiv und närrisch, aber durchaus nicht bäurisch. Er steht nicht mit dem Spaten, sondern mit der Violine in der Hand vor unserm geistigen Auge, und er hat »bei allen Narrheiten etwas von einem verwunschenen Prinzen, einem Glückskinde, das Gott und der Dichter und der Leser liebhaben«[31]. Das heißt aber nicht, daß er »ein Gotteskind« ist, dem es »der Herr im Schlafe gibt«[32]. Gewiß hat man bei der ersten Lektüre den Eindruck, daß ihm, wie das dem Portier zufolge in Italien überhaupt der Fall ist, »die Rosinen von selbst in den Mund« wachsen (1104), aber dieser Eindruck täuscht. Um sich die Geliebte, Schlößchen und Weinberg zu verdienen, muß der Taugenichts – wie ja übrigens auch der verwunschene Prinz im Märchen – eine Reihe von Prüfungen bestehen. Er muß sich *bewähren.*

In Eichendorffs Welt kann der Mensch vor allem auf zwei Weisen den Sinn des Lebens verfehlen: Er kann zum Philister werden, oder er kann verwildern. Am prägnantesten sind diese beiden Gefahren wohl in dem Gedicht von den »zwei Gesellen« (56) dargestellt, dem Oskar Seidlin eine brillante Interpretation gewidmet hat. Nun scheint zwar das Verspießern für den Taugenichts keine ernstliche Gefahr darzustellen; die Erzählung drückt ja »als Ganzes polemisch eine Revolte aus gegen die – menschlich gesehen – zwecklose und inhumane Geschäftigkeit des modernen Lebens, gegen die ›Tüchtigkeit‹, gegen den ›Fleiß‹ des alten und neuen Philisters«[33]. Wir haben schon gesehen, wie sich der Taugenichts den braven Bürgern mit ihren Sorgen und ihrer »Not um Brot« überlegen fühlt. Er ist ein Meister in der Kunst des Nichtstuns und des Schlafens, und als ihm der Gärtner eine »lange Predigt« hält, wie er »nur fein nüchtern und arbeitsam sein, nicht in der Welt herumvagieren, keine brotlosen Künste und unnützes Zeug treiben solle, da könnt [er] es mit der Zeit auch einmal zu was Rechtem bringen«, vergißt er diese »sehr hübsche[n], gutgesetz-

30 Lukács, s. L., S. 245.
31 v. Wiese, s. L., S. 82.
32 Mann, s. A. 27, S. 282.
33 Lukács, s. L., S. 242.

te[n], nützliche[n] Lehren« gleich wieder (1064). Kaum ist er Einnehmer geworden, so reißt er das Gemüse in seinem Gärtchen aus und bepflanzt es mit Blumen. Er hat es aber auch gern bequem und liebt es, »mit Ruhe und Kommodität zu essen und zu trinken« (1094), wofür schließlich doch nicht immer der liebe Gott sorgt, so daß er trotz seiner Wanderlust ernstlichen Versuchungen ausgesetzt ist. Er gefällt sich nur zu gut als Zolleinnehmer in dem »prächtigen roten Schlafrock mit gelben Punkten«, den grünen Pantoffeln und der Schlafmütze, die er von seinem Vorgänger geerbt hat, und gerade als er auf seiner Wanderung nach Italien keinen Pfennig mehr in der Tasche hat und den Hunger zu spüren bekommt[34], verliebt sich eine reiche Bauerntochter in ihn und lädt ihn zum Bleiben ein. Daß er diesen Versuchungen widersteht, ist nicht bloß seiner Wanderlust zuzuschreiben. Er bricht in der ganzen Geschichte zweimal in Zorn aus – das eine Mal aus dem sehr guten Grund, weil er meint, daß seine geliebte gnädige Frau von einem Eindringling bedroht wird, und das andere Mal aus einem anscheinend recht trivialen Anlaß: Als er auf dem Bänkchen vor seinem Hause von der »edlen Jägerei« schwärmt und der Portier einwendet, daß man sich dabei »kaum die Sohlen« verdiene und überdies nasse Füße bekomme, packt ihn ein solcher Zorn, daß er am ganzen Leibe zittert! (1071 f.). Es ist ihm offensichtlich nichts so verhaßt, als wenn man ihn zwingen will, die Welt nicht poetisch, sondern vom Nützlichkeitsstandpunkt zu betrachten. Vor allem ist es aber die Liebe, die ihn davor schützt, zum Philister zu werden. Um dies zu erkennen, müssen wir die beiden Versuchungen etwas genauer betrachten.

Nachdem die reiche Bauerntochter dem Taugenichts von ihrem reichen Vater erzählt hat, geht ihm

> mancherlei im Kopfe herum. Die Jungfer […] war jung, schön und reich – ich konnte da mein Glück machen, eh man die Hand umkehrte. Und Hammel und Schweine, Puter und fette Gänse mit Äpfeln gestopft – ja, es war mir nicht anders, als säh ich den Portier auf mich zukommen: Greif zu, Einnehmer, greif zu! jung gefreit hat niemand gereut, wers Glück hat, führt die Braut heim, bleibe im Lande und nähre dich tüchtig.

Nun setzt sich der Taugenichts im prächtigen Mondschein auf einen Stein, und

> so, dachte ich, scheint der Mond auch über meines Vaters Mühle und auf das

34 S. 1084; vgl. S. 1090, wo sich der Taugenichts zum erstenmal »seit einigen Tagen« satt ißt.

> weiße gräfliche Schloß. Dort ist nun auch schon alles lange still, die gnädige Frau schläft, und die Wasserkünste und Bäume im Garten rauschen noch immerfort wie damals, und allen ists gleich, ob ich noch da bin, oder in der Fremde, oder gestorben. 1087

Er hat aber kaum Zeit, diesen Gedanken recht auszudenken, als die vermeintlichen »Räuber« heranreiten und ihn zum Weiterreisen zwingen. Ist es wirklich nur Zufall, daß der Erzähler zwischen die »Versuchung« und die »Errettung« den Gedanken an die geliebte »schöne Frau« eingeschaltet hat – oder ist es nicht vielmehr die Magie der Liebe, die im kritischen Augenblick Rettung bringt? Gewiß führen ihn zwar die »Räuber« zunächst weit weg von dem weißen Schloß, aber nur durch sein Zusammentreffen mit ihnen findet er schließlich zu seiner Geliebten zurück; und wenn er sich den vermeintlichen Raubüberfall als Bestrafung für seine »dummen, frevelmütigen« Heiratspläne auslegt, so ist es der Treubruch an der Geliebten, der diese Pläne zum Frevel macht.

Eine etwas deutlichere Sprache spricht die andere Episode, in der der Taugenichts als Zolleinnehmer zu Amt und Würden gekommen ist. Da sitzt er »den ganzen Tag [...] in Schlafrock und Schlafmütze« vor seinem Häuschen und fühlt sich so wohl, daß er durchaus bereit ist, sein Wanderleben aufzugeben.

> Der Schlafrock stand mir schön zu Gesichte, und überhaupt das alles behagte mir sehr gut. So saß ich denn da und dachte mir mancherlei hin und her, wie aller Anfang schwer ist, wie das vornehmere Leben doch eigentlich recht bequem sei, und faßte heimlich den Entschluß, nunmehr alles Reisen zu lassen, auch Geld zu sparen wie die andern und es mit der Zeit gewiß zu etwas Großem in der Welt zu bringen. 1071

Dann kommt ihm der Gedanke an die »allerschönste Frau«, und nur ihretwegen wirft er das Gemüse aus dem Garten und pflanzt Blumen. Die Liebe zu ihr verscheucht bald auch sein philiströses Behagen, und als er schließlich meint, daß er die »schöne Frau« auf ewig verloren hat, ist es wieder die Liebe, die ihn in die Ferne treibt und ihn damit endgültig daran verhindert, vorzeitig zum seßhaften Bürger zu werden.

Die Gefahr des Verwilderns hat Eichendorff mit sehr zarter Hand angedeutet. Im Grafenschloß in den Bergen hat der Taugenichts, wie es sich für die vermeintliche Gräfin gehört, eine Kammerzofe zur Bedienung, eine »hübsche junge Magd«, mit der er »allerlei galanten Diskurs« anzuknüpfen versucht, von dem sie glücklicherweise kein Wort versteht

(1101). Als er entdeckt, daß sie im Zimmer neben ihm schläft, schließt und verriegelt er sorgfältig die Tapetentüre, »damit das Mädchen nicht erschrecken und sich schämen sollte, wenn sie erwachte« (1102). Thomas Mann bemerkt zu dieser und den anderen »heiklen Lebenslagen, in die [der Taugenichts] dank der Intrige gerät«, er sei »in geschlechtlichen Dingen unschuldig bis zur Tölpelhaftigkeit«[35], aber der Text gibt zu dieser Aussage keinen Anlaß; es ist – wie Mann nun berechtigt fortfährt – einfach die seelische Reinheit des Taugenichts, die ihn hier vor Verfehlung schützt. Als ihn dann in Rom eine Edeldame zu einem Stelldichein bestellt, ist es auch wieder nicht seine »grenzenlose Unschuld«, durch die er dem »Attentat auf seine Tugend« entkommt[36], sondern eine Kette von Verwechslungen: Er hat zunächst die Edeldame für seine »schöne gnädige Frau« gehalten, hält sodann ihre Kammerzofe, die durch den Garten schleicht, für einen betrunkenen Maler, der sie »überfallen« will (1125), und bringt mit seinem Geschrei die ganze Nachbarschaft auf die Beine. Das ist so komisch, daß keine schwüle oder bedrohliche Stimmung aufkommen kann, aber im *Taugenichts* hätte eine weniger burleske Verführungsszene als arger Stilbruch gewirkt. Der Kontext dieser Episode zwingt uns aber dazu, nicht nur zu lachen, denn sie wird auf eine sehr bedeutsame Weise vorbereitet und hat bedeutsame Folgen.

Als der Taugenichts auf der Flucht aus dem Grafenschloß erfährt, daß er »nur noch ein paar Meilen von Rom wäre«, wo er dann sein Stelldichein mit der Edeldame hat, erschrickt er vor Freude; denn »von dem prächtigen Rom hatte [er] schon zu Hause als Kind viele wunderbare Geschichten gehört«, und er dachte sich die Stadt »wie die ziehenden Wolken« über ihm, »mit wundersamen Bergen und Abgründen am blauen Meer und goldnen Toren und hohen glänzenden Türmen, vor denen Engel in goldnen Gewändern sangen« (1110). Bevor er die Stadt erreicht, hat er jedoch eine »große, einsame Heide« zu überqueren, von der er hat sagen hören, »daß hier eine uralte Stadt und die Frau Venus begraben liegt und die alten Heiden zuweilen noch aus ihren Gräbern heraufsteigen [...] und die Wanderer verwirren«. Aber der Taugenichts geht »immer gerade fort« und läßt sich nichts anfechten, denn »die Stadt stieg immer deutlicher und prächtiger vor [ihm] herauf, und die hohen Burgen und Tore und golde-

35 Mann, s. A. 27, S. 282.
36 Schwarz, Taugenichts, s. L., S. 20 und 30.

nen Kuppeln glänzten so herrlich im hellen Mondenschein, als ständen wirklich die Engel in goldnen Gewändern auf den Zinnen und sängen durch die stille Nacht herüber« (1111). Dem flüchtigen Leser, der von Eichendorff nur den *Taugenichts* kennt, mag diese Stelle nicht eben sehr viel zu sagen haben. Ihre zentrale Bedeutung für die Erzählung ist jedoch zumindest seit Oskar Seidlins bedeutender Studie darüber[37] nicht mehr zu übersehen. Italien wird hier in eine doppelte Perspektive gestellt. Es ist das symbolische Ziel aller romantisch-überirdischen Sehnsüchte, seine Hauptstadt ist die heilige Stadt des Christentums; es ist zugleich aber auch das Land des heidnischen Erbes, unerlöste, vorchristliche Welt, in der die alten Götter, zu Dämonnen geworden, den Wanderer zu verlocken und in die Tiefe zu ziehen drohen. Der Taugenichts fühlt das, aber sein kindlicher Glaube feit ihn: »Der Feind hat keine Macht, das Unheimliche geht vorüber«[38], die alten Götter können sich dem Taugenichts zunächst nicht einmal zeigen. Und als sich ihm die gefährlichste dieser Gottheiten, die Herrin der fleischlichen Lust, schließlich doch zeigt, geschieht dies selbstverständlich auf eine Weise, die der humoristichen Geschichte entspricht. Ein Florio, den die Venus in ihrer ganzen ursprünglichen Pracht zu verführen droht, hat mit ihr einen Kampf auf Leben und Tod zu bestehen. Dem Taugenichts kann sie nur in burlesker Verkleidung erscheinen, als eine »etwas große, korpulente, mächtige Dame«, die zwar »zum Erschrecken schön« ist (1126), deren Verführungskünste aber von dem »dummen Zeug«, das er anstellt, mühelos zuschanden gemacht werden.

Die Episode von der römischen Gräfin erweist sich also als eine parodische Anspielung auf das *Marmorbild* – ein Sachverhalt, auf den auch auffällige Strukturparallelen hinweisen. Florio stößt zufällig auf den Palast der Venus, kann ihn dann nicht wiederfinden und wird schließlich von Donati hingebracht. Er verwechselt Venus mit dem Mädchen, dem er bestimmt ist, und wird aus der Verstrickung durch einen unwahrscheinlichen Zufall errettet (Fortunat singt im Venusgarten ein frommes Lied). Der Taugenichts stößt zufällig auf das Gartenhaus der römischen Gräfin, kann es dann nicht wiederfinden und wird von der Kammerzofe wieder hinbestellt[39]. Er verwechselt die Gräfin mit dem Mädchen, dem er

37 Der Taugenichts ante portas. In: SEIDLIN, s. L., S. 14–31.

38 Neue Gesamtausg., IV 1066.

39 *Das Marmorbild:* »Ihr Palast sowie der Garten, den er in jener Mittagsstunde zufällig gefunden, war wie versunken [...]« »Sie waren noch nicht lange

bestimmt ist, und wird aus der Verstrickung durch einen unwahrscheinlichen Zufall errettet (die Kammerzofe schleicht sich durch den Garten und wird, da sie den Mantel des betrunkenen Malers umhat, vom Taugenichts für diesen gehalten)[40]. Daß die parodische Anspielung die ernste Bedeutung der Episode nicht schwächt, sondern eigentlich erst augenfällig macht, versteht sich von selbst. Sie ist aber nicht nur eine Prüfung, die der Taugenichts zu bestehen hat, sondern er hat aus ihr eine Lehre zu ziehen. Das »prächtige Rom«, von dem er als Kind geträumt hat und das beim ersten Anblick so herrlich zu ihm hinaufglänzt, »als ständen wirklich die Engel [...] auf den Zinnen«, erweist sich als Enttäuschung. Er sucht dort vergebens nach seiner »schönen Frau«, und statt der Engel findet er liederliche Maler, eine schnippige Kammerzofe und eine korpulente Dame, die ihn verführen will. Das darf letztlich gar nicht anders sein. Die Sehnsucht, die den romantischen Wanderer in die Ferne treibt, ist ja nicht einfach Lust zu Abenteuern, und sein Fernweh kann so wenig von einem irdischen Ziel befriedigt werden, wie es wirklich ein Rom gibt, auf dessen Türmen »Engel in goldnen Gewändern« singen[41]. Der Taugenichts tut also recht daran, dem »falschen Italien mit seinen verrückten Malern, Pomeranzen und Kammerjungfern« den Rücken zu kehren (1127) und in die Heimat zurückzuwandern. Dort werden nun endlich alle Mißverständnisse aufgeklärt und alle Rätsel gelöst. Die »schöne gnädige Frau« hat wirklich seine Rückkehr mit ungeduldiger Liebe erwartet, wie er aufgrund eines von ihm gründlich mißverstandenen Briefes annimmt, aus dem er dennoch, Sonntagskind, das er nun einmal ist, das Richtige herausgelesen hat. Auch ist sie gar keine »gnädige Frau«, sondern bloß

geritten, als sich der Palast mit seiner heitern Säulenpracht vor ihnen erhob [...]. Florio verwunderte sich, wie er bisher niemals den Garten wiederfinden konnte« (1166, 1174f.). *Aus dem Leben eines Taugenichts:* »Es war wie verzaubert, als wäre der stille Platz mit dem Brunnen und der Garten und das Haus bloß ein Traum gewesen und beim hellen Tageslichte alles wieder von der Erde verschwunden.« »Aber wie erstaunte ich, als ich da auf einmal auf dem Platze mit dem Springbrunnen herauskam, den ich heute am Tage gar nicht hatte finden können« (1117, 1125).

40 Die Rolle des Zufalls im *Taugenichts* bedürfte allerdings einer genaueren Betrachtung: In der Welt dieser Erzählung fällt ohne Gottes Willen kein Sperling vom Himmel, und was als Zufall erscheint, ist also Hinweis auf göttliche Fügung.

41 Vgl. SCHWARZ, Eichendorff, s. L., S. 143.

die Nichte des Portiers, die als Waisenkind ins gräfliche Haus aufgenommen wurde, und es ist »alles, alles gut« (1146).

Aber ist es das wirklich? Man hat Eichendorff vorgeworfen, daß er im *Taugenichts* die Frage nach dem richtig gelebten Leben zwar aufwerfe, aber nicht beantworte, daß das Nichtstun früher oder später zur Langeweile führe und die menschliche Gesellschaft nicht ohne fleißige Arbeit bestehen könne[42]. Dieser Einwurf ist insoweit berechtigt, als es Eichendorff in der Tat versäumt hat, uns den Taugenichts – sagen wir: in einem »Nachwort des Herausgebers« – etwa als fröhlichen Weinbauern vorzuführen. Daß Nichtstun langweilig ist, hat Eichendorff so gut gewußt wie seine Kritiker, und er hat es im Taugenichts in der dieser Erzählung gemäßen Weise gesagt[43]. Die romantische Polemik ist nie gegen sinnvolle Arbeit gerichtet, sondern gegen leere Geschäftigkeit, prosaisches Nützlichkeitsdenken und die Arbeit als Endzweck, wie ja auch das romantische Lob des Müßiggängers nie – und gewiß nicht bei Eichendorff – eines Einschlags von Ironie entbehrt. Überhaupt ist der Taugenichts kein ewiger Wanderer, sondern kehrt in die Heimat zurück, und zwar nicht bloß, weil es nun einmal zu einem »Roman« (1143) gehört, daß er mit einer Heirat schließt. Das Lob des Wanderns im ersten Lied des Taugenichts wird in einem späteren Lied eingeschränkt – »Wer in die Fremde will wandern, / Der muß mit der Liebsten gehn« (1105) – und im Lied der Studenten, in dessen Refrain der Taugenichts jauchzend mit einstimmt, schlechtweg negiert.

Beatus ille homo,
Qui sedet in sua domo,
Et sedet post fornacem
Et habet bonam pacem! 1137

Es läge also fast näher, an Eichendorff die umgekehrte Kritik zu üben – nämlich daß es hier schließlich zuzugehen scheint wie nach Hegel in den

42 Siehe M. GUMP, Zum Problem des Taugenichts. In: DVjs 37 (1963), S. 529–557, und die geschickte Zusammenfassung in HILLACH/KRABIEL, s. L., S. 145f.

43 »So verging ein Tag nach dem andern«, berichtet der Taugenichts von seinem Wohlleben auf dem Grafenschloß in den Bergen, »bis ich am Ende anfing, von dem guten Essen und Trinken ganz melancholisch zu werden. Die Glieder gingen mir von dem ewigen Nichtstun ordentlich aus allen Gelenken, und es war mir, als würde ich vor Faulheit noch ganz auseinanderfallen« (1104).

meisten Romanen, wo der Held zuletzt doch noch »sein Mädchen und irgendeine Anstellung« bekommt, heiratet und »ein Philister [wird] so gut wie die anderen auch«[44]. Aber wenn es genügt, zu heiraten und sich sein Brot zu verdienen, um zum Philister gestempelt zu werden, dann ist allerdings guter Rat teuer!

Nun ist es zwar gewiß der Fall, daß Eichendorff in seinem erzählerischen Werk den Gefahren des Verwilderns und des Verspießerns ganz ungleich mehr Raum widmet als dem erfüllten Leben, das beiden Gefahren entgeht, wie auch in dem Gedicht von den »zwei Gesellen« nur die Irrwege dargestellt werden und der Dichter um die Gnade des richtigen Weges bloß betet. Aber der Darstellung des Ideals und der Synthese scheinen in der Literatur überhaupt fast unüberwindliche Schwierigkeiten im Weg zu stehen. *Paradise Regained* ist im Vergleich mit *Paradise Lost* einfach langweilig. Wilhelm Meister widmet sich am Ende der *Lehrjahre* nicht nützlicher Tätigkeit, sondern geht (wie später der Taugenichts) auf die Hochzeitsreise nach Italien; Hans Castorp darf von des »Homo Dei Stand [...] inmitten zwischen Durchgängerei und Vernunft«[45] zwar träumen, aber er fällt in der Schlacht von Langemarck, ohne ihn erreicht zu haben. Was Goethe und Mann in sehr langen Romanen nicht geleistet haben, das kann man vom *Taugenichts* nicht erwarten; aber was man von einem Werk wie diesem erwarten kann, in dem die Welt »nur von der Seele aus sichtbar« ist[46], nämlich den symbolischen Hinweis auf die Synthese, das hat Eichendorff voll und ganz geleistet.

Das bei weitem bedeutendste Symbol dieser Synthese ist die Liebe des Taugenichts, in der sich Irdisches und Überirdisches auf eine selbst im Werk Eichendorffs einmalige Weise mischen. Auch hier hat ihm die eigentümliche Erzählperspektive des *Taugenichts* gute Dienste geleistet. Dank der konkreten Details, die der *Erzähler* Taugenichts mit einfließen läßt, sehen wir Aurelie durchaus als ein Wesen von Fleisch und Blut. Sie lacht, weint, zürnt, errötet, verliebt sich, fällt dem Taugenichts, als er endlich wiedergekommen ist, spontan »um den Hals« (1144) und knackt mit ihm schließlich – man versuche, sich Goethes Natalie dabei vorzustellen! – seelenvergnügt und zufrieden Knackmandeln. Wir sehen sie gleich-

44 G. W. F. HEGEL, Vorlesungen über die Ästhetik. Hrsg. v. F. BASSENGE. Berlin 1955, S. 558.
45 Thomas MANN, Der Zauberberg. Stockholm 1946, II, S. 231.
46 v. WIESE, s. L., S. 79.

zeitig aber auch mit den Augen des »erzählten« Taugenichts, der sie nicht liebt wie irgendein realistisch gezeichneter Müllerbursch eine Portiersnichte, sondern sie als Inbegriff alles Schönen, Hohen und Wunderbaren, ja als sichtbares Zeichen der »Gegenwart Gottes in der Welt«[47] anbetet und verehrt. Wenn sie mit der Gitarre oder einem Buch in der Hand durch den Garten zieht, erscheint sie ihm »still, groß und freundlich wie ein Engelsbild«, so daß er sich fragen muß, ob er »träumte oder wachte« (1065). Wenn ihm, in der Morgenluft im Schloßgarten auf einem Baum kauernd, einfällt, wie sie »droben auf dem Schlosse zwischen Blumen und unter seidnen Decken schlummerte«, so gehört zu dem Bild, das er sich davon macht, daß »ein Engel bei ihr auf dem Bette [sitzt] in der Morgenstille« (1079f.).

Kurz, in seiner Liebe zu ihr lebt und webt jenes »religiöse Grundgefühl«, von dem Eichendorff später einmal gesagt hat, daß es »von einem Unterschiede zwischen dem Diesseits und Jenseits nichts mehr weiß«[48]. Das Bild, das Eichendorff im *Taugenichts* für dieses Grundgefühl gefunden hat, spricht unendlich rührend zu uns, zugleich aber auch so deutlich wie ein Emblem aus dem Barock:

> Die schöne Frau, welche eine Lilie in der Hand hielt, saß dicht am Bord des Schiffleins und sah still[49] lächelnd in die klaren Wellen hinunter, die sie mit der Lilie berührte, so daß ihr ganzes Bild zwischen den widerscheinenden Wolken und Bäumen im Wasser noch einmal zu sehen war, wie ein Engel, der leise durch den tiefen blauen Himmelsgrund zieht. 1068

Lazaro Gonzales, der frühzeitig erkannt hat, daß das Elend der Welt, in der er lebt, nicht zuletzt darin besteht, daß man in ihr unsittlich handeln muß, um sich satt essen zu können, heiratet am Ziel seiner Wanderungen auf dessen Verlangen die Maitresse eines Bischofs und schwört auf die heilige Hostie, daß sie so tugendhaft sei wie nur irgendeine Frau in Toledo. Das ist das passende Ende für einen Roman, in dem das Überirdische keine andere Funktion hat, als zum Meineid und zur Blasphemie mißbraucht zu werden und Ablaßkrämern den Vorwand zu ihren betrü-

47 Ebd., S. 91.

48 Neue Gesamtausg., IV 335.

49 In der esten Gesamtausg. von Eichendorffs Werken (1841), der alle späteren Drucke folgen, steht »so still«. Ich verdanke die richtige Lesung, die sich aus der Einzelausg. des *Taugenichts* von 1826 ergibt, einer Mitteilung von K. K. Polheim.

gerischen Geschäften zu liefern. Der Taugenichts findet das Ziel seiner Wanderungen in einer Verbindung, in der Sitte und Natur eins werden[50] und das Überirdische und das Irdische einander entsprechen wie Urbild und Spiegelung. Von seiner Liebe zur »schönen, gnädigen Frau« beschützt, die für ihn nie »nur« Nichte des Portiers sein wird, kann er – so dürfen wir hoffen – weder verwildern noch verspießern. Aber eigentlich dürfen wir dies nicht bloß hoffen – wir wissen es. Denn damit, daß er mit seiner Aurelie »gleich nach der Trauung« im »englischen Frack« und mit »Strohhut und Pumphosen und Sporen« nach Italien fahren will, endet bloß die *Erzählung*. Der Taugenichts ist aber auch der *Erzähler*, und das ist der letzte und schönste Triumph der von Eichendorff so sorgfältig gewählten Erzählform: Wer so erzählt, der ist weder zum windigen Abenteurer geworden noch zum Philister. Es ist wirklich »alles, alles gut«.

Das Schloß Dürande: Das *Marmorbild* hat etwas von der Zeitlosigkeit des Märchens, und auch beim *Taugenichts* ist die Frage, wann diese Geschichte eigentlich spielt, kaum sinnvoll[51]. Eichendorff kennt aber auch andere Möglichkeiten des Erzählens. Sein erster Roman handelt von der »Gegenwart« – den Jahren unmittelbar vor den Befreiungskriegen –, und *Das Schloß Dürande* spielt zur Zeit der Französischen Revolution, deren Auswirkungen entscheidend in die Handlung einbezogen sind. Nun ist es zwar durchaus möglich, *Das Schloß Dürande* als eine romanhafte Liebesgeschichte zu lesen, in der die Revolution bloß als Hebel fungiert, der die Maschinerie der Handlung vorantreibt; eine solche Interpretation wird Eichendorff aber kaum den Vorwurf des Epigonalen und der Trivialität ersparen können, und es ist nicht anzunehmen, daß er seine Erzählung so gemeint hat: *Das Schloß Dürande* beginnt und endet nicht mit dem Liebespaar, Gabriele und Hippolyt, sondern mit Gabrieles Bruder, dem Jäger Renald, der überhaupt die am schärfsten profilierte

50 Vgl. SCHWARZ, Taugenichts, s. L., S. 22.

51 Die ironische Bemerkung über das »Frauentaschenbuch für 1816« und die Berliner Kunstausstellung von 1814 (S. 1119) sowie die Darstellung der deutschen Maler in Rom, die offensichtlich Nazarener sind, legen die Geschehnisse freilich auf die Zeit rund um 1820 fest, aber diese Datierung trägt zum Verständnis der Erzählung nicht viel bei. Ebenso unergiebig ist der Versuch, die Problematik des *Taugenichts* spezifisch auf die »Widersprüche« des Frühkapitalismus zu beziehen.

Figur der Erzählung ist. In der Tat hat Helmut Koopmann 1970 nachgewiesen, daß Eichendorffs »Revolutionsnovelle« ein politisches Bekenntnis ist und eine »engagierte Stellungnahme« enthält[52]. Wenn Koopmann aber zu dem Ergebnis kommt, daß die Revolution hier als »Teufelswerk«[53] dargestellt wird, so scheint uns auch diese Interpretation der Erzählung noch nicht völlig gerecht zu werden. Um dies aufzuzeigen, wollen wir zunächst kurz nachzuzeichnen versuchen, was sich für den aufmerksamen Leser, der die politische Dimension der Erzählung ernst nimmt, bei der ersten Lektüre ergibt, und dann den Text nochmals eingehender überprüfen.

Renald, Jäger im Dienst des alten Grafen Dürande, wird hinterbracht, daß seine Schwester Gabriele regelmäßig von einem unbekannten jungen Mann besucht wird. Er entdeckt, daß dieser der junge Graf ist, und überredet seine Schwester, um ihre Ehre zu schützen, in einem nahe gelegenen Kloster Zuflucht zu suchen. Als er wenige Monate später hört, daß der junge Graf nach Paris gereist ist, will er Gabriele wieder nach Hause bringen. Damit beginnt für den zutiefst rechtschaffenen, aber wie Kleists Kohlhaas auf seinem Recht bestehenden Jäger ein Leidensweg, der ihn zum Äußersten treibt. Gabriele ist aus dem Kloster, auf dem man »einmal des Nachts einen fremden Mann [...] gesehn« (1339), heimlich verschwunden. Renald schließt – und der Leser schließt mit ihm –, daß sie vom Grafen entführt worden ist, und als er sich bei dessen Vater Urlaub erbittet, um sie aus Paris zurückzuholen, bestätigt ihm der alte Graf zynisch seinen Verdacht. Im Palais Hippolyts in Paris sieht Renald ein Tuch Gabrieles auf einem Tischchen, er hört ihre Stimme, aber der Graf leugnet jedes Wissen von ihr und wirft ihn hinaus. Als er bei seinem vergeblichen Versuch, sich beim König sein Recht zu erbitten, den Grafen ein zweitesmal trifft, übergibt ihn dieser als einen »Wahnsinnigen« (1347) der Wache, und er wird in ein Irrenhaus gesperrt, aus dem er erst nach Monaten entkommen kann.

Nun ist Renald schon bei seiner Ankunft in Paris in einer Schenke abgestiegen, die Anhängern der sich anbahnenden Revolution zum Treffpunkt dient. Unterdessen ist die Revolution ausgebrochen, und Renald, dem jeder gütliche Versuch, die Ehre seiner Schwester zu retten, fehlge-

52 Koopmann, s. L., S. 189. – [In diesem Band S. 119. (A. R.)]
53 Ebd., S. 196. [In diesem Band S. 138. (A. R.)]

schlagen ist, macht sich den Aufruhr zunutze. Mit der Hilfe einer Rotte von Aufständischen stürmt er das Schloß Dürande, in das Hippolyt und Gabriele unterdessen zurückgekehrt sind. Gabriele versucht vergebens, unter Hingabe ihres Lebens den Grafen zu retten, der von einer Kugel Renalds tödlich getroffen wird – und nun, wenige Seiten vor ihrem Ende, kommt der Umschlag, auf den hin die ganze Erzählung angelegt ist: Renald, der nichts wollte als sein Recht oder wenigstens seine Rache, erfährt, daß er im *Unrecht* ist. Gabriele ist dem Grafen ohne sein Zutun nach Paris gefolgt, hat sich als Gärtnerbursch verkleidet in seinem Palais verdungen, wo keiner sie kannte, und hat sich ihm erst im Tode zu erkennen gegeben... Da stürzt sich Renald verzweifelt zurück ins Schloß, das er an allen vier Ecken in Brand setzt und in dessen Trümmern er stirbt.

Eichendorff hat die sich überstürzenden Ereignisse am Ende der Erzählung sehr sorgfältig vorbereitet. Schon zu Beginn derselben schießt Renald in zorniger Übereilung auf den Unbekannten, der vor dem Jägerhaus mit seiner Schwester plaudert, und diese wirft sich dazwischen. Wenn Gabriele am Schluß versucht, den Grafen zu retten, indem sie die tödlichen Schüsse auf sich lenkt, so wiederholt sie damit, was sie in einer plötzlichen Aufwallung schon zu Anfang getan hat. Ähnlich steht es mit ihrem Entlaufen aus dem Kloster. Schon als Renald sie dorthin bringen will, wartet sie nicht den Morgen und seine Begleitung ab, sondern schleicht sich allein auf dem nächtlichen Weg durch die Wälder. Im Kloster erzählt sie dann einer Nonne, mit deren Zaghaftigkeit ihr Mut scharf kontrastiert, ein Märchen von einer Prinzessin, die, von der Sehnsucht nach ihrem Bräutigam getrieben, aus dem verzauberten Schloß entflieht, in dem sie gefangen ist, während doch alle »wirklichen« Märchenprinzessinnen geduldig ausharren, bis der Märchenprinz sie befreit. Im letzten Drittel der Erzählung häufen sich schließlich die Anzeichen dafür, daß dem Leser der richtige Schlüssel zu den berichteten Vorgängen fehlt. Die überraschende Enthüllung der Unschuld des Liebespaares ist also durchaus kein billiger Überraschungseffekt. Da der Leser aber von diesen Anzeichen bloß verunsichert wird, ohne sie deuten zu können, hat er während des Großteils der Erzählung den Eindruck, daß Renald im Recht ist und daß ihm die Revolution – freilich auf gewaltsame und dadurch trotz allem unrechtliche Weise – zwar nicht zu seinem Recht, aber doch zu seiner gerechten Rache verhilft. Wenn sich dann aber herausstellt, daß Renald im Grafen einen Unschuldigen verfolgt hat, sieht sich der Leser gezwungen, nicht nur sein Urteil über die Handlungsweise Renalds, sondern zugleich sein Urteil über die Revolution zu revidieren: Die Gewalttaten, die im *Schloß Dürande* stellvertretend für alle Gewaltsamkeiten der Revolution stehen, erweisen sich als unberechtigt – als eine Katastrophe, die vor allem die Unschuldigen trifft.

Diesem Verdammungsurteil entspricht es, wie die Repräsentanten der Revolution dargestellt sind. In der Vorstadtschenke, in der Renald in Paris absteigt, trifft sich ein »wilder Haufe« von »abgedankten Soldaten, müßigen Handwerksburschen und dergleichen Hornkäfern, wie sie in der Abendzeit um die großen Städte schwärmen« (1340). Der hetzende Demagoge und »Bettleradvokat« (1343), der dort das Wort führt – wir dürfen bei ihm vielleicht an Robespierre denken –, trinkt Rotwein, »als schlürft' er Blut« (1340), und die wüste Rotte, deren sich Renald am Ende der Erzählung zu seiner Rache bedient, zieht dem offenen Kampf Verrat vor, ist nicht auf Freiheit, sondern »nur auf Plünderung bedacht« und dringt ins Schloß ein, »als wühlte die Hölle [...] sich auf« (1356f.). Das Kloster ist aufgehoben worden, an die Stelle des idyllischen Friedens, der dort geherrscht hatte, sind Roheit und Zank getreten; in den Dörfern herrscht seit dem Sieg der Revolution bittere Armut, und das alte Schloß liegt in Trümmern. Wenn sich Eichendorff also im letzten Satz der Erzählung mit der Warnung an den Leser wendet, »Du aber hüte dich, das wilde Tier zu wecken in der Brust, daß es nicht plötzlich ausbricht und dich selbst zerreißt« (1364), so scheint dieser Satz nur einen Sinn haben zu können: Hüte dich, nicht wie Renald zu handeln, der sich ein Recht ertrotzen wollte, das sich letztlich als ein schweres Unrecht erwies.

Mit dieser Deutung stimmt es überein, daß Renald im Verlauf der Geschichte wiederholt mit einem wilden Tier verglichen wird – allerdings nicht mit einem Tier, das im metaphorischen Sprachgebrauch normalerweise mit negativen Assoziationen belastet ist, sondern mit einem Löwen[54]. Er seinerseits nennt aber die herrschenden Schichten »die wilden Tiere«, und Eichendorff wird gewußt haben, warum er Renald gerade diese Worte wählen ließ. Auch wäre, wenn sich der gewichtige

54 S. 1339, 1351; überdies ist ein »roter Löwe« das »Zeichen« von Renalds Pariser Quartier (1340). An einer Stelle wird die Tiermetaphorik allerdings variiert: Beim Überfall auf das Schloß springt Renald »wie ein Tiger« allen andern voran (1360).

Schlußsatz wirklich nur auf Renald und die durch diesen veranschaulichte Gesinnung bezöge, schwer einzusehen, warum die Warnung »Hütet Euch«, die diesen Schlußsatz schon mitten in der Erzählung antizipiert, dort nicht an einen der Aufrührer, sondern an ein Mitglied der herrschenden Schichten, nämlich an den anscheinend so unschuldigen Grafen gerichtet ist[55]. Vor allem aber kommt die Enthüllung der Unschuld des Liebespaares nicht nur für Renald zu spät, der nichts wiedergutmachen kann, sondern auf anderer Ebene auch für den Leser. Denn die lange Verheimlichung der wahren Geschehnisse vor dem Leser dient nicht bloß, wie in einem Detektivroman, der Spannung; die späte Enthüllung ist kein bloßer Coup de théatre, sondern ein Strukturelement, das den Gehalt der Erzählung entscheidend mitbestimmt. Der Leser, der den Leidensweg Renalds aus dessen Perspektive miterlebt hat, weiß, wie und warum der redliche Mann zum »wilden Jäger« (1351) geworden ist und daß nicht er es war, der das »wilde Tier« in seiner Brust erweckt hat.

Die Verwicklung, die Renald ins Verderben treibt, ist nur in einer Gesellschaftsordnung möglich, in der die »Mädchen von niederem Stande nur einen Besitz: ihre unverführte Reinheit«[56] haben, während die Herrschenden sie, mit Schnitzler zu reden, normalerweise als »Freiwild« betrachten. Renald weiß, welchen Verlauf eine Beziehung zwischen einem Grafensohn und einer Försterstochter zu nehmen pflegt, und muß also

55 Die Worte »Hütet Euch. Ein Freund des Volkes« stehen auf dem vom Advokaten geschriebenen Zettel, den Renald dem Grafen im Pariser Palais einhändigt. Hippolyt sieht darin eine Drohung und reagiert mit berechtigtem Unmut. Eichendorff hat also durch die Einführung des Zettels die Motivation dafür geschaffen, daß es zu keiner längeren Aussprache zwischen Renald und dem Grafen kommt. Diesen Zweck hätte er aber ebensogut mit einem Wortlaut erreichen können, der die Schlußwendung der Erzählung nicht vorwegnimmt. Übrigens ist der Zettel nicht das einzige Requisit im *Schloß Dürande*, das gleichzeitig mehreren Zwecken dient. Das Schnupftuch, das Renald auf dem Tisch des Grafen erblickt, ist ihm ein Beweis dafür, daß sich Gabriele im Palais befindet; der Leser weiß aber, wie das Tuch in die Hände des Grafen gekommen ist und daß also Renalds Schlußfolge von einem falschen Vordersatz ausgeht. Bei der wiederholten Lektüre erweist sich das Schnupftuch, das der Graf nach Paris mitgenommen und aufbewahrt hat, schließlich auch als ein Hinweis, daß er Gabriele nicht vergessen hat.

56 G. Sautermeister, Das Schloß Dürande. In: Kindlers Literatur-Lexikon, Bd. 19 (= Sonderausg. dtv 3159). München 1974, S. 8506. Wie Sautermeister weist auch Detlev W. Schumann auf die im *Schloß Dürande* geübte Kritik am Adel hin.

versuchen, seine Schwester vor Hippolyt in Sicherheit zu bringen. Als er dann in Erfahrung gebracht zu haben glaubt, daß Gabriele vom Grafen nach Paris entführt wurde, tritt er »ehrerbietig« (1339) vor dessen Vater, um sich Urlaub zu seiner Reise zu erbitten. Dieser weiß zwar nicht, was vorgefallen ist, kennt die sozialen Verhältnisse aber gut genug, um ohne weiteres anzunehmen, daß Hippolyt das Mädchen als seine Maitresse nach Paris mitgenommen hat, und fertigt den Bittsteller mit beleidigender Zynik ab: »Nun, nun, sagte er, mein Sohn hat wahrhaftig keinen übeln Geschmack. Geh Er nur hin, ich will Ihm an seiner Fortune nicht hinderlich sein; die Dürandes sind in solchen Affären immer splendid« (1339).

Kein Wunder, daß sich Renald schüttelt »wie ein gefesselter Löwe« (1339). Die Gesellschaftsordnung, die dem alten Grafen so selbstverständlich ist, hat aber längst keine Daseinsberechtigung mehr – sie ist überholt und widernatürlich geworden. Eichendorff, der den Rokokogarten liebte wie kein anderer und die Magie seiner Wasserkünste und Blumenpracht in so vielen seiner Erzählungen mit stereotyper Formelhaftigkeit immer wieder von neuem hervorgezaubert hat, stattet das Schloß Dürande mit einem Garten aus, wo die Dohlen von den alten Dächern krächzen; der Wald, »der alte Schloßgesell«, ist »wunderlich verschnitten und zerquält«, und der Wallgraben liegt schon lange trokken (1338). Noch deutlicher wird das spukhaft Überholte dieser Gesellschaft, als uns Eichendorff den Grafen und sein Schloß noch einmal vorführt, nachdem die Revolution schon ausgebrochen ist[57]. Da schnurren

> im Schloß Dürande die Gewichte der Turmuhr ruhig fort, aber die Uhr schlug nicht, und der verrostete Weiser rückte nicht mehr von der Stelle, als wäre die Zeit eingeschlafen [...] Draußen, nur manchmal vom fernen Wetterleuchten zweifelhaft erhellt, lag der Garten mit seinen wunderlichen Baumfiguren, Statuen und vertrockneten Bassins wie versteinert im jungen Grün [...] 1349

Der alte Graf sitzt »im Staatskleide, frisiert, wie eine geputzte Leiche« am Tisch, und während die Turmuhr draußen, an der man die Zeit ablesen könnte, nicht mehr schlägt, spielt im Nebengemach eine Flötenuhr jede Viertelstunde »einen Satz aus einer alten Opernarie« (1350), gespenstisch immer denselben... Dieser Welt wäre auch ohne die Revolution nicht zu

57 Vgl. dazu die ausführliche Interpretation von SEIDLIN, s. L., S. 125ff.

helfen, und hier kann sich kein Jägerbursche ohne Gewalt sein Recht holen.

Aber auch in Paris ergeht es Renald nicht besser: Da läuft er von einem Advokaten zum andern, aber die sehen es alle den »goldbortenen Rauten seines Rockes an, daß sie nicht aus seiner eigenen Tasche gewachsen waren« (1345), und wenn sie bloß über ihn lachen, so ist das noch die geringste Kränkung für ihn. Als er sich an die Polizei wendet, wird er »von Pontius zu Pilatus geschickt«, und als er schließlich »vor das rechte Bureau« kommt, gibt man ihm unrichtige Auskunft. Und während in der Welt eines Götz oder eines Kohlhaas über den korrupten Landesfürsten und Junkern noch ein Kaiser steht, bei dem man sein Recht suchen kann, wird Renald bei Louis XVI. nicht einmal vorgelassen.

Nun ist allerdings der junge Graf Dürande in gewissem Grad eine Ausnahme, aber auch er hat Teil am sittlichen Verfall seines Standes und ist an Renalds verzweifeltem Entschluß nicht unschuldig. Seine Liebe zu Gabriele hat ihn nicht daran gehindert, nach Paris zu gehen und sich dort Belustigungen oder Ausschweifungen hinzugeben, von denen er erst zu später Nacht »wüst und überwacht« nach Hause zurückkommt, so gelangweilt und »müde von Lust und immer Lust«, daß er wollte, »es wäre Krieg« (1342). Als Renald bei ihm »ehrerbietig« sein Recht sucht – das Wort fällt zweimal (1339 u. 1342), wie Eichendorff auch die Beschreibung des Grafen als »wüst« und »überwacht« wiederholt (1363) –, gibt er sich nicht die Mühe, auf die Not und Verzweiflung des Jägers einzugehen; bei ihrer zweiten Begegnung übergibt er ihn – den Bruder Gabrieles, die er »immerdar« (1358) geliebt hat – kurzerhand der Wache; und als Renald – noch immer nur sein Recht fordernd, wiewohl nun schon in an Wahnsinn grenzender Überheblichkeit – dem Grafen ein Ultimatum gibt, setzt dieser, wie schon immer, »Trotz gegen Trotz« (1354). Erst nach diesem letzten vergeblichen Versuch entschließt sich Renald zur Gewalt.

Daß Renald erst zur Waffe greift, als ihm kein anderer Weg zur Rettung der Ehre seiner Schwester übrigzubleiben scheint, bedeutet selbstverständlich nicht, daß seine Gewalttat als objektiv berechtigt dargestellt werden sollte, und noch viel weniger, daß im *Schloß Dürande* der Revolution das Wort geredet wird. Die Mitschuld der Machthaber wird aber nicht weniger deutlich gezeigt als die Schuld des Jägers.

Die Julirevolution und ihre Auswirkungen in Deutschland, die Eichendorff den Anstoß zum *Schloß Dürande* gegeben haben dürften, haben den Dichter mit Entsetzen erfüllt. das ist nicht nur durch biographische Zeugnisse belegt. Seine Novelle, in der die Französische stellvertretend für jede Revolution steht, spiegelt seinen Abscheu. Die Revolution führt nicht zu Freiheit und Gerechtigkeit, sondern zu Plünderung, Brandstiftung und Mord. Das Bild, unter dem sie im *Schloß Dürande* erscheint, ist das eines verheerenden Unwetters; die tragenden Metaphern der Erzählung, denen sie ihre dichterische Einheit verdankt, sind Wetterleuchten, Blitz und Gewitter. Aber wenn die Metaphorik von Eichendorffs Erzählung, wie Koopmann gezeigt hat, die Revolution als eine Art »Naturkatastrophe« erscheinen läßt, so gilt das nur für ihre Folgen, nicht für ihr Wesen und ihre Ursachen. An einer Naturkatastrophe ist niemand schuld, die Französische Revolution sah Eichendorff jedoch als das Resultat einer langen Reihe menschlicher Verfehlungen: der sich im 18. Jahrhundert ausbreitenden Gottlosigkeit, der Schwäche und Habgier des Bürgertums, der von ihm seit jeher gehaßten Lehre der »Gleichmacher«, aber auch – und das hat er im *Schloß Dürande* neben vielem anderen mit dargestellt – des sittlichen Verfalls und der mangelnden Menschlichkeit des Adels. Diesen Überzeugungen entspricht es, daß der Schlußsatz der Erzählung zutiefst zweideutig ist. »Hüte dich, das wilde Tier zu wecken in der Brust«: Das bedeutet gewiß, hüte dich, das Raubtier in deiner Brust zu wecken und wie Renald zum wilden Jäger zu werden. Es bedeutet aber auch: Hüte dich, das wilde Tier zu wecken in der Brust deines Mitmenschen, »daß es nicht plötzlich ausbricht und dich selbst zerreißt«[58].

»Eichendorff«, schrieb R. M. Meyer in seiner Literaturgeschichte des 19. Jahrhunderts,

> trägt auf hoher Figur den ernsten runden Kopf eines höheren katholischen Geistlichen; und eine Domherrennatur möchte ich ihn am liebsten nennen, wenn er auch ein glücklicher Gatte und liebevoller Familienvater gewesen ist. Frömmigkeit und behaglicher Lebensgenuß, Treue im Amt und eine stille Liebe zum seligen Hinträumen, entschiedenster Standpunkt in Prinzipienfragen bei

58 Selbstverständlich ist »in der Brust« normaler deutscher Sprachgebrauch; vgl. jedoch die berühmte Stelle über Kleist in Eichendorffs *Geschichte der poetischen Literatur Deutschlands:* »Hüte jeder das wilde Tier in seiner Brust, daß es nicht plötzlich ausbricht und ihn selbst zerreißt! Denn das war Kleists Unglück und schwer gebüßte Schuld, daß er diese, keinem Dichter fremde dämonische Gewalt nicht bändigen konnte oder wollte [...]« (Neue Gesamtausg., IV 367; Hervorhebung von mir).

liebenswürdigster Verträglichkeit mit den Menschen – das macht so recht das Bild eines jener prächtigen alten Domherren aus, die dem Deutschland der geistlichen Fürstentümer sein charakteristisches Gepräge geben halfen. Und Eichendorff ist immer im Dom, immer im Gottesdienst, wo er mit einer weithin tönenden Stimme Gott dem Herrn Lieder singt[59].

Dieses Bild vom gemütvollen, aber problemlosen alten Herrn, der zwar von Taugenichtsen schrieb, selbst aber, wenn auch leider kein Domherr, so doch wenigstens ein Geheimer Regierungsrat war, hat über ein Jahrhundert lang die Literatur über Eichendorff beherrscht. Dank der Arbeiten von Alewyn, Seidlin, Stöcklein u.a. beginnt sich nun endlich ein richtigeres Bild durchzusetzen. Von Natur aus sinnlich und zum Jähzorn geneigt[60], war es Eichendorff nur durch größte Selbstbeherrschung und durchaus nicht immer geglückt, den sittlichen Ansprüchen, die er als gläubiger Katholik an sich stellte, gerecht zu werden, und der Konflikt zwischen seinen oft recht öden Aufgaben als Staatsbeamter und seiner Sehnsucht nach einem »poetischen«, in das Zeitgeschehen aktiv eingreifenden Leben hat ihn bis ins hohe Alter verfolgt[61]. Wenn in seinem formelreichen Werk kaum eine Formel so oft wiederkehrt wie »Hüte dich«, so war diese Warnung nie bloß für den Leser, sondern immer auch für ihn selbst bestimmt[62]. Mit der Problematik seiner Existenz hat man allzulange auch die Problematik seiner Dichtungen und die Gefahren verkannt, die seinen Gestalten darin drohen. Aber so dringlich er vor

59 R. M. Meyer, Die deutsche Literatur des Neunzehnten Jahrhunderts. Berlin 1900, S. 36. Vgl. Lukács, s. L., S. 233: »Eichendorff ist ein gewissenhafter und tüchtiger Beamter; er heiratet früh und lebt ein unproblematisches und musterhaftes Familienleben. Die schriftstellerische Tätigkeit fügte sich ebenfalls ohne Konflikte in den gegebenen Lebensrahmen.« Als Eichendorff am 7.4.1815 Luise von Larisch heiratete, war er siebenundzwanzig; die Braut war seit ungefähr zwei Monaten schwanger.

60 Vgl. dazu vor allem Stöcklein, Eichendorff in Selbstzeugnissen, s. L., S. 23 u. 114ff.

61 Vgl. dazu z.B. Eichendorffs Notiz zu einem Brief an seinen Bruder vom Sept. 1831 (HKA XIII 269): »Ich schreibe poetisch, du lebst poetisch, wer dabei besser fährt, ist leicht zu denken [...].« Zu einem poetischen Leben gehörte für Eichendorff vor allem die gestaltende Mitwirkung an den großen Zeitströmungen, »z.B. an der Bewegung der literarischen Romantik (in Halle, Heidelberg, Berlin und Wien), an den Freiheitskriegen, an der katholischen Bewegung in Bayern« (Frühwald, s. L., S. 133), weshalb er sich z.B. 1828 vergeblich um eine Anstellung in Bayern bewarb.

62 Vgl. Seidlin, s. L., S. 245.

diesen Gefahren warnt, so gut wußte er – darauf sei zum Abschluß nochmals hingewiesen –, daß auch im allzu ängstlichen Sich-Bewahren eine Gefahr beschlossen liegt. In *Ahnung und Gegenwart* hat er das berühmte Gedicht, dessen Sprecher sich *nicht* bewahren will und nicht fragt, wo die Fahrt zu Ende geht, der Gräfin Romana in den Mund gelegt, die das »wilde Tier« in sich nicht zu bändigen wußte und deshalb zugrunde ging:

Und ich mag mich nicht bewahren!
Weit von euch treibt mich der Wind,
Auf dem Strome will ich fahren,
Von dem Glanze selig blind!

Tausend Stimmen lockend schlagen,
Hoch Aurora flammend weht,
Fahre zu! ich mag nicht fragen,
Wo die Fahrt zu Ende geht!

Als seine Gedichte für die erste Gesamtausgabe geordnet wurden, hat er es zugelassen, daß gerade dieses Gedicht an die Spitze seiner sämtlichen Werke gestellt wurde[63].

63 Stöcklein, Eichendorff in Selbstzeugnissen, s. L., S. 76f.

TEXTAUSGABEN

Joseph von Eichendorff: Werke. Hrsg. v. W. Rasch. München o.J. (hiernach wird zit.) Alle anderen Schriften Eichendorffs werden zitiert nach der Neuen Gesamtausg. der Werke und Schriften in vier Bänden. Hrsg. v. G. Baumann in Verbindung mit S. Grosse. Stuttgart 1957–1958. Die hist.-krit. Ausg. (in Verbindung mit P. A. Becker hrsg. v. W. Kosch u. A. Sauer, Regensburg, 1908ff.) ist z. Zt. noch unvollständig.

LITERATUR

Die bis Anfang 1959 erschienenen wesentlichen Editionen der Werke und das wissenschaftliche Schrifttum über Eichendorff sind in der Eichendorff-Bibliographie von W. Kron in: P. Stöcklein (Hrsg.), Eichendorff heute, S. 280–330 verzeichnet. Eine jährliche Bibliographie erscheint im Jahrbuch der Eichendorff-Gesellschaft, Aurora.
B. VON WIESE: J. von Eichendorff. Aus dem Leben eines Taugenichts. In: DERS.: Die deutsche Novelle von Goethe bis Kafka. Bd. I. Düsseldorf 1956, S. 79–96; E. SCHWARZ: Ein Beitrag zur allegorischen Deutung von Eichendorffs Novelle Das Marmorbild. In: Monatshefte 48 (1956), S. 215–220; DERS.: Der Taugenichts zwischen Heimat und Exil. In: Études 12 (1957), S. 18–33; L. SPITZER: Zu einer Landschaft Eichendorffs. In: Euphorion 52 (1958), S. 142–152; P. STÖCKLEIN: J. von Eichendorff in Selbstzeugnissen und Bilddokumenten (= rororo Bildmonographien 84). Hamburg 1963; G. LUKACS: Eichendorff. In: DERS.: Deutsche Literatur in zwei Jahrh. Neuwied-Berlin 1964, S. 232–248; O. SEIDLIN: Versuche über Eichendorff. Göttingen 1965; P. STÖCKLEIN (Hrsg.): Eichendorff heute. Stimmen der Forschung. 2., ergänzte Ausg. Darmstadt 1966; E. LÄMMERT: Eichendorffs Wandel unter den Deutschen. Überlegungen zur Wirkungsgeschichte seiner Dichtung. In: Die deutsche Romantik. Poetik, Formen und Motive. Hrsg. v. H. Steffen (= Kleine Vandenhoeck-Reihe 250 S). Göttingen 1967, S. 219–252; H. KOOPMANN: Eichendorff, Das Schloß Dürande und die Revolution. In: ZfdPh 89 (1970), S. 180–207; A. HILLACH u. K.-D. KRABIEL: Eichendorff-Kommentar. 2 Bde. München 1971; E. SCHWARZ: J. von Eichendorff. New York 1972; K.-D. KRABIEL: Tradition und Bewegung. Zum sprachlichen Verfahren Eichendorffs (= Studien zur Poetik und Geschichte der Literatur 28). Stuttgart 1973; D. RODEWALD: Der »Taugenichts« und das Erzählen. In: ZfdPh 92 (1973), S. 231–259; F. WESCHTA: Eichendorffs Novellenmärchen Das Marmorbild. Hildesheim 1973; [1]1916; D. W. SCHUMANN: Betrachtungen über zwei Eichendorffsche Novellen: Das Schloß Dürande. Die Entführung. In: JbSchG 18 (1974), S. 466–481; K. KÖHNKE: Eichendorffs Schloß Dürande. Wirklichkeits- und Symbolcharakter. In: Aurora 34 (1974), S. 7–23; L. PIKULIK: Die Mythisierung des Geschlechtstriebes in Eichendorffs »Das Marmorbild«. In: Euphorion 71 (1977), S. 128–140; W. FRÜHWALD: Eichendorff-Chronik. München 1977.

Joseph von Eichendorff: Ahnung und Gegenwart (1815)

Egon Schwarz

Ahnung und Gegenwart wird zitiert nach: Joseph von Eichendorff: Werke, Erzählende Dichtungen, Vermischte Schriften. Stuttgart 1953. Seitenangaben in Klammern unmittelbar hinter dem Zitat.

I. Zur Rezeption

Eichendorff war bis vor kurzem einer der volkstümlichsten deutschen Dichter. Erst in den letzten Jahren gerät er langsam in Vergessenheit. Das hängt wahrscheinlich damit zusammen, daß die Deutschen nicht mehr singen. Verschwunden sind die klangreichen Turnerausflüge, die klampfenbegleiteten Schulwanderungen, die singfreudigen Mägdeabende und die Männergesangvereine. Das letzte Gruppensingen deutscher Lieder habe ich in den Sommerschulen amerikanischer Universitäten erlebt, schwer besiegbaren Bastionen alter Sitte. Aber auch hier ist man, glaube ich, davon abgekommen. Solange all diese Gepflogenheiten noch im Schwange waren, erfreuten sich Eichendorffs Lyrik und unter seinen Prosawerken der *Taugenichts* weitester Verbreitung. Treue, Sehnsucht, Tapferkeit, Christlichkeit, Deutschheit, Heimatverbundenheit und schließlich Heimatverlust waren die Identifikationselemente, die von der völkischen Bewegung bis zu Adenauer, von den alten Arbeitervereinen bis zum *Neuen Deutschland* Eichendorffs Popularität trugen. Eindrucksvoll stellt Eberhard Lämmert[1] an einer Vielfalt von Beispielen dar, welche vereinfachenden und verfälschenden Leseweisen, die den Zugang zum

1 Eichendorffs Wandel unter den Deutschen. Überlegungen zur Wirkungsgeschichte seiner Dichtung. In: Die deutsche Romantik. Hrsg. von Hans Steffen. Göttingen 1967. Jetzt auch u. d. T.: Zur Wirkungsgeschichte Eichendorffs in Deutschland. In: Romantikforschung seit 1945. Hrsg. von Klaus Peter. Königstein (Taunus) 1980.

eigentlichen, viel komplexeren Eichendorff verbauten, nötig waren, um eine solche Breitenwirkung herbeizuführen.

Schränken wir aber, wie es unsere Aufgabe verlangt, den Blick auf *Ahnung und Gegenwart*, Eichendorffs 1815 gedrucktes Erstlingswerk, ein, dann ergibt sich ein ganz anderes Bild. »Der Roman erregte bei seinem Erscheinen nur wenig Aufmerksamkeit«, erklärt ein gängiger Kommentar[2] lakonisch. Die ersten bekannt gewordenen Reaktionen stammen aus Privatbriefen an Eichendorff selbst. In einer langen Epistel vom 20. Oktober 1814 reagiert Otto Heinrich Graf von Loeben[3] begeistert auf das noch unveröffentlichte Manuskript, obgleich er sich in dem darin verspotteten »schmachtenden« Dichter sofort wiedererkannte. Friedrich de la Motte-Fouqué, der als beliebter Schriftsteller die Veröffentlichung vermitteln konnte, wünscht Eichendorff am 26. November 1814[4] Glück »zu dem Blütenreiche, das Ihre Zitherklänge ans Licht gerufen haben«. Er hat nur an der Sinnlichkeit etwas auszusetzen, die er in dem Werk verspürt. Seine Frau Karoline gesteht in einer Nachschrift, daß sie sich »unaussprechlich vor den Machwerken dieser Zeit« ekelt, und betont dagegen die »Gesundheit« des Eichendorffschen Buches, ein Urteil, das bestimmt ist, sich einzubürgern.

Die ersten öffentlichen Rezensionen erscheinen verspätet, nämlich erst 1819. Die *Allgemeine Literatur-Zeitung* (Halle)[5] spendet großes Lob, rügt aber die schwebende Haltung, die vom Duft der Romantik allzu sehr umflossenen Gestalten, die Überfülle, die ewig wiederkehrenden »Decorationen von Berg, Wald, Wolken und Morgenluft«, wodurch ein »Gefühl der Einförmigkeit« entstehe. Erwin erinnere zu sehr an Mignon. Keineswegs könne man die »gewitterschwüle Zeit« wiedererkennen, wie Eichendorff die Epoche vor den Befreiungskriegen, während welcher der Roman spielt, in seinem später von Fouqué unterzeichneten Vorwort genannt hatte. Die *Schlesischen Provinzialblätter* (Breslau)[6] beziehen sich ebenfalls

2 Ansgar HILLACH/Klaus-Dieter KRABIEL, Eichendorff-Kommentar zu den Dichtungen. Bd. 1. München 1971. S. 115.

3 Nr. 12. In: Sämtliche Werke des Freiherrn Joseph von Eichendorff. Hist.-krit. Ausg. Hrsg. von Wilhelm KOSCH und August SAUER, fortgef. von Hermann KUNISCH. Bd. 13: Briefe an Eichendorff. Regensburg o. J.

4 Nr. 14. Ebd.

5 Sämtliche Werke (Anm. 3). Bd. 18. T. 1: Dokumente 1788–1843. Hrsg. von Günter und Irmgard NIGGL. Stuttgart 1975. S. 74–78.

6 Ebd. S. 78–81.

auf diesen Begriff der »Gewitterschwüle«, der nun nicht mehr so bald aus dem Urteilsrepertoire verschwinden wird, bescheinigen aber dem Dichter, daß das Buch wie »aus dem Leben gegriffen sei«. Erkannt wird auch schon die sozialkritische Intention: Eichendorff habe das »leere Treiben der Gesellschaft der höheren Stände streng doch getreu hingestellt«. Diese beiden Rezensionen sind symptomatisch. In ihnen klingen schon viele der Themen an, die später aufgegriffen und weiter ausgesponnen werden. Dann aber wird es recht still um das Werk. Erst um die Jahrhundertmitte, als sein Autor längst berühmt ist[7], wird der Roman wieder in den neuen Literaturgeschichten erwähnt, meistens negativ[8]. Er ist niemals populär geworden[9].

Die Literaturgeschichten bilden aber den Übergang von der direkten Aufnahme durch die literarische Öffentlichkeit zu einer eigenen, sehr spezialisierten Sparte der Rezeption, der akademischen Forschung. Es ist dies eine Rezeption, die sich in einem ritualisierten Raum abspielt, wo eigene Regeln, eine eigene Rhetorik herrschen. Durch die Mauern ihrer Institute ist die Literaturwissenschaft vor direkten geschichtlichen Einflüssen geschützt. Es haftet ihr in der Tat etwas ›Zeitloses‹ an, und es wird mit einemmal verständlich, warum so viele ihrer Praktiker zu der Ansicht neigen, daß Literatur einer hermetischen, von den historischen Abläufen unberührten Sphäre angehört. Für solche ›Zeitlosigkeit‹ müssen sie aber einen nicht unbeträchtlichen Preis entrichten, den einer gewissen Bezugslosigkeit.

7 Das geht z.B. aus Eichendorffs Besuch 1846/47 in Wien hervor, wo er vielfach gefeiert wurde.

8 Z.B. Julian Schmidt, Geschichte der deutschen Nationalliteratur im 19. Jahrhundert. Leipzig 1853. Bd. 1. S. 410. – Privat erreichten den Dichter freilich noch die schmeichelhaftesten Versicherungen. So behauptet etwa Lebrecht Dreves in einem Brief vom 15. 2. 1848 (Nr. 89 in: Sämtliche Werke [Anm. 3] Bd. 13), er sei durch die Lektüre von *Ahnung und Gegenwart* von einer Krankheit geheilt worden.

9 Anderer Meinung ist als einziger offenbar Thomas A. Riley, An allegorical interpretation of Eichendorffs »Ahnung und Gegenwart«. In: Modern Language Review 54 (1959) S. 204, wo er über den Roman sagt: »Its popularity is evidenced by its appearance since the Second World War in at least six new editions in Germany, Austria, and Switzerland.« Allerdings unterstellt er den Lesern, daß sie ihn nicht verstünden. Er zählt eine Reihe von Reizen des Werkes auf, die genügten, »to attract readers who do not ask for explanations of the book as a whole«.

Dadurch entsteht ein Phänomen innerhalb der Forschung, das niemand übersehen kann, der ihr auf weiteren Strecken gefolgt ist: ihre prinzipielle Uneinigkeit. Jeder Äußerung, jeder Einstufung und Wertung läßt sich eine gegensätzliche gegenüberstellen, jede Behauptung muß sich ihre ebenso gelehrte, ebenso logisch begründete Widerlegung gefallen lassen. Auch dieses Schwanken ist Symptom einer eigentümlichen Distanz zur Realität. Was unter diesen Umständen das völlige Auseinanderfallen, die totale Chaotisierung der Forschungsergebnisse verhindert, ist eine auf ihre Weise nicht minder fragwürdige Eigenschaft der Forscher, daß sie nämlich die Gewohnheit haben, voneinander abzuschreiben, die bereits vorhandenen Resultate zu wiederholen, mit oder ohne Nennung der Vordermänner. Dadurch entsteht eine Art Kontinuität, allerdings oft nur zum Schein.

Die Isolierung der Akademie wird aber auf zweierlei Weisen durchbrochen. Sie ist eben doch nicht unwandelbar, sondern die geschichtliche Veränderung vollzieht sich bloß langsamer und durch theoretisch-wissenschaftliche Diskussionen, den sogenannten Methodenstreit vermittelt. Und sodann wirkt die Literaturwissenschaft dennoch durch ihr Prestige, durch Schule, Zeitung, Rundfunk usw., Organe, auf die die Universität institutionalisierten Einfluß ausübt, in die Gesellschaft hinaus. Es werden Bücher geschrieben, Zeitschriften publiziert, Kongresse abgehalten, Ausgaben gedruckt, von denen die Öffentlichkeit Notiz nimmt. Man sollte daher die Rolle des akademischen Rezeptionsprozesses nicht unterschätzen.

Welche Phasen lassen sich also in der literaturwissenschaftlichen Aneignung von *Ahnung und Gegenwart* unterscheiden? Bis weit ins 20. Jahrhundert hinein stand sie dem Roman in der Hauptsache ablehnend gegenüber. Die Darstellungen in den Literaturgeschichten nennt der bereits herangezogene Eichendorff-Kommentar[10] »im ganzen eher verständnislos« und zitiert die abschätzige Äußerung Ricarda Huchs, für die *Ahnung und Gegenwart* »ein ungarer Brei und schwer genießbar«[11] war, ein Urteil, das um so schwerer wiegt, als es von einer berühmten Frau stammt.

Stellen wir daneben die Meinung eines beliebigen Literaturwissen-

10 Hillach/Krabiel (Anm. 2) S. 118.

11 In: Ricarda Huch, Ausbreitung und Verfall der Romantik. Leipzig 1902. S. 257.

schaftlers der Jahrhundertwende, so haben wir die recht engen Grenzen des damaligen Verständnisses. In seinem Buch rügt Eduard Höber das Fehlen einer festen Handlung, die Zerfahrenheit der Charaktere, die unklare Sprache. Er läßt als das Beste die zarten Naturstimmungen und die prächtigen Lieder gelten. Aber der Gesamteffekt bleibt für ihn doch Ungesundheit und Unwahrheit, die er einem Mangel an darstellerischer Kraft zuschreibt. Sein abschließendes Urteil lautet: »So leichtfertig, verworren und ziellos, wie Eichendorff es hier im allgemeinen schildert, ging es in Deutschland [...] nicht zu«[12]. Mit den gleichen Methoden kommt allerdings Hermann Anders Krüger zu einem diametral entgegengesetzten Resultat. Für ihn ist der gesellschaftskritische Aspekt des Werkes völlig realistisch, da es dank dem »bodenlosen Leichtsinn der Gebildeten« damals »in Deutschland wie in Österreich entsetzlich trostlos aussah«[13]. Diese etwas krude Konfrontation der Romanwelt mit der geschichtlichen Situation der Befreiungskriege scheint mir typisch für den Positivismus. Auf der anderen Seite verdankt man dieser Richtung die genaue Bestimmung der autobiographischen Schicht (z.B. welche Gestalten des Romans Bekannte und Zeitgenossen Eichendorffs porträtieren sollten) und die Abgrenzung der Eichendorffschen Erfindung von anderen romantischen Romanen, einschließlich der vielen Züge, Motive, Themen, die er seinen Vorläufern und Vorbildern entliehen hat.

Dieselbe Doppelnatur kann man noch in Hans Brandenburgs großer Eichendorff-Biographie[14] von 1922 feststellen. Einerseits werden die geschichtlichen Elemente klar aufgezeigt (Friedrich ist Arnim, Brentano ist in Leontin und Faber aufgespalten, Rudolfs Narrenburg ist eine Satire auf Zeittendenzen), andererseits wird das von Eichendorff Geleistete kritisch gewertet. Es sei Eichendorff, wie übrigens jedem Romantiker, versagt geblieben, »das tätige Leben künstlerisch zu formen«. Getadelt wird auch, daß er auf alle Fragen des Daseins nur »die Antworten der Kirche« erteilt. Ein Vergleich mit *Wilhelm Meister* (der ergibt, daß bei

12 Eduard HÖBER, Eichendorffs Jugenddichtungen. Berlin 1894. S. 62.

13 Hermann Anders KRÜGER, Der junge Eichendorff. Ein Beitrag zur Geschichte der Romantik. Leipzig 1904. S. 164. Mit dieser Arbeit setzen HILLACH/KRABIEL (Anm. 2) den »Beginn der neueren wissenschaftlichen Diskussion« zu *Ahnung und Gegenwart* an (S. 118).

14 Joseph von Eichendorff. Sein Leben und sein Werk. München 1922. [Über *Ahnung und Gegenwart* S. 219–250.]

Eichendorff »Goethes Koloß zum Nippes« wurde; S. 248) läßt erkennen, daß hier die Maßstäbe der deutschen Klassik und noch mehr die eines säkularisierten poetischen Realismus angelegt werden.

Erwähnenswert ist auch, daß um die gleiche Zeit (1929) die Eichendorff-Zeitschrift *Aurora*[15] ihr Erscheinen begann, wo sich viel über *Ahnung und Gegenwart* finden läßt. Über das von diesem Almanach Gebotene gelten wohl bis heute die abwägenden Worte Wolfram Mausers: »Aufsätze, Berichte über den Dichter und seine Zeitgenossen und Nachrichten über die Aufnahme und Wirkung Eichendorffs in der Gegenwart. Ein Teil der Beiträge kommt streng wissenschaftlichen Anforderungen nicht nach, sondern will nur unterhalten und erbauen, was meist nicht ohne unkritische Eichendorff-Huldigung geschieht«[16]. Hinzuzufügen wäre noch – man erinnere sich an die Bemerkung über die Zeitlosigkeit institutionalisierter Rezeption –, daß hier die positivistische Forschung ungetrübt fortblüht; so etwa in einem Aufsatz (von 1977), wo mit Hilfe einer Reihe von textuellen und topographischen Indizien der »seltsam geformte Fels« am Anfang von *Ahnung und Gegenwart* mit dem zwischen den Orten Obernzell und Engelhardszell in der Donau gelegenen »Jochenstein« identifiziert wird[17]. Es braucht nicht eigens betont zu werden, daß andere Verfasser andere Felsen in Vorschlag gebracht haben.

Großen Auftrieb erfuhr die Beschäftigung mit *Ahnung und Gegenwart* (und überhaupt die Eichendorff-Forschung, von der das Verständnis des Romans natürlich ungemein profitiert hat[18]) nach dem Zweiten Welt-

15 Aurora. Eichendorff-Almanach. Jahresgabe der Eichendorffstiftung E.V. Eichendorffbund. Hrsg. von Karl SCHODROK. Würzburg 1929.

16 Wolfram MAUSER, Eichendorff-Literatur 1959–1962. Beilage zu: Der Deutschunterricht 14 (1962) H. 4. S. 3.

17 Dietmar STUTZER, Der Jochenstein in der Donau in »Ahnung und Gegenwart«. In: Aurora 37 (1977) S. 66–70.

18 In die fünfziger Jahre zurück reichen z. B. die subtilen, Eichendorff wahrscheinlich zum erstenmal als Dichter größten Formats vollnehmenden Arbeiten Oskar Seidlins, die dann, zusammengefaßt und ergänzt, in dem vielbeachteten Buch: Versuche über Eichendorff (Göttingen 1965) kulminierten. – Zu den anregenden Schriften dieser Jahre zähle ich auch Helmut REHDER, Ursprünge dichterischer Emblematik in Eichendorffs Prosawerken (in: The Journal of English and Germanic Philology 56, 1957, S. 528–541), wo Eichendorffs geistesgeschichtliche Abstammung und die ihr entsprechende Prosatechnik untersucht werden. Im Zentrum steht die Beweisführung, daß wesentliche Aspekte von Eichendorffs Gefühlsleben und Kunstwirken trotz gewisser Vorbehalte gegen barocke Stilelemente und Grundtendenzen im Bann des Barock standen. Damit

krieg. Methodisch war es wohl die damals sich durchsetzende Methode des sorgfältigen Lesens, die dem Eindringen in den Roman zugute gekommen ist. Noch wichtiger vielleicht (und mit der werkimmanenten Interpretation unterschwellig wahrscheinlich verbunden) war die restaurative Zeitstimmung, die Suche nach christlichen Symbolen und konservativen Gestalten in der Literatur, mit deren Hilfe die gebildeten Schichten die grauenhaften Erinnerungen an die Nazizeit zu bannen trachteten. Das gleiche Verlangen hat sicherlich auch die Aneignung Stifters und Hofmannsthals gefördert, um nur zwei weitere berühmte Namen zu nennen. Natürlich ist es nicht möglich, die vielen Arbeiten, die das Veständnis von *Ahnung und Gegenwart* vertieft haben, auch nur aufzuzählen. Statt dessen hebe ich lediglich einige wenige hervor, die mir von besonderem Interesse zu sein scheinen, bin mir aber völlig klar, daß es dabei nicht ohne eine gewisse Willkür abgehen kann.

Ein Beispiel dafür, wie produktiv das Ernstnehmen des Textes über die vordergründigsten Handlungselemente hinaus sein kann, bietet die Dissertation von Ingeborg-Maria Porsch[19]. Bei der auffällig häufigen Verwendung des Wortes »alt« in *Ahnung und Gegenwart* ansetzend, gelangt sie zu den Kategorien, in denen sich für Eichendorff Ursprung am reinsten bewahrt: Kindheit, vegetative Natur, Mittelalter, Erinnerung, Erkennung. Diese Beobachtungen baut die Verfasserin zu einer umfassenden, immer noch gültigen Interpretation des Romans auf, ohne in die zeitübliche Hagiographie zu verfallen. Im Gegenteil, sie

zusammenhängend wird auch das Allegorische in der Eichendorffschen Weltdarstellung und besonders seiner Landschaftsbeschreibung, das Rehder auch das ›Emblematische‹ nennt, betont. (Dieser Ausdruck, den auch Seidlin übernimmt, wird aber von den meisten Forschern als irreführend abgelehnt.) – Auf die barocken, »simplizianischen« Aspekte des Romans hatten allerdings schon Günter WEYDT (Der deutsche Roman von der Renaissance und Reformation bis zu Goethes Tod. In: Deutsche Philologie im Aufriß. Hrsg. von Wolfgang STAMMLER, Bd. 2. Bielefeld 1952/54. Sp. 2174 ff.) und Paul REQUADT (Eichendorffs »Ahnung und Gegenwart«. In: Der Deutschunterricht 7, 1955, H. 2, S. 79–92) hingewiesen. Als ersten Zeitroman an der Schwelle des Biedermeier sieht *Ahnung und Gegenwart* Rudolf MAJUT (Geschichte des deutschen Romans vom Biedermeier bis zur Gegenwart. In: Deutsche Philologie im Aufriß. Hrsg. von Wolfgang STAMMLER, Bd. 2, Bielefeld 1952/54. Sp. 2212 f.).

19 Die Macht vergangenen Lebens in Eichendorffs Roman »Ahnung und Gegenwart«. Frankfurt a. M. 1951.

erkennt kritisch die in dem Buch ausgelöste Bewegung als konservative Weltlosigkeit, die in einen ahistorischen Kreislauf mündet.

Verdienstvoll sind auch die verschiedenen Ende der fünfziger, Anfang der sechziger Jahre publizierten Arbeiten von Thomas A. Riley über die Allegorie in *Ahnung und Gegenwart*[20]. Dieser Begriff taucht zwar schon sehr früh im 19. Jahrhundert auf[21], solange aber die klassische Poetik das Denken der deutschen Literaturwissenschaft fast ausschließlich

20 Z. B. An allegorical interpretation of Eichendorffs »Ahnung und Gegenwart«. In: Modern Language Review 54 (1959) S. 204–213. Hier versucht der Verfasser nachzuweisen, daß das Fehlen eines festen Umrisses in den Gestalten, das so oft bemängelt wurde, auf ein »rationalistisches, wohlausgeklügeltes Netz literarischer Allegorien« zurückzuführen sei, »die sich in der Hauptsache auf die Religion und ihr Verhältnis zur Literatur der romantischen Bewegung um 1811« bezögen. Riley interpretiert alle wichtigen Gestalten ›allegorisch‹, indem er ihnen fixe Bedeutungen zuweist: Friedrich ist Repräsentant der besten Züge katholischer Romantik, Rosa die falsche romantische Poesie, Erwin falsche Sehnsucht, Julie Naturwahrheit in der Dichtung, Viktor Humor, Marie Sinnlichkeit, Romana falsche Religion, Rudolf Protestantismus, der gleichbedeutend mit dem Zeitgeist sei, Angelina Kunst, Leontin poetische Einbildungskraft. – Vom gleichen Verfasser: Eichendorff and Schiller. The interpretation of a paragraph in »Ahnung und Gegenart«. In: Monatshefte für deutschen Unterricht 50 (1958) S. 119–128, wo genaue Kenntnis des einschlägigen Materials dem Verfasser erlaubt, in einem Absatz des 15. Kapitels die Verspottung Schillers und seiner ›schillernden‹ Nachahmer Zacharias Werner, Adolf Müllner und Theodor Körner zu vermuten; ferner: Die Erzähltechnik des jungen Eichendorff. In: Aurora 20 (1960) S. 30–35; Joseph Görres und die Allegorie in »Ahnung und Gegenwart«. In: Aurora 21 (1961) S. 57–63, wo überzeugend dargelegt wird, daß Eichendorffs Allegoriebegriff auf Görres zurückgeht und daß nur aus Mangel an Gefühl für die Allegorie vieles in dem Roman als »trivial« bezeichnet werden konnte. – Zur Gestalt Erwins, die wie bei Riley fast immer negativ bewertet wurde, s. Horst Hüseler, Erwin – eine ›poetische Gestalt‹. In: Aurora 28 (1968) S. 70–79. Der Verfasser versteht Erwin oder Erwine nicht nur als eine der wichtigsten Romanfiguren, sondern geradezu als christlichen Engel. – Weil hier einmal der Spieß umgedreht und nicht der Einfluß der Literatur auf *Ahnung und Gegenwart*, sondern von *Ahnung und Gegenwart* auf die Literatur dargestellt wird, sei hier folgende Arbeit erwähnt: Franz Karl Mohr, The influence of Eichendorff's »Ahnung und Gegenwart« on Poe's »Masque of the Red Death«. In: Modern Language Quarterly 10 (1949) H. 2. S. 3–15, wo der Verfasser nachweist, daß außer Manzonis *I Promessi Sposi* und dem *Decamerone* Eichendorffs Roman ein Motiv für Poes *Masque of the Red Death* und ein anderes für sein *Hop-Frog* geliefert habe.

21 Sämtliche Werke (Anm. 3) Bd. 18. T. 1. Nr. 50. Am 21. 10. 1832 in einem Brief an den Dichter nennt Adolf Schöll, der spätere Verfasser einer Schrift über Eichendorff, das Ende des Romans »allegorisch«.

beherrschte, verhinderte die Erinnerung an Goethes allegoriefeindliche Unterscheidung zwischen Symbol und Allegorie eine Anerkennung, ja auch nur das Erkennen dieser Technik, was dem Verständnis des Romans sehr geschadet hat. Resolut setzt sich Riley[22] über diese Hemmungen hinweg und postuliert in scharfsinnigen Abhandlungen die grundlegend allegorische Verfahrensweise in Eichendorffs Erstlingswerk. Rileys Überzeugung nach ist nicht nur jede Gestalt, sondern jede Begebenheit, jedes kleinste Detail allegorisch zu verstehen. Wenn auch die spätere Forschung immer wieder die »Unhaltbarkeit« der einzelnen von Riley vorgenommenen Zuweisungen und Entsprechungen betont[23], so hat sein Beispiel sicherlich viel dazu beigetragen, alte Vorurteile wegzuräumen und die für den Roman äußerst fruchtbare Betrachungsweise zu ermutigen. Von jetzt an reißt die theoretische Reflexion zu Eichendorffs Schaffensart sowie die allegorische Interpretation einzelner Gestalten in *Ahnung und Gegenwart* nicht mehr ab[24].

22 Freilich ist er nicht der erste, sondern bloß der radikalste ›Allegoriker‹ unter den Auslegern. So bietet etwa, um nur ein einziges Beispiel unter vielen anzuführen, Otto KELLER (Eichendorffs Kritik der Romantik. Zürich 1954) eine ausführliche allegorische Deutung der Romana (S. 36–62). Diese Figur ist überhaupt einer der beliebtesten Gegenstände der Interpretation. Alle Interpreten aufzuzählen, die sich an ihr erprobt haben, wäre allein schon eine schwierige Aufgabe.

23 So z. B. Horst MEIXNER, Romantischer Figuralismus. Kritische Studien zu Romanen von Arnim, Eichendorff und Hoffmann. Frankfurt a. M. 1971. Auch hier wird wieder eindringlich von der Allegorie gesprochen und Romana des langen und breiten behandelt. Neben dem von anderen bereits Herausgestellten sieht er in der Gestalt die »emanzipierte Frau im romantischen Zeitalter« (S. 107). Der Begriff der Emanzipation taucht aber schon bei Keller auf (s. Anm. 22).

24 Zu diesen rechne ich als wichtig folgende Arbeiten: Richard ALEWYN, Eine Landschaft Eichendorffs. In: Euphorion 51 (1957) S. 42–60; Oskar SEIDLIN, Eichendorff's symbolic landscape. In: Publications of the Modern Language Association of America 72 (1957) S. 645–661. Dt. u. d. T.: Eichendorffs symbolische Landschaft. In: Eichendorff heute. Stimmen der Forschung mit einer Bibliographie. Hrsg. von Paul STÖCKLEIN. München 1960. S. 218–241. Auch in: O. S., Versuche über Eichendorff (Anm. 18) S. 32–53. – Leo SPITZER, Zu einer Landschaft Eichendorffs. In: Euphorion 52 (1958) S. 142–152. Auch in: L. S., Texterklärungen. Aufsätze zur europäischen Literatur. München 1969. S. 187–197. – [In diesem Band S. 10–24. (A. R.)] – Peter Paul SCHWARZ, Die Bedeutung der Tageszeiten in der Dichtung Eichendorffs. Studien zu Eichendorffs Motivik, Erzählstruktur, Zeitbegriff und Ästhetik auf geistesgeschichtlicher Grundlage. Diss. Freiburg i. Br. 1964. Vervielf. Auch als Buch: Zur roman-

In den siebziger Jahren nimmt die Forschung zu *Ahnung und Gegenwart* noch einmal einen Aufschwung, nachdem sie schon im Jahrzehnt davor quantitativ und qualitativ recht auf der Höhe gewesen war. Es ist die Aufgabe des Historikers, Gründe für die ihm auffallenden Erscheinungen zu finden, zumindest Mutmaßungen zu äußern. Vielleicht darf man die Rehistorisierung der deutschen Literaturwissenschaft während der sechziger und siebziger Jahre für die neue Produktivität verantwortlich machen, die Einsicht, daß das literarische Werk in einem komplizierten Nexus zu seiner gesellschaftlichen Umwelt steht. Aus dieser allgemeinen Erkenntnis und dem geistigen Klima, das sie stiftete, haben viele Forscher Anregung gezogen, auch wenn sie sich nicht direkt auf die neuen Fragestellungen einließen. Die Verbindung einer durch werkimmanentes Arbeiten verfeinerten Sensibilität mit dem neuen soziohistorischen Interesse hat die gesamte Forschung bereichert und ihr Niveau gehoben. Auch hier muß ich mich auf die Erwähnung von wenigen, lediglich symptomatisch aufzufassenden Publikationen beschränken.

Schon in den sechziger Jahren erschien Walther Killys Buch[25] über Romane des 19. Jahrhunderts. In dieser Konstellation fällt *Ahnung und Gegenwart* die Rolle des ›romantischen Romans‹ zu. Dieser ›Systemzwang‹ könnte dafür verantwortlich sein, daß Killy im Gegensatz zu anderen Verfassern auf der engen Zusammengehörigkeit Eichendorffs mit der Frühromantik besteht. Sein Befund – Gleichgültigkeit und Wiederholbarkeit der empirischen Angaben im Roman, Beliebigkeit der Realitätsbehandlung, Verwandlung der geschichtlichen in eine zeitlose Gefühlswelt – ist höchstens in der Ausdrucksweise, nicht aber in der Sache neu. Seine Schlußfolgerung, daß eine solche Neigung zu Unendlichkeit und Rätselhaftigkeit fatale Konsequenzen gehabt, daß sie zur Enthistorisierung des Romans, überhaupt der Kunst in Deutschland geführt habe, bekundet freilich das gesteigerte Interesse an der Historizität der Literatur.

tischen Zeitstruktur bei Eichendorff. Bad Homburg 1970. – Paul REQUADT, Eichendorffs Italien. In: P. R., Die Bildersprache der deutschen Italiendichtung von Goethe bis Benn. Bern 1962. S. 107–125. – Alexander VON BORMANN, Natura loquitur. Naturpoesie und emblematische Formel bei Joseph von Eichendorff. Tübingen 1968.

25 Der Roman als romantisches Buch. In: W. K., Wirklichkeit und Kunstcharakter. Neun Romane des 19. Jahrhunderts. München 1963. S. 36–58.

Der Fähigkeit synthetischer Zusammenschau ist die Habilitationsschrift von Horst Meixner[26] zu verdanken, in der die Resultate der positivistischen Eichendorff-Forschung ebenso wie diejenigen der ›allegorischen Schule‹ berücksichtigt und in ihrem Gegeneinanderspiel vertieft werden. Der Verfasser zeigt, daß die Gestalten in *Ahnung und Gegenwart* zu Figuren im Kräftespiel der Welt werden, im Überschneidungsfeld von allegorischer Bedeutsamkeit und individueller Eigenständigkeit existieren. Er kommt aber zum Schluß, daß Allegorisierung und individuelles Schicksal nicht ineinander aufgehen. Manche Gestalten haben eine »doppelte Figuration« (etwa Rosa), bei manchen fixiert die Allegorie das Typische und läßt das Individuelle verschwinden, bei anderen wieder verursacht die literarische Übernahme eine Einschränkung der Sphäre des Erlebten. Diese Erkenntnisse münden auch bei Meixner in historischen, zumindest geistesgeschichtlichen Überlegungen: Die Unbestimmbarkeit bzw. Widersprüchlichkeit der Figuren haben ihren Ursprung darin, daß Eichendorffs Religiosität, dem Autor zum Teil unbewußt, Spuren der pantheistischen Weltimmanenz der Goethezeit aufweist. Somit sei aber sein Werk mit einbezogen in den großen geschichtlichen Prozeß der Säkularisierung.

Eine lohnende Untersuchung widmet Dieter Kafitz[27] einer einzigen Gestalt in *Ahnung und Gegenwart,* dem Dichter Faber. Auch diese Arbeit beginnt mit einer Diskrepanz, nämlich zwischen der Zeitgebundenheit, die Eichendorff an seinem Roman zu erkennen glaubte[28], und dem Mangel an konkreter Geschichtlichkeit, dem sich der Leser gegenübersieht. Eine ähnliche Inkongruenz findet der Verfasser zwischen der – Eichendorffs eigene Vorbehalte wiederholenden – Abwertung Fabers durch die Forschung und seinem Abschneiden im Erzählzusammenhang,

26 Joseph von Eichendorff. »Ahnung und Gegenwart«. In: H. M., Romantischer Figuralismus. Kritische Studien zu Romanen von Arnim, Eichendorff und Hoffmann. Frankfurt a. M. 1971. S. 102–154.

27 Wirklichkeit und Dichtertum in Eichendorffs »Ahnung und Gegenwart«. Zur Gestalt Fabers. In: Deutsche Viertelsjahrsschrift 45 (1971) S. 350–375.

28 In seinem bekannten Brief an Fouqué vom 1. 10. 1814 meinte der Dichter, daß »der eigentliche Zeitpunkt eines allgemeinen Interesses für diesen Roman«, den er zwei Jahre zuvor abgeschlossen hatte, »verstrichen« sei, da er »darin Anspielungen auf die neuesten Begebenheiten nicht vermeiden konnte und wollte«. Ebensowenig konnte er sich »entschließen, etwas daran zu ändern« (Sämtliche Werke [Anm. 3] Bd. 3, S. 340).

wo die Gegensätze Dichten und Wirklichkeit, bewußte Kunst und Naturpoesie thematisiert werden. Anhand bisher nicht beachteter ironischer Brechungen zeigt Kafitz, daß Friedrich eine Entwicklung durchmacht, wohingegen Faber der beständigere von beiden ist. Der Leser, der sich also mit der gerade erreichten Entwicklungsstufe Friedrichs identifiziert, werde weder dem Ziel des Romans noch der ruhigen durchdachten Tätigkeit Fabers gerecht. Dieser werde auf hintergründige Art Träger des eigentlichen Gedankens, da den Entscheidungen der beiden Hauptgestalten der Gegenwartsbezug fehle. Das ganze Werk hindurch werde Fabers Arbeitsethos betont, sein Schaffen als Dichten in der Zeit für eine bessere Zeit interpretiert. Dadurch werde Faber zum realistischen Dichtertypus der Zukunft, Produkt des Widerspruchs zwischen Eichendorffs Welt*anschauung* und Welt*darstellung*. Dieser überraschende Schluß verleiht der Abhandlung noch mehr als den anderen hier behandelten Arbeiten den Charakter einer geschichtlich orientierten Ideologiekritik.

Hiermit sind wir ans Ende dieses Überblicks gekommen. Zusammenfassend ließe sich über die literaturwissenschaftliche Forschung sagen, daß sie trotz mancher Wiederholungen, Widersprüchlichkeiten und gelegentlichen Trivialitäten ein immer höheres Niveau erreicht hat und kumulativ zu beträchtlichen Erkenntnissen gelangt ist. Es soll jetzt eine Interpretation des Romans folgen[29], die versucht, die Mitte zwischen literaturwissenschaftlicher Untersuchung und verstehendem Essay einzuhalten. Nicht um neue Funde kann es sich mehr als hundertfünfzig Jahre nach der Veröffentlichung des Werkes handeln und auch nicht darum, die Forschung mit überraschenden Einsichten in den Schatten zu stellen. Statt dessen soll unter Verwendung ihrer wertvollen Beiträge ein Bild des Romans entworfen werden, das den heutigen Leser, der an ganz anders konzipierte literarische Zeugnisse gewöhnt ist, anspricht. Mit Hilfe einer ihm geläufigen Denkweise soll ein Zugang zu dem Haupt- und Jugendwerk eines Dichters gesucht werden, der einst zu den beliebtesten im deutschen Sprachraum gehörte, dessen Stern aber im Sinken begriffen zu sein scheint. Der Nachdruck soll dabei auf die formalen Aspekte des

29 Es handelt sich um das stark veränderte, aus dem Englischen übersetzte und um mehr als die Hälfte gekürzte 2. Kapitel des folgenden Buches: Egon SCHWARZ, Joseph von Eichendorff. New York 1972. Dem Verleger, Twayne Publishers, sei für die Erlaubnis, die frühere Publikation auf diese Weise zugrunde zu legen, an dieser Stelle gedankt.

Buches gelegt werden, weil diese heute die befremdlichsten sind. Querverbindungen sollen aber auch zur weltanschaulichen Schicht geschlagen werden, die selbst im 20. Jahrhundert noch leicht zugänglich ist.

II. Interpretation

1. Das Geschehen

Das erste, was sich der moderne Leser vor Augen halten muß, ist die Tatsache, daß sich das Werk grundlegend von den realistischen Romanen des 19. und 20. Jahrhunderts unterscheidet, an die er vermutlich gewöhnt ist. Es hat keine scharf umrissene Handlung, die Gestalten sind psychologisch unterentwickelt, und die Spannung weicht von der heutzutage üblichen ab. Dennoch enthält das Buch vieles, womit der beharrliche Leser belohnt wird.

Im herkömmlichen Sinn geschieht nicht allzuviel in *Ahnung und Gegenwart.* Die Hauptgestalten sind in ständiger Bewegung, tun aber wenig, woran sich ihre Persönlichkeiten erkennen ließen. Fast immer befinden sie sich auf Reisen, reitend und fahrend, in Kutschen oder auf Schiffen, am häufigsten zu Fuß. Eine Nacht verbringen sie in einem bescheidenen Dorf, die nächste auf einem luxuriösen Schloß, die dritte in einem Heuschober oder einer abgelegenen Mühle, die in Wahrheit ein Unterschlupf für Räuber ist. Ihr Tun, sofern nicht einfach der Begriff Wanderschaft dafür genügt, besteht aus Jagen, Singen und Dichten, aus der Teilnahme an Festen und endlosen Gesprächen.

Dieses kaum motivierte Kommen und Gehen, die eingeflochtenen Lieder und tollen Touren sind in jeder Hinsicht charakteristisch für *Ahnung und Gegenwart,* aber natürlich nicht nur für *Ahnung und Gegenwart.* Vielmehr hat Eichendorff diese Eigentümlichkeiten vom romantischen Roman übernommen, der seit seiner Einführung in Deutschland durch Ludwig Tieck längst etabliert und unzähligemal nachgeahmt worden war. Viele seiner Züge waren schon in Goethes *Wilhelm Meister* voll ausgebildet. Jean Paul, Friedrich und Dorothea Schlegel, Novalis, Arnim und Brentano sind nur einige Vorgänger, aus deren Werken Eichendorff geschöpft hat. Freilich wäre es unbillig, in diesem krausen Zeug die Substanz seines Romans zu sehen. Diese muß man anderswo suchen: in den Landschaften, den Monologen und Zwiegesprächen, den allegorischen Höhenflügen und vor allem in den Gedichten, die den Gang der Handlung so oft unterbrechen.

Aber auch das tut dem Werk noch nicht Genüge. Es gelang Eichendorff, dem Chaos der Geschehnisse mit Hilfe zweier Kunstmittel Ordnung und Folgerichtigkeit aufzuprägen: Einteilung und Spannung. Der erste dieser Begriffe bezieht sich auf die Kapitel und die drei großen, als ›Bücher‹ bezeichneten Abschnitte. Die Kapitel sind im wesentlichen kurz und kunstvoll gestaltet. Gewöhnlich wird mit einem neuen auch ein neuer Schauplatz oder eine veränderte Perspektive eingeführt. Entweder ist es in einer neuen Tonart geschrieben oder einer neuen Gestalt gewidmet. Markant ist in der Regel auch das Kapitelende. Vielfach fällt es mit dem Ende des Tages zusammen, sonst wird durch ein Lied oder eine sorgfältig komponierte Kadenz ein eindrucksvoller Akzent gesetzt. All das dient dazu, eine Handlung zu gliedern und zu variieren, die monoton aus dem ewigen Einerlei des Kommens und Gehens der Figuren besteht.

Den drei ›Büchern‹, die das Romanganze ausmachen, kommt noch eine andere Funktion zu. Sie bilden eine dreiphasige Bewegung, die viel dazu beiträgt, die geistige und künstlerische Bedeutsamkeit des Werkes zu erhöhen. Die drei den Büchern entsprechenden Sphären mag man als die persönliche, die soziale und die philosophische (oder die poetische, politische und religiöse) bezeichnen, deren jede dem Werk eine unentbehrliche Dimension hinzufügt. Darüber hinaus erfüllt jedes der Bücher in der Entfaltung des Erzählten einen Zweck, den man mit den Bezeichnungen Exposition, Verwicklung und Lösung erfassen könnte. Auf diese Weise stellt jede Stufe, ob sie gleich auf ihrer Vorgängerin aufbaut, einen Aufstieg in einen höheren Vorstellungskreis dar und eröffnet der Gestaltung einen erweiterten Horizont. Das künstlerische Verdienst dieser drei Phasen ist aber, daß sie gleichzeitig Eichendorffs drei theologischen Kategorien, Ursprung, Entfremdung und Rückkehr, entsprechen.

Es lohnt sich, diesen Beobachtungen ein wenig länger nachzugehen. Im ersten Buch werden die Hauptgestalten eingeführt: Friedrich, Leontin, Rosa, Faber, Erwin, Marie, Viktor, Julie und ihre Familie. Sie alle werden als Individuen behandelt. Sobald der persönliche Bezirk verlassen wird und zwischenmenschliche Verhältnisse ins Blickfeld geraten, handelt es sich jedesmal um die Beziehung zwischen zwei Figuren. In diesem Buch überwiegt auch die ungehemmte, unmotivierte Reiselust. Gegen sein Ende laufen jedoch die Handlungsstränge auf dem Gut des Herrn von A.

(der nach Eichendorffs Vater gebildet ist) zusammen. Dem Leser wird ein Blick in das Leben des Landadels gewährt, der idealen Schicht in Eichendorffs Gesellschaftsauffassung, sein Familienleben, seine Sorgen und Hoffnungen, eine geeignete Vorbereitung auf das nächste Buch, in dem hauptsächlich von Gesellschaftsproblemen die Rede ist.

Der Schauplatz des zweiten Buches ist größtenteils die Hauptstadt als »Residenz«. Obgleich die Handlung Rückfälle in die frühere Reiselust verzeichnet, werden doch die von der Stadt wegführenden Ausflüge radikal beschnitten, und es läßt sich nachweisen, daß auch die wenigen eng an das zentrale Thema, die Zeit- und zeitgenössische Literaturkritik, gebunden sind. So ist z.B. Friedrichs Besuch im Schloß der Gräfin Romana die krisenhafte Zuspitzung eines der Hauptanliegen des Romans, der Frage nach dem Einfluß der herrschenden Sexualität auf den Menschen. Stadt und Hof sind für Eichendorff Brutstätten von Falschheit und Korruption. Darum könnte man das zweite auch das satirische Buch nennen. Die Sexualmoral, Politik, der korrupte Adel, der mangelnde oder der laue Patriotismus, die affektierte Literatur mitsamt ihren Salons – das alles wird streng und zuweilen amüsant abgeurteilt. Es enthält Eichendorffs Abrechnung mit seiner Zeit, die er als oberflächlich, verlogen, feige und unfähig zu wahren religiösen Empfindungen hinstellt. Vom Standpunkt des Aufbaus ist das Buch eine Erweiterung des ersten. Einige neue Mitspieler werden eingeführt: der Prinz, der Minister, die Literaturbeflissenen und Romana. Zwei der bisherigen Hauptfiguren, Leontin und Faber, treten zwar noch auf, aber nur in Nebenrollen. Statt dessen wird die wichtigste Liebesgeschichte des Romans, Friedrichs Beziehung zu Rosa, ins Zentrum gerückt und aufgelöst. Aber auch hier liegt der Akzent auf dem überindividuellen, das die Liebe zweier Leute, die scheinbar füreinander bestimmt sind, zerstört. Was sie trennt, ist gleichzeitig das Kardinalproblem in *Ahnung und Gegenwart,* der Konflikt zwischen dem Alten und dem Neuen.

Erzähltechnisch bringt das dritte Buch die Erfüllung der Einzelschicksale, philosophisch gesehen die Lösung aller Rätsel. Es könnte also als eine einzige ausgedehnte Anagnorisis gelten. Dementsprechend dreht sich der Dialog, sofern er nicht der Aufklärung der dunkeln Vergangenheit dient, um Fragen des Lebens und der Religion. Das Ende zeigt, wie begabte Menschen sich der entarteten Epoche gegenüber verhalten. Eichendorffs Antwort ist vernichtend: Friedrich wendet sich von der Gesellschaft ab, indem er Mönch wird, Leontin, indem er nach Amerika auswandert. Dabei muß aber der Leser bedenken, daß dieses Amerika nicht ein Teil der realen Welt, sondern eine Art Rousseauistischer Utopie ist, Sinnbild ursprünglichen, unverdorbenen Lebens.

Diese Analyse macht klar, daß es Eichendorff mit Hilfe eines geschickten Aufbaus gelungen ist, seinem Roman einen mächtigen Rhythmus zu verleihen und ihn zu einem Gipfel zu steigern.

Ein weiteres Ordnungsprinzip ist die Technik der Spannung, die es ihm ermöglicht, eine mehr lyrische als dramatische Handlung mit Energien aufzuladen. Indem er ständig auf Geheimnisse anspielt und verborgene Elemente in den Lebensgeschichten der Charaktere enthüllt, durch die Aufstellung von Rätseln, die erst nach und nach gelöst werden, durch die Inszenierung von Erkennungen zwischen getrennten Freunden und verlorenen Verwandten knüpft er weit auseinanderliegende Teile der Erzählung zusammen. Natürlich wäre es naiv, zu meinen, derlei diente ausschließlich dem Zweck, den Leser neugierig zu machen, oder sei bloß vorhanden, weil das Muster des romantischen Romans, dem *Ahnung und Gegenwart* verpflichtet ist, Mystifikationen vorschreibt. Als aufregende Geheimnisse, nach deren Erklärung der Leser brennend verlangt, mögen sie ihre Wirkung verfehlen. Gleichwohl sind sie imstande, den Eindruck zu vermitteln, daß die menschliche Existenz ohne ein klares religiöses Bewußtsein wirr und unvollständig ist und daß hinter den Erscheinungen der Oberfläche eine tiefere Wahrheit schlummert. Es ist gerade diese quälende Suche nach Aufklärung der Rätsel, welche die Hauptgestalten ihrer Selbsterfüllung zuführt, und die großen Enthüllungen am Ende, die die einzelnen Bruchstücke des Romans zusammenbinden, sind perfekte ›objektive Korrelate‹ für die philosophischen Aufklärungen und Entschließungen, die gleichzeitig stattfinden.

2. Die Gestalten

Soziologisch gehört fast das ganze Personal von *Ahnung und Gegenwart* zur Aristokratie: Grafen und Gräfinnen, Landedelleute und ihre Verwandtschaft, Stadtbewohner, die offenbar adlig sind, und sogar ein leibhaftiger Prinz treten auf. Eine der wichtigeren Gestalten scheint den unteren Volksschichten anzugehören, das als Knabe Erwin verkleidete Müllermädchen, aber auch sie erhält am Ende als Friedrichs Nichte einen hochvornehmen Stammbaum. Natürlich ist das Buch von Studenten, fahrenden Schauspielern, Jägern, Bauern und Dienern bevölkert, aber wenigen fällt mehr als eine Statistenrolle zu. Auch die Handlung, sofern die Zeit nicht mit Schiffsreisen und auf Ritten durch die Landschaft, die ja auch ein aristokratischer Zeitvertreib sind, hingebracht wird, spielt sich auf den Landsitzen oder in den Stadthäusern des Adels ab. Es braucht nicht betont zu werden, daß die Protagonisten keinen Schlag Arbeit verrichten, solange der Roman währt. Wie diejenigen der mittelalterlichen Ritter beschränken sich ihre Tätigkeiten auf die Jagd und den Krieg, das Reisen und die Liebe. Eine weitere Beschäftigung verdient Erwähnung. In der Welt Eichendorffs muß jedermann, der etwas auf sich hält, ein Dichter sein. Freilich ist auch das ein adliges Tun und völlig vereinbar mit der mittelalterlichen Troubadour-Kultur, auf die er so große Stücke hielt. Aber Faber ausgenommen, sind sie alle keine Berufsdichter. Mit aristokratischer Verachtung verzichten sie darauf, ihre dichterischen Erzeugnisse schriftlich zu fixieren. Sie sind hochwohlgeborene Minnesänger, deren Gitarrespiel und Serenaden müßiger und edler Ausdruck ihrer freien Seelen sind. Natürlich ist dieser Nachdruck auf dem Adel historisch-biographisch begründet. Eichendorff war sich zutiefst und fast traumatisch der Französischen Revolution bewußt, aber ihre Auswirkungen interessierten ihn nur, insofern sie seine soziale Klasse betrafen. Und obgleich *Ahnung und Gegenwart* so manchen Anklang an den politischen Zeitroman enthält, wird die historische Epoche hauptsächlich auf die Bedeutung für die Aristokratie hin untersucht.

Zu sagen, daß Eichendorffs Gestalten teils männlich und teils weiblich sind, ist weder eine scherzhafte Bemerkung noch eine Binsenwahrheit, denn Frauen und Männer erfahren in diesem Roman ganz verschiedene Behandlungen. Betrachtet man *Ahnung und Gegenwart,* wie es unvermeidlich ist, als Erlösungsroman (der Ausdruck ›Gralsroman‹ ist auch vorgeschlagen worden), als Suche nach dem rechten Leben, dann entdeckt man, daß fast alle männlichen Gestalten einen ehrenhaften Ausweg aus ihren Schwierigkeiten und denen ihrer Zeit finden, während der Autor keine Mühe spart, immer neue Erniedrigungen, Schiffbrüche und tragische Untergänge für seine Frauengestalten zu erfinden. Erwine verliert erst den Verstand und stirbt sodann unter schmerzhaften Herzkrämpfen, Romana, die blendendste und begabteste aller weiblichen Figuren, setzt ihrem ausschweifenden Leben nach vergeblichen Anläufen zu christlicher Buße selbst ein Ende. Marie, die vielversprechende Waldschönheit, geht zum Schluß von Hand zu Hand, wenig mehr als ein durchschnittliches Hürchen. Rosa, Friedrichs große Liebe, gibt ihrer niedrigeren Natur nach, wobei sie es zwar zu weltlichem Erfolg bringt und Gattin des Prinzen wird, aber ihr edleres Selbst der Verderbnis preisgibt. Die einzige Ausnahme ist Julie, der es bei unversehrtem Geist und Leib vergönnt ist, Leontins Exil als Gattin zu teilen, aber erst nachdem sie ein Gelöbnis abgelegt hat, selbst in den amerikanischen Wildnissen eine treue, aufopfernde deutsche Maid zu bleiben. Sie singt ihre Romanze »Von der deutschen Jungfrau« (294) auf Leontins Frage: »Wirst du ganz ein Weib sein und [...] dich dem Triebe hingeben, der dich zügellos ergreift und dahin und dorthin reißt [...]?« (294) Eine solche Unterstellung müßte man als unpassend für einen Jungvermählten tadeln, wäre sie nicht so aufschlußreich für Eichendorffs Einstellung zu den Frauen.

Die Männer schneiden dagegen viel besser ab. Nicht gewillt, sich mit ihren entarteten Zeitgenossen auf Kompromisse einzulassen, ziehen sich Friedrich und Leontin hochmütig, aber würdevoll von der Szene zurück, während Faber unbeirrt und bestätigt in seinem immer gleichen Tun beharrt. Der einzige männliche Charakter, der Schiffbruch erleidet, ist Rudolf (mag er nun den Protestantismus oder den Zeitgeist oder beides verkörpern). Nachdem er seine Funktion als oberster Rätsellöser erfüllt hat, verwirft er Friedrichs Mahnung, in der Religion (d.h. natürlich im Katholizismus) Trost zu suchen. Man muß annehmen, daß er ein ewig Zerrissener bleibt. Aber weder er noch eine andere männliche Gestalt sinkt je so tief wie die meisten weiblichen. Der Grund für diese auffällige Ungleichheit ist simpel genug. Sein Ursprung reicht in die christlich-romantische, mittelalterliche Mythologie zurück, von der sich die Eichendorffschen Werte herleiten. In diesem System gelten die Frauen als der Ursünde verfallener denn die Männer. Sie sind sinnliche Geschöpfe, denen es schwerfällt, ihre bösen Triebe zu zügeln, und die folglich im Abgrund enden. Sie sind schöne, aber trügerische Wesen, von denen süßsündige Lockungen ausgehen. Außer man tue einen glücklichen Fund, ist es besser, sich von ihnen fernzuhalten. Diese einfache Wahrheit wird dem Leser unverblümt, aber auch symbolisch verbrämt eingeschärft. Das Märchen, das Faber von Ida erzählt, der Tochter eines frommen Ritters, die sich in weltliche Vergnügungen stürzt und als Gefährtin eines gräßlichen Wasserdämons zerstört wird, ist eine solche symbolische Reflexion auf die Frauen. Idas Schicksal läuft demjenigen vieler anderer Frauengestalten parallel. Die schöne, unheimliche Romana ist ein weiteres Beispiel für die weibliche Verfallenheit an das Element, mag das ihre auch das Feuer statt des Wassers sein. Übrigens paßt das Feuer sehr gut zu ihr wie überhaupt zu diesem Roman, denn die destruktive Macht des Eros brennt durch das ganze Werk.

Was sind Eichendorffs Gestalten? Verglichen mit den blutvollen Wesen, die den realistischen Roman bevölkern, bleiben sie eine schattenhafte Schar. Jede tritt in einer typischen Situation auf und bekommt einen Namen, das genügt meistens für die Charakterisierung. Nehmen wir das Förstermädchen Marie als Beispiel. Wir erblicken sie zuerst mit Friedrichs Augen. Sie sitzt auf einem erlegten Reh und singt mit einem jungen Jäger ein Duett, indem die Jagd dem Liebesspiel der Geschlechter gleichgesetzt wird. Das Wild spielt die weibliche Rolle. Marie in ihrer Situation formt ein Bild, das man als erotisches Emblem bezeichnen könnte. Hinfort ist sie jedesmal, wenn sie auftritt, in irgendein erotisches Abenteuer verwikkelt, in Erwartung eines Mannes, einem Verfolger entschlüpfend, einen maskierten Liebhaber mit einem anderen verwechselnd, manchmal in Tränen aufgelöst, ein andermal nahe an der Erkenntnis ihrer tragischen Verstrickung, doch meist in fröhlicher, leichtherziger Hingabe an ihre Funktion. Denn das ist sie im Grunde: Funktion in einem großen Gesamtplan, aber ohne eigene Persönlichkeit. Das gleiche gilt von einer beträchtlichen Anzahl der Nebengestalten.

Aber es trifft auch auf die Hauptfiguren zu. Wir konzentrieren uns auf die Gestalten Friedrich und Leontin. Weil ein großer Teil der Geschichte für und durch sie erzählt wird und weil sie in viele Situationen verwickelt sind, scheinen sie komplexer zu sein, aber in Wirklichkeit sind ganz ähnliche Techniken bei ihrer Erschaffung angewendet worden. Das hängt mit Eichendorffs Handhabung der Handlung zusammen. Da das Geschehen nicht aus dem Willen der Personen fließt, sondern aus einer ihnen übergestülpten Schablone, fehlt ihnen die dreidimensionale Struktur spontanen, selbstgewissen Lebens. Eichendorff hat nichts dazu getan, ein solches zu erzeugen. Man findet keine Analyse von Gedanken und Gefühlen, keine eigentlichen inneren Konflikte, nicht jene kleinen Inkonsequenzen und Widersprüche, die imstande sind, eine Fiktion zum Leben zu erwecken, mit anderen Worten: keine Psychologie. Ebenso abwesend sind jene Erzählmechanismen, die zur Spiegelung des Charakters in der äußeren Welt führen, die eine Gestalt zeigen, wie der Autor sie sieht, wie sie den Mitspielenden erscheint, wie sie sich in Taten, Gesprächen, Träumen, Tagebüchern und Briefen, in plötzlichen Krisen und besonders im Konflikt mit anderen Personen verhält. Von diesem reichhaltigen Arsenal macht Eichendorff nur sehr zurückhaltenden Gebrauch. Von den wichtigsten Figuren erfahren wir nur das Wenige, was der Autor uns aus eigenem Antrieb oder durch einen die persönliche Note kaum anstrebenden Dialog anvertraut.

Es ist nicht schwer, das Bildnis des Grafen Friedrich aus den im Roman enthaltenen Hinweisen zusammenzusetzen. Er wird zuerst in Gesellschaft seiner Kommilitonen vorgeführt. Schon hier stattet ihn sein Schöpfer mit einer heroischen Statur aus, indem er versichert: »Er war größer als die andern, und zeichnete sich durch ein einfaches, freies, fast altritterliches Ansehen aus. Er selbst sprach wenig, sondern ergötzte sich vielmehr still in sich an den Ausgelassenheiten der lustigen Gesellen« (9). Dies ist die ausführlichste Beschreibung, die wir von ihm haben. Er ist ernst, keusch und streng. So sehr ist sein Autor entschlossen, ihn zu einem Ausbund anständiger Wohlgeratenheit zu machen, daß er manchmal gefährlich einer zimperlichen alten Jungfrau ähnelt. Diesen Eindruck gewinnt man zumal in erotischen Zusammenhängen. Die vielen dünnen Nachtgewänder, verschobenen Halstücher und halbentblößten Busen des Romans versetzen ihn regelmäßig in einen Zustand hochmoralischer Entrüstung.

Leontin ist in vieler Hinsicht das Gegenteil seines Freundes. Verhält sich Friedrich still, so ist Leontin laut-fröhlich, ist Friedrich zurückhaltend, so liebt Leontin, sich in fremde Sachen zu mischen. Der eine ist passiv, der andere dynamisch-tätig, der eine nachdenklich und ausdauernd, der andere unternehmend, wild, ungeduldig und von unbeherrschtem Temperament. Überhaupt scheint es, daß Leontin von jedem Charakterzug, der Friedrich auszeichnet, das genaue Gegenteil hervorkehrt, was auch dazu beiträgt, daß er in größere Gefahr gerät, sich selbst zu verlieren als sein Freund. Im Grunde freilich haben sie viel Gemeinsames. Beide sind wohlmeinende, biedere deutsche Edelmänner, genauer vielleicht: wiedererstandene mittelalterliche Ritter, die, von den Idealen einer verflossenen Epoche beseelt, je nach Temperament an den neuen Zeitläuften leiden. Ihre letztgültigen Entscheidungen scheinen radikal voneinander abzustechen. Aber in ihrer Verurteilung des zeitgenössischen Europa sind sich die beiden Schritte wieder ähnlich, indem sie das Wertgefüge aufrechterhalten, an dem sich Eichendorff ausrichtet: Friedrich verkörpert das

Ideal der Vita contemplativa. Leontin dasjenige der Vita activa. Insofern sind sie Gegensätze. Da aber beide Ideale dem einen Ziel der christlichen Erlösung zustreben, stellen sie dennoch eine übergreifende Identität dar. Und das ist auch der Grund, warum sie so statisch, entwicklungslos, festgelegt wirken. Zusammenfassend ist an Eichendorffs Charaktergestaltung noch einmal hervorzuheben, daß seine Figuren keine psychologisch ausgeführten Personen mit ihren Widersprüchen sind, sondern mit einigen grundsätzlichen Zügen ausgestattete Typen, die von größerer metaphysischer als individueller Bedeutung sind, Chiffren in einem komplizierten System: dem Heilsplan ihres Schöpfers.

3. Die Symbolik

Es ist offenkundig, daß manchen der eingeschobenen Gedichte und Erzählungen, bestimmten Örtlichkeiten, wie etwa Rudolfs Schloß mit seinen eigentümlichen Bewohnern, ja selbst den Beschreibungen einzelner Landschaften und Persönlichkeiten übergeordnete Sinngehalte entsprechen. Schon der Romananfang bietet ein gutes Beispiel. Der erste Absatz, der die Fahrt eines Schiffes die Donau hinunter beschreibt, erweckt noch keinerlei Argwohn. Aber nach diesen Ausführungen wird ein Ton heiligernster Bedeutsamkeit angeschlagen und eine leicht durchschaubare Allegorie entfaltet, die den ganzen Roman bestimmen wird[30]. Keinem halbwegs aufmerksamen Leser kann die bedeutungsträchtige Bildlichkeit dieser Passage entgehen. Was aber ist es, das ihn zwingt, in dieser Landschaftsschilderung ein Paradigma menschlicher Alternativen zu erblicken? Warum nimmt der Aufruhr der Wogen metaphorische Bedeutung an und weist auf eine aufgewühlte, richtungslose Existenz, das Kreuz auf ein Erlösungsversprechen? Oberflächlich gesehen bleibt die Szene natürlich

30 »Wer von Regensburg her auf der Donau hinabgefahren ist, der kennt die herrliche Stelle, welche der Wirbel genannt wird. Hohe Bergschluften umgeben den wunderbaren Ort. In der Mitte des Stromes steht ein seltsam geformter Fels, von dem ein hohes Kreuz trost- und friedenreich in den Sturz und Streit der empörten Wogen hinabschaut. Kein Mensch ist hier zu sehen, kein Vogel singt, nur der Wald von den Bergen und der furchtbare Kreis, der alles Leben in seinen unergründlichen Schlund hinabzieht, rauschen hier seit Jahrhunderten gleichförmig fort. Der Mund des Wirbels öffnet sich von Zeit zu Zeit dunkelblickend, wie das Auge des Todes. Der Mensch fühlt sich auf einmal verlassen in der Gewalt des feindseligen, unbekannten Elements, und das Kreuz auf dem Felsen tritt hier in seiner heiligsten und größten Bedeutung hervor« (9f.)

in dem gegebenen Rahmen einer Flußreise. Strudel, Fels und Kreuz sind Elemente einer Landschaft, die eine topographische Untersuchung durchaus zuläßt. Aber eine Reihe von Signalen deutet auf eine Sinnerweiterung dieser Sätze über ihren unmittelbaren Gegenstand hinaus. Die Wahl des Vokabulars ist ein erstes Indiz. Der Ort wird im einleitenden Satz »herrlich« genannt und gleich darauf in scheinbarer Synonymik »wunderbar«. Das Wort enthält jedoch eine Anspielung auf »Wunder«, die durch die Gegenwart des Kreuzes noch verstärkt wird. Wenn es dann heißt, dieses schaue »trost- und friedenreich« hinab, dann geht das über die Erfordernisse bloßer Beschreibung hinaus. Die religiösen Attribute führen ein konfessionelles Element in die Szene ein. Wie sehr ein solcher Effekt beabsichtigt ist, wird erst recht deutlich in dem Kontrast mit den Eigenschaften der Wellen, die als »empört« (was auf seelischen Aufruhr hindeutet) und in »Sturz und Streit« befangen bezeichnet werden, eine Redewendung, deren kontradiktorische Zusammensetzung aus mechanischen und emotionalen Kategorien durch den Stabreim überspielt wird.

Indem Eichendorff Frieden und Trost verkündet, betont er den symbolischen, nichtnaturhaften Charakter des Kreuzes und hebt es aus seiner Umwelt sozusagen in eine andere Sphäre der Imagination. Diese Logik sowie die geschickte Handhabung aller Attribute zwingt den Leser, die Wellen ebenfalls als Symbol einer höheren Wirklichkeit aufzufassen. Welches Element, so fragt man sich unwillkürlich, befindet sich im Gegensatz zum Trost der Religion? Die darauffolgenden, sorgfältig aufgrund ihrer emotional-assoziativen Werte ausgewählten Details der Schilderung legen nach und nach eine Antwort nahe. Der Wirbel ist ein »furchtbarer Kreis«, der alles in seinen Schlund reißt. Soll die »Natur« oder das »Leben« in diesem elementaren Phänomen verkörpert sein? Derlei Abstraktionen drängen sich jedenfalls auf. Der Schauder wird gesteigert durch die plötzliche Verödung einer Szenerie, die eben noch voll des beweglichsten Lebens und der freudigsten Laute war. Die Machtlosigkeit des Menschen gegenüber einer fressenden Drohung (die Hauptwörter »Mund« und »Schlund« suggerieren eine solche) wird noch unterstrichen durch die Andeutung gewaltiger Zeiteinheiten, die das begrenzte Ausmaß der menschlichen Zeitspanne überschreiten. Man kann also die verschlingende Zeit zu den Abstraktionen hinzufügen, die über dieser Passage schweben.

Vergleiche sind ein weiteres von Eichendorff angewendetes Mittel, das zwar schlecht zur realistischen Beschreibung einer Landschaft paßt, dafür aber bei der Erzeugung eines allegorischen Sinnes sehr wirksam ist. Der Wirbel öffnet sich »dunkelblickend«. Zunächst akzeptiert der Leser dieses sonderbare Adverb als stimmungsbildende Synästhesie, als romantische Vermischung metaphorischer Sinneseindrücke, bemerkt aber sehr bald, daß es gleichzeitig als Bindeglied zum Vergleich »wie das Auge des Todes« dient, dem seinerseits eine wichtige Funktion in der Schwarzweißmalerei des Ganzen zukommt.

Als fürchte er, daß der symbolische Sinn verlorengehen könne, verläßt Eichendorff einen Augenblick lang den Bereich der Gegenstände, in dem er bislang vorgegeben hat, sich zu bewegen, und begibt sich in die Sphäre der Ideen, indem er das Panorama nun interpretiert: »Der Mensch fühlt sich auf einmal verlassen in der Gewalt des feindseligen, unbekannten Elements und das Kreuz auf dem Felsen tritt hier in seiner heiligsten und größten Bedeutung hervor.« Er hat immer noch nicht gesagt (und kann es auch nicht sagen, ohne die Allegorie künstlerisch zu zerstören), was das »unbekannte Element« eigentlich sei. Aber er hat sich eines uralten Metaphernsystems bedient, das jedermann vertraut ist, der mit religiösem Schrifttum auch nur oberflächlich in Berührung gekommen ist. Des Menschen Lebensschiff durchmißt die verräterischen und häufig turbulenten Fluten des Lebens, die den sorglosen, nur auf sein Vergnügen bedachten Reisenden zu verschlingen drohen. Nur wenn er sich am Zeichen des Kreuzes, errichtet auf dem Felsen der Kirche, orientiert, entgeht er dem Schiffbruch und erreicht glücklich den Hafen.

Aber es kommt noch mehr. Wäre alles so einfach, dann erübrigte sich Friedrichs Odyssee durch beinahe weitere dreihundert Seiten *Ahnung und Gegenwart*, denn nichts hindert ihn ja, schon jetzt ins Kloster zu gehen. Aber die Allegorie setzt sich fort, um die Gegenmacht einzuführen, welche die Heilsfindung verzögern wird, wenn auch natürlich nicht verhindern kann. Ein zweites Schiff taucht auf. Friedrich erblickt eine junge Frau am Bug. Ihre Augen begegnen einander einen schicksalshaften Augenblick lang, der »Erinnerungen und niegekannte Wünsche« in ihm aufwühlt. Die finstere Macht dieser Lockung wird sofort deutlich gemacht, denn die Gestalt starrt »unverwandt in den Wirbel hinab« (10). Es kann also nur die Gefahr gemeint sein, daß sich der Held in die Welt verstricken läßt und schließlich in ihr verlorengeht. Die magnetische Anziehung, die von der Welt ausgeht, ist erotischer Natur, konzentriert in der Gewalt, die Frauen über Männer ausüben. Man ist versucht, Goethes berühmten Ausspruch auf Eichendorff anzuwenden, aber umgedreht: »Das Ewig-Weibliche zieht uns hinab.« Die Richtungspartikel »hinab« gewinnt ganz konkrete Bedeutung, wenn wir sie zu dem Strudel in Beziehung setzen, von dem die Frau am Vorderdeck so fasziniert ist. Es bedarf also gar nicht der Begegnung mit der historischen Zeit und der Verderbnis Europas, um den Ausgang des Romans zu motivieren. Alles Nötige ist schon in dieser meisterhaften Anfangsallegorie enthalten, der Rest des Buches ist bloß ein langsames, farbiges Ausspinnen ihrer einzelnen Teile.

Freilich bleibt sie nicht die einzige, die dem Leser aufgetischt wird. Allegorisieren und Personifizieren sind unwiderstehliche Neigungen Eichendorffs. Das Publikum wird bei ihm zum »Herrn Publikum«. Aurora tritt immer wieder als mit göttlichen Eigenschaften ausgestattete Figur auf. Europa wird zur »Jungfrau Europa«, was es wieder leicht macht, sie zur »Hure« zu degradieren (288). Ein Blick auf die Namen wird zeigen, daß sogar sie von dieser Tendenz berührt sind. Interessant ist bereits das Fehlen jeglichen Familiennamens. Der Leser erfährt niemals, wie Friedrich und Leontin heißen, während Julies Familie als »von A.« abgekürzt ist. Denn in der Wahl der Nachnamen muß sich der Autor bereits zu einer mehr naturalistischen oder mehr symbolischen Praxis bekennen. Der Name des Helden, Friedrich, scheint zunächst von verborgenen Bedeutungen frei zu sein. Bedenkt man aber, daß dieser weitverbreitete Name in allen Gesellschaftsklassen und allen geschichtlichen Epochen einschließlich des Mittelalters vorkommt, dann zeigt sich, daß auch er sorgfältig ausgewählt wurde. Alle Eigenschaften Friedrichs, seine ganze anspruchslose, superdeutsche, ›altfränkiche‹ Art sind darin ausgedrückt.

Das Gegenteil trifft auf Faber zu, dem lateinischen Wort für »geschickt« oder »kunstvoll«. Dieser wenig gebräuchliche Name deutet unmißverständlich auf seine Rolle als Berufsdichter mit ausgesprochener Bevorzugung des Handwerklichen. Ebenso unverkennbar ist Romanas Name, der auf Italien, aber auch auf die Romantik hinweist. Italien mit seinen in der deutschen Literatur traditionellen Konnotationen von Heidentum und Erotik ist für Eichendorff der Ursprung aller dem Christentum feindlichen Kräfte, und die Gräfin vereint diese Elemente aufs genaueste. Auch Rosas Name erfordert keine etymologischen Studien.

Doch geht seine Suggestivkraft über die Blume hinaus, an die er sogleich denken läßt. Die freundliche Vorstellung, die damit verbunden ist, wird überschattet, indem die erste Silbe mit derjenigen im Namen von Rosas »Verwandten« Romana übereinstimmt, worin sich die Ambivalenz der Trägerin zu erkennen gibt. Die lateinischen Assoziationen, die sich an Leontins Namen knüpfen, spielen auf die wilde Unabhängigkeit und ruhelose Tätigkeit an, die den zweiten Haupthelden auszeichnen.

Die allegorische Behandlung einer ganzen Figur kann durch einen raschen Überblick über die Implikationen der Gestalt der Gräfin Romana gezeigt werden. Bereits ihr erstes Auftauchen ist charakteristisch: Sie lockt Rosa von Friedrichs Seite in die Residenz, wo sie allmählich den oberflächlichen Versuchungen von Vergnügen, Sexualität und gesellschaftlichem Ehrgeiz erliegt. Romana selbst ist die mythische Inkarnation der Göttin Venus. In einem »lebendigen Bild«, wie sie zur Zeit noch üblich waren, stellt sie eine in »bacchantischer Stellung plötzlich [...] erstarrte« Gestalt dar, »in griechischer Kleidung, wie die Alten ihre Göttinnen abbildeten« (129). Nicht genug damit, singt sie später eine Romanze. Nachbildung der Hörselberglegende, nach der die Zauberin Venus junge Männer ins Verderben lockt. Eichendorff hat aber diese Gestalt komplexer angelegt. Venus-Romana ist nicht nur eine zerstörerische, sondern gleichzeitig eine lebenspendende, poetische Macht, sie selbst fühlt sich unwiderstehlich zu Aurora hingezogen, der mythischen Personifizierung der Kräfte des Ursprungs und des Morgens. Was ihre unschuldige Beziehung zur Natur tragisch verdorben hat, ist der Einbruch eines falschen und schwächlichen modernden Zeitalters. Friedrich findet Romana, ihrer Doppelnatur entsprechend, »höchst anziehend und zurückstoßend zugleich« (135). Seine ganze komplizierte Beziehung zu ihr gelangt an ihren Höhepunkt, als Friedrich einer Einladung auf ihr Schloß folgt, wo er alsobald von Winzern und anderen dionysischen Symbolen umgeben ist und zu allem Überfluß ein kupidoartiger Knabe die Gastgeberin begleitet. Die größte Kraftprobe muß er jedoch nachts bestehen, denn als er aufwacht, liegt die berückende Verführerin unbekleidet zu Füßen seines Bettes. Nur ein frommes altes Lied, das ihm von Kindheit her vertraut ist, gibt ihm die Kraft, der Circe zu entfliehen.

Eine radikale Verkürzung ihres weiteren Schicksals muß genügen. Hoffnungslos in Friedrich verliebt, unfähig, ihn zu bestricken, und eines Grundübels in ihrer Existenz bewußt, versucht sie zu bereuen und ihr

Heil in der Religion zu suchen. Sie versagt. Eine ›katholisierte Venus‹ wäre auch zu absurd. Also endet sie in totaler Verwilderung und Selbstmord. Ungemein aufschlußreich sind die Sätze, mit denen Eichendorff ihr hoffnungsloses Dilemma ausdrückt:

»Als sie nun ihren Geliebten wieder vor sich sah, noch immer unverändert ruhig und streng wie vorher, [...] da schien es ihr unmöglich, seine Tugend und Größe zu erreichen. Die beiden vor ihr Leben gespannten, unbändigen Rosse, das schwarze und das weiße, gingen bei dem Anblick von neuem durch mit ihr, alle ihre schönen Pläne lagen unter den heißen Rädern des Wagens zerschlagen, sie ließ die Zügel schießen und gab sich selber auf« (189).

Hier findet man die Quintessenz der allegorischen Methode. Die betreffenden Rosse gibt es natürlich nicht. Sie werden lediglich ihrer Zeigekraft wegen eingeführt. Ihre polaren Farben sollen die gegensätzlichen Tendenzen in der geistigen Verfassung der Gräfin suggerieren. Ebenso charakteristisch für das allegorische Vorgehen ist die Mischung konkreter Einzelheiten mit abstrakten Vorstellungen. Beim Anblick von »Tugend und Größe« »gehen« die Pferde »durch«, »Pläne« liegen zerschlagen unter »heißen Rädern«, die Rosse sind vor Romanas »Leben« »gespannt«.

Um wirksam zu sein, muß selbst ein so flüchtiges allegorisches Bild zwei Bedürfnisse befriedigen. Es muß ein philosophischer Vergleich, ein Tertium comparationis, vorliegen und eine konkrete Verbindung mit dem Kontext, das, was man ein ›ökologisches Bindeglied‹ nennen könnte. Beide Bedingungen sind hier erfüllt. Das Tertium comparationis kommt bei Eichendorff öfter fort: Das Leben ist eine Reise, ein Wagen ist »das Vehikel des Lebens« (man wird förmlich zur Verbindung von Abstraktem und Konkretem gezwungen, wenn man über diese Prosa spricht). Der ›ökologische‹ Faktor besteht darin, daß eine von Pferden gezogene Karosse sehr wohl zu Romanas Lebensstil paßt und die ganze Idee verzweifelter Tollkühnheit ihrem Temperament entspricht. Diese Vorbedingung verhindert, daß die Allegorie »gespreizt« oder »an den Haaren herbeigezogen« wirkt.

Wo immer in meiner Analyse das Wort ›Allegorie‹ vorkommt, hätte ein anderer vielleicht die Bezeichnung ›Symbol‹ vorgezogen. Mir schien Allegorie die treffendere wegen der relativen Willkür und Selbständigkeit der Gegenstände in Eichendorffs fiktiver Welt, mit anderen Worten: wegen ihres zweifelhaften ›Realismus‹. Die Gegenstände der Sinneswahrnehmung werden in Eichendorffs Händen sonderbar durchlässig. Die ganze körperliche Welt, in der das Eigenleben des Menschen nun einmal stattfinden muß und die bei anderen Schriftstellern so saftig-robust und selbstgenügsam sein kann, wird in seiner Werkstatt zu einem leichten, substanzlosen Schleier, der jederzeit die großen geistigen Sinngebungen ungehindert durchleuchten läßt. Diese sind oft so übermächtig, daß sie den Erscheinungen der Oberfläche, und mögen sie noch so anziehend sein, viel von ihrer materiellen Undurchdringlichkeit rauben. Die Kraft dieser Ideen leitet sich aber von ihrem Zusammenhang mit einem theologischen System her, das Eichendorff vom Barock, ja im Grunde vom Mittelalter übernommen hat. So wie in seinem poetischen Kosmos waren in den alten Zeiten das heidnische und das christliche Prinzip in einen Vernichtungskampf verwickelt. Leib und Seele, Erde und Paradies, das Hiesige und das Jenseitige fochten miteinander um die Seele des Menschen.

Man kann diese Einsicht erweitern und sagen, daß der ganze Roman, weit entfernt von der Wiedergabe historischer Wirklichkeit, eine Allegorie des Lebens in der Napoleonischen Epoche sein soll. Der Gesichtspunkt ist derjenige der adligen Oberschicht, der endgültige Richtspruch denkbar schroff: Für den wohlgeratenen Repräsentanten dieser Klasse ist das Leben unerträglich geworden.

4. Andere poetische Hilfsmittel

Die kleinen Kunstgriffe, die bewußt angewendeten Methoden, die nötig sind, um eine Geschichte zu erzählen, ebenso wie die subtileren, wahrscheinlich unbewußten literarischen Gepflogenheiten ergeben zusammen das, was man den ›Stil‹ eines Werkes nennen könnte. In diesen Dingen entfernt sich Eichendorff meist nicht allzu sehr von der Praxis seiner Zeitgenossen. Im großen und ganzen wird sein Roman im Ton eines simplen Berichts vorgetragen: Jemand tut dies und unterläßt jenes. Die intimen Gedanken seiner Personen sind dem allwissenden Autor ebenso bekannt wie ihre sichtbaren Handlungen. Die Perspektive ist gewöhnlich die der Gestalt, die gerade im Mittelpunkt der Aufmerksamkeit steht. Die Technik der Mitteilung ist die gleiche für Ereignisse, die vom Autor in der dritten Person berichtet werden, wie für die Ich-Erzählungen, die er einer Figur in den Mund legt, meist um sie ihre Lebensgeschichte erzählen zu lassen.

Die Lieder werden vielfach durch die einfachsten Phrasen eingeführt, die eher wie Vorwände als wie Begründungen klingen: »Noch im Weggehn hörte sie ihn singen« (36) oder »Da vernahm er auf einmal draußen folgenden Gesang« (58). Solche Einleitungen wirken noch primitiver, wenn jemand von Ereignissen spricht, die sich in ferner Vergangenheit abgespielt haben, und sich nicht nur an den präzisen Augenblick erinnert, wann jeweils die zahllosen Lieder erklungen sind, sondern außerdem noch die Texte wortwörtlich zu rezitieren weiß. Bei einem Lied, das von jemand anders als der sich erinnernden Person gesungen wird, ist sich Eichendorff gewöhnlich der offenkundigen Unwahrscheinlichkeit eines solch völlig intakten Gedächtnisses bewußt und führt zur Erklärung etwa an, daß es dem Sprecher »wohlbekannt war, da es Angelina von mir gelernt hatte« (272). Der Fortgang der Handlung wird durch unzählige »indes« und »unterdes« oder durch ein gelegentliches »wie wir gesehen haben« und »wie wir später sehen werden« (74) im Fluß gehalten.

Viel origineller als diese etwas hölzerne Mechanik ist Eichendorffs Behandlung der Tageszeiten, die so komplex und so zentral für das Werk ist, daß man es mit einer Art privatem Mythos zu tun hat. Im Gegensatz zur normalen Praxis der Romantiker nämlich, die die Nacht über den Tag gestellt und bis zur religiösen Ekstase vergöttlicht haben, ist Eichendorffs geliebteste Tageszeit der Morgen, dessen blitzende Schönheit er nicht müde wird zu evozieren. Oft führt er seine Protagonisten auf eine erhöhte Stelle, von der aus sie die Herrlichkeiten der Welt erblicken können, während er mit einer seiner berühmten Formeln ›die Sonne eben prächtig aufgehen‹ läßt. Der Morgen ist Symbol für die Einheit des Menschen mit der Schöpfung, die Zeit, wo Eichendorffs Wanderer freudig ihrer Wege ziehen und mit den Vögeln um die Wette musizieren.

Das Gegenteil gilt von den Nachmittagen, wenn die Sonne den Zenith überschritten hat und ihre versengenden Strahlen heruntersendet. In der Schwüle dieser Pan-Stunde befällt den Wanderer eine Lähmung des Willens, des Lebensmutes überhaupt. Er wird sich seiner Abhängigkeit von den ewigen Rhythmen der Natur bewußt und verfällt in eine tiefe kreatürliche Melancholie. Angesichts dieses Auf und Ab der Stimmungen, des Wechsels von Sommer und Winter, Leben und Tod besinnt er sich auf seine ethische Beschaffenheit. Es versteht sich von selbst, daß auch die Tageszeiten mit Eichendorffs theologischen Inhalten aufgeladen sind.

Berühmt sind Eichendorffs Landschaften, das Segeln der Wolken, das

Säuseln der Blätter und Rauschen der Bäche, seine Flüsse, Berge und Wälder, die voll sind von Vogelgezwitscher, dazwischen manchmal der Laut einer Mühle oder eines Posthorns. Aus ihnen zieht er die immer gleichen szenischen Elemente, aus ihnen baut er seine unzähligen Naturschauplätze auf. Viel Scharfsinn ist von Kennern darauf verwendet worden, das Wesen der Eichendorffschen Landschaft zu entschlüsseln[31]. Ein Teil ihrer Magie leitet sich von der jeweiligen Position im Text her. Oft wird ein freies Draußen einem bedrückenden Drinnen entgegengesetzt und schon dadurch ein bedeutender Effekt erzielt. Aber in der Landschaftsbeschreibung selbst sind es nicht etwa, wie man erwarten würde, die Hauptwörter, die die linguistische Basis erstellen, sondern die Verben, genauer noch: die doppelten Verbalpräfixe wie ›an...vorüber‹, ›aus...herauf‹ usw., die den unvergleichlichen Eindruck von grenzenloser Weite, Tiefe und Bewegung hervorrufen. Verglichen mit dieser Dynamik, sind die Substantive und Adjektive eher unbedeutend, und ihre Unbestimmtheit wird durch häufige Pluralbildungen noch erhöht. Charakteristisch sind ferner die akustischen Elemente, die den visuellen an Bedeutsamkeit noch übergeordnet werden. Wie aber die Landschaft auch beschaffen sein mag, immer wird sie durch die Gegenwart eines Beschauers oder Horchenden strukturiert. Diese Perspektive bildende Eigenart darf nicht als ›romantischer Subjektivismus‹ ausgelegt werden. Anders als die Romantiker gebraucht Eichendorff seine Landschaften niemals als Spiegelungen oder Projektionen von Gefühlen, weder seiner eigenen noch derjenigen seiner Gestalten. Was diese Landschaften erzeugen, ist nämlich nicht Gefühl, sondern Raum, den eigentümlichen Raum der Eichendorffschen Welt, in der selbst die gewöhnlichsten Dinge und konventionellsten Geschehnisse sich »poetisieren«.

Das alles hat die Forschung in Jahren minuziösen Studiums erarbeitet, und es trifft in hohem Maße auch auf *Ahnung und Gegenwart* zu. Aber einem bedeutsamen Zug in diesem Kunst-Weltraum ist keine Aufmerksamkeit geschenkt worden, einem merkwürdig versteckten, aber tief suggestiven Widerspruch, der der Eichendorffschen Landschaft innewohnt und die Sinnstruktur besonders von *Ahnung und Gegenwart* beeinflußt. Denn trotz seiner gewaltigen, mit Hilfe von vielerlei stilistischen Mitteln erzielten Ausdehnung ist der Eichendorffsche Raum auf

31 Siehe Anm. 24.

eine Weise begrenzt, wie es der empirische Raum unserer Erfahrung nicht ist. Sehr oft – so oft, daß von ›Zufall‹ zu sprechen schwerhält – fällt die Bewußtseinssphäre einer Hauptgestalt mit der Landschaft zusammen, in die sie gestellt ist. Betrachten wir daraufhin etwa das Ende von *Ahnung und Gegenwart,* dem gerade wegen seiner Position in der Architektur des Ganzen großes Gewicht beigemessen werden muß. Der Ausklang eines dichterischen Werkes trägt beschwerte Akzente. Der Autor weiß, daß jedes Wort im Geist des Lesers weitervibrieren wird. Man kann daher annehmen, daß er in der Abfassung der letzten Sätze besondere Sorgfalt hat walten lassen:

> »Friedrich hatte nichts mehr davon bemerkt. Beruhigt und glückselig war er in den stillen Klostergarten hinausgetreten. Da sah er noch, wie von der einen Seite Faber zwischen Strömen, Weinbergen und blühenden Gärten in das blitzende, buntbewegte Leben hinauszog, von der anderen Seite sah er Leontins Schiff mit seinem weißen Segel auf der fernsten Höhe des Meeres zwischen Himmel und Wasser verschwinden. Die Sonne ging eben prächtig auf« (303).

Dieser Absatz enthält so manche der raumschaffenden Elemente, von denen schon die Rede war. Aber trotz seiner riesigen Reichweite, die sich von Horizont zu Horizont erstreckt, enthält er bloß das für die Situation Unentbehrliche, sonst nichts. Diese Erkenntnis läßt den Raum gerade in dem Augenblick geistig schrumpfen, in dem er eine scheinbar nicht mehr zu übertreffende physische Ausdehnung erreicht. Die Ursache für solche Diskrepanz ist nicht schwer zu finden, denn dies ist ja keine gewöhnliche Landschaft, nicht Ausschnitt der Welt, der sich dem Blick mit seiner Reichhaltigkeit und seinen unvorhersagbaren Einzelheiten darbietet, sondern eine Szenerie, die erst *durch das Auge des Beschauers gebildet* wird und nur jene Erscheinungen enthält, die der Autor gerade benötigt. Eichendorffs Landschaft ist stilisierter, symbolischer, metaphysischer Raum. Das aufschlußreichste Wort in der obigen Passage ist wohl »Leben«. Es stünde nicht da, wenn es sich nicht um die Schlußkadenz des Romans handelte. Faber, offensichtlich auf einer seiner Reisen begriffen, durchreitet nicht eine konkrete, wohldefinierte Gegend dieser Erde, sondern er kehrt ins ›Leben‹ zurück. Leontin hingegen, immer noch der Abenteurer und Handelnde, fordert den Ozean heraus, um in fernen Ländern sein Heil zu suchen. So gefahrvoll ist sein Tun, daß alles zurückgeblieben ist und zwischen dem trügerischen Element und dem Himmel nichts mehr steht als er selbst. Das winzige Schiff mit seinem einzelnen Segel ist die symbolische Verbildlichung seines enormen Unternehmens.

Friedrich, die Zentralgestalt, liefert die Perspektive. Wie jeder Mensch es muß, besetzt er den Mittelpunkt seines Gesichtskreises, seine Freunde sind links und rechts. Der Leser weiß, was er nicht mehr »bemerkt« hat: Ohnmacht und Abschied Rosas, seiner einstigen Geliebten. Zum erstenmal in seinem Leben ist er »beruhigt«. Wie andere so oft, läßt Eichendorff auch ihn aus einem Innenraum hinaustreten, ins Freie. Sein Vordergrund ist der Klostergarten. Kummer und Trubel sind vorbei, alle Mysterien offenbart. Die Sonne kann aufgehen und die Szene erhellen, ein für allemal[32].

Man könnte naiv fragen, was das denn für Berge in Deutschland seien (mit einem Kloster auf dem Gipfel), von wo man auf der einen Seite den Ozean, auf der anderen Flüsse und Weingärten sehen kann? Von welchen Häfen liefen im neunzehnten Jahrhundert Schiffe mit einem einzigen Segel nach Amerika aus? Was man durch solch pedantische Insistenz allenfalls gewinnen würde, wäre erneute Bestätigung, daß dies keine ›realistische‹ Landschaft sein könne. Das einzig ›Wirkliche‹ an diesem letzten Bild ist, daß es mit schöner allegorischer Verachtung aller Wahrscheinlichkeit die drei Freunde, den *poeta activus*, den *poeta contemplativus* und den *poeta faber* (denn Poeten sind sie ja vor allem) noch einmal in dem gleichen vielsagenden Rahmen vereint.

Diese Erkenntnisse sind auch geeignet, unsere Mutmaßungen über Eichendorffs Verhältnis zur Wirklichkeit zu befestigen. Was sollen wir von zwei Flußschiffen halten, die so nahe aneinander vorüberfahren, daß jedes Detail, jeder Gesichtsausdruck von einem zum andereren ›wahrgenommen‹ werden kann? Oder von einer Uferpromenade, ebenfalls vom Deck aus beobachtet, während welcher sonntäglich gekleidete Herren und Damen grüßend und musikalisch begleitet sich menuettartig voreinander verneigen? Haben wir es mit Eichendorffs Mißachtung jeglicher Plausibilität zu tun, oder müssen wir eine andere Erklärung finden? Und wie sollen wir darauf reagieren, daß die Residenz, die bis zu diesem

32 Zur Erklärung von Eichendorffs Sonnenaufgängen: Egon SCHWARZ, Bemerkungen zu Eichendorffs Erzähltechnik. In: The Journal of English and Germanic Philology 56 (1957) S. 542–549. Wiederabdr. in: Romantik. Ein literaturwissenschaftliches Studienbuch. Hrsg. von Ernst RIBBAT. Königstein (Taunus) 1979. S. 184–190.

Zeitpunkt kaum erwähnt worden ist, sofort vom nächsten Hügel sichtbar wird, sobald Rosa sie sich vorstellt (61)? Oder auf die Tatsache, daß Rosa selbst, in dem Augenblick, wo Friedrich an sie denkt, reitend in der Ferne sichtbar wird, unerreichbar, doch ein konstitutiver Bestandteil der Landschaft (17)?

Der Beispiele, wo disparate Details einer Szenerie einander gegenübergestellt werden, die symbolisch entgegengesetzten Sphären angehören – wie etwa das Landgut des Herrn von A. und die Residenz – und deren gemeinsamer Nenner bloß in den Denkprozessen der handelnden Personen zu finden ist, gibt es zu viele, um aufgezählt zu werden. Das ist aber auch nicht nötig, denn aufgrund des bereits Beobachteten läßt sich der Schluß ziehen, daß Eichendorffs Welt zwar weiträumig und voll bezaubernder Einzelzüge ist, aber keineswegs unendlich oder einer unabhängigen empirischen Wirklichkeit angehörig. Was uns Eichendorff als ›gegeben‹ anbietet, umfaßt eine andere ›Realität‹ als die unseres Alltags. Der dichte Teppich unserer Sinneswahrnehmungen wird in dem Bereich seiner Fiktionen zu einem durchsichtigen, über das Wesentliche nur leicht hingeworfenen Gewebe. Mit der Bestandsaufnahme seiner Einzelheiten gibt er sich nicht ernstlich ab. Manche davon sind die gleichen wie die der uns vertrauten Welt. Aber die daraus resultierende Täuschung kann nicht andauern. Denn Eichendorff setzt sie mit einer Willkür zu schönen, bedeutungsvollen Mustern zusammen, die es in der normalen Welt nicht gibt. Und auch das ist noch nicht sein letztes Ziel. Denn indem er den Schleier so dünn und zart wie möglich webt, will er erreichen, daß das, was darunter ist, um so kenntlicher hindurchscheint. Eichendorffs Wahrheit mag man gegenüberstehen, wie man will. Tatsache bleibt, daß er dem romantischen Ästhetizismus, der seine Wellen durch die ganze Welt geschickt hat, nur dadurch entging, daß er nicht auf Schönheit, sondern auf Wahrheit aus war.

LITERATURHINWEISE

KAFITZ, Dieter: Wirklichkeit und Dichtertum in Eichendorffs »Ahnung und Gegenwart«. Zur Gestalt Fabers. In: Deutsche Vierteljahrsschrift 45 (1971) S. 350–375.

KILLY, Walther: Der Roman als romantisches Buch. In: W. K.: Wirklichkeit und Kunstcharakter. Neun Romane des 19. Jahrhunderts. München 1963. S. 36–58.

MEIXNER, Horst: Romantischer Figuralismus. Kritische Studien zu Romanen von Arnim, Eichendorff und Hoffmann. Frankfurt a. M. 1971. S. 102–154.

PORSCH, Ingeborg-Maria: Die Macht des vergangenen Lebens in Eichendorffs Roman »Ahnung und Gegenwart«. Diss. Frankfurt a. M. 1951.

REQUADT, Paul: Eichendorffs »Ahnung und Gegenwart«. In: Der Deutschunterricht 7 (1955) H. 2. S. 79–92.

RILEY, Thomas A.: An allegorical interpretation of Eichendorffs »Ahnung und Gegenwart«. In: Modern Language Review 54 (1959) S. 204–213.

–: Joseph Görres und die Allegorie in »Ahnung und Gegenwart«. In: Aurora 21 (1961) S. 57–63.

SCHWARZ, Egon: Joseph von Eichendorff. New York 1972. S. 24–78.

Gesamtausgaben der Werke Eichendorffs

Sibylle von Steinsdorff

Am 8. Oktober 1825 teilt Eichendorff brieflich aus Königsberg einem Berliner Freund, Julius Eduard Hitzig, die Absicht mit, »meine kleineren, zum Theil schon in mancherlei Blättern zerstreuten, poetischen Arbeiten zu sammeln [...]«; er bittet Hitzig, der damals in den literarischen Kreisen der preußischen Hauptstadt eine einflußreiche Rolle spielte, um Prüfung des beigefügten Manuskripts und dessen Vermittlung an einen Verleger[1]. In das geplante »Bändchen mit dem Sammeltitel ›Novellen, Lieder und Romanzen‹« sollen die zuerst in Fouqués »Frauentaschenbuch für das Jahr 1819« veröffentlichte Novelle »Das Marmorbild«, ferner, in zwei Abteilungen, die in verschiedenen Almanachen und einige der in seinem Roman »Ahnung und Gegenwart« erschienenen Gedichte sowie, von den Gedichtabteilungen eingerahmt, der endlich vollendete »Taugenichts« aufgenommen werden, von dem vorher lediglich die beiden ersten Kapitel in einer literarischen Zeitschrift in Breslau publiziert worden waren[2]. Entgegen der vom Autor ursprünglich vorgesehenen und in dem erwähnten Brief skizzierten Reihenfolge der Texte, wonach »Das Marmorbild« den Band eröffnet hätte, wurde schließlich im Druck, vermutlich auf Vorschlag Hitzigs oder des Verlages, der »Taugenichts« als Neuerscheinung werbewirksam vorangestellt, während die beiden Abteilungen der »Gedichte« (insgesamt 54) den Band beschließen. »Aus dem Leben eines

1 Die Handschrift befindet sich im Freien Deutschen Hochstift, Frankfurt a. M.; die Anschrift fehlt, der Brief ist aber zweifellos an Julius Eduard Hitzig gerichtet. Der Jurist Hitzig hatte zeitweilig selbst einen Verlag besessen, er war Gründer der literarischen »Mittwochsgesellschaft« und mit Eichendorff seit 1815 bekannt.

2 Unter dem Titel »Ein Kapitel aus dem Leben eines Taugenichts« in »Deutsche Blätter für Poesie, Litteratur, Kunst und Theater«. Hg. von Karl Schall, Karl von Holtei und Friedrich Barth. Breslau 1823, Nr. 18–24.

Taugenichts und das Marmorbild. Zwei Novellen nebst einem Anhange von Liedern und Romanzen von Joseph Freiherrn von Eichendorff« erschien zur Ostermesse 1826 in der renommierten Berliner Vereinsbuchhandlung[3]. Die Sammlung, in der man schon einige der später berühmtesten und beliebtesten Gedichte wie »In einem kühlen Grunde [...]« und »O Thäler weit, o Höhen, [...]« findet, begründete, so scheint es, die Popularität des Dichters als eines Klassikers der Romantik bei einem größeren Leserkreis; man kann sie mit einem gewissen Recht als erste, wenn auch noch kleine, »Werkausgabe« bezeichnen[4], jedenfalls ist es offensichtlich die einzige Sammlung, die vom Autor selbst initiiert, geplant und zusammengestellt worden ist.

Schon von der 1837 bei Duncker & Humblot, ebenfalls in Berlin, erschienenen ersten selbständigen Gesamtausgabe der »Gedichte« läßt sich das nicht mehr ohne weiteres annehmen. Nach einer späteren Aussage Eichendorffs wurden die Verhandlungen mit dem Verlag nur mündlich geführt[5], die Umstände der Entstehung der Gedichtsammlung und vor allem das Ausmaß der Beteiligung des Autors an der Planung und Zusammenstellung wie an der Überarbeitung der Texte lassen sich nicht mehr rekonstruieren, man ist hier auf Vermutungen angewiesen. Der Band enthält insgesamt 395 Gedichte[6]; Grundstock war wohl der Gedicht-Anhang der Sammlung von 1826, er wurde jedoch erheblich erweitert einmal durch inzwischen neu entstandene Texte, zum andern durch eine Nachlese aus »Ahnung und Gegenwart« und aus den 1826 nicht berücksichtigten früheren Almanach-Beiträgen sowie durch eine größere Zahl von erstmals veröffentlichten Gedichten aus der Heidelber-

3 Der Verkaufspreis für den 278 Seiten starken Band betrug 1⅔ Taler, nach heutiger Währung und Kaufkraft etwa 50,– DM; Eichendorff erhielt ein Honorar von 20 Friedrichsd'or, das entsprach etwa 100 Talern.

4 Dem Konzept Eichendorffs entsprechend, fanden in dieser Sammlung »kleinerer poetischer Arbeiten« nur die beiden vorher als Einzeldrucke veröffentlichten Texte, der Roman »Ahnung und Gegenwart« (1815) und das »dramatische Märchen« »Krieg den Philistern« (1823) keine Berücksichtigung.

5 Vgl. den Brief an Voigt & Günther vom 20. Januar 1856. In: »Sämtliche Werke des Freiherrn Joseph von Eichendorff«. Historisch-kritische Ausgabe. In Verbindung mit Philipp August Becker hg. von Wilhelm KOSCH und August SAUER. Bd. 12: Briefe von J. v. Eichendorff. Hg. v. Wilhelm KOSCH, Regensburg ⟨1910⟩, S. 203 f. (im folgenden zitiert HKA).

6 Dabei sind die Motti der einzelnen Abteilungen mitgezählt und die zu Zyklen zusammengefaßten Gedichte einzeln berechnet worden.

ger Zeit (1807/08). Nach einer Bemerkung Hermann von Eichendorffs hatte sein Vater jedoch die »Anordnung« und »Gruppierung« sowie die zum Teil erforderliche Neuformulierung von »Überschriften« und schließlich die gesamte »Textredaktion« einem »jüngere⟨n⟩ Freund« übertragen, da er selbst »im Drange amtlicher Geschäfte an der unmittelbaren, persönlichen Teilnahme verhindert war«[7]. Dieser Freund war Gustav Adolf Schöll[8], ein 1833 an der Berliner Universität habilitierter junger Gelehrter; er war bereits 1834 von Eichendorff bei der Drucklegung seines Romans »Dichter und ihre Gesellen« mit den Korrekturen betraut worden und hatte sich zudem durch einen 1836 in den Wiener »Jahrbücher⟨n⟩ der Literatur« veröffentlichten umfangreichen Essay als profunder Kenner und dem Selbstverständnis des Dichters nahestehender Interpret seines Œuvres ausgewiesen[9].

Eichendorff hat Schöll also wahrscheinlich mit weitreichenden redaktionellen Vollmachten ausgestattet; so gehen möglicherweise sogar die auch für alle späteren Werkausgaben maßgeblichen Überschriften der sieben Abteilungen der Gedichtsammlung – »Wanderlieder«, »Sängerleben«, »Zeitlieder«, »Frühling und Liebe«, »Todtenopfer«, »Geistliche Gedichte« und »Romanzen« – auf Schöll zurück, wenngleich sie sicher in Übereinstimmung mit Eichendorff festgelegt worden sind, wie die von ihm auf der Handschrift des neuaufgenommenen Gedichtes »Mondnacht« eigenhändig vermerkte Zuordnung zu den »Geistlichen Gedichten« belegt[10]. Nach der oben erwähnten Bemerkung Hermann von Eichendorffs war sein Vater jedoch »weder mit der Anordnung der Gedichte noch mit den gewählten Überschriften durchweg einverstanden.«[11] Tatsächlich scheint Eichendorff, nach einer zu vermutenden ersten Durch-

7 Vgl. »Eichendorffs Werke«. Hg. von Richard DIETZE. Kritisch durchgesehene und erläuterte Ausgabe. 2 Bde. Bibliographisches Institut, Leipzig und Wien o.J. ⟨1891⟩. Hier Bd. 2, S. 405.

8 Vgl. den Nekrolog des Sohnes mit der lapidaren Mitteilung »Eichendorff aber liess durch Schöll seine erste Gedichtsammlung redigieren«. Fritz SCHÖLL, Adolf Schöll. In: Biographisches Jahrbuch für Altertumskunde. Hg. von Conrad BURSIAN. 5. Jg., Berlin 1882, S. 63 ff. (Zitat S. 70).

9 Adolf SCHÖLL, Joseph Freiherr von Eichendorff's Schriften. In: Jahrbücher der Literatur, Wien 1836, Bd. 75, S. 96–139 und Bd. 76, S. 58–102.

10 Das Blatt befindet sich im sogenannten »Berliner-Nachlaß« in der Deutschen Staatsbibliothek Berlin (DDR). (BN14^{v}).

11 Vgl. oben Anm. 7.

sicht des Materials vor der Übergabe an Schöll, erst im letzten Augenblick der Drucklegung noch einmal korrigierend eingegriffen zu haben; nur so nämlich läßt sich das Verzeichnis der »Druckfehler« auf der letzten Seite des Bandes erklären, das in mindestens vier der aufgeführten sechs Fälle nicht Setzerfehler, sondern die als Druckvorlage herangezogene frühere Fassung des betreffenden Gedichtes verbessert.

Die dem Bruder Wilhelm »zur Erinnerung an gute und schlimme Tage« gewidmete Gedichtsammlung von 1837 enthält bereits den wesentlichen Bestand von Eichendorffs lyrischem Werk; was danach noch hinzukam, stellt demgegenüber weder quantitativ noch qualitativ eine bedeutende Erweiterung dar, das gilt auch von den späten, erst postum veröffentlichten Zeitgedichten[12].

Vier Jahre später erscheint dann die erste und einzige zu Eichendorffs Lebzeiten veranstaltete Werkausgabe, die, mit nur wenigen Ausnahmen, seine sämtlichen bereits publizierten Schriften enthält. In einer Anzeige des Verlagshauses von Markus Simion, Athenaeum in Berlin, heißt es Ende 1840

Im Jahre 1841 erscheint:
Jos. Freih. v. Eichendorff's
Werke
Indem wir die gesammelten Werke eines unserer ersten Dichter
(in 4 Bänden, Oktav-Format) herausgeben, sind wir einer freudigen Aufnahme
bei allen Literaturfreunden gewiß.
Die Ausgabe erfolgt in ung⟨efähr⟩ 12 Lieferungen à 10 Sgr.
(1/3 Thlr.) Die Ausstattung ist schön[13].

Zur Entstehungsgeschichte dieser Ausgabe liegen genauere Daten vor; neben einer Reihe brieflicher Äußerungen ist hier vor allem der Verlagsvertrag überliefert; der Anstoß dazu wurde von außen an Eichendorff herangetragen: »Mehrere Freunde meiner Poesie [...] haben den hiesigen Buchhändler Simion disponiert, eine Gesamtausgabe meiner Schriften herauszubringen«, berichtet er am 24. Juni 1840 an Theodor von Schön[14].

12 Die kürzlich im vierten Band der Eichendorff-Ausgabe des Winkler-Verlages (s. unten S. 381) zusammengestellte »Nachlese« der von ihm selbst weder 1837 noch in spätere Sammlungen aufgenommenen Gedichte macht deutlich, daß diese Texte von Eichendorff wohl absichtlich eliminiert wurden.

13 Vgl. »Joseph von Eichendorff im Urteil einer Zeit«. Hg. v. Günter und Irmgard NIGGL. HKA 18/1, Stuttgart u. a. 1975, S. 550.

14 HKA 12, S. 62.

An der Planung und Vorbereitung hat Eichendorff selbst offenbar kaum Anteil genommen. Er stand damals nicht nur unter einem besonders starken dienstlichen Arbeitsdruck, so daß er sogar »wieder einmal Aktenstücke nachts verschlingen« mußte[15], was ihn wohl noch mehr belastete, war seine ungeklärte berufliche Situation, die Tatsache, daß für den 52jährigen noch immer keine Aussicht auf eine gesicherte Position mit fixiertem Gehalt bestand. Eichendorff befand sich in dieser Zeit, so scheint es, sowohl als Beamter wie als Autor in einer Phase tiefer Resignation. Zum Abschluß des Verlagskontraktes habe ihn, so äußerte er später, »bei fortdauernder Kränklichkeit und Überhäufung von Dienstgeschäften, nur der Entschluß, überhaupt nichts mehr für den Druck zu schreiben« bewegen können[16]; er sah demnach sein Werk als abgeschlossen an. Auf die Vertragsverhandlungen mit Simion hat Eichendorff also wohl überhaupt keinen Einfluß genommen, sondern sie zwei Bekannten oder weitläufigen Freunden überlassen[17]; den Kontrakt unterzeichnet er schließlich am 15. April 1840[18]. Die Werkausgabe ist dem Preußischen König, Friedrich Wilhelm IV., »in tiefster Ehrfurcht geweiht«, ihm war offensichtlich auch unter den fünfzehn vom Verlag vertraglich zugesicherten Freiexemplaren »eines auf dem schönsten und besten Velin-Schreibpapier gedruckt« zugedacht[19]. Die Dankschreiben des Königs vom 23. August 1841 und 28. Februar 1842 für den ihm zugesandten ersten und vierten Band markieren den Zeitraum, in dem die Ausgabe fertiggestellt wurde bzw. zur Auslieferung gelangte[20]. In den vertraglichen Vereinbarungen war die Aufnahme der Gedichte, der beiden Romane und aller bis 1840 publizierten oder für die Publikation fertiggestellten Erzählungen

15 Ebda., S. 61.
16 Brief an Voigt & Günther vom 20. Januar 1856; vgl. Anm. 5.
17 In einem Brief an seinen Sohn Hermann, vom 9. Februar 1847, erwähnt Eichendorff, daß dieser Vertrag von »Jordan und Wolfersdorf« für ihn abgeschlossen worden sei (HKA 12, S. 84). Bisher konnte nur einer der beiden Genannten, der Jurist Hans Otto Frh. von Wolfersdorff, als zeitweiliger Hausgenosse der Familie Eichendorff und späterer Trauzeuge der Tochter Therese identifiziert werden.
18 Der Vertrag ist im vollen Wortlaut abgedruckt in HKA 13, S. 300–302.
19 Ebda., S. 301.
20 Vgl. HKA 13, S. 156 und S. 157; im zweiten Brief bedankt sich Friedrich Wilhelm IV. für den ihm am 14. Januar übersandten vierten Band. Zur Datierung der Ausgabe vgl. auch Wolfgang Kron, »Zur 1. Gesamtausgabe von Eichendorffs Schriften«. In: AURORA 27 (1967), S. 108 ff.

vorgesehen, von den Dramen wird dagegen lediglich »Krieg den Philistern« genannt; die eventuelle Berücksichtigung weiterer, in der Liste nicht aufgeführter Werke blieb dem Verleger anheimgestellt. Schließlich ergab sich daraus die folgende Aufteilung: der erste Band enthält die Gedichte in der Form der nur wenig überarbeiteten Sammlung von 1837, im zweiten und dritten Band erschienen die beiden Romane und das »dramatische Märchen« »Krieg den Philistern«, der vierte Band umfaßt unter dem Titel »Kleinere Novellen« die Erzählungen: den »Taugenichts«, »Das Marmorbild«, »Viel Lärmen um Nichts«, »Das Schloß Dürande«, »Die Entführung« und »Die Glücksritter«[21]. Es fehlen demnach die übrigen bereits gedruckt vorliegenden Dramen: »Meierbeths Glück und Ende« (1827/28), »Ezelin von Romano« (1828), »Der letzte Held von Marienburg« (1830) und »Die Freier« (1833), wobei offen bleibt, ob die Begründung hierfür in ihrer geringeren poetischen Qualität und mangelnden Bekanntheit oder, wenigstens in einigen Fällen, in der Tatsache zu suchen ist, daß es Simion nicht gelang, die alten Verlagsrechte zu für ihn akzeptablen Bedingungen abzulösen[22]. Nicht aufgenommen wurde ferner Eichendorffs erste umfassendere Übersetzung aus dem Spanischen, »Der Graf Lucanor« von Don Juan Manuel, die Simion Ende 1840 in einem Separatdruck herausbrachte.

Die Werkausgabe von 1841/42 gilt allgemein als »Ausgabe letzter Hand«, ihre von Eichendorff jedoch lediglich passiv autorisierten Textfassungen werden von neueren und neuesten Editionen nach wie vor als Druckvorlagen herangezogen, obwohl der Anteil des Autors an der redaktionellen Überarbeitung der früheren Drucke nachweislich äußerst gering war. Laut § 5 des Verlagsvertrages war er nur verpflichtet, die Korrekturen der »noch ungedruckten Schriften« zu erledigen, alle übrigen blieben dem Verlag überlassen, wodurch sich Eichendorffs Mitwirkung an der Drucklegung der »Werke« ausschließlich auf den ersten Band beschränkte. Dort wurden etwa fünfzig Gedichte neu eingefügt, darunter als eigene, achte Abteilung vierzehn Übersetzungen spanischer »Romanzen« des 15. und 16. Jahrhunderts nach Sammlungen von Jacob Grimm

21 Mit Ausnahme des hier wieder, wohl aufgrund seiner Popularität, vorangestellten »Taugenichts« sind die Erzählungen also in der chronologischen Reihenfolge der Erstdrucke angeordnet.

22 Vgl. den Entwurf zu dem bereits genannten Brief an Voigt & Günther vom 20. Januar 1856. HKA 12, S. 323.

(1815) und V. A. Huber (1832); dazu kamen einige Umstellungen in den übrigen Abteilungen. Offensichtlich erhielt Eichendorff ein redaktionell bereits entsprechend eingerichtetes und überarbeitetes Exemplar der Gedichtsammlung von 1837 zur Begutachtung zugeschickt, das er mit dem folgenden Schreiben an den Verlag zurücksandte:

> Ew: Hochwohlgeboren
> sende ich hiermit das Exemplar meiner Gedichte ergebenst wieder zurück. Ich habe mir erlaubt, wo ich nicht einverstanden war, darin zu streichen, kleine Abänderungen u. Bemerkungen beizuschreiben. Zugleich füge ich die Dedication nebst dem Genehmigungsschreiben v: 7t Mai c⟨urrentis⟩ bei, welches letztere ich, nach gemachtem Gebrauch, mir wieder zurückerbitte.
> Mit ausgezeichnetster Hochachtung
> ergebenster
> Eichendorff[23].

Auf die Drucklegung der übrigen Bände hat Eichendorff also höchstwahrscheinlich keinerlei Einfluß genommen; an der für die gesamte Ausgabe zu konstatierenden durchgreifenden Modernisierung von Orthographie, Lautstand, häufig auch grammatischer Fügung und Interpunktion, sowie an den allerdings nicht allzu erheblichen Eingriffen in die inhaltliche Textsubstanz ist er offensichtlich nicht beteiligt gewesen und hat sie auch vor Abschluß des Druckes nicht zur Kenntnis genommen[24].

Die Ausgabe der »Werke« Eichendorffs erschien in einer Auflage von 1100 Exemplaren; ein Honorar erhielt der Autor jedoch lediglich für die vorher noch nicht gedruckten Texte, also nur für die wenigen Ergänzungen im ersten Band, da der Verleger in diesem Zusammenhang die für die Ablösung der alten Rechte aufzuwendenden Mittel in Anrechnung

23 Brief ohne Datum und Adresse; die Erwähnung der Eichendorff unter dem 7. März 1840 von Friedrich Wilhelm IV. von Preußen mitgeteilten Dedikationsgenehmigung belegt jedoch, daß es sich um ein im genannten Zusammenhang an Simion gerichtetes Schreiben handelt. Die Hs. befindet sich im Freien Deutschen Hochstift, Frankfurt a. M.; erstmals abgedruckt bei Wolfgang Kron, »Zur Überlieferung und Entstehung von Eichendorffs Romanze ›Das zerbrochene Ringlein‹«. In: »Unterscheidung und Bewahrung«. Festschrift für Hermann Kunisch zum 60. Geburtstag. Berlin 1961, S. 185–195. (Die Ergänzung in Winkelklammern: c⟨urrentis⟩ = im laufenden Jahr, von der Verf.).

24 Ein systematischer Vergleich der »Werke« mit den ihnen zugrundeliegenden Erstdrucken ist m. W. erst für einige Texte durchgeführt worden; die bisherigen Ergebnisse haben jedoch inzwischen zu der Entscheidung geführt, für die noch ausstehenden oder zu überarbeitenden Bände der HKA die Erstdrucke als Druckvorlagen vorzuziehen.

brachte. Der Absatz verlief offenbar nur schleppend, im Januar 1856, knapp zwei Jahre vor Eichendorffs Tod, war »noch ein Vorrat von einigen 100 Exemplaren« vorhanden[25]. Gute Geschäfte machte der Verleger dagegen mit Separatausgaben der »Gedichte« und des »Taugenichts«, die er sich, ebenfalls ohne Honorierung, vertraglich vorbehalten hatte: vom »Taugenichts« eine »besondere Ausgabe« von 4000 Exemplaren, die als zweite bis vierte Auflage, jeweils zu 1000 Stück, in den Jahren 1842, 1850 und 1856 in unverändertem Nachdruck erschien. Vom Gedichtband hatte Simion sich eine um 500 Exemplare erhöhte Auflage ausbedungen, vermutlich die von ihm 1843 als zweite Auflage der »Gedichte« herausgebrachte Titelauflage des ersten Bandes der »Werke«.

Es waren diese zu seinen Ungunsten sich auswirkenden Sonderrechte des Verlegers sowie eine lästige Optionsklausel, derzufolge er auch in Zukunft alle Manuskripte bei gleichbleibendem Honorarsatz zunächst Simion anzubieten gehalten war, die Eichendorff das Geschäft mit diesem Verlag rasch verleideten; seinem Sohn gegenüber beklagt er 1847, daß die seinerzeit von ihm Beauftragten »einen höchstdummen Kontrakt geschlossen haben«[26]. Gegen die erwähnten Neuauflagen des »Taugenichts« konnte er angesichts der von ihm unterzeichneten Vereinbarungen nichts einwenden; nachdem aber 1850 eine dritte, offensichtlich ohne sein Wissen gekürzte Auflage der »Gedichte« im Miniaturformat erschienen war, erteilt er Simions Geschäftsnachfolgern Voigt & Günther 1856 die Genehmigung für eine vierte Auflage nur gegen Erhöhung des Honorars von 8 auf 10 Taler pro hundert Exemplare[27]. In demselben Brief greift er den Vorschlag des Verlages, einen neuen Kontrakt abzuschließen, wie auch den Plan einer Neuausgabe seiner Werke »im Klassikerformat« bereitwillig auf und bittet um einen entsprechenden Vertragsentwurf. In seiner weiteren Korrespondenz mit Voigt & Günther in den Jahren 1856 und 1857 wird der zugesagte Vertragsabschluß von ihm noch mehrmals in Erinnerung gebracht, vom Verlag schließlich auch eine diesbezügliche Regelung bis spätestens Juli 1857 zugesagt, sie kam jedoch vor Eichendorffs Tod nicht mehr zustande.

25 Laut einer Mitteilung des Verlages Voigt & Günther an Eichendorff vom 17. Januar 1856, HKA 13, S. 213; im folgenden Brief vom 22. Januar wird der Vorrat mit etwa 420 Exemplaren angegeben; HKA 13, S. 214.
26 Brief an Hermann von Eichendorff vom 9. Februar 1847; HKA 12, S. 84.
27 Brief vom 20. Januar 1856; vgl. Anm. 5.

Hermann von Eichendorff nahm als Verwalter des väterlichen literarischen Nachlasses die Verhandlungen mit dem Verlag Voigt & Günther in Leipzig sogleich wieder auf und war 1858 bereits mit der Vorbereitung der neuen Werkausgabe befaßt[28]; sie erschien in sechs Bänden 1864 und trägt den Titel »Joseph Freiherrn von Eichendorff's sämmtliche Werke. Zweite Auflage«[29]. Gegenüber der Ausgabe der »Werke« von 1841/42 ist sie wesentlich erweitert: sie umfaßt zusätzlich alle zu Lebzeiten des Dichters gedruckten Dramen (Bd. 4), deren Fehlen in den »Werken« Eichendorff bereits 1856 gegenüber Voigt & Günther moniert hatte[30]; ferner die 1846 und 1853 in zwei Bänden bei Cotta in Stuttgart veröffentlichten Übersetzungen von »Geistliche⟨n⟩ Schauspiele⟨n⟩« Calderons sowie die schon erwähnte Novellensammlung »Der Graf Lucanor« von 1840 (Bd. 5 und Bd. 6); die Erzählungen (Bd. 3) wurden durch zwei von Eichendorff selbst nicht publizierte Texte aus dem Nachlaß, »Eine Meerfahrt« und die politische Satire »Libertas und ihre Freier«, vermehrt, in diesen Band sind außerdem die in den fünfziger Jahren gedruckten Epen »Julian« (Simion, 1853), »Robert und Guiscard« (Voigt & Günther, 1855) und »Lucius« (Voigt & Günther, 1857) aufgenommen worden; Band 2 enhält die beiden Romane, Band 1 die, stark überarbeitete, Gedichtsammlung sowie eine ausführliche »Biographische Einleitung« aus der Feder des Sohnes.

In Ergänzung der »Sämmtlichen Werke« erschien 1866/67 bei Ferdinand Schöningh in Paderborn eine, vermutlich wenigstens teilweise, ebenfalls von Hermann von Eichendorff betreute Ausgabe »Vermischte Schriften« in fünf Bänden[31]. Sie enthält in den beiden ersten Bänden die dritte Auflage der zuerst 1857 bei Schöningh veröffentlichten »Geschichte

28 Vgl. seinen Brief an Cotta vom 27. Oktober 1858, im Besitz des Deutschen Literatur-Archivs, Marbach.

29 Joseph Freiherrn von Eichendorff's sämmtliche Werke. Zweite Auflage. Mit des Verfassers Portrait und Facsimile. 6 Bde. Leipzig, Voigt & Günther 1864.

30 HKA 12, S. 323.

31 Nach Angaben von Wilhelm Kosch war zunächst eine alle Schriften Eichendorffs vereinigende Gesamtausgabe bei Voigt & Günther geplant, die jedoch am Widerstand Schöninghs, der die bei ihm liegenden Rechte an den literarhistorischen Schriften nicht zu veräußern gedachte, sondern anscheinend selbst an einer Gesamtausgabe aller Werke und Schriften interessiert war, scheiterte. Die Trennung in zwei sich ergänzende Sammlungen war das Ergebnis eines zwischen beiden Verlagen letztendlich geschlossenen Kompromisses. Vgl. Wilhelm Kosch im Vorwort zu Bd. 1/1 ⟨1923⟩ der HKA, S. XIV.

der poetischen Literatur Deutschlands«, in den beiden folgenden Bänden die jeweils zweite Auflage der übrigen literarhistorischen Schriften: »Der deutsche Roman des achtzehnten Jahrhunderts in seinem Verhältniß zum Christenthum« und »Zur Geschichte des Dramas« (zuerst 1851 bzw. 1854 bei Brockhaus in Leizig erschienen). Im fünften Band mit dem Titel »Aus dem literarischen Nachlasse Joseph Freiherrn von Eichendorffs« edierte Hermann von Eichendorff einige umfangreichere Texte aus den hinterlassenen Papieren seines Vaters und vermittelte damit der literarischen Öffentlichkeit bisher weitgehend unbekannte Aspekte seines schriftstellerischen Werkes. Erstmals gedruckt wurden hier die im Auftrag Theodor von Schöns entstandene Studie über »Die Herstellung des Schlosses der deutschen Ordensritter zu Marienburg«, ferner Eichendorffs Zulassungsarbeit für das zweite juristische Staatsexamen über »Die Aufhebung der geistlichen Landeshoheit und die Einziehung des Stifts- und Klostergutes in Deutschland«[32], eine von mehreren politischen Abhandlungen über preußische Verfassungsfragen, der Hermann von Eichendorff den Titel »Über Verfassungs-Garantien« gab, eine politische Prosa-Satire aus den dreißiger Jahren mit dem, ebenfalls von Hermann von Eichendorff eingesetzten, Titel »Auch ich war in Arkadien«[33], eine Rezension »Landsknecht und Schreiber«[34] und schließlich zwei Kapitel aus den autobiographischen Fragmenten, die er unter der Überschrift »Erlebtes« zusammenfaßte[35].

Zehn Jahre nach Eichendorffs Tod lagen damit in diesen beiden Ausga-

32 Der Titel wurde vermutlich von Hermann von Eichendorff eingesetzt; er lautet in der Handschrift »Über die Folgen von der Aufhebung der Landeshoheit der Bischöfe und Klöster in Deutschland«. Vgl. den Abdruck in »Historische, politische und biographische Schriften des Freiherrn von Eichendorff«. Mit Unterstützung von Hugo Häusle hg. von Wilhelm KOSCH. (HKA 10). Regensburg ⟨1911⟩, S. 143ff.

33 Die Hs., ebenfalls im »Berliner Nachlaß«, trägt keinen Titel.

34 Es handelt sich dabei um eine Besprechung des von Friedrich Fürst von Schwarzenberg (1800–1870) anonym veröffentlichten Werkes »Aus dem Wanderbuche eines verabschiedeten Lanzknechtes«, 4 Bde., Wien 1844f. Vgl. »Literarhistorische Schriften von Freiherrn Joseph von Eichendorff«. I. Aufsätze zur Literatur. Hg. von Wolfram MAUSER. HKA 8/1, Regensburg 1965, S. 210f.

35 Der Titel des ersten Fragments lautet in der Hs. »Adel und Revolution«, Hermann von Eichendorff hat ihn ersetzt durch die allgemeinere Formulierung »Deutsches Adelsleben am Schlusse des achtzehnten Jahrhunderts«. (Die Hs. befindet sich im Eichendorff-Museum in Wangen/Allgäu).

ben nicht nur die gesamten zu seinen Lebzeiten gedruckten poetischen Werke, die literarhistorischen Schriften und die Übersetzungen vor, sondern auch seine beiden politischen Prosa-Satiren, ferner Proben aus den Memoirenfragmenten, den historischen und politischen Essays und schließlich aus den journalistischen Arbeiten. Der Wert dieser Präsentation eines Gesamtbildes des Autors Eichendorff wird allerdings stark vermindert durch die Editionsgrundsätze, von denen sich der Sohn leiten ließ. Die Textrevision beschränkt sich nicht nur auf eine neuerliche, radikalere Modernisierung von Orthographie, Lautstand und Interpunktion, ihr mußten beispielsweise auch vom Autor sicher bewußt gebrauchte Archaismen und umgangssprachliche Wendungen weichen. Weitergehende Texteingriffe weisen insbesondere die mit Sicherheit von Hermann von Eichendorff bearbeiteten Nachlaßeditionen auf; ihre Tendenz läßt sich daher, soweit sie heute noch an Handschriften überprüfbar ist, am deutlichsten am Gedichtband der »Sämmtlichen Werke« sowie am fünften Band der »Vermischten Schriften« aufzeigen[36].

Bei den Gedichten hat Hermann von Eichendorff zunächst die nicht autorisierten Streichungen der Auflagen von 1850 und 1856 mit wenigen Ausnahmen wieder rückgängig gemacht und die Sammlung um einige noch von seinem Vater zur Veröffentlichung zusammengestellte Texte erweitert, allerdings auch um frühe Gedichte, die von diesem vermutlich mit Bedacht verworfen worden waren; er hat eine Reihe von Umstellungen, bei fragmentarischen Gedichten aus dem Nachlaß auch Ergänzungen vorgenommen. Besonders bezeichnend ist jedoch, daß er aus einem von seinem Vater für die geplante Neuausgabe vorgesehenen Gedicht-Zyklus, der sich eindeutig auf die Ereignisse von 1848 bezieht, zwei besonders polemisch formulierte Texte strich (darunter Eichendorffs bittere Glosse auf den deutschen Servilismus: »Familienähnlichkeit«) oder bei anderen durch falsche Datierung die politischen Implikationen verschleierte, so daß etwa die beiden zweifellos aus den Jahren 1848/49 stammenden, unter dem Titel »Der Freiheit Wiederkehr« zusammengefaßten Gedichte durch die Datierung auf 1814 als Anspielung auf die Befreiungskriege »umge-

36 Ich muß mich hier allerdings auf einige kurze, allgemeine Bemerkungen beschränken; eine detaillierte Studie über Hermann von Eichendorff als Verwalter des literarischen Nachlasses und Herausgeber der Werke seines Vaters steht noch aus.

deutet« werden[37]. In ähnlicher Weise ging Hermann von Eichendorff bei der redaktionellen Überarbeitung jener Satire auf das Hambacher Fest vor, die er unter dem Titel »Auch ich war in Arkadien« (er fehlt in der Handschrift) in den fünften Band der »Vermischten Schriften« aufnahm. Auch hier zeigt sich die Tendenz zu sprachlich-stilistischer Glättung und Purgierung, insbesondere aber wieder der Versuch, durch Umformulierungen oder gar durch Streichung einer ganzen Textpassage den in der Nennung von Namen und historischen Daten allzu direkten Bezug auf das zeitgeschichtliche Ereignis zu entschärfen, so daß er schließlich nur noch sehr vage im poetisch-parodistischen Bild verschlüsselt bleibt[38]. Auch wenn Hermann von Eichendorff meinte, sich bei derartigen Texteingriffen auf den Autor selbst berufen zu können , der ja bekanntlich bis zum Schluß zögerte, diese und ähnliche Arbeiten der Öffentlichkeit zu übergeben, so läßt sich doch die Zurückhaltung des Vaters mit den vom Sohn an den Texten vorgenommenen Retuschen sicher nicht in Übereinstimmung bringen. Aus demselben Grund ist seine biedermeierlich stilisierende Beschreibung von »Leben und Schriften« Joseph von Eichendorffs im ersten Band der »Sämmtlichen Werke« durchaus fragwürdig in ihrem Informationswert, wenn auch im Detail gelegentlich hilfreich; sie hat das Klischee des zeitlosen Romantikers in der Literaturgeschichte sicher entscheidend mitgeprägt.

Die »Sämmtlichen Werke« und die »Vermischten Schriften« wurden in Auflagen von je 2000 Exemplaren auf den Markt gebracht, beide Ausgaben ließen sich jedoch offensichtlich nur schleppend absetzen. Der Verleger Günther bot zu Anfang der siebziger Jahre die noch vorhandenen größeren Vorräte der »Sämmtlichen Werke« in einer neu aufgebundenen Titelauflage als »Zweite Auflage, neuer Abdruck« an, verkaufte aber schließlich 1878 alle Rechte an den Texten Eichendorffs an den Leipziger Verlag von C. F. Amelang[39]. Dort erschien 1883 eine vierbändige, als dritte Auflage bezeichnete neue Ausgabe »Sämtliche⟨r⟩ poetische⟨r⟩ Werke« Eichendorffs. Sie entspricht inhaltlich, mit einigen Umstellungen, den ersten vier Bänden der Ausgabe von 1864, ist aber noch strenger nach

37 Vgl. hierzu die Anmerkungen zur »Nachlese der Gedichte« im 4. Bd. der Winkler-Ausgabe, S. 729 ff.

38 Vgl. auch unten S. 379 die Bemerkungen zum Abdruck des Textes in der Ausgabe von Ludwig Krähe.

39 Vgl. hierzu wieder W. Kosch in HKA 1/1, S. XV ff.

Gattungen geordnet: Band 1 enhält die Lyrik und die »Erzählenden Gedichte«, Band 2 die Romane, Band 3 die Dramen; in Band 4 wurde zu den gesammelten »Novellen« die von Hermann von Eichendorff überarbeitete, jedoch im Tenor nicht veränderte Biographie aufgenommen. Bei den einzelnen Texten ist jeweils das Erscheinungsjahr des Erstdrucks genannt, bei den Veröffentlichungen aus dem Nachlaß der vermutete Zeitpunkt der Entstehung. Zum dreißigsten Todestag des Dichters 1887 brachte Amelang als »Neuerscheinung« nochmals eine Titelauflage dieser Ausgabe heraus.

Nach Ablauf des Urheberrechtsschutzes im selben Jahr und mit der Hundertjahrfeier von Eichendorffs Geburtstag 1888 finden seine Werke nach und nach Aufnahme in die Klassiker-Programme aller auf diesem Gebiet bekanntgewordenen Verlage, vom Leipziger Bibliographischen Institut (»Meyers Klassiker-Ausgaben in 150 Bänden«) über Hesse & Becker, das Deutsche Verlagshaus Bong & Co. in Berlin, bis zu Cotta und Reclam. Angeboten wird in der Regel eine zwei- oder vierbändige Auswahl, beschränkt auf die »poetischen« Werke: die Gedichte, die Erzählungen (häufig nur die bekanntesten) und die Romane (oft nur »Ahnung und Gegenwart«); der Kanon richtet sich aus am Bestand der »Werke« von 1841/42, d.h. man verzichtet auf die Dramen, Satiren, Übersetzungen, die literarhistorischen und historisch-politischen Schriften sowie die autobiographischen Fragmente.

Keine dieser Teilsammlungen erhebt explizit den Anspruch der Wissenschaftlichkeit, doch erscheinen schon um 1890 erstmals »kritisch durchgesehene und erläuterte« Werkausgaben, in denen der Versuch unternommen wird, dem Benutzer die Erschließung der Texte zu erleichtern: durch Fußnoten zum besseren Verständnis einzelner Textstellen sowie durch, allerdings meistens sehr knapp gehaltene, Anmerkungen zur Entstehungs- und Druckgeschichte, zur literarhistorischen Einordnung mit Hilfe von Verweisen auf zeitgenössische Themen- und Motivzusammenhänge und so weiter. Sehr häufig ist ein alphabetisches Verzeichnis der Gedichtüberschriften und -anfänge beigegeben, gelegentlich mit Vermerk der Erstdrucke. Die vorangestellten biographischen Einleitungen stellen allerdings in der Regel nur mehr oder weniger umfangreiche Zusammenfassungen der Lebensbeschreibung des Sohnes dar[40].

40 Verzeichnisse dieser Teilsammlungen, mit Auflistung des Inhalts, finden sich bei Karl von Eichendorff: »Ein Jahrhundert Eichendorff-Literatur«. HKA 22, Regensburg ⟨1924⟩, S. 76ff. und in der Bibliographie von Wolfgang

Der übliche Rahmen wird lediglich von der in Textwiedergabe und Anmerkungen auch heute noch durchaus brauchbaren Werkauswahl in vier Teilen (2 Bde.) erweitert, die Ludwig Krähe ⟨1908⟩ in der Goldenen Klassiker-Bibliothek bei Bong herausgegeben hat. Mit der Abteilung »Satirische Schriften« – sie enthält »Meierbeths Glück und Ende« (»Tragödie mit Gesang und Tanz«) sowie die Prosatexte »Viel Lärmen um Nichts«, »Auch ich war in Arkadien!« und »Libertas und ihre Freier« – wird eine vorher noch kaum konturierte eigene »Gattung« oder doch Schreibweise innerhalb des Eichendorffschen Werkes nachgewiesen und damit das gängige Bild des Dichters um einen nicht unwichtigen Aspekt bereichert. Krähe druckt im übrigen die satirische Erzählung »Auch ich war in Arkadien!« erstmals unverändert nach der Handschrift ab und konstatiert dabei, daß Hermann von Eichendorffs Wiedergabe in den »Sämmtlichen Werken« von 1864 »mehrere Pointen verwischt« und »merkwürdigerweise« bestimmte Wörter durch andere ersetzt oder – wie das Wort »liberal« – gar streicht, er stellt jedoch keine weiteren Überlegungen zur Intention solcher Texteingriffe an[41].

Mit dem Vorschlag einer historisch-kritischen Gesamtausgabe der Werke Eichendorffs, die der Verleger Joseph Habbel in Regensburg 1906 an Wilhelm Kosch herantrug, wurde ein Unternehmen in Gang gesetzt, das, allgemein als Desiderat anerkannt, zunächst auch florierte, jedoch durch zwei Weltkriege und den damit verbundenen Verlust eines großen Teiles der überlieferten Handschriften immer wieder behindert oder gänzlich in Frage gestellt wurde. Kosch legte mit Bedacht zunächst zwischen 1908 und 1911 die Tagebücher Eichendorffs (Bd. XI) und seine Korrespondenz (Bd. XII und Bd. XIII) sowie die historischen, politischen und biographischen Schriften (Bd. X), jeweils nach den Handschriften ediert, vor. Es folgte die Edition der beiden Romane (Bd. III, 1913 und Bd. IV, 1939), der Gedichte (zunächst nur der Inhalt der Sammlung von 1841/42) und Epen (Bd. I/1.2., 1923) und schließlich der Dramen (Bd. VI, 1950). Daß die Kommentarteile dieser Bände heute, nach dreißig bis fünfundsiebzig Jahren, überholt sind, verwundert nicht. Gravierender wirkte sich der in Koschs Konzept der Ausgabe festgelegte, folgen-

KRON in »Eichendorff heute«. Stimmen der Forschung mit einer Bibliographie. Hg. von Paul STÖCKLEIN. München 1960, S. 280ff.

41 Eichendorffs Werke. Hg. von Ludwig KRÄHE. 4 Teile in 2 Bdn. Deutsches Verlagshaus Bong & Co., Berlin u. a. ⟨1908⟩; 4. Teil, S. 10.

schwere Entschluß aus, den Lesartenapparat für alle Texte dem letzten Band (geplant waren 24) und damit einer ferneren Zukunft vorzubehalten. Nach dem Verlust des größten Teiles des Neisser Eichendorff-Nachlasses am Ende des Zweiten Weltkrieges ist jedoch nun eine Edition vieler und zwar gerade der zentralen Werke nach den Handschriften nicht mehr möglich; um so mehr Bedeutung für die Eichendorff-Forschung kommt damit jenen noch zu erwartenden Bänden zu, die, wenn auch nur für Teilbereiche, auf handschriftliches Material zurückgreifen können.

1962 übernahm Hermann Kunisch die Herausgeberschaft[42], seitdem erschienen weitere, bisher unbekannte, fragmentarische Cervantes- und Calderon-Übersetzungen (Bd. XVI, 1966, ed. von K. Dahme), ferner die gesamten literarhistorischen Schriften (Bd. VIII/1.2., 1962/65 und Bd. IX/ 1970; vgl. Anm. 34) und eine Sammlung aller bislang erfaßten Dokumente zur Eichendorff-Rezeption bis zum Jahre 1862 (Bd. XVIII/1.2.3., 1975/ 76/86; vgl. Anm. 13). Weiterhin geplant ist die Edition der bisher gänzlich fehlenden Erzählungen, aller Memoiren- und anderen Fragmente, die Publikation einer Auswahl der von Eichendorff während seiner Tätigkeit im Preußischen Kultusministerium erstellten amtlichen Akten sowie die Neubearbeitung der unter Kosch herausgegebenen Bände mit den erforderlichen Ergänzungen durch inzwischen (wieder-) aufgefundene Materialien. Die Ausgabe ist inzwischen vom Verlag Kohlhammer, Stuttgart, in dessen umfangreiches Programm historisch-kritischer Klassiker-Editionen übernommen worden.

Zum Abschluß ist noch ein Blick zu werfen auf die neuesten Gesamtausgaben der Werke Eichendorffs, sofern es sich dabei um wissenschaftlich zuverlässige, »zitierfähige« Studienausgaben handelt[43]. Von Gerhard Baumann in Verbindung mit Siegfried Grosse herausgegeben, erschien 1957/58 bei Cotta eine »Neue Gesamtausgabe der Werke und Schriften« Eichendorffs in vier Bänden, die sich mit Recht als die bisher vollständigste bezeichnen kann; ihr erklärtes Ziel ist es, »Eichendorff in seinem

42 Inzwischen ist als weiterer Herausgeber Helmut KOOPMANN, Augsburg, hinzugetreten.

43 In den im folgenden genannten Werk-Ausgaben wurde in der Regel die Orthographie modernisiert, zumeist jedoch bei Wahrung des Lautstandes und besonderer Eigenheiten der Eichendorffschen Schreibweise.

ganzen Umfang vorzulegen«[44] und sich damit von der durch alle bisherigen populären Editionen geförderten »Einengung des Eichendorff-Bildes« abzusetzen. Die Ausgabe versucht daher, »alles Erreichbare und Gesicherte zu sammeln«[45], d.h. sämtliche Werke und Schriften Eichendorffs unter Einbezug der bisher verstreut und z.T. an entlegenen Orten abgedruckten Fragmente, Entwürfe, Varianten und Paralipomena; einige Texte werden in mehreren Fassungen wiedergegeben, so wird zum »Taugenichts« auch die sogenannte »Urfassung« »Der neue Troubadour« abgedruckt und von der Staatsarbeit nicht nur die von Hermann von Eichendorff in den »Vermischten Schriften« publizierte Fassung, sondern auch Wilhelm Koschs Edition in der historisch-kritischen Ausgabe[46]. Das Nachwort bietet eine, allerdings sehr knappe, Charakteristik des Autors und seines Werkes; der vierte Band enthält zudem eine ausführliche tabellarische Übersicht der Lebens- und Werkdaten. Die Ausgabe von Grosse/Baumann vermag jedoch hinsichtlich der Zuverlässigkeit der Textwiedergabe einer kritischen Prüfung nicht immer standzuhalten, sie verzichtet außerdem auf jede Art von Kommentar.

Von der Ausgabe des Winkler Verlages, herausgegeben von Ansgar Hillach und Klaus-Dieter Krabiel, sind der erste Band 1970, der fünfte und bisher letzte 1988 erschienen. Die Ausgabe enthält das gesamte poetische Werk (Bde. 1 und 2), die literaturkritischen Schriften (Bd. 3), eine Nachlese der in den ›Werken‹ von 1841/42 noch nicht enthaltenen Gedichte sowie erzählerische, dramatische und autobiographische Entwürfe und eine an den erhaltenen Handschriften nachgeprüfte Edition der Tagebücher (Bd. 4); der 5. Band bietet die historisch-politischen Schriften und ein Nachwort zur Gesamtausgabe von Peter Horst Neumann. Druckvorlage war in der Regel die Ausgabe der »Werke« von 1841/42, wobei alle Texte unter Heranziehung der Erstdrucke kritisch überprüft wurden, erforderliche Texteingriffe und wichtige Lesarten werden nachgewiesen. Bei später erschienenen Texten wurde jeweils der Erstdruck als Druckvorlage gewählt. Sorgfältig erarbeitete Anmerkungen teilen das

44 Joseph Freiherr von Eichendorff, »Neue Gesamtausgabe der Werke und Schriften in vier Bänden«. Hg. von Gerhard BAUMANN, in Verbindung mit Siegfried GROSSE. J.G. Cotta'sche Buchhandlung Nachf., Stuttgart 1957f. Hier Bd. 4, S. 1530.

45 Ebda.

46 Ebda., S. 141ff. sowie 1083ff. und S. 1133ff.

Wesentliche zu den Quellen, zur Entstehungs- und Druckgeschichte und zum sachlichen Verständnis der Texte mit, eine kenntnisreiche und prägnant formulierte Einführung sowie eine Zeittafel (in Bd. 1) und verschiedene Register vervollständigen die dem Benutzer willkommenen Informationen.

Den Anspruch, eine »umfassende Auswahl« zu bieten, erfüllen die von Manfred Häckel im Aufbau-Verlag, Berlin, herausgegebenen, mit einer umfangreicheren Einleitung und Anmerkungen zu allen Texten versehenen »Gesammelten Werke« (3 Bde., 1962); mit der Aufnahme einer »Nachlese« zu den Gedichten, vor allem aber der bekanntesten autobiographischen Schriften, der nur wenig gekürzten Tagebücher und einer Briefauswahl erweitern sie den Grundbestand früherer Teilsammlungen erheblich.

Einem engeren Begriff des »poetischen Œuvres« bleibt schließlich die von Wolfdietrich Rasch besorgte einbändige Werkauswahl des Carl Hanser Verlages (1. Aufl. München 1955, in der 4. Aufl., 1971, mit Anmerkungen versehen) verhaftet. Sie behält die nicht unproblematische strikte Trennung des »Dichters« Eichendorff einerseits und des »Schriftstellers und Übersetzers« andererseits dezidiert bei und vereinigt in diesem Sinne nur »Eichendorffs dichterisches Vermächtnis [...], soweit es fraglos künstlerische Geltung besitzt«[47]. Die Sammlung orientiert sich demnach am traditionellen Kanon früherer Auswahlausgaben, erweitert diesen aber doch durch eine Abteilung »Verstreut gedruckte und nachgelassene Gedichte« sowie durch den Abdruck des »Unstern«-Fragmentes, des »Kapitels von meiner Geburt« und der bereits von Hermann von Eichendorff unter der Überschrift »Erlebtes« veröffentlichten autobiographischen Fragmente.

Von der vom Deutschen Klassiker Verlag (Frankfurt a. M.) angekündigten sechsbändigen Werkausgabe liegen mittlerweile zwei Bände vor: »Gedichte. Versepen«. Hg. v. H. Schultz (1987) und »Ahnung und Gegenwart«. »Erzählungen I.« Hg. v. W. Frühwald und B. Schillbach (1985).

47 Joseph von Eichendorff, »Werke«. Hg. von Wolfdietrich Rasch. 2., durchgesehene und erweiterte Auflage. Carl Hanser Verlag, München, 1959, S. 1575.

Joseph von Eichendorff: Geistliche Gedichte

Irmgard Scheitler

Im Jahre 1843 charakterisierte der Dichter und Literaturkritiker Gustav Pfizer in seiner Besprechung der Ausgabe von Eichendorffs »Werken« (1841/42) die Abteilung der »Geistlichen Gedichte« wie folgt: »Die ›Geistlichen Gedichte‹ sind freilich nicht von der Art, daß sie in Gesangbücher könnten aufgenommen werden; in manchen ist ebenso viel weltliche als geistliche Poesie«[1]. Pfizers paradoxe Beobachtung, diese Gedichte seien nicht nur geistlich, sondern auch weltlich, umkehrend, hatte bereits sechs Jahre zuvor der Rezensent von Eichendorffs Gedichtausgabe von 1837 in der Stuttgarter Literaturzeitschrift »Der Spiegel« notiert: »In dem sechsten Buch, das die Überschrift ›geistliche Gedichte‹ führt, hätten noch ein großer Theil der in die übrigen Bücher vertheilten Lieder seinen schicklichen Platz finden können, denn alle diese Gedichte sind fromm und geistlich. Eichendorff gehört nicht unter Die, welche besondere weltliche und besondere geistliche Lieder machen«[2]. Auch hier wird also wieder festgestellt, daß ein der Gattungserwartung »Geistliches Lied« entsprechender spezifisch religiöser Charakter in Eichendorffs »Geistlichen Gedichten« oftmals vergeblich gesucht wird.

In der Tat deuten bereits die Überschriften vieler Gedichte dieser Gruppe, ja gerade von einigen der berühmtesten wie »Mondnacht«, »Der Einsiedler«, »Abend«, »Frühling«, »Morgendämmerung«, »Schiffergruß« eher auf ein weltliches als auf ein geistliches Lied. Nicht anders ist es mit den Texten selbst. Heilige Namen, Begriffe wie Gnade, Erlösung, Sünde, Heil, Glaube, Anspielungen auf Bibel und Liturgie sind in vielen Gedichten konsequent vermieden. Im Grunde *zwingt* der Text an keiner Stelle zu

1 Joseph von Eichendorff im Urteil seiner Zeit. Hrsg. von G. u. I. Niggl. HKA XVIII, I, S. 604.
2 Ebd., S. 434.

einer religiösen Auslegung. Gerade dies mußte den zeitgenössischen Rezensenten auffallen, denn, soweit ich sehe, sind Eichendorffs »Geistliche Gedichte« in dieser ihrer Besonderheit weitgehend ohne Parallele[3].

Heinrich Kurz vergleicht in seinem »Handbuch der poetischen Nationalliteratur der Deutschen« (1842) Eichendorffs Naturbetrachtung in dem Gedicht »Ostern« mit derjenigen von Karl Mayer[4]. Ich führe einen von Karl Mayers kleinen Versen aus der Beispielsammlung von Kurz an, um den Unterschied deutlich werden zu lassen:

Trostesfunken

Aus regennasser Dickichtsnacht
Blinkt mir des Scheinwurms stille Pracht.
So weiß uns Gott auf finstern Wegen
Auch Funken Trostes nah zu legen[5].

Mayer benützt die Natur nach Art des alten Brockes als Lehrbuch. Er zieht Analogieschlüsse, deren Concetto in der offengelegten Ähnlichkeit zwischen den Vergleichsgliedern liegt. Eichendorff vergleicht nicht und

3 Am aufschlußreichsten ist in dieser Hinsicht die Anthologie Geistliche Blumenlese aus deutschen Dichtern von Novalis bis auf die Gegenwart. Hrsg. von H. KLETKE, Berlin 1841. Kletke, selbst Dichter, hat ein gutes Gespür für poetischen Wert. Frömmelndes und allzu Lehrhaftes erscheinen hier nicht; das ästhetische Kriterium ist bestimmend. Die Ähnlichkeiten mit Eichendorffs Bildsprache sind groß. Trotzdem findet man kaum indirekt Religiöses. Zu nennen sind lediglich das Gedicht »Du holdes Licht« des Herrnhuter Bischofs J. B. von Albertini, das zwar keine religiöse Terminologie, dafür aber, besonders in den Reimen, etwas ungeschickte Kirchenlied-Anklänge aufweist. Zudem läßt die Überschrift »Weihnachten« keinen Zweifel am religiösen Charakter (KLETKE, Geistliche Blumenlese. S. 18). Das Gedicht »Ewigkeit« desselben Autors verzichtet ebenfalls auf religiöse Stichwörter, unterscheidet sich aber von Eichendorff und dessen Naturbildlichkeit durch seine begriffliche Abstraktheit, die eher weisheitlich wirkt. (Ebd., S. 31).

4 Heinrich KURZ, Handbuch der poetischen Nationalliteratur der Deutschen von Haller bis auf die neueste Zeit. Vollständige Sammlung von Musterstücken aus allen Dichtern und Dichtungsformen, nebst Angabe der früheren Lesarten, biographischen Notizen und literarisch-ästhetischem Kommentar. 3. Abt.: Kommentar. Zürich 1842, S. 401: »In einigen Liedern, z. B. ›Gute Nacht‹ und ›Ostern‹ neigt er sich zu der eigentlichen Naturbetrachtung, von der oben bei MAYER (S. 394 ff.) gesprochen wurde.«

5 KURZ, Handbuch. 3. Abt.: Schiller bis Beck. Zürich 1840, S. 659.

lehrt nicht, er schließt nicht umständlich von der Naturbetrachtung auf Religiöses, sondern eröffnet eine neue Sicht, die beides vereint.

Ostern

Vom Münster Trauerglocken klingen,
Vom Tal ein Jauchzen schallt herauf.
Zur Ruh sie dort dem Toten singen,
Die Lerchen jubeln: Wache auf!
Mit Erde sie ihn still bedecken,
Das Grün aus allen Gräbern bricht,
Die Ströme hell durchs Land sich strecken,
Der Wald ernst wie in Träumen spricht,
Und bei den Klängen, Jauchzen, Trauern,
Soweit ins Land man schauen mag,
Es ist ein tiefes Frühlingsschauern
Als wie ein Auferstehungstag[6].

Bezeichnenderweise trug das Gedicht bei seinem Erstdruck im »Deutschen Musenalmanach« 1833 den Titel »Frühlingsklänge«.

Nun soll freilich nicht behauptet werden, alle Texte der Abteilung »Geistliche Gedichte« seien frei von eindeutig religiösen Konnotationen, immerhin aber doch ein beträchtlicher Teil. Die Abteilung enthält, den Vorspruch eingeschlossen, 84 Gedichte. Einen religiöse Inhalte im weitesten Sinn signalisierenden Titel tragen nicht mehr als 27 Gedichte. Dabei sind schon jene Texte mitgezählt, die unter Abänderung ihrer ursprünglichen Überschrift erst in der Ausgabe der Gedichte von 1837 einen religiösen Titel bekamen. Dies gilt außer für drei Gedichte aus dem Zyklus »Jugendandacht« (5, 6, 7, in der Handschrift unter dem Titel »Im Frühling«) für »Gottes Segen« (zuerst »das Kind«), für »Sonntag« (zuerst »Frühmorgens«) und für »Ostern« (zuerst »Frühlingsklänge«) , also für insgesamt sechs Gedichte. Bemerkenswert ist, daß ein Gedicht, das in der Ausgabe von 1837 im Zyklus »Jugendandacht« stand, bei der Werkausgabe von 1841 mit dem Titel »Trauriger Winter« in die Abteilung »Frühling und Liebe« abwanderte.

Wenigstens 40, also knapp die Hälfte der 84 Verstexte der Gruppe

6 Joseph von Eichendorff, Werke. Hrsg. von W. Rasch. München ^{4}1971, S. 270 (Zit.: Werke).

»Geistliche Gedichte« kommen völlig ohne eindeutig religiöse Konnotationen aus. Rein vom Sprachmaterial her lassen sie sich mithin sowohl weltlich als auch geistlich lesen. Für ungefähr zehn weitere Gedichte gilt das gleiche mit Ausnahme weniger Zeilen. Dazu kommen noch drei kleine Gnomen, deren Auftreten in der Abteilung der »Geistlichen Gedichte« eher erstaunt und die im folgenden unberücksichtigt bleiben.

Eine Entwicklung oder Veränderung läßt sich schwerlich feststellen. Doppelt lesbar sind Gedichte aus allen Alters- oder (falls es so etwas gibt) Entwicklungsstufen des Autors. Allenfalls kann man gegenüber dem Jugendwerk in späteren Jahren ein immer selbstverständlicheres Umgehen mit religiöser Indirektheit (wie ich Eichendorffs Verfahren nennen will) beobachten. Allzu Frommes, wie es noch der Angehörige des Loeben-Kreises schrieb, hat der reifere Dichter vermieden. So wurde das Lied »An den heiligen Joseph« aus dem Jahr 1808 bei der Aufnahme in die Gedichtsammlung von 1837 um die letzte, konventionell fromme Strophe beschnitten. Eine Reihe seiner Marienlieder aus der frühen Jugendzeit hat Eichendorff wohl aus dem gleichen Grund nicht veröffentlicht.

Nun stellt sich natürlich die Frage, mit welchen Mitteln diese Gedichte trotz des Fehlens von religiösen »Zündkerzen« den Anstoß vermitteln, sie als geistliche Gedichte zu verstehen. Ihre Zuordnung zu einer Rubrik »Geistliche Gedichte« ist, sofern vom Autor nicht selbst vorgenommen, so doch wenigstens von ihm gutgeheißen, das Manuskript von »Mondnacht« z.B. trägt von Eichendorffs Hand den Vermerk »geistl.«[7]. Die Frage nach den Stilmitteln, ihr Aufzählen, bedeutet notwendigerweise eine Vereinzelung im Dienst der Argumentation. Nicht ein einzelnes Stilmittel für sich genommen aber gibt den Anstoß, sondern deren Zusammenwirken. Trotzdem haben wir sie getrennt zu beobachten.

An erster Stelle ist die Bildlichkeit zu nennen. Ich sage nichts Neues, wenn ich bemerke, daß sie weder originell noch besonders abwechslungsreich ist. Eichendorff hat sie größtenteils aus der Poesie seiner romantischen Vorgänger und Zeitgenossen übernommen und verwendet sie immer wieder. Allerdings erzielt gerade diese Wiederholung – fast möchte ich sie leitmotivisch nennen – eine bedeutsame Wirkung: sie erschafft in einer Art Autor-Leser-Kontrakt eine spezifische Verständnisebene: die Romantisierung der Wirklichkeit, die Poetisierung des Alltäglichen, die

7 Vgl. das Faksimile in: LJB NF 15 (1974).

Metaphorisierung des Wahrnehmbaren. Damit soll nicht gesagt sein, daß gewisse Bilder in Eichendorffs Poesie etwa immer dasselbe bedeuten und der Leser sie *deshalb* doppelt lesen kann. Peter Paul Schwarz hat überzeugend dargestellt, wie vielfältige Assoziationen etwa die Tagzeiten in Eichendorffs Dichtung erwecken können[8]. Trotzdem setzt der Dichter voraus, daß der Leser seine Hieroglyphen entziffern kann, und zwar ohne daß ihm die Auflösung mitgeliefert wird. Ein Vergleich möge das Gemeinte verdeutlichen. Ernst Moritz Arndt verwendet weitgehend die gleichen Bilder wie Eichendorff, aber er legt sie aus, erklärt sie in religiöser Sprache[9]. So heißen die letzten zwei Strophen des 1818 entstandenen Gedichtes »Empor!«

Drum auf, mein Geist, und schwinge dich
Die hellen Sternenstraßen!
Was irdisch ist, wirf hinter dich!
Du mußt es doch verlassen.
Das Unten muß für andre sein,
Das Droben bleibet ewig dein –
Zur Heimat woll'n wir fliegen.

Drum auf! Mein Geist! Mein froher Geist!
Zur Heimat woll'n wir fliegen;
Die Erde und was irdisch heißt,
Das lassen wir unten liegen.
O du, der unser Helfer ist,
Das hilf du uns, Herr Jesu Christ,
Daß wir's mit dir gewinnen![10]

Die religiöse Aussage dieser Strophen, das Bild des Seelenaufschwungs, läßt sich durchaus mit Eichendorffs »Mondnacht«[11] vergleichen. Aber die

8 Peter Paul SCHWARZ, Aurora. Zur romantischen Zeitstruktur bei Eichendorff. Bad Homburg/Berlin/Zürich 1970.

9 Gustav PFIZER, Blätter für literarische Unterhaltung (1843): »Eichendorffs geistliche Gedichte erinnern manchmal an die von Arndt, welche jedoch im Ganzen einfacher und reiner gehalten sind.« In: HKA XVIII, 1, S. 604.

10 Ernst Moritz Arndts ausgewählte Werke in 16 Bänden. Hrsg. u. mit Einleitungen u. Anmerkungen versehen von H. MEISNER u. R. GEERDS, Leipzig o.J. (1908), Bd. 3: Gedichte II. S. 152.

11 Werke. S. 271.

Sprechweise ist bei Arndt eindeutig religiös. Die Zeilen »Drum auf, mein Geist« und »Du mußt es doch verlassen« erinnern an das alte protestantische Kirchenlied. »Irdisch« ist semantisch eindeutig durch das Oppositionspaar »irdisch« – »überirdisch« gekennzeichnet. Der religiöse Charakter der letzten drei Zeilen in ihrer Gebetsform und der Anrede »Herr Jesu Christ« liegt ohnehin auf der Hand. Für Arndt ist die religiöse Aussage nicht durch das Bild, sondern durch dessen Auslegung gewährleistet. Bei ihm wird aus »Erde« – um in der poetischen Sprache zu bleiben – sofort der religiöse Begriff »irdisch« abgeleitet. Deshalb kann auch in den zitierten Strophen kein Zweifel darüber bestehen bleiben, daß »Heimat« hier als Metapher für »Himmelreich« steht.

Ganz anders Eichendorffs »Mondnacht«. Es ist keineswegs so, als berechtige lediglich die geistliche Lesbarkeit von »nach Haus« die Zuordnung des Liedes zu den »Geistlichen Gedichten«. Bereits die Anfangsworte »Es war, als hätt' der Himmel / die Erde still geküßt« zeigen, daß es hier um die Fähigkeit eines lyrischen Ich geht, im Erleben von Natur metaphysische Erfahrungen zu machen, in einer Mondnacht die Erinnerung und Ahnung an eine mögliche glückliche, erlösende Verbindung von Himmlischem und Irdischem zu gewinnen. Dies ist nicht nur im Bild des Brautkusses zwischen Himmel und Erde ausgesagt, sondern die Sprache selbst, die Formel »als ob«, zeigt uns, daß eine solche beglückende, erlösende Sicht möglich ist; das definitorisch berichtende »Es war« aber weist darauf hin, daß es die Natur selbst ist, die dieses Erlebnis ermöglicht und vermittelt. Dem Ich wird es geschenkt, wenn es bereit ist, auf die Natur zu hören, auf das Wogen der Ähren, auf das Rauschen der Wälder. Ein Zeichen dafür, daß dieses Hinhören in Eichendorffs »Mondnacht« geschieht, ist das späte Auftreten des lyrischen Ich, nämlich erst in der dritten Strophe, und auch hier nicht als »Mensch« in Opposition zur Natur, sondern als Vogel.

Wie extensive Eichendorff-Lektüre lehrt, sind mit dem »Rauschen des Waldes« und den anderen Lauten, die in der Natur vernehmbar werden, wenn der Lärm der Menschen zurückgetreten ist, etwa nachts oder in der Einsamkeit, nicht bloß stimmungsvolle Geräuschkulissen aufgebaut. »Es will dir Wunder sagen / die wunderbare Nacht.«[12] Daß der Leser diese Stimmen versteht, setzt Eichendorff voraus.

12 Ebd., S. 170: »Nacht 4«, V. 7–8.

Nicht so Ernst Moritz Arndt in seinem »Waldgruß« (1846):

Ihr, süße Blumen, grüne Haine,
O seid ihr endlich wieder mein?
In euch geborgen gar alleine,
Doch nie bin ich bei euch allein:
Ihr sprecht mit wundersamer Stimme
Die einz'ge Sprache ohne Trug,
Der Vogel predigt hier, die Imme,
Der Blütenzweig wie Gottes Buch.

O Gottes Buch! O welche Klänge
Aus allerstillster Einsamkeit!
Entflohn dem wilden Weltgedränge
Zu höhrer Welt Gemeinsamkeit:
Denn wie aus längst vergangnen Tagen,
Wie aus der Geister Ewigkeit
Haucht's hier von Fabeln und von Sagen
So dicht, als Lenzwind Blüten schneit[13].

Arndt verwendet poetische Chiffren, die er bereitwillig dechiffriert, um ihre Lehre deutlich zu machen. Bei Eichendorff jedoch wird nicht etwas Eigentliches durch etwas Uneigentliches ausgedrückt. Daher ist es nicht richtig, seine Sprache in Gedichten wie den hier gemeinten allegorisch oder emblematisch zu nennen. Eindeutig emblematisch war etwa das oben zitierte Gedicht von Karl Mayer, mit dem Eichendorff unpassenderweise von der zeitgenössischen Literaturgeschichte verglichen wurde. Mayers Verse weisen genau die Dreiteilung eines Emblems mit inscriptio, pictura und subscriptio auf. Bei Eichendorff hingegen werden die Bilder selbst religiös ernst genommen.

In seiner Bildersprache erschafft sich der Dichter eine eigene religiöse Diktion. Auf bildliche Vorstellungen, die aus der Bibel entlehnt sind, greift er höchst selten zurück (Maria auf dem Regenbogen[14], Gott klopft

13 Arndt, Bd. 4: Gedichte III, S. 93 f., Str. 1 u. 2.

14 Vgl. Werke. S. 240: »Götterdämmerung 2«, Str. 13; ebd., S. 249: »Kirchenlied«, Str. 2; ebd., S. 282: »Marienlied«, Str. 1 – Kontamination aus Gen 9, 12–17; Apk 10,1 u. Apk 12,1.

an die Türen – nur in »Der Wächter«[15], Gott stillt den Sturm – nur in »Der Pilger«[16], die sieben Schwerter Mariens – nur in »Kirchenlied«[17]), selbst in jenen »Geistlichen Gedichten«, die durch Erwähnung heiliger Namen etc. eindeutig religiös sind. Und selbst in diesen Texten verzichtet er nicht auf seine poetischen Chiffren. So überrascht etwa das kleine Lied »Vergeht mir der Himmel / vor Staube schier«[18] – es stellt eine Bitte um Beistand in den Wirrnissen des Lebens dar – durch seinen Titel »Mittag«, dessen Deutung Eichendorff ganz dem Leser überläßt.

Über die Reihe der Bilder hinaus, unter denen die Tages- und Jahreszeiten, Schiffahrt und Reise sowie die exemplarischen Berufe des Dichters, Soldaten und Ritters die bedeutendste Rolle spielen, verwendet Eichendorff eine kleine Anzahl von halb geistlichen, halb weltlichen Attributen, die immer wieder als Anstoß für religiöses Verständnis dienen können. »Ewig«, »wunderbar«, »himmlisch« sind nach der sprachlichen Säkularisation des 18. Jh. längst nicht mehr eindeutig religiös zu verstehen. Zudem werden sie vom Autor *so* mit Substantiven verbunden, daß sie die geistliche Lesart nur leise andeuten: »Ew'ges Morgenrot«, »wunderbares Singen«, »himmlisches Verlangen«. Auch das unscheinbare Adjektiv »anders« dient öfter dazu, den Leser auf ein weitergehendes Verständnis hinzuweisen: »ein andrer König«, »ein andres Frauenbild«, »andre Zeit« oder »wie sieht da zu dieser Stunde / so anders das Land herauf« (Morgenlied)[19].

Bewirkt schon die stete Verwendung gleicher Bilder deren Stilisierung und regt den Leser an, hinter die unmittelbare Bedeutung zu schauen, so wird dieselbe Wirkung bisweilen noch kräftiger durch die Zusammenstellung verschiedener Bilder erreicht. Das oben zitierte Ostergedicht setzt das Bild des Frühlings unvermittelt neben die Darstellung einer Beerdigung. Diese konträren Bildwelten lassen sich nur sinnvoll zusammendenken, wenn man beide in ihrem übertragenen Sinn versteht. Die vorletzte Zeile von »Abschied« lautet: »Hier in Waldes grüner Klause«[20]. Auch in diesem Fall kann die Verbindung der Bildwelten, die Verbindung von

15 Ebd., S. 258: »Der Wächter«, Str. 1 – vgl. Joh 1, 11; Mt 26, 40 u. Apk 3, 20.
16 Ebd., S. 263: »Der Pilger 4« – vgl. Mt 8, 26.
17 Ebd., S. 249 f.: »Kirchenlied«, Str. 4 – vgl. Lk 2, 35.
18 Ebd., S. 251.
19 Ebd., S. 253.
20 Ebd., S. 271.

»Wald« und »Klause«, nur über die auf psychologischem oder religiösem Gebiet liegenden Assoziationen gelingen, die beide Bereiche hervorrufen. Durch ein solches Verfahren zwingt Eichendorff den Leser dazu, nach dem auf metaphysischer Ebene liegenden gemeinsamen Nenner als dem Weg zum Verständnis zu suchen.

Wie wir am Beispiel von »Mondnacht« gesehen haben, verdanken einzelne Bilder und Begriffe ihre Transparenz auf geistliche Aussagen hin wesentlich der Gesamtanlage des Gedichts. Eichendorff vermeidet nicht nur eindeutig *religiöse* Bilder, er vermeidet auch allzu eindeutige *Natur*bilder. Kaum je einmal ist es möglich, eine seiner Landschaften oder Figuren zu spezifizieren. Indem er beim Allgemeinen bleibt (die Subjekte in »Mondnacht« lauten etwa »der Himmel«, »die Erde«, »die Felder«, »die Wälder«, »die Lande«), macht er es möglich, daß diese Landschaften oder Figuren als exemplarisch und damit als Träger metaphysischer Aussagen verstanden werden können. Gleichwohl sind Eichendorffs Gedichte nicht reine Stimmungspoesie etwa im Sinne von Tiecks »Waldeinsamkeit«, einem Gedicht, das nur aus seinem magischen Wortklang lebt. Eichendorffs Dichtung verläßt sich gerade nicht auf solche Stichwörter, ob sie nun religiöse Assoziationen oder Klangzauber hervorrufen, sondern entwickelt seine Aussage aus der poetischen Komposition.

Nicht festlegen will sich auch die Syntax der Gedichte. Die syntaktischen Bezüge etwa der folgenden ersten vier Zeilen von »Morgendämmerung« bleiben in der Tat »halb in Träumen«.

Es ist ein still Erwarten in den Bäumen,
Die Nachtigallen in den Büschen schlagen
In irren Klagen, könnens doch nicht sagen,
Die Schmerzen all und Wonne, halb in Träumen[21].

Zu den syntaktischen kommen die semantischen Undeutlichkeiten. Welche logische Zuordnung liegt etwa in der folgenden Hypotaxe: »Da's nun so stille auf der Welt, ziehn Wolken einsam übers Feld« (»Nachtlied«)[22]? Oder auf wen bezieht sich das »du« in der vierten Zeile der zweiten Strophe von »Der Einsiedler«:

21 Ebd., S. 267.
22 Ebd., S. 273.

Die Jahre wie die Wolken gehn
Und lassen mich hier einsam stehn,
Die Welt hat mich vergessen,
Da tratst du wunderbar zu mir,
Wenn ich beim Waldesrauschen hier
Gedankenvoll gesessen[23].

Interessant ist eine abweichende Lesart in der früheren Fassung dieses Gedichts, wie sie in der Novelle »Eine Meerfahrt« steht. Hier lautet die letzte Zeile der 2. Strophe: »In stiller Nacht gesessen«. Diese Lesart verhindert, für das fragliche »du« der vierten Zeile »Nacht« einzusetzen. Eichendorff zeigt durch seine Änderung, daß er das Bedeutungsspektrum so weit wie möglich offen halten will. Er will das Verständnis des Textes gerade nicht vorschnell in eine metaphysische Richtung abdrängen. Der Text soll polyvalent bleiben.

Im Grunde zielt Eichendorffs Verfahren – ganz romantisch – darauf ab, den Rezipienten zur Sympoesie aufzurufen. »Das sind die rechten Leser«, heißt es in »Ahnung und Gegenwart«, »die mit und über dem Buche dichten. Denn kein Dichter gibt einen fertigen Himmel; er stellt nur die Himmelsleiter auf von der schönen Erde.«[24]

Ein weiteres Mittel, den Leser zur sympoetischen Rezeption anzuregen, ist die Einführung von Spiegelungen im Gedicht selbst. Der Gedichtsprecher spiegelt sich im Gesprochenen, ganz so wie Heinrich von Ofterdingen in jener berühmten Szene aus Novalis' Roman sein eigenes künftiges Leben in einem Buche – also poetisch – aufgezeichnet findet. Die erste Strophe von Eichendorffs geistlichem Gedicht »Der Einsiedler« lautet:

Komm, Trost der Welt, du stille Nacht!
Wie steigst du von den Bergen sacht,
Die Lüfte alle schlafen,
Ein Schiffer nur noch, wandermüd,
Singt übers Meer sein Abendlied
Zu Gottes Lob im Hafen[25].

23 Ebd., S. 265.
24 Ebd., S. 629.
25 Ebd., S. 263.

Der Schiffer, von dem hier die Rede ist, ist der Sänger des Liedes selbst. Er ist selbst ein »Schiffer«, entweder in direktem Verständnis als Kapitän Don Diego aus »Eine Meerfahrt« oder in übertragenem Sinn, wenn wir für das Menschenleben die beliebte Schiffahrtsmetapher verwenden. Er ist »wandermüd« – als Don Diego am Ende vieler Reisen und Abenteuer, als exemplarischer alter Mensch am Ende eines als Wanderschaft verstandenen Lebens. In Erwartung der Nacht singt der Einsiedler bzw. Schiffer sein Abendlied, eben dieses Gedicht, das in der Novelle von den Spaniern der zweiten Meerfahrt gehört wird. »Im Hafen« befindet sich auch der Einsiedler, insofern er am Ende seiner Lebensfahrt angelangt ist. Indem es vom Abendlied des Schiffers heißt, es sei zu »Gottes Lob« gesungen, erweist sich auch unser Gedicht »Der Einsiedler« als geistliches Lied.

»Der Einsiedler« ist nicht das einzige Gedicht, das auf sich selbst reflektiert (vgl. »Lockung«[26]). Diese Verschränkung dient nicht nur dazu, den Leser zum Nachdenken, zur Sympoesie anzuregen, sondern stellt uns gewissermaßen die Metaphysik der Poesie selbst vor Augen: Der Sänger erkennt sich in seinem Singen. Und noch mehr: im Gedicht wird dessen Aussage Ereignis. Ähnliches beobachten wir auch auf rein formaler Ebene in jener berühmten dritten Strophe von »Mondnacht«, wo in den Zeilen »Und meine Seele spannte / Weit ihre Flügel aus« die Zeilenbegrenzung überflogen und das Metrum durchbrochen wird. Man spreche hier nicht von Übereinstimmung von Form und Inhalt. Das Gedicht hat ja keine anderen Mittel, seine Aussage zu machen, als seine Form. Vielmehr wird in diesen Zeilen deutlich, daß Poesie schon vorwegnimmt, wovon sie prophetisch spricht: die erlösende, ersehnte Einheit von Himmel und Erde, die Wiederherstellung des Goldenen Zeitalters. Dies ist ihr religiöser Charakter.

Am Beispiel des Liedes »Der Einsiedler« läßt sich noch ein weiteres Stilmittel beobachten, mit dem Eichendorff seine Gedichte der religiösen Interpretierbarkeit eröffnen will. Das Gedicht spielt zu wiederholten Malen, so in den Anfangszeilen von Strophe I und III, mit der Formulierung »zu Gottes Lob« am Ende der ersten Strophe und mit dem obsoleten

26 Ebd., S. 88, vgl. bes. Str. 2. Dazu P. G. KLUSSMANN, Über Eichendorffs lyrische Hieroglyphen. In: Literatur und Gesellschaft vom 19. ins 20. Jahrhundert. Festschrift für Benno von Wiese. Hrsg. von H. J. Schrimpf. Bonn 1963, S. 120f.

Ausdruck »bis daß« in der vorletzten Gedichtzeile[27] auf das Einsiedlerlied in Grimmelshausens »Simplicissimus« an[28]. Mir scheint, daß diese barocken Elemente mehr sein könnten als interessante Patina. Das Gedicht greift mit ihnen auf eine Zeit zurück, die nach der Geschichtsphilosophie der Romantik vor dem entzweienden Sündenfall der Aufklärung liegt. Vielleicht verstand Eichendorff das Grimmelshausensche Gedicht, das er in »Des Knaben Wunderhorn« fand[29], auch als Teil der Volkspoesie. Indem er es in seine eigene, moderne Dichtung hereinnimmt, knüpft er jedenfalls an die heile und »wahre« Poesie einer »schönen alten Zeit« an. Aus dem gleichen Grund werden in den Novellen und Romanen Lieder häufig als vorgefundenes Volksgut oder als erinnert eingeführt. Die Poesie kann die Brücke schlagen zu der verlorenen Zeit einer selbstverständlichen und natürlichen Frömmigkeit, kann diese Zeit in die Gegenwart hereinholen.

Eichendorffs »Geistliche Gedichte« sind religiös, obwohl sie in hohem Maße auf religiöse Stichwörter, auf dogmatische Formulierungen und auf kirchliche Sprache verzichten. Sie sind es gleichsam aus eigener Kraft. Nach all dem Gesagten könnte es fast den Anschein haben, als falle der Poesie eine Mittler- und Erlöserrolle zu, die in Konkurrenz zur Religion tritt. Dem ist jedoch, was Eichendorff anbetrifft, entschieden zu widersprechen. Das Grundwort seiner Poesie bleibt die »Sehnsucht«. Poesie weckt Sehnsucht nach dem Ewigen, dem Glücklichen, verhindert es, sich im Zeitlichen einzurichten. Sich sehnen zu können, bedeutet aber bereits, Verbindung zu jenem Ersehnten angeknüpft zu haben, ist bereits ein Stück Befreiung und Vereinigung. Die Poesie weckt jene Kräfte der religio im Menschen: den Traum (»Eldorado«: »Doch manchmal tauchts

27 J. Chr. ADELUNG, Grammatisch-kritisches Wörterbuch der Hochdeutschen Mundart. Zweite, verm. u. verb. Ausgabe, Leipzig 1793, Nachdruck mit einer Einführung und Bibliographie von H. HENNE, Hildesheim/New York 1970, Bd. 1, Sp. 1030: »Das Bindewörtchen daß dem bis noch zuzugesellen, ist im Hochdeutschen fast völlig veraltet, obgleich diese Wortfügung noch häufig in der Deutschen Bibel vorkommt.«

28 Johann Jakob Christoffel VON GRIMMELSHAUSEN, Der abentheurliche Simplicissimus Teutsch. Hrsg. v. R. Tarot. Tübingen 1967, S. 23 f.: »KOmm Trost der Nacht / O Nachtigal.«

29 Dort mit der Überschrift »Schall der Nacht« u. der Quellenangabe: »Simplicissimi Lebenswandel [Nürnberg 1713] I S. 28.« Vollständige Ausgabe nach dem Text der Erstausgabe von 1806/1808. Mit einem Nachwort versehen von W. A. KOCH, München 1964, S. 135 f.

aus Träumen«[30]), die Phantasie, Ahnung und Erinnerung. Was sie an Glück, an Harmonie und Befreiung vermittelt, ist aber nur ein Vorgeschmack, ein »als ob«. An Eichendorffs »Mondnacht« kann dies deutlich werden. Die Verbindung von Himmel und Erde, der Aufschwung der Seele und ihr Flug nach Hause, werden nicht behauptet, sondern rücken im Gedicht in den Bereich des Vorstellbaren. Als vorgestellt, erahnt, werden sie durch das »als ob« und den Irrealis gekennzeichnet. Gleichzeitig bewegt sich diese Dichtung jedoch nicht im Bereich der reinen Phantasie, sondern hat immer ihren Angelpunkt in der wirklichen Welt, aus der sie auch ihre Bilder bezieht. Sie können auf Gott hin sichtbar gemacht werden, weil sie von Gott herkommen. Daß Eichendorff die Phantasie stets an die Wirklichkeit rückbinden will, daß sein Ahnen stets in der Gegenwart wurzelt, beweist bereits der Titel seines ersten Romans »Ahnung und Gegenwart«. Hierin liegt auch der Grund dafür, daß er Abstracta in seiner Dichtung weitgehend vermeidet, viel mehr als etwa Novalis. Poetisierung der Welt heißt für Eichendorff nicht Überwindung der Welt durch poetische Neusetzung, sondern richtige Interpretation der Welt. Eben dies deutet sein poetisches Verfahren an: Weltliches kann auch geistlich gelesen werden. Dies gilt freilich nicht nur für die »Geistlichen Gedichte«, sondern auch für viele Gedichte der anderen Abteilungen[31]. Aus dem Gesagten ist aber zugleich auch klar geworden, daß sich Eichendorffs Poesie weder auf Naturpantheismus gründen kann noch sich als autonome Dichtung versteht. In beiden Fällen wäre sie keine Dichtung der Sehnsucht, des »als ob« mehr.

Andererseits trifft auch das Schlagwort von der spätromantischen Zweckästhetik hier nicht. In jener berühmten Schlußszene aus »Ahnung und Gegenwart« wird Fabers Einwand, Poesie »will und soll zu nichts *brauchbar* sein«, nicht widerlegt, sondern mit einem eigenen poetischen Programm beantwortet:

30 Werke. S. 94.
31 Vgl. etwa »Der Maler« aus der Abt. »Wanderlieder«, letzte Strophe: »O lichte Augen ... göttlich Bild!« (Werke. S. 19) mit »Lieder 1«, Str. 2: »Und durch die Täler, Wiesen, Wogen ... Schifft immerfort Dein himmlisch Bild« (ebd., S. 248).

Den blöden Willen aller Wesen,
Im Irdischen des Herren Spur,
Soll er durch Liebeskraft erlösen,
Der schöne Liebling der Natur.

Drum hat ihm Gott das Wort gegeben,
Das kühn das Dunkelste benennt,
Den frommen Ernst im reinen Leben,
Die Freudigkeit, die keiner kennt[32].

In Eichendorffs weitgehendem Verzicht auf religiöse Direktheit und kirchliche Sprache liegt eine Absage an religiöse Zweckpoesie (etwa Brentanoscher Prägung). Dieser Verzicht bedeutet zugleich eine selbstbewußte Selbstbescheidung der Dichtung auf das ihr angestammte Territorium. Es sei erlaubt, hier abschließend den von Eichendorff hochverehrten Jean Paul als Gewährsmann zu zitieren, der in seiner »Vorschule der Ästhetik« (1804) den höchsten Zweck der Poesie so beschreibt: »Sie kann spielen, aber nur mit dem Irdischen, nicht mit dem Himmlischen. Sie soll die Wirklichkeit, die einen göttlichen Sinn haben muß, weder vernichten noch wiederholen, sondern entziffern. Alles Himmlische wird erst durch Versetzung mit dem Wirklichen, wie der Regen des Himmels erst auf der Erde, für uns hell und labend«[33].

32 Ebd., S. 828f.
33 Jean Paul, Werke. Hrsg. von N. Miller, München 1973, Bd. 5: Vorschule der Ästhetik. III. Abt., Kantate-Vorlesung, S. 447.

Zu Eichendorffs »Marmorbild«

Ein Fragment aus der Universitätsbibliothek Breslau
Erstmals herausgegeben und kommentiert

Karl Konrad Polheim

Unter ihren Schätzen bewahrt die Universitätsbibliothek Breslau[1] ein Manuskript Joseph von Eichendorffs: das Fragment einer Vorstufe zu seiner Novelle *Das Marmorbild.* Das Stück ist um so kostbarer nicht nur, weil es Einblicke in die Entstehungsgeschichte eines der ganz berühmten Werke des Dichters ermöglicht, sondern auch, weil Eichendorff-Handschriften überhaupt selten sind, sei es, daß sie schon zu dessen Lebzeiten vernichtet wurden, sei es, daß sie mit den Beständen des Eichendorff-Museums in Neisse im Zweiten Weltkrieg verlorengingen.

Das Manuskript[2] besteht aus einem gefalteten Bogen in der Gesamtgröße von 39,5 × 24,5 cm. Der linke Halbbogen ist 20 cm breit und der rechte 19,5 cm, beide an den Rändern etwas zerrissen. Der linke Halbbogen trägt auf der Vorderseite die Überschrift *Schatten-Spiel,* auf der Rückseite die Seitenzahl »2«; der rechte Halbbogen auf der Vorderseite die Seitenzahl »7«, auf der Rückseite »8«. Das kann nur heißen, daß der ganze Bogen ursprünglich die Außenblätter einer Lage bildete, während ein zweiter, verlorener Bogen, wie der erhaltene gefaltet, die Innenblätter – also die Seiten 3, 4 und 5, 6 – geliefert haben mußte.

1 Auch an dieser Stelle darf ich der Universitätsbibliothek und meinen germanistischen Kollegen in Breslau, Prof. Norbert Honsza, Dr. Edward Bialek und Dr. Wojciech Kunicki, den Dank für jede freundliche Unterstützung aussprechen.

2 Die ersten beiden Seiten wurden schon einmal faksimiliert und mit einer – fehlerhaften – Transkription versehen in: Der deutsche Osten. Seine Geschichte, sein Wesen und seine Aufgabe. Hg. von Karl C. Thalheim und A. Hillen Ziegfeld, Berlin 1936, nach S. 504 (= Propyläen-Weltgeschichte, Erg. Bd. 1). Der Standort des Manuskriptes ist dort als »Breslau Stadtbibliothek« angegeben.

Der erhaltene Text bietet zwei Teile einer flüssig fortlaufenden Erzählung mit nur wenigen Korrekturen. Lediglich am Beginn finden sich Unregelmäßigkeiten. Seitlich links über dem Titel *Schatten-Spiel*[3] stand ein anderer, der vollständig unleserlich gemacht wurde, darunter, ebenfalls gestrichen, »I.«. Der beibehaltene Titel ist wohl auch der ursprüngliche, da er ziemlich korrekt in die Mitte gestellt, während der gestrichene sehr hoch und etwas schräg über den anderen gesetzt ist. Rechts davon lesen wir »Ei«, was doch wohl zu »Eichendorff« hätte werden sollen.

Das Erscheinungsbild wird noch mehr verwirrt, weil der Dichter später einen Einfall notierte, den er mit dem von ihm so gerne verwendeten Signalwort »Jezt« begann und ihn dann in den zur Verfügung stehenden, leeren Raum zwängte: zuerst links herunter schreibend, dann mit der 6. Zeile unterhalb des Titels über die ganze Seite gehend, rechts oben fortsetzend und nun wieder herunter schreibend.

Bevor der Text im einzelnen betrachtet wird, ist er diplomatisch genau abzudrucken. Dabei sind folgende diakritische Zeichen verwendet[4]:

⟨ ⟩	=	Hinzufügung
{ }	=	Streichung
∫ ⌊	=	Tilgung durch Daraufschreiben
x-x	=	unleserliches Wort
ạḅc̣	=	Punkt unter den Buchstaben: unsichere Lesung
[ ]	=	Zusatz des Herausgebers

3 Über Schattenspiel als Titel und Gattungsbezeichnung vgl. Gerhard Kluge in seiner Ausgabe von Ludwig Achim v. Arnim: Das Loch oder Das wiedergefundene Paradies. Ein Schattenspiel. Berlin 1968 (= Komedia 13), S. 75 ff. – Eichendorff konnte diesen Titel also in Arnims satirischem Drama von 1813 und anderswo finden. Er hielt ihn dann noch eine Zeitlang fest – ein späteres Manuskript ist überschrieben: Das Marmorbild, ein Schattenspiel, oder eine Novelle –, gebrauchte aber in der Endfassung von 1819 nur noch den Untertitel Eine Novelle. Vgl. dazu Karl Konrad Polheim, Marmorbild-Trümmer, Entstehungsprozeß und Überlieferung der Erzählung Eichendorffs. In: Aurora 45, 1985, S. 5–32.

4 Um die Arbeit des Dichters wirklich verfolgen zu können, müssen die diakritischen Zeichen stets im Zusammenhang gesehen werden (etwa eine Hinzufügung gemeinsam mit einer Streichung). Dies wird im einzelnen noch aufzuzeigen sein.

TEXT

{x-x} Ei[chendorff?]

{I.} Schatten-Spiel

⟨Jezt: Es fing schon an, dunkel zu werden, sie ritten stillfröhlich in den dunklenden Abend hinein, der die Stadt u. Gegend sonderbar beleuchtete. Der fremde Herr begrüßte häufig die Lustwandelnden, unter denen sich Frauen von besondrer Schönheit befanden. So waren sie bis an das alte Thor gekom̄en. Der Fremde schien ängstlich zu werden. Das Pferd bäumte wild u. wollte nicht ins Thor hinein. Der {alte} Fremde murmelte etwas das Thier wurde ruhig, er aber lächelte {u} beschrieb ihm die Straße u. nahm Abschied, mit dem Versprechen, ihn morgen zu besuchen.⟩

Es war ein schöner Som̄er = Abend, als Aleßandro, ein reisender Edelmann, langsam auf die Thore von Lucca zuritt, der bunten Züge zierlicher Damen und Herren sich erfreuend, die sich zu beiden Seiten in der {Ạḅẹṇ} Kühle der Alleen fröhlichschwatzend ergiengen. Da kam ihm ein Zug mehrerer Herren zu Pferde von vornehmem Ansehn aus dem Thore entgegen. Als diese den Aleßandro erblickten, machte einer von ihnen eine tiefe Verbeugung vor ihm und bewillkom̄te ihn als seinen geehrten Landsmann. Alessandro bedankte sich zwar, wußte sich aber keineswegs zu erinnern, daß er seiner einige Kundschaft hätte. Jener hingegen bezeichnete ihm, wo er ihn zu dem und dem mal gesehen, und als solches mit der Wißenschaft des Aleßandro eigentlich übereinkam, glaubte er wohl, von ihm gekannt zu seyn, ob⌈l⌋gleich er sich, wie gesagt, durchaus {aụf} seiner aus früherer Zeit nicht erinnern konnte. Derselbe fragte ihn darauf, ob er vorhin schon einmal zu Lucca gewesen? Als Aleßandro mit Nein antwortete, empfahl {er} ihm {einen} der unbekannte Bekannte einen ⟨Herren⟩ aus {sein} ihrer Mitte, als einen, der in dieser Stadt wohnhaft sey, welcher denn auch sogleich, sich mit vieler Höflichkeit vor Aleßandro verneigend, versprach, sobald er zurückgek{om̄en}⟨ehrt⟩ von dem Geleite, das er den anderen Herren gebe, zu ihm zu kom̄en u⌈nd⌋m ihm, als Fremden, seine Dienste anzubieten. Hiermit schieden sie von einander und Aleßandro zog, nachsinnend über

dieses sonderbare Begegniß, in eine ansehnliche Herberg, wo er
nach Gebühr gar wohl empfangen wurde.

2.

Am anderen Morgen, als {Aleßandro} ⟨er⟩ eben ⟨mit vielem
Vergnügen⟩ aus {seinem} ⟨dem⟩ Fenster die Pracht der Stadt mit
ihre[m]n in der Morgensonne funkelnden Thürmen und Kuppeln
betrachtete, kam vorbesagter Luccaner, an den er gestern empfohlen worden, auf einem köstlich aufgepuzten Pferde in herrlicher
Kleidung vor die Herberg, und eilte zu dem ⟨Fremden⟩ {Edel-
mann} hinauf. Er nannte sich Donati und unterhielt den
umschweifenden Edelmann mit allerhand artigen Gesprächen,
während welcher sie ein reiches Frühstück einnahmen. Darauf
nöthigte er den Aleßandro zu einem Spazierritt vor das Thor,
woselbst er ihm etliche schöne Gärten und andere Merkwürdigkeiten der Luccaner weisen wollte. Aleßandro willigte gern ein und so
{zogen sie} durch{zogen}⟨streiften⟩ sie mehrere Stunden lang die
schönen Thäler um Lucca, deren prächtige Landhäuser, Kascaden
und Grotten den erstaunten Reisenden nicht wenig ergözten.

Ermüdet zogen sie endlich wieder dem Thore zu, denn die
Stralen der Mittagssonne schillerten schon sengend über der {Ge}
gantzen Gegend, die wie {in} ⟨unter⟩ einem Schleyer von Schwüle
zu schlum̄ern und zu träumen schien. Da kamen sie an einem
halbgeöffneten Thore von zierlich{em} {ụṇd} vergoldetem Eisengitter vorüber, durch welches man in einen wunderschönen Garten
{mit} ⟨voll⟩ kühlen Schatten⟨s⟩ und springende[n]⟨r⟩ Quellen
hineinsehen konnte. »Wenn es Euch anständig wäre, sagte Donati
zu Alessandro gewendet, so könnten wir die heiße Mittagszeit
unter dem Schutze dieser Schatten verbringen, um sodann nach
genoßener Ruhe in die Stadt zurückzukehren.« Aleßandro war
damit sehr wohl zufrieden, sie stiegen daher ab, übergaben ihre
Pferde Franzesco'n, dem Diener des Donati, und begaben sich in
den Garten.

Hier war alles {leer, nur e} einsam und leer, nur {einzelne} Vöglein
hüpften

7.

große Kertzen erleuchtet, welche von zwei ungeheueren {Armen}
aus der Wand hervorragenden Armen gehalten wurden. Auf dem

[illegible]

[illegible] Schatten-Spiel.

Es war ein schöner Sommer-Abend, als Alexander, ein reisender Edelmann, langsam durch die Thore von Lucca zuritt, der bunten Züge zierlicher Damen und Herren sich erfreuend, die sich zu beiden Seiten in der Kühle der Alleen fröhlichschwärmend ergingen. Da kam ihm im Zug mehrerer Herren ein schlanker vornehmer Mensch aus dem Thore entgegen. Als dieser den Alexander erblickte, machte er eine [illegible] tiefe Verbeugung vor ihm und bewillkommte ihn als seinen geehrten Landsmann. Alexander bedankte sich zwar, suchte sich aber vergebens zu erinnern, dass er seine einige Kundschaft hätte. Jener hingegen versicherte, dass er ihn schon [illegible] mal gesehen, und als solches mit der Wissenschaft des Alexander eigentlich übereinkam, glaubte er wohl, er [illegible] ihn gekannt zu haben, obgleich er sich, wie gesagt, durchaus seiner aus früheren Zeit nicht erinnern konnte. Derselbe fragte ihn darauf, ob er nicht schon einmal zu Lucca gewesen? Als Alexander mit Nein antwortete, empfahl er ihm [illegible] der unbekannte Bekannte einen Herrn aus ihrer Mitte, als einen, der in dieser Stadt wohlerfahren sey, welcher denn auch sogleich, sich mit vieler Höflichkeit vor Alexander verneigend, versprach, sobald er zurückgekehrt von dem Spaziergang, den er den andern Herren gab, zu ihm zu kommen und ihm, als Fremden, seine Dienste anzubieten. Hierauf schieden sie voneinander, und Alexander zog, nachsinnend über diese sonderbare Begegnung, in eine ansehnliche Herberge, wo er nach Gebühr gar wohl empfangen wurde.

2.

Am andern Morgen als er eben mit vieler Vergnügen die Pracht der Stadt mit ihren in der Morgensonne funkelnden Thürmen und Kuppeln betrachtete, kam der besagte Lucaner, an den er gestern empfohlen worden, auf einem köstlich aufgeputzten Pferde in herrlicher Kleidung vor die Herberg, und eilte zu dem Fremden hinauf. Er nannte sich Donati und unterhielt den Durchreisenden den Edelmann mit allerhand artigen Gesprächen, während welcher sie ein reichliches Frühstück einnahmen. Darauf nöthigte er den Alexander zu einem Spazierritt vor das Thor, weil er ihm etliche schöne Gärten und andre Merkwürdigkeiten der Lucaner weisen wollte. Alexander willigte gern ein und so durchstreiften sie mehrere Stunden lang die schönen Thäler um Lucca, deren prächtige Landhäuser, Kaskaden und Gärten den erstaunten Reisenden nicht wenig ergötzten.

Endlich zogen sie wirklich wieder dem Thore zu, denn die Strahlen der Mittagssonne schillerten sehr brennend über die ganze Gegend, die wie unter einem Schleyer von Schwüle zu schlummern und zu träumen schien. Da kamen sie an einem halbzerfallenen Thor von zierlichem vergoldetem Eisengitter vorüber, durch welches man in einen wunderschönen Garten kühler Schatten und sprudelnder Quellen hineinsehen konnte. „Wenn es Euch anständig wäre, sagte Donati zu Alexandro gewandt, so könnten wir die heiße Mittagszeit unter dem Schutze dieser Schatten verbringen, und sodann nach genossener Ruhe in die Stadt zurückkehren." Alexander war damit sehr wohl zufrieden, sie stiegen daher ab, übergaben ihre Pferde Franzesco, dem Diener des Donati, und begaben sich in den Garten.

Hier war alles einsam und leer, und Vöglein schliefen

7.

große Kerzen erleuchtet, welche von zwei ungeheuren aus der Wand hervorragenden
Armen gehalten wurden. Auf dem einen dieser Arme saß ein
wie er schien, künstlich nachgebildeter, schneeweißer Fasan. Alle Wände des Saales
waren mit köstlichen Tapezereien behängt, deren in Seide gewirkte lebendigste Bilder und
Historien so frisch, schön und natürlich gemacht waren, daß das betrachtende Auge
darob ganz entzückt stand. Worüber aber Alexander am meisten erstaunte,
war, daß er in allen den Damen, die er in den Schildereien erblickte, die
Gestalt, Mienen und Kleidung seiner Begleiterin ganz deutlich erkannte. Bald
war sie in einem prächtigen Rosen-Garten vorgestellt, wie ein schöner Ritter
auf den Knieen zu ihren Füßen lag; bald erschien sie, den Falken auf der
Hand, mit einem andern jungen Ritter auf die Jagd reitend. Im Hintergrunde sah man ein sehr großes Bild, das den Trojanischen Brand darstellte
und [illegible] glaubte [illegible] die Flammen und die Funken leibhaftig durch den
dunklen Rauch hinaufsteigen zu sehen.
Als er so in Verwunderung fast erstarrt stand, fing auf einmal der schneeweiße Fasan auf dem Armleuchter an zu krähen, verließ seinen Platz und schlug
mit den Flügeln beide [illegible] aus, so daß es plötzlich im Gemache finster
wurde. Darüber [illegible] Alexander einen Schauer über den ganzen Leib
und wollte nach der Thür eilen: aber die Dame faßte ihn fest bei der
Hand und zog ihn mit ängstlicher Eile und Gewalt nach einer gegenüberstehenden
Thüre hin. Während deß [illegible] aus dem Bilde des Trojanischen Brandes wirkliche
Flammen hervor und erleuchteten fürchterlich den ganzen Saal.
Alexander fragte erschrocken seine Begleiterin, was das alles bedeuten solle?
Aber die [illegible] gab keine Antwort, sondern schien anfangs zornig und bald darauf sehr
betrübt zu werden. An der Thür, wohin sie ihn gezogen, erblickte er eine Reihe von
Todtengerippen, die in Schränken nebeneinander aufgestellt waren. In der [illegible]

8.

gen sah, stieß er den einen Körper mit dem Fuße an. In demselben Augenblick begann derselbe sich zu rühren, stieß seinen Wächter mit dem linken Ellenbogen in die Seite, welcher davon gleichfalls ein Empfindlichkeit bekam und
darauf erhoben sich diese Scelets alle aus dem Schrank, nachdem ein jeder einen
Knochen von den andern Körpern abgerissen hatte, traten heraus und giengen auf
den Alexander los. Dieser ~~sah die Dame an~~ zog seinen Degen und ~~[illegible]~~
warf einen hingerissenen Blick auf die Dame. ~~[illegible]~~ Als er aber bemerkte,
daß dieselbe immer bleicher und bleicher wurde, gleich einer verschwindenden Abendröthe, wenn endlich auch die lieblichstrahlenden Augen-Sterne unterzugehen
schienen, da ergriff ihn ein tödtliches Grauen. Denn die Figuren auf
den Tapeten regten die [illegible] und traten heraus, die beiden Damen, welche
die Kerzen hielten, ragten und reckten sich immer länger, als wollte ~~[illegible]~~ ein
ungeheurer Mann aus der Wand ~~[illegible]~~ hervortreten, der Saal füllte sich immer
mehr und mehr, die Flammen der Lichter warfen gräßliche Scheine zwischen
den Gestalten, durch deren ~~Geister-Gedränge~~ Gewimmel Alexander die
Todten-Gerippe mit solcher entsetzlichen Gewalt auf ihn losdringen sah,
daß ihm die Haare zu Berge standen. Er wußte wohl, daß er [illegible]
[illegible] Ehre würde erlangen; er eilte daher heraus, durch den vordern Saal,
wo auch die steinernen Bilder sich hinter ihm dreinregten, in vollen Sprüngen die ~~Stiege~~ Treppe hinunter und rief ängstlich dem Donati. Weil sich aber weder derselbe
noch sonst jemand sehen ließ, lief er vollends in den Hof, wo er seinen Diener mit der Fackel fand.
Dieser wußte nicht, was da zu thun war, als er seinen Herren so bleich mit verworrenen Haar und bloßem Degen daher fliegen sah. Alexander konnte vor Schreck kein
Wort sprechen, sondern blieb ein wenig im Hofe stehen und Lufft zu schöpfen. Als aber

einen dieser Arme saß ein {schneeweißer}, wie es schien, künstlich nachgebildeter, schneeweißer Hahn. Alle Wände des Saales waren mit köstlichen Tapezereyen behängt, deren in Seide gewirkte ⟨lebensgroße⟩ Bilder und Historien so frisch, fein und natürlich gemacht waren, daß des Beschauers Auge darob gantz entzückt stʃuʅand. Worüber aber Aleßandro am meisten erstaunte, war, daß er in allen den Damen, die er in den Schilderungen erblickte, die Gestalt, Mienen und Kleidung seiner Begleiterin gantz deutlich erkannte. Bald war sie in einem prächtigen Rosen=Garten vorgestellt, wie ein schöner Ritter auf den Knieen zu ihren Füßen lag; bald erschien Sie, den Falken auf der Hand, mit einem anderen jungen Ritter auf die Jagd reitend. Im Hintergrunde sah man ein sehr großes Bild, das den Trojanischen Brand dar{zu}stellte und nicht ohne Entsetzen glaubte der Edelmann da die Funken leibhaftig durch den dunkelen Rauch hinaufsteigen zu sehen.

Wie er so vor Verwunderung fast erstarrt stand, fieng aufeinmal der schneeweiße Hahn auf dem Armleuchter an zu krähen, verließ seinen Platz und schlug mit den Flügeln beide {Lichter} ⟨brennende Kertzen⟩ aus, so daß es plötzlich im Gemache finster wurde. Damals empfand Aleßandro einen Schauer über den gantzen Leib, und wollte nach der Thür eilen: aber die Dame {faßte} ⟨hielt⟩ ihn fester bei der Hand und zog ihn mit ängstlicher Eile und Gewalt nach einer {ge}gegenüberstehenden Thüre hin. {Unter}⟨Während⟩ deß ʃfʅbrachen aus dem Bilde des Trojanischen Brandes wirkliche Flam̄en hervor und erleuchteten fürchterlich den gantzen Saal.

{Die Dame g} Aleßandro fragte erschrocken seine Begleiterin, was das alles bedeuten solle? Aberʃdʅ⟨S⟩ie {Dame} gab keine Antwort, sondern schien anfangs zornig und bald darauf sehr betrübt zu werden. An der Thüre, wohin Sie ihn gezogen, erblickte er eine Reihe von Todtengerippen, die in Schränken nebeneinander aufgestellt waren. In der unvorsichti-

8.

gen Eile stieß er den einen Körper mit dem Fuße an. In demselben Augenblicke begann derselbe sich zu rühren, stieß seinen Nachbar mit dem linken Ellenbogen in die Seite, welcher davon gleichergestalt eine Empfindlichkeit bekam und darauf erhoben sich diese

5 Scellets alle aus dem Schrank, nachdem ein jeder einen Knochen
von den anderen Körpern abgerißen hatte, traten heraus und
giengen auf den Aleßandro los. Dieser {sah die Dame an} zog
seinen Degen und {sah} warf einen ungewißen Blick auf die Dame.
{Da er} Als er aber bemerkte, daß dieselbe im̄er bleicher und
10 bleicher wurde, gleich einer versinkenden Abendröthe, worin endlich auch die lieblichspielenden Augen=Sterne unter zu gehen
schienen, da erfaßte ihn ein tödtliches Grauen. Denn die Figuren
auf den Tapeten regten die Augen und traten heraus, die beiden
Arme, welche die Kertzen hielten, rangen und reckten sich im̄er
15 länger{,} als wollte {sich} ein ungeheuerer Mann aus der Wand
⟨sich⟩ hervorarbeiten, der Saal füllte sich im̄er mehr und mehr, die
Flam̄en des Bildes warfen gräßliche Scheine zwischen die Gestalten, durch deren {Geister=Gedränge} Gewim̄el Aleßandro die
Todten=Gerippe mit solcher entsetzlichen Gewalt auf ihn losdrin-
20 gen sah, daß ihm die Haare zu Berge standen. Er wußte wohl, daß
er beim Teufel keine Ehre würde erlangen; er eilte daher heraus,
durch den vorderen Saal, wo auch die steinernen Bilder sich hinter
ihm dreinregten, in vollen Sprüngen die {Stiege} ⟨Treppe⟩ hin-
ʃab⌊unter und rief ⟨unabläßig⟩ dem Donatiʃ, ⌊ ⟨.⟩ʃw⌊ ⟨W⟩eil
25 sich aber weder derselbe noch sonst jemand sehen ließ, lief er
vollends in den Hof, wo er ⟨endlich⟩ seinen Diener mit der Fakel
fand.
Dieser wußte nicht, was zu thun wäre, als er seinen Herren so
bleich mit verworrenen Haar und bloßem Degen daher fliegen sah.
30 Aleßandro konnte vor Schreck kein Wort sprechen, sondern blieb
ein wenig im Hofe stehen, um Luft zu schöpfen. Als aber

Das Manuskript bricht plötzlich ab. Doch wir haben Glück. Im Jahre 1916 hatte Friedrich Weschta in einem Buch über das *Marmorbild*[5] ein – inzwischen verschollenes – Fragment Eichendorffs mitgeteilt, das mit den Worten beginnt:

der Diener die Todten=Gerippe mit ihren seltsamen Gewehr
einherkommen und auf den Aleßandro losgehen sah, nahm er die

5 Friedrich Weschta, Eichendorffs Novellenmärchen Das Marmorbild. Prag 1916, S. 91–94 (= Prager Deutsche Studien, 25. Heft).

Fackel und schlug dem einen {der K} damit den Knochen aus der Hand, daß er auf die Erde fiel. Darauf nahm er zugleich {den} ⟨einen⟩ Sprung, und lief sammt seinem Herren zum Thor hinaus ins Freie.
[Darauf folgen die Bemühungen des Aleßandro, die Vorgänge aufzuklären. Der Richter der Stadt erzählt ihm von einem schönen Fräulein, das ehemals hier in einem Schloß mit Garten gelebt und unzählige Freier in das Verderben getrieben habe; noch immer steige sie aus dem Grabe auf, um zu verführen. Aleßandro, der aus der Beschreibung den Garten wiedererkennt, verläßt am nächsten Tag die Stadt Lucca, sieht aus der Ferne die Ruine des Schlosses und wird durch die aufgehende Sonne und sein Lied: »Hier bin ich Herr« aus dem Kreis der Zauberei befreit.]

Es kann kein Zweifel daran bestehen, daß beide Texte sich bruchlos aneinanderfügen. Eine gewisse Schwierigkeit besteht in der Beschaffenheit des zweiten: er stand, wie Weschta angibt[6], auf der 2., 3. und 4. Seite eines gefalteten Bogens, während die 1. einen Brief von fremder Hand enthielt; die Seiten mit Eichendorffs Text trugen die Seitenzahlen »8«, »9« und »10«. Es gibt also zweimal – sowohl in unserem wie im anschließenden Fragment – die Seitenbezeichnung »8«. Aber das kann auf einen Irrtum des Dichters zurückgeführt werden, um so leichter, als ja die ganze Überlieferung etwas konfus erscheint. Sie wird es weniger, wenn wir uns die Lage praktisch vorstellen: Nachdem der Dichter den größeren Teil seines *Schatten=Spieles* auf zwei gefaltete, ineinandergelegte Bogen geschrieben hatte, fehlte es ihm offenbar an Schreibmaterial. Papier war teuer, und Eichendorff dürfte damals bitterarm gewesen sein[7]. So griff er zu dem fremden Brief, der noch viel Platz, nämlich drei Seiten frei hatte, um darauf seine Erzählung zu Ende zu schreiben, ja um sogar zwischen den Zeilen des Briefes weitere Notizen zum *Marmorbild* einzutragen[8].

Schon Weschta hat festgestellt, daß dem von ihm abgedruckten Fragment jene Quelle zugrunde liegt, die Eichendorff, als er am 2. Dezember 1817 sein *Marmorbild* an Friedrich de la Motte Fouqué zum Druck

6 WESCHTA (= Anm. 5), S. 34f.
7 Wie der Datierungsversuch am Schluß dieser Arbeit ergibt, handelt es sich wahrscheinlich um die Breslauer Zeit zwischen Mitte 1816 und Mitte 1817.
8 WESCHTA (= Anm. 5), S. 39, 94f.

übersandte, im Begleitbrief selbst genannt hat: »Ihrer gütigen Erlaubnis zufolge wage ich es, Ihnen wieder etwas von meiner Poesie zuzuschicken, eine Novelle oder ein Märchen, zu dem irgend eine Anekdote aus einem alten Buche, ich glaube es waren *Happellii Curiositates*, die entfernte Veranlassung, aber auch weiter nichts gegeben hat«[9]. Das Werk heißt vollständiger: *E. G. Happelii grösseste Denkwürdigkeiten der Welt oder so genandte Relationes Curiosae* [...]«, III. Theil, Hamburg 1687; auf S. 510–516 wird unter der Überschrift *Die seltzahme Lucenser=Gespenst* (und weiteren Überschriften) die Geschichte von Aleßandro erzählt[10].

Was die Entstehungsgeschichte des Mamorbildes angeht, so sind wir also in einer günstigen Lage. Wir kennen auf der einen Seite eine Quelle, die die dichterische Imagination anregte; auf der anderen Seite die fertige Novelle, die tatsächlich in Fouqués *Frauentaschenbuch für das Jahr 1819* in Nürnberg erschien; – und als wichtiges Verbindungsglied den hier mitgeteilten Entwurf (ergänzt durch Weschtas Abdruck), der nun, von beiden Seiten her betrachtet, einen seltenen Blick in die dichterische Werkstatt Eichendorffs erlaubt.

Weschta hat das Verhältnis seines Fragmentes zur Quelle derart beurteilt, daß ihr der Dichter »im engsten Anschlusse« gefolgt sei und erst das Ende umgearbeitet habe[11]. Aber das ist falsch. Schon in Weschtas Abdruck läßt sich nicht nur am Schluß, sondern durchwegs die ändernde Hand des Dichters erkennen, und unser Entwurf, dem wir uns jetzt allein wieder zuwenden, liefert eine Bestätigung für diese Neugestaltung des Stoffes, die teilweise bereits die letzte Fassung erreicht.

Die Mittelstellung unseres Entwurfes zwischen der Quelle und dem endgültigen Text zeigt sich schon am Anfang. Die endgültige Fassung des *Marmorbildes* beginnt.

> Es war ein schöner Sommerabend, als Florio, ein junger Edelmann, langsam auf die Tore von Lucca zuritt, sich erfreuend an dem feinen Dufte, der über der wunderschönen Landschaft und den Türmen und Dächern der Stadt vor ihm zitterte, sowie an den bunten Zügen zierlicher Damen und Herren, welche sich

9 Sämtliche Werke des Frhn. J. v. Eichendorff. Historisch-kritische Ausgabe. 12. Bd., S. 21.

10 Neuerlich abgedruckt in Kürschners Deutscher Nationalliteratur, Bd. 146, 2. Abt. I, S. 157–164.

11 WESCHTA (= Anm. 5), S. 35 f. – In dieser irrigen Beurteilung ist man ihm bis heute gefolgt. Vgl. POLHEIM, Marmorbild-Trümmer (= Anm. 3), S. 18 f.

zu beiden Seiten der Straße unter den hohen Kastanienalleen fröhlichschwärmend ergingen. (W 526)[12].

Happels Beginn lautet folgendermaßen:

Ein gewisser Italiänischer Passagir / den wir Allessandro nennen wollen / kam vor wenig Jahren mit seinem Reise=Gefährten zum Thor vor Luca / daselbst begegneten ihnen alßbald 3 Persohnen zu Pferd / welche jetzo aus dem Thor hinaus reiten wolten / als diese den Alessandro erblicketen / machten ihrer zween eine tieffe Reverentz vor ihm / und bewillkommeten ihn / als ihren geehrten Landesmann. Alessandro bedanckete sich zwar / wuste sich aber keines Wegs zu erinnern / daß er ihrer einige Kundschafft hätte. (H 510a, b)[13].

Unser Entwurf offenbart, wie der Dichter von seiner Vorlage schon mit dem ersten Satz abweicht und diesen neu und so gültig formuliert, daß er ihn später nur noch zu erweitern braucht. Dann schwenkt er nach einem umgebauten, überleitenden Zwischenstück auf die Vorlage ein, der er – allerdings stets stilistisch bessernd – folgt, bis Aleßandro in der Herberge eintrifft (Ende S. 1). Happels umständliche Schilderung, wonach Donati (mit Eichendorffs Worten: »der unbekannte Bekannte« S. 1, Z. 27) noch an demselben Abend und am nächsten Tag unseren Helden besucht, wird in unserem Entwurf ganz übersprungen. Dagegen knüpft die endgültige Fassung mittelbar wieder an und bringt den dämonischen Ritter Donati an eben diesem Abend noch mit dem Helden, der jetzt Florio heißt, zusammen, läßt diesen allerdings schon vorher und als allererstes dem frommen Sänger Fortunato begegnen. Das ist nun eine symbolische Vorausdeutung dafür, daß Florio, zwischen der hellen und der dunklen Figur stehend, schließlich jener folgen wird. Am Ende dieses ersten Abends ist freilich noch keine Entscheidung getroffen: Florio – wie es in der Endfassung heißt –

ritt still wie ein träumendes Mädchen zwischen beiden. Als sie ans Tor kamen, stellte sich Donatis Roß, das schon vorher vor manchem Vorübergehenden gescheuet, plötzlich fast gerade in die Höh und wollte nicht hinein. Ein funkelnder Zornesblitz fuhr, fast verzerrend, über das Gesicht des Reiters, und ein wilder, nur halb ausgesprochener Fluch aus den zuckenden Lippen, worüber Florio nicht wenig erstaunte, [...] Doch faßte sich dieser bald wieder. »Ich wollte Euch bis in die Herberge begleiten«, sagte er lächelnd und mit der

12 W = Zitat nach der Winkler Dünndruck-Ausgabe: J. v. Eichendorff: Werke. Bd. II, München 1970, S. 526.

13 H = Zitat nach dem Original von Happel, 1687 (s. oben) mit Seitenzahl und Spaltenbezeichnung.

gewohnten Zierlichkeit zu Florio gewendet, »aber mein Pferd will es anders, wie Ihr seht. Ich bewohne hier vor der Stadt ein Landhaus, wo ich Euch recht bald bei mir zu sehen hoffe.« (W 534.)

Es ist leicht zu merken, warum diese Stelle der Endfassung hier so ausführlich zitiert ist: ihr entspricht jene Aufzeichnung, die der Dichter mit dem Signalwort »Jezt« neben und unterhalb des Titels unseres Manuskriptes geschrieben hat (1, Z. 2–10), räumlich also vor diesem, zeitlich gewiß später, denn jene Aufzeichnung kann darin noch gar nicht eingeordnet werden und ist erst durch die endgültige Fassung verstehbar.

Wenn nun unser Entwurf fortfährt: »Am anderen Morgen« (2, Z. 1), so steht er wiederum zwischen Quelle und Endfassung: Jene, die dazwischen einen Tag eingeschaltet hatte, berichtet:

> Am folgenden Tage ruhete Alessandro umb seinen Rausch außzuschlaffen / biß umb die Mittags=Stunde im Bette / und nachdem er sich den Federn letztlich entzogen / kam Donati auff einen köstlich außgeputzten Pferd in herrlicher Kleidung vor die Herberge / und nöthigte den Alessandro zum Spatzier=Ritt vor das Thor / woselbst er ihm / als welcher ihm darinn willig folgte / etliche schöne Lust=Garten zeigete / [...] ergetzte sich dannoch der Italiäner an den schönen Grotten / Cascaden / und andern raren Stücken / [...] Gegen Abend zohen sie wieder nach der Stadt / und [...] nöthigte ihn Donati zu einer kleinen Abend=Collation (H 511 a, b).

Hier greift der Dichter voll ein. Bei der Erscheinung des Donati und dem Beginn des Ausfluges folgt er (2, Z. 4ff.) noch halbwegs seiner Vorlage. Aber wir können beobachten, wie er um eigene Gestaltung ringt: aus dem handschriftlichen Befund »so {zogen sie} durch {zogen} ⟨streiften⟩ sie« (2, Z. 12f.) läßt sich ablesen, daß der Dichter zuerst »so zogen sie« niedergeschrieben hatte, damit sofort unzufrieden war und neu formulierte: »durchzogen sie«. Erst später hat er auch diese Lesart verworfen und das »-zogen« durch »-streiften« ersetzt. Selbst die Frage: wann später? ist zu beantworten. Als er nämlich von seiner Vorlage mit ihrem Wortlaut »Gegen Abend zogen sie« (H 511b) angeregt, niedergeschrieben hatte: »Ermüdet zogen sie endlich« (2, Z. 16), bemerkte er die Wortwiederholung und veränderte das erste »-zogen«.

Von nun an wird der Dichter ganz selbständig. Er entwirft, bevor das Stadttor – hier nicht am Abend wie in der Vorlage, sondern zu Mittag (2, Z. 16f.) – erreicht wird, das Bild des zauberischen Gartens (2, Z. 19ff.). Auch hier feilt er am Text. Aus dem Befund »Garten {mit} ⟨voll⟩ kühlen Schatten⟨s⟩ und springende∫n⌊⟨r⟩ Quellen« ist zu erkennen, daß es zuerst »Garten mit kühlen Schatten und springenden Quellen« heißen sollte, was dann verbessert wurde zu: »Garten voll kühlen Schattens und springender Quellen« (2, Z. 21 f.). Da die Schilderung des Gartens mit der Seite 2 abbricht, wissen wir nichts weiteres, jedoch gibt es in dem von Weschta mitgeteilten Schluß des Entwurfes eine Anspielung in der Erzählung des Richters:

> das Schloß war, wie die alten Erzählungen aussagen, von einem prächtigen Lustgarten umgeben, worin man allerhand schöne Springbrunnen, Grotten und Weiher mit Schwänen {sahe} ⟨bewunderte⟩ – Aleßandro ersah mit Entsetzen aus dieser Beschreibung, daß es derselbe Garten sey, den er gestern gesehen[14].

In der Endfassung wird die ganze Passage, die auf der Seite 2 unseres Entwurfes steht, in zwei getrennte Szenen aufgeteilt. Florio wacht nicht »Am anderen Morgen« (2, Z. 1), sondern schon in der Nacht auf, er sieht nun nicht über die Stadt »in der Morgensonne« (2, Z. 3), sondern auf einen vor der Stadt liegenden »weiten stillen Kreis von Hügeln, Gärten und Tälern, vom Monde klar beschienen« (W 535), begibt sich fort und trifft auf das Marmorbild am Weiher. Am nächsten Tag sucht er den Weiher wieder auf und findet ihn verwandelt, ohne sich aber dessen bewußt zu werden. An dieser Stelle greift der Dichter auf seinen Entwurf (2, Z. 16–31) zurück, aber wie poetisch hat er ihn weitergebildet:

> Die Vögel schwiegen schon, der Kreis der Hügel wurde nach und nach immer stiller, die Strahlen der Mittagssonne schillerten sengend[15] über der ganzen Gegend draußen, die wie unter einem Schleier von Schwüle zu schlummern und zu träumen schien. Da kam er unerwartet an ein Tor von Eisengittern, zwischen

14 WESCHTA (= Anm. 5), S. 92 f. – Später nochmals: »je mehr schien sich dort [...] der gantze schöne Garten, wie er ihn {damals} zum erstenmal gesehen, {nac} nach uns noch aus der Ferne hervorzutreten« (WESCHTA, S. 94). Dabei ist Weschta übrigens ein Lesefehler unterlaufen: »nach uns noch« ist unsinnig und muß »nach und nach« heißen. Der Lesefehler ist leicht zu erklären, da sowohl das Schluß-s und das Schluß-d als auch o und a in Eichendorffs Handschrift leicht zu verwechseln sind. Vgl. Karl Konrad POLHEIM, Neues vom Taugenichts. In: Aurora 43, 1983, S. 37 und Anm. 21.

15 Das Wort »sengend« bietet ein interessantes textkritisches Problem. Wir finden es so in unserem Entwurf, aber im ersten Druck in Fouqués Taschenbuch (1819) sowie in der ersten Buchausgabe (1826) und in der ersten Gesamtausgabe (1841) heißt es »segnend«, was natürlich ein Setzerfehler ist, besonders abwegig, weil Aleßandro/Florio ja gerade jetzt im Bannkreise der Venus steht und von Maria, die allein »segnend« wirken könnte, noch weit entfernt ist. Erst die zweite Gesamtausgabe (1864, nach Eichendorffs Tod) druckt wieder »sengend«.

dessen zierlich vergoldeten Stäben hindurch man in einen weiten prächtigen Lustgarten hineinsehen konnte. Ein Strom von Kühle und Duft wehte den Ermüdeten erquickend daraus an. Das Tor war nicht verschlossen, er öffnete es leise und trat hinein. [...] Kein Mensch war ringsum zu sehen, tiefe Stille herrschte überall. Nur hin und wieder erwachte manchmal eine Nachtigall und sang wie im Schlummer fast schluchzend. (W 539f.)

Auch im zweiten vorhandenen Teil unseres Entwurfes hält sich der Dichter nur im großen und ganzen an seine Vorlage. Ansonsten stellt er um, kürzt, erweitert, fügt ein und formuliert neu, so daß aus den äußerlich aneinander gereihten Szenen Happels eine ineinander gefügte, aufeinander bezogene Handlung entsteht.

So hat Eichendorff zwar die Szene mit dem weißen Hahn (7, Z. 18–21) fast wörtlich aus der Quelle übernommen (H 513a), aber diesen Hahn auch schon früher vordeutend erwähnt (7, Z. 3f.). Außerdem bringt er ihn mit den die Kerzen haltenden »zwei ungeheueren {Armen} aus der Wand hervorragenden Armen« (7, Z. 1f.), – bei Happel lediglich einmal nebenbei: »Kertzen [...] in güldenen außgesteckten Armen« (H 513b) – in Verbindung, die er ihrerseits später wiederum aufgreift und neuerlich in die Handlung einfügt (8, Z. 13–15). Oder ein anderes Beispiel: Bei Happel sieht man unter den Bildern »den Trojanischen Brand / da es das Ansehen hatte / als könte man bißweilen die Funcken durch den dunckelen Rauch leibhafftig sehen hin auff steigen« (H 512a). Aber dieses Bild bleibt ein vereinzeltes Kuriosum, während Eichendorff das Motiv weiterspinnt und es zweimal noch wirkungsvoll einsetzt (7, Z. 25–27. 8, Z. 16f.). Auch die »Tapetzereyen« bleiben bei Happel (H 512b) isoliert; Eichendorff dagegen bezieht sie deutlich auf die Dame, die den Aleßandro führt (7, Z. 4–14) und läßt später die abgebildeten Figuren die Augen regen und heraustreten (8, Z. 12f.).

In der Vorlage öffnet die Dame vor Aleßandro einen Schrank, »worin allerhand Sceleta oder Todten=Gerippe von Menschen zu sehen waren« (H 514a). Aleßandro fragt, »ob diese etwa Mumien wären / die sie aus Egipten an sich erhandelt hätte« (H 514a). Auf diese doch harmlose Frage entfaltet die Dame ihre bösen Künste:

Diese aber schiene hierüber etwas betrübt / und gleich darauff zornig zu werden / sie gab ihm keine Antwort / sondern stieß den einen Cörper nur mit einem Fuß an / in demselben Augenblick begunte sich derselbe zu rühren / stieß seinen Nachbahrn mit den lincken Elenbogen in die Seite / welcher davon gleicher Gestalt eine empfindlichkeit bekam / und darauff erhuben sich diese 2 Sceleta aus dem Schranck / stelleten sich auff die Füsse / und nachdem ein jeder einen

Knochen von den andern Cörpern abgerissen hatte / tratten sie heraus / und giengen auff den Alessandro loß / der[s]elbe sahe die Dame an / als er aber merckete / daß dieselbe aller Freund und Höflichkeit gute Nacht gegeben / zückete er seinen Degen / [...] (H 514a, b).

Eichendorff ändert diese Stelle zunächst nur in Einzelheiten, die aber so fein wie bedeutungsvoll sind. Er verwirft die überflüssige Frage nach den Mumien und damit auch die alberne Reaktion der Dame, die er nun nicht aktiv eingreifen, sondern langsam verdämmern läßt. Dementsprechend wird sie in genauer Umkehr zu Happel zuerst zornig und dann betrübt (7, Z. 31), und nicht sie stößt absichtlich die Gerippe mit dem Fuß an, sondern Aleßandro tut es unabsichtlich (8, Z. 1). Dann bleibt der Dichter seiner Vorlage treu bis zu den Worten: »giengen auf den Aleßandro los« (8, Z. 7). Die Fortsetzung läßt wieder einen Blick in Eichendorffs Schaffensprozeß tun: »Dieser {sah die Dame an} zog seinen Degen und {sah} warf einen ungewißen Blick auf die Dame« (8, Z. 7f.). Wir sehen, wie der Dichter zuerst seiner Vorlage noch weiter folgen will: »Dieser sah die Dame an«, dann aber es für den Charakter des Aleßandro angemessener empfindet, wenn dieser ohne Blick auf die Dame zuerst und spontan nach der Waffe greift. So streicht er das soeben Geschriebene durch und dreht die Vorlage um: »zog seinen Degen und sah«. Das übernommene «sah« genügt ihm noch nicht, er streicht es ebenfalls durch und formuliert eindringlich: »warf einen ungewißen Blick auf die Dame«. In der Fortsetzung verläßt er die plumpe Schilderung Happels gänzlich und findet das schöne Bild von der versinkenden Abendröte, das er in der Endfassung gleichlautend beibehält.

Aleßandros Flucht wird in der Vorlage beschrieben:

weil er wohl wuste / daß er beym Teuffel keine Ehre würde erlangen / sahe er sich nach der Thür umb / und weil er dieselbe offen fand / lieff er in vollen Sprüngen hinauß / eylete die Treppe hinunter / und rieff dem Donati (H 514b).

Eichendorff bringt nicht nur stilistische Verbesserungen an, sondern erweitert vor allem um »den vorderen Saal, wo auch die steinernen Bilder sich hinter ihm dreinregten« (8, Z. 22f.). Happel hatte zwar ebenfalls von einem Saal berichtet, der »von allen Seiten mit den allerherrlichsten Statuen besetzet« war (H 512b), aber Eichendorff greift dieses Motiv viel stärker auf und schlägt damit bereits jenen Weg ein, der ihn zur endgültigen Fassung führen wird. Denn dort sind die Totengerippe gänzlich durch die steinernen Bilder ersetzt.

Florio hatte indes, im Schreck zurücktaumelnd, eines von den steinernen Bildern, die an der Wand herumstanden, angestoßen. In demselben Augenblicke begann dasselbe sich zu rühren, die Regung teilte sich schnell den andern mit, und bald erhoben sich alle die Bilder mit furchtbarem Schweigen von ihrem Gestelle. (W 557).

Wenn wir hier noch einmal mit aller Deutlichkeit sehen, wie unser Entwurf sowohl mit seiner Vorlage als bereits auch mit der Endfassung verbunden ist, so erhebt sich zum Schluß die Frage, wann er nun zeitlich angesiedelt werden könnte. Durch Eichendorffs oben genannten Brief an Fouqué wissen wir, daß die Endfassung am 2. Dezember 1817 abgeschickt wurde. Es ist also gewiß, daß unser Entwurf vor diesem Datum liegt, freilich ungewiß, wie lange davor. Da es zwischen ihm und der abgeschickten Fassung noch andere Zwischenstufen gibt[16], darf der ›terminus ad quem‹ nicht zu knapp davor angesetzt werden. Für den ›terminus a quo‹ wird man die Biographie des Dichters zu Hilfe nehmen: Eichendorff kehrte im Januar 1816 nach Deutschland zurück und übersiedelte im Juni desselben Jahres nach Breslau. Da es eher unwahrscheinlich ist, daß er vorher an dem Entwurf gearbeitet hat, könnte man – mit aller gebotenen Vorsicht – die Abfassungszeit unseres Entwurfes zwischen Mitte 1816 und Mitte 1817 ansetzen[17].

16 Vgl. POLHEIM, Marmorbild-Trümmer (= Anm. 3), S. 25 ff.

17 Dasselbe Verfahren der Handschriftenanalyse ist auch auf eine Marmorbild-Vorstudie angewandt, deren Manuskriptbeschaffenheit noch interessanter ist: Karl Konrad POLHEIM, Das Marmorbild-Fragment im Freien Deutschen Hochstift. In: Jahrbuch des Freien Deutschen Hochstifts, 1986, S. 257–292. Darauf sei nachdrücklich verwiesen.

Der Deutsche Orden in Eichendorffs Sicht

ALFRED RIEMEN

Wie der Schlesier Joseph von Eichendorff auf den Deutschen Orden aufmerksam wurde und warum er sich mit ihm erstaunlich viel beschäftigte, läßt sich ohne Schwierigkeit erklären. Als er im Jahre 1821 seinen Staatsdienst in Danzig aufnahm, hatte sein dortiger Vorgesetzter, der Oberpräsident Theodor von Schön, sich bereits für die Wiederherstellung des Ordensschlosses Marienburg eingesetzt, und Eichendorff war während seiner Tätigkeit in der Verwaltung der Provinzen West- und Ostpreußen (1821–1830) von Amts wegen mit dem Wiederaufbau des Schlosses befaßt[1]. In Königsberg lernte er den zeitgenössischen Historiker des alten Preußen, Johannes Voigt, kennen. Dessen *Geschichte Marienburgs*, 1824 erschienen, war eine Stoffquelle für sein Drama *Der letzte Held von Marienburg*[2]. Die Anregung zu dem Werk gab dem Dichter vielleicht Theodor von Schön; jedenfalls hat dieser den Druck in Königsberg veranlaßt[3]. Er hat auch Eichendorff dem König vorgeschlagen, die Abhandlung über *Die Wiederherstellung des Schlosses der deutschen Ordensritter zu Marienburg*[4] zu schreiben. Die Gedichte, in denen

1 Hans PÖRNBACHER, Joseph Freiherr von Eichendorff als Beamter. Dargestellt auf Grund bisher unbekannter Akten. Dortmund, 1964. (Auf dem Buchdeckel die Jahreszahl 1963!), S. 57f.

2 Wolfgang FRÜHWALD, Eichendorff-Chronik. Daten zu Leben und Werk. (Reihe Hanser 229), München, 1977, S. 124.

3 FRÜHWALD, s. Anm. 2, S. 127.

4 Sämtliche Werke des Freiherrn Joseph von Eichendorff. Historisch-kritische Ausgabe. Hg. von Wilhelm KOSCH und August SAUER. Band X: Historische, politische und biographische Schriften. Hg. von Wilhelm KOSCH, Regensburg, o.J., S. 3–121. – Zitate aus diesem Band werden in Zukunft im Text in runden Klammern unter der Bezeichnung HKA X mit folgender Angabe der Seitenzahl in arabischen Ziffern nachgewiesen. – Zu Theodor von Schön und zur Wiederherstellung des Schlosses siehe: Hartmut BOOCKMANN, Das ehemalige

Eichendorff auf das Schloß und den Orden anspielt, kann man als Auftrags- und Gelegenheitsarbeiten bezeichnen; sie sind veranlaßt durch Empfänge, die der Oberpräsident hochgestellten Personen, dem preußischen Kronprinzen, der russischen Kaiserin, auf Schloß Marienburg gab. Theodor von Schön verfügte über seinen Hofpoeten! Trotzdem zeigen diese Zusammenhänge, welches Interesse das Schloß damals in der gebildeten und politischen Öffentlichkeit erregt hat. Für den Marienverehrer Eichendorff war es auch wichtig, daß der Orden die Gottesmutter als Patronin verehrte; das Marienbild an der Schloßkirche hat er in seinem Werk über die Wiederherstellung des Schlosses ausführlich beschrieben. (HKA X, 104f.)[5].

Eichendorff, der Oberschlesier, ist ein Außenseiter neben den anderen Männern, die sich um Marienburg bemühten. Für von Schön und Voigt ist das Schloß ein Heimatdenkmal, und in einer Wiederherstellung sah von Schön ein Symbol seines Einsatzes für und seiner Verbindung mit Preußen – den Namen hier in seiner ursprünglichen regionalen Bedeutung verstanden. Aber schon lange vor Schöns Ernennung zum Oberpräsidenten von Westpreußen (1815) hatte der Dichter Max von Schenkendorf, der aus Tilsit stammte und daher auch als ›Einheimischer‹ gelten kann, auf die ästhetische und historische Bedeutung des Schlosses hingewiesen. Er

Ordensschloß Marienburg 1772–1945. Die Geschichte eines politischen Denkmals. In: Geschichtswissenschaft und Vereinswesen im 19. Jahrhundert. Beiträge zur Geschichte historischer Forschung in Deutschland von Hartmut Boockmann, Arnold Esch, Hermann Heimpel, Thomas Nipperdey und Heinrich Schmidt. Göttingen, 1972, S. 99–162. – Gerhard Krüger, ... gründeten auch unsere Freiheit. Spätaufklärung, Freimaurerei, preußisch-deutsche Reform. Der Kampf Theodor von Schöns gegen die Reaktion. Hamburg, 1978. – Hartmut Boockmann, Die Marienburg im 19. Jahrhundert. Frankfurt/M., Berlin, Wien, 1982. – Wolfgang Frühwald, Der Regierungsrat Joseph von Eichendorff. In: Internationales Archiv für Sozialgeschichte der deutschen Literatur. 4. Band, 1979, S. 37–66, insbes. S. 45ff. – [In diesem Band S. 239–276; insbes. S. 249ff.] – Zum Nationaldenkmal, wozu auch der Kölner Dom zu rechnen ist (s. S. 423f. dieses Aufsatzes), vgl.: Thomas Nipperdey, Nationalidee und Nationaldenkmal in Deutschland im 19. Jahrhundert. In: Historische Zeitschrift 206, 1968, S. 529–585. – Ludger Kerssen, Das Interesse am Mittelalter im deutschen Nationaldenkmal. Berlin, 1975. – Wolfgang Frühwald, Der Regierungsrat Joseph von Eichendorff. s. o. zu T. v. Schön, insbes. S. 49ff. In diesem Band S. 256ff.

5 Zur Bedeutung Marias für Eichendorff s.: A. M. Kosler im Lexikon der Marienkunde. Regensburg, 1967, Bd. 1, Sp. 1525–1529.

veröffentlichte in der Zeitschrift *Der Freimüthige. Berlinische Zeitung für gebildete, unbefangene Leser* am 26. August 1803 einen Essay unter dem Titel »Ein Beispiel von der Zerstörungssucht in Preußen«[6]. Daß es ihm vorzüglich um das ästhetische Phänomen geht, deutet schon der erste Satz des Artikels an: »Unter allen Ueberbleibseln Gothischer Baukunst in Preußen, nimmt das Schloß zu Marienburg die erste Stelle ein.« Das Adjektiv gotisch dient wohl weniger zur Charakterisierung einer Stilepoche als zur Bezeichnung eines Zeitalters, des Mittelalters, speziell des deutschen. Einen Beweis für diesen Gebrauch des Wortes gotisch liefert einige Jahre später Friedrich Schlegel, wenn er in seinen Vorlesungen *Über die neuere Geschichte* (1810/11) erklärt: »Jetzt« – und das Jetzt bestimmt er als die Zeit nach den sächsischen Kaisern, also etwa seit dem 2. Drittel des 11. Jahrhunderts – »Jetzt aber kam in Deutschland, besonders in den Niederlanden und in England, mit dem neuen Schwunge des Geistes auch ein ganz neuer Geschmack in der Baukunst auf, den man gewöhnlich den gotischen nennt«[7]. Wenn Schlegel im folgenden den Mailänder Dom als Beispiel anführt, so nennt er zwar ein gotisches Bauwerk, das aber erst rund dreihundert Jahre später begonnen wurde. Schlegel bezieht offenbar die Epoche der Salier in die Gotik ein, während man gerade diese Zeit heute als die Hochblüte der romanischen Architektur ansieht. Er verwendet das Adjektiv gotisch offensichtlich allgemeiner, als wir das heute tun; er verbindet damit wohl das Mittelalter schlechthin, obwohl er architekturhistorisch mit dem Mailänder Dom an den Stil erinnert, den auch wir heute gotisch nennen. Jedoch setzt er seinen Ursprung in Deutschland entweder zu früh an, oder er unterscheidet ihn nicht vom romanischen Stil. Wenn er schließlich als Ursprungsland deutschsprachige Gebiete und England nennt, so folgt er wohl dem Irrtum, dem auch der junge Goethe erlegen ist, wenn er von deutscher Baukunst spricht. Tatsächlich hat sich die Gotik zur Zeit der Salier entwickelt, jedoch in Frankreich unter dem Einfluß des berühmten Abtes

6 Abgedruckt in Max von Schenkendorf's Leben, Denken und Dichten. Unter Mittheilungen aus seinem schriftstellerischen Nachlaß dargestellt von Dr. A. HAGEN, Professor der Universität zu Königsberg. Berlin, 1863, S. 14–16.

7 Kritische Friedrich-Schlegel-Ausgabe. Hg. von Ernst BEHLER. Band 7: Studien zur Geschichte und Politik. Hg. von Ernst BEHLER, München, Paderborn, Wien, 1966, S. 229.

von St. Denis, Suger[8]. Daß auch Schenkendorf trotz der gotischen Elemente der Burg das Adjektiv weniger als stilistische, sondern vielmehr als historische Bezeichnung verwendet hat, unterstreicht der Kontext. Die Reste der zerstörten Mauern sind ihm heiliger Schutt, das Gebäude müßte auch erhalten werden, wenn es keinen praktischen Nutzen mehr brächte, weil man »das Andenken der Väter ehren und nicht verwüsten« sollte[9]. Die Zerstörung ist eine Folge der Profanierung, da man das alte Gebäude praktischen Nutzungen anpassen will, und schon das ist ihm eine Entweihung. Er wollte eine »Wallfahrt« zu ehrwürdigen Ruinen machen »und fand – Mehlmagazine«[10]. Das Schloß Marienburg als künstlerisches Zeugnis des Mittelalters, das ist ein Aspekt, den auch Eichendorff vierzig Jahre später in seiner Schrift hervorheben wird. Und ein weiterer deutet sich bei Schenkendorf schon an, der nationale, indem er gerade dem preußischen Staat und seiner Verwaltung vorwirft, unbedacht die Werte der Vorzeit, die man erhalten müßte, zu zerstören. Eichendorff kann später gerade die Konservierung feiern. Die vorzüglich deutsche Bedeutung des Bauwerks betont Schenkendorf allerdings noch nicht; im Jahre 1803 war diese Zeit noch nicht gekommen. Es gibt jedoch in dem Aufruf Schenkendorfs, der Zerstörung des Bauwerks Einhalt zu gebieten, Argumente, die bei der späteren Charakterisierung durch Eichendorff wiederkehren.

Denn der Hinweis auf Eichendorffs Dienstpflichten und auf die Absicht, seinem Vorgesetzten gefällig zu sein, können seinen Enthusiasmus, mit dem er den Deutschen Orden und Marienburg dichterisch und essayistisch behandelt, nicht hinreichend erklären. Vielmehr wurde bei ihm eine romantische Seite angerührt, die Verehrung des deutschen Mittelalters, wie sie offenbar auch schon Schenkendorf zu seinem Artikel im *Freimüthigen* angeregt hatte. Das Bild der Vorzeit wird freilich von Eichendorff – wie auch von anderen Romantikern – idealisiert und bis zum Idyll stilisiert. In der Beschreibung, die Eichendorff in seiner Prosaschrift vom Leben der Ordensritter auf Schloß Marienburg liefert, finden wir beide Tendenzen. Die Anregungen also, die er während seiner Amtstätigkeit in West- und Ostpreußen unter Theodor von Schön erhielt,

8 Vgl. dazu Otto von Simson, Die gotische Kathedrale. Beiträge zu ihrer Entstehung und Bedeutung. Darmstadt, 1968.

9 Zitate: s. Anm. 6, S. 15.

10 Ebd. S. 14.

fielen auf den Boden der romantischen Begeisterung für das Mittelalter, und deshalb trugen sie Früchte[11].

Schon der Satz, mit dem Eichendorff die Beschreibung des täglichen Lebens auf Marienburg einleitet, verrät die Nähe zur Idealisierung: er will des Ordensritters »Tun und Treiben, sein Stillleben [sic] in der Marienburg selbst zu belauschen« versuchen. (HKA X, 17) Das »Stillleben« der Ritter »belauschen«, es klingt fast biedermeierlich. Allerdings sucht der Autor sofort anschließend einen zu behäbig bürgerlichen Eindruck zu korrigieren, indem er erklärt: »Dieses Leben aber war streng und herb und in seiner eisernen, täglich wiederkehrenden Ordnung fast wie der einförmige Takt einer Turmuhr in tiefer Stille, hie und da nur von Waffengerassel unterbrochen. Alles deutet ernst auf die doppelte Bestimmung des *geistlichen* [im Original gesperrt] Ritters, dessen Reich zwar von dieser Welt, aber für jene.« (HKA X, 17f.) Hier klingt neben der romantischen eine persönliche Saite des katholischen Aristokraten Eichendorff an. Das geistliche Rittertum hat ihn offensichtlich fasziniert. Seine Interpretation des Wolframschen *Parzival* in der *Geschichte der poetischen Literatur Deutschlands* ist ganz auf diesen Tenor abgestimmt. Dort lautet die allgemeine Charakteristik: »Der Grundklang dieses merkwürdigen Gedichts ist das tiefe Gefühl von der Unzulänglichkeit alles Weltruhmes, daher die Sehnsucht nach etwas Höherem und der Versuch, das Rittertum unmittelbar an das Ewige zu knüpfen.«[12] In der Kreuzzugsidee scheint Eichendorff sein persönliches aristokratisch-ritterliches Menschenbild und seine Idealvorstellung eines christlichen Zeitalters vereinigt zu sehen. In seiner Schrift *Über die Folgen von der Aufhebung der Landeshoheit der Bischöfe und der Klöster in Deutschland*[13] heißt es zu den Kreuzzügen, die Päpste hätten damit »den kleinen zerstreuten Zwist [...] in einen idealen Kampf gegen die asiatischen Ungläubigen, für die Befreiung Jerusalems

11 Die Künstlichkeit dieses Mittelalterbildes dürfte eine der Ursachen sein, weshalb »Der letzte Held von Marienburg« als Drama nicht überzeugen kann.

12 Joseph von Eichendorff, Werke (bisher vier Bände). Winkler Verlag, München, 1970ff. Band III: Schriften zur Literatur (1976), S. 569. – Zitate nach dieser Ausgabe werden künftig in runden Klammern im Text gekennzeichnet mit der Bezeichnung »Winkler«, Bandnummer in römischen, Seitenzahlen in arabischen Ziffern.

13 HKA X, 143–195. – Eichendorffs Examensarbeit aus dem Jahre 1818, die er später für eine Veröffentlichung überarbeitet. Erstmals von Hermann von Eichendorff 1866 herausgegeben.

verwandeln und so eine großartige Sittlichkeit der Politik entzünden« können. (HKA X, 153) Aus diesem »idealen Kampf« sind die Ritterorden hervorgegangen; sie gehören in »diese zweite Völkerwanderung [...] zur Eroberung des Himmelreichs, diese ungeheuere Geistesbewegung, die wie Flut und Ebbe von unsichtbaren Himmelskräften allein regiert wird.« (Winkler III, 565) Mit den Worten charakterisiert Eichendorff die Kreuzzüge in seiner *Geschichte der poetischen Literatur Deutschlands,* die in seinem Todesjahr 1857 erschienen ist. Beide Zitate lassen die Verehrung des christlichen Mittelalters erkennen; aber noch mehr zeugen sie von Eichendorffs unbeirrter religiöser Einstellung. Man darf die Wendung von der Eroberung des Himmelreichs durch die Eroberung des Heiligen Landes nicht als poetisches Bild mißverstehen. Tieck beispielsweise wirft er vor, er habe in seinen Dichtungen christliche Motive nicht ernst gemeint, sondern zum poetischen Schmuck herabgewürdigt, und darin sieht er die Todsünde der romantischen Bewegung, den Verrat an ihrer ursprünglichen Aufgabe. (Winkler III, 802f.) Wie das Mittelalter, so faßt auch Eichendorff die Teilnahme an den Kreuzzügen als einen Weg zur Seligkeit auf. Daß es der Lehre Christi widersprechen könnte, den Glauben mit Waffengewalt zu verteidigen und zu verbreiten, scheint ihm gar nicht in den Sinn zu kommen. Die Einstellung begegnet uns auch in der Schrift über Marienburg und den Deutschen Orden. Der aktive, kämpferische Einsatz des Lebens ist die höchste Bestätigung christlicher Gesinnung[14]. »Das Rittertum stand durchaus auf religiösem Grunde«, erklärt er in der Schrift *Der Deutsche Roman des achtzehnten Jahrhunderts in seinem Verhältnis zum Christentum* (Winkler III, 218), und er leitet aus der Aufweichung des religiösen Fundaments sowohl soziale wie kulturelle, speziell literarische Entartungen ab[15]. Folgerichtig müssen ihm die Ritterorden als die höchste Ausprägung der christlich-ritterlichen Gesin-

14 Das etwas burlesk klingende kleine Lied »Und wenn es einst dunkelt«, das er in seine Novelle »Eine Meerfahrt« eingefügt hat, atmet in den Schlußversen auch diese ritterlich-christliche Gesinnung. Sie lauten: »Wir aber stürmen / Das himmlische Tor!« (Winkler II, 755). Einen Abglanz des Kreuzzugsgedankens hat Eichendorff den Spaniern in dieser Erzählung zukommen lassen.

15 Auf weniger ideelle Ursachen für die Entartung des Rittertums geht Eichendorff nicht ein. Er erwähnt nicht die Auflösung des Feudalsystems, die Absolutheitsansprüche der Landesfürsten, die Überlegenheit der modernen Feuerwaffen über die Kampfkraft der Ritterheere; ökonomische Ursachen mit dem Erstarken des Bürgertums deutet er nur gelegentlich an. Alle diese Ursachen

nung, also der fundamentalen Idee des Mittelalters erscheinen. So liest man in seiner Examensschrift: »Und wenn zwar anfänglich auch des weltlichen Ritters Schwert mit kirchlicher Feierlichkeit geweiht wurde zur Verteidigung der Religion und zum Schutze der Witwen und Waisen, das Ganze des Rittertums aber niemals eine allgemeine, äußerlich geordnete Verbindung wurde, so sehen wir dagegen jene innige Durchdringung des Geistlichen und Weltlichen noch einmal ernster und strenger in den geistlichen Ritterorden, wie den geharnischten Geist der Zeit, erscheinen.« (HKA X, 150) Man erkennt diese Einstellung noch in dem Drama *Der letzte Held von Marienburg* wie in der Schrift über *Die Wiederherstellung des Schlosses der deutschen Ordensritter zu Marienburg.*

Die Idealisierung des Lebens auf Marienburg zeigt sich, wie gesagt, in der Darstellung des Tagesablaufs der Ordensritter. Deutlich faßbar wird das in dem Bild vom abendlichen Zusammentreffen der Ordensbrüder im Remter: »Man denke sich nur im schönsten Saale, der sich jemals über heiteren Gesellen gewölbt, Männer aus den edelsten Geschlechtern von adeliger Sitte und jeglichen Alters aus allen Gauen Deutschlands, jeder in sich ein künftiger Fürst, denn das konnte er ja jederzeit durch die Wahl zum Meister werden, alle aber verbrüdert zu dem höchsten Zwecke aller Zeiten, der auch den Gewöhnlichen über das Gemeine erheben mußte, und stets gerüstet mit dem Ernst des Lebens in Not und Krieg, der nur rechtes Eisen verlangt und von selbst die Schlacke auswirft.« (HKA X, 22) Es folgt darauf eine idyllische Darstellung der Abendgesellschaft im Remter. Der ganze Abschnitt kennzeichnet Eichendorffs Bewertung des deutschen Ordens, das Sinnbild seiner Idee vom christlichen Mittelalter. Wie die »heiteren Gesellen« im Remter, so bejaht auch er das Diesseits, sofern es im christlichen Geist auf das Jenseits gerichtet ist. Die höchste Blüte des Ordens sieht er in der Regierungszeit des Hochmeisters Winrich von Kniprode, dessen Wahl mit anschließenden Festlichkeiten er als Muster der Inthronisation geistlicher und weltlicher Würde ausführlich beschreibt (HKA X, 25), auch das wieder ein Beispiel für Eichendorffs romantische Vorstellungen und für seine persönliche Ausgestaltung des Mittelalterbildes, auf dessen christlicher Basis gerade auch die Lebensfreude ihren Platz hat.

lassen sich kaum religiös erklären; aber die religiösen Wandlungen sind ihm die wichtigsten.

Nicht übersehen darf man in dem vorhin angeführten Zitat, daß Eichendorff von Männern »aus allen Gauen Deutschlands« spricht. Schenkendorf hatte im Jahre 1803 ausschließlich Preußens Verantwortung für die Erhaltung Marienburgs angesprochen; Eichendorff verweist in seinem Essay immer wieder auf den deutschen Charakter des Baudenkmals, eine Zuordnung, die er offensichtlich historisch zu begründen sucht, hier mit dem Hinweis, daß die Ritter aus ganz Deutschland gekommen seien. Die Ansicht entspringt wohl der Prägung Eichendorffs durch die nationalromantische Bewegung der Befreiungskriege. Seitdem ist der Gedanke der deutschen Einigung in einem neuen Reich während der Metternich-Aera lebendig geblieben. Die meisten ›Demagogen‹, gegen die sich die Karlsbader Beschlüsse richteten, waren Verfechter des Nationalgedankens, und dasselbe gilt von den Veranstaltern und Besuchern des Hambacher Festes. Eichendorff freilich konnte sich mit diesen liberalen und teilweise republikanischen Richtungen nicht identifizieren; aber der Wunsch, die Deutschen wieder in einem gemeinsamen Staat zu vereinigen, war auch den konservativen Richtungen der Zeit nicht fremd, erst recht nicht denjenigen, die aus der nationalromantischen Bewegung der napoleonischen Zeit hervorgegangen waren. Es sagt etwas über die diesbezüglichen Hoffnungen, die man an den Regierungsantritt Friedrich Wilhelms IV. knüpfte, wenn die Frankfurter Nationalversammlung ihm 1848 die deutsche Kaiserkrone antrug[16]. An ihn, damals noch Kronprinz, und an Goethe sandte Eichendorff je ein Prachtexemplar seines Dramas *Der letzte Held von Marienburg*. Darin zeigt sich die über Preußen hinausgehende nationale Einstellung des Dichters, von der er wohl meinte, daß sie ihn mit beiden verbinde. Denn wenn er Goethes Leistung in dem Widmungsbrief mit den Worten charakterisiert, er habe ein »unvergängliches Reich deutscher Dichtkunst gegründet«[17], so klingt im Zusammenhang mit dem Dramenstoff der politische Gedanke an. Der Kronprinz hatte bereits 1822 Marienburg besucht. Damals hatte Eichendorff das Tafelgedicht geschrieben. (Winkler I, 169ff.) Wenn sich auch bald nach Friedrich Wilhelms Regierungsantritt zeigte, daß von einem

16 Damit sollen realpolitische Rücksichten, die Machtverhältnisse betreffend, nicht geleugnet werden. Bei der kleindeutschen Lösung besaß Preußen die Hegemonie und konnte nicht übergangen werden.

17 Brief vom 29. 5. 1830: HKA XII: Briefe von Freiherrn Joseph von Eichendorff. Hg. von Wilhelm Kosch, Regensburg, o.J., S. 32.

neuen, liberaleren und fortschrittlichen Kurs nicht die Rede sein konnte, so scheint der König doch gern den Eindruck erweckt zu haben, sich über die preußische Gesinnung hinaus für deutsche Ideen zu engagieren. Das Kölner Dombaufest von 1842 wurde eine deutsche Demonstration auf preußischem Boden; die Rheinkrise von 1840 zwischen Frankreich und den deutschen Staaten war noch in frischer Erinnerung. Sie wirkt nach in Eichendorffs *Aufforderung zur Teilnahme*, Teilnahme nämlich an der Unterstützung des Dombaufonds durch Beitritt zum 1841 gegründeten Berliner Dombauverein. Eichendorff betont den deutschen Charakter des Bauwerks: »Das erhabene Denkmal deutscher Baukunst, dessen großartiger Gedanke, in dem Geiste eines deutschen Künstlers entsprungen, vor Jahrhunderten viele begeistert hatte, ihre Kräfte und Hände dem hohen Werke zu weihen, blieb durch die Ungunst der Zeiten, welche die Bande des deutschen Vaterlandes zu lösen und seine Größe zu untergraben drohte, unvollendet an den Ufern des Rheines stehen.« (HKA X, 122) Zwischen den Zeilen klingt an, daß die Fertigstellung des Domes als allgemein-deutsche Aufgabe ein Zeichen für die ebenfalls herzustellende deutsche Einheit sei. Daher später der Passus: »Wohlan denn! es gilt den Ausbau eines Kunstwerkes auf deutschem Boden! So trete denn das deutsche Volk in allen seinen Stämmen und Gauen zusammen, so weit die deutsche Zunge reicht, und stifte seiner Eintracht und christlich brüderlichen Liebe ein neues Denkmal, welches mit den Gedenkzeichen der zusammenwirkenden Volksstämme geschmückt, Deutschlands ernsten Willen verkünde, daß dieser Tempel stets auf deutschem Boden und unter deutscher Obhut stehen soll.« (HKA X, 123) Das Protektorat über den Berliner Dombauverein, für den Eichendorff diesen Aufruf schrieb, hatte Friedrich Wilhelm IV. selbst übernommen. Noch im Jahr der Dombaufeier erhielt Eichendorff den Auftrag, die Geschichte der Wiederherstellung Marienburgs zu schreiben. Ebenfalls im Jahr 1842 besuchte Friedrich Wilhelm das Schlachtfeld von Tannenberg und stellte dort zu Ehren des gefallenen Hochmeisters Ulrich von Jungingen eine Ordensfahne auf. Auch das konnte man als Zeichen für die deutsche Gesinnung des Königs deuten[18]. Es ist daher nicht verwunderlich, daß Eichendorff das Ordensschloß als ein nationales deutsches Denkmal schildert, gewisser-

18 Daß die Polen, die unter preußischer Herrschaft lebten, die Geste als Provokation empfanden, war wohl nicht beabsichtigt, bestätigt aber die Interpretation im national-deutschen Sinn.

maßen ein östliches Gegenstück zum Kölner Dom an der Westgrenze. Allerdings betont er ausdrücklich, daß die Wiederherstellung eine ausschließlich preußische Leistung gewesen sei und auch habe sein sollen: »Der König übernahm das Dauernde, das Fundamentale: die Erhaltung des Ganzen, sein Volk den Ausbau und den Schmuck. Denn nur Eingeborene wurden, der Grundidee getreu, zur Teilnahme zugelassen; für Ausländer bedurfte es besonderer königlicher Genehmigung.« (HKA X, 73) Indem Eichendorff das betont und wenn er schreibt, die Marienburg sei »gleichsam das geistige Ahnenhaus der Preußen, der Horst des schwarzen Adlers« (HKA X, 72), folgt er gewiß den Ansichten Theodor von Schöns, und darin steckt ja auch eine deutliche Huldigung an den König, der die Schrift in Auftrag gegeben hatte. Trotzdem verbindet er den Wiederaufbau in seinem geistigen Ursprung mit dem gesamtdeutschen Ereignis der Befreiungskriege: »Eine ungeheure Ahnung flog über ganz Deutschland. Das Land Marienburgs aber hatte den Umschwung der Geschicke zuerst gesehen und von hieraus flammte jene hinreißende Begeisterung auf, die mit ihren Freiwilligen und Landwehren alle deutschen Völker zu einem Siegesheer verbrüderte.« (HKA X, 69) Dadurch, so fährt er fort, wurde man denn auch »für die großen Erinnerungen der Vorzeit und die Denkmale, die von ihnen zeugen, wieder empfänglich.« (ebd.)

Man sieht, daß Eichendorff auch das unmittelbar preußische Interesse an Marienburg, das er nicht unberücksichtigt lassen kann, in einen deutschen Zusammenhang zu bringen sucht[19]. Dieses gesamte geistige

19 Die Literatur zu dem Drama und dem Essay ist nicht zahlreich. Erwähnung finden die Werke auch in Literaturgeschichten und Abrissen des Lebens und der Werke des Dichters. Darüber hinaus seien folgende Arbeiten zu den Themenbereichen genannt:

1. Julius ERDMANN, Eichendorffs historische Trauerspiele. Halle, 1908.

2. Hans HENCKEL, Eichendorff als Dramatiker. In: Aurora 6, 1936, 67–75, insbes. 67–70.

3. Otto DEMUTH, Eichendorffs »Letzter Held von Marienburg«, eine Führertragödie. In: Aurora 8, 1938, 36–42.

4. Wolfgang FEDERAU, Eichendorff und die Marienburg. In: Aurora 9, 1940, 30–38.

5. Hermann BUDDENSIEG, Vom unbekannten Eichendorff. Eichendorff sprach auch polnisch. In: Mickiewicz-Blätter 1961, Heft XVII, 81–131; Heft XVIII, 178–235; 1962, Heft XIX, 1–46. – Zu den Schriften über den Orden insbes. Heft XVII, 97–99.

6. Friedrich SENGLE, Das historische Drama in Deutschland. Geschichte eines literarischen Mythos. Stuttgart, 2. Aufl., 1969, 99–100.

Umfeld mit Romantik und Befreiungskriegen, mit den unbefriedigten Hoffnungen auf nationale Einigung, mit den nationalen Emotionen während der Rheinkrise und der erneuten Steigerung deutschen Selbstbewußtseins beim Dombaufest, ferner mit den Erwartungen, die sich an Friedrich Wilhelm IV. knüpften, muß man neben den beruflichen, politischen, regionalen und personellen Einwirkungen auf den Autor berücksichtigen, wenn man Eichendorffs Schrift über Marienburg mit dem Abriß der Geschichte des Deutschen Ordens näher betrachtet und in ihrem historischen Kontext würdigen will. Nicht übersehen darf man schließlich das politische Problem, die polnischen Bevölkerungsteile in den preußischen Staat zu integrieren, eine mit Worten geäußerte Absicht Friedrich Wilhelms, der aber theatralische Gesten wie die von Tannenberg und die grundsätzliche Abneigung mancher Beamter entgegenstanden. Auch das Problem klingt bei Eichendorff an, wenn er sich mit den Auseinandersetzungen zwischen dem Deutschen Orden und Polen im 14. und 15. Jahrhundert beschäftigt.

Die Geschichte des Deutschen Ordens behandelt der Dichter nur kurz; denn es geht ihm primär um das Bauwerk und seine Wiederherstellung. Meine Untersuchung jedoch beschäftigt sich vor allem mit dem historischen Abriß. Die nationale Gesinnung ist in der Abhandlung Eichendorffs von Beginn an erkennbar. Im ersten Abschnitt, der in der historisch-kritischen Ausgabe (HKA X, 3) fünfzehn Zeilen umfaßt, erscheint das Wort deutsch mit seinen Ableitungen viermal, und das in z.T. prägnanten Formulierungen. So spricht er nicht vom Deutschen Orden, wie die Benennung offiziell lauten müßte, sondern vom »Orden der deutschen Ritter«. Er hebt damit schon bei der Einführung in das Thema

7. Rolf-Dieter KLUGE, Darstellung und Bewertung des Deutschen Ordens in der deutschen und polnischen Literatur. In: Zeitschrift für Ostforschung 18, 1969, 15–53. – Zu Eichendorff: 28–30.
8. Wolfgang WIPPERMANN, Der Ordensstaat als Ideologie. Das Bild des Deutschen Ordens in der deutschen Geschichtsschreibung und Publizistik. Berlin, 1979. Zu Eichendorff: 146.
9. Wolfgang WIPPERMANN, »Gen Ostland wollen wir reiten!« Ordensstaat und Ordenssiedlung in der historischen Belletristik Deutschlands. In: Germania Slavica II. Hg. von Wolfgang H. FRITZE. (Berliner historische Studien, Bd. 4) Berlin und München, 1981, 189–235. – Zu Eichendorff: 205–207.
Die frühen Arbeiten stehen meist selbst unter dem Einfluß romantisch-nationaler Ideen bis hin zu nationalistischen, chauvinistischen Deutungen während des Dritten Reichs.

zwei Aspekte hervor, auf die er Wert legt, den nationalen und den aristokratischen. Sie treffen jedoch nicht die historischen Umstände, unter denen der Orden entstanden ist. Hervorgegangen ist er aus einem Spital, das Bürger aus Bremen und Lübeck, nicht Ritter, während des Dritten Kreuzzuges bei der Belagerung von Akkon im Jahre 1190 gegründet haben[20]. Krankenpflege blieb eine Hauptaufgabe des Ordens, auf die Eichendorff nicht eingeht[21]. Als acht Jahre später der von Heinrich VI. geplante Kreuzzug nicht aufgenommen wurde, weil der Kaiser vorher starb, verwandelten deutsche Fürsten, die dem Kaiser nach Palästina vorausgeeilt waren, das Spital in einen Ritterorden nach dem Vorbild der Johanniter[22]. Vermutlich handelte es sich dabei um eine Maßnahme zum Schutz des Spitals. Wenn auch deutsche Bürger das Haus und deutsche Ritter anschließend den Orden gegründet haben, war er deshalb keine ausschließlich nationale Einrichtung: »In den älteren Fassungen der *Statuten* [Hervorhebung im Original] findet man keine Bestimmung, durch die die Aufnahme von Nichtdeutschen und Angehörigen des städtischen Patriziats verhindert wurde«[23]. Die Orden waren, dem Geist der Kreuzzüge und überhaupt dem der damaligen Reichsauffassung gemäß, übernational, war doch auch der Römische Kaiser damals kein nationaler Fürst, sondern der weltliche Repräsentant der – westlichen – Christenheit. Selbst während der preußischen Zeit im Spätmittelalter bestand der Orden keineswegs nur aus deutschen Mitgliedern, da der Kampf gegen die heidnischen Pruzzen ebenfalls unter der übernationalen christlichen Kreuzzugsidee stand. Das sind Fakten, die Eichendorff nicht erwähnt; vielmehr erweckt seine Darstellung den Eindruck, als seien die Ordensmitglieder ausschließlich Deutsche ritterlicher Geburt gewesen. Aus uneigennütziger idealistischer Gesinnung, entsprungen aus der Verbindung des deutschen und ritterlichen Charakters, hat nach Eichendorff

20 Marian TUMLER und Udo ARNOLD, Der Deutsche Orden. Von seinem Ursprung bis zur Gegenwart. 3., überarbeitete und erweiterte Auflage, Kevelaer, 1981, S. 7.

21 Sie betont Gustav FREYTAG in seinem Roman Die »Brüder vom deutschen Hause«. Ivo wird von einem Ordensmitglied belehrt: »Wir töten Ungläubige, wenn sie uns trotzig widerstehen. [...] Unter den Christen ist unser Amt nicht, Wunden zu schlagen, sondern zu heilen.« – In: Die Ahnen. Berlin: Th. Knaur Nachf., o.J., 3. Teil, S. 70.

22 TUMLER/ARNOLD, s. Anm. 20, S. 8.

23 WIPPERMANN, s. Anm. 19, Nr. 8, S. 33.

der Deutsche Orden die preußische Aufgabe ergriffen: »Nachdem die Ritterorden überhaupt durch die Veränderungen im Orient Zweck und Aufgabe, durch Reichtum und weitzerstreuten Besitz ihre ursprüngliche Bedeutung fast überall bereits verloren hatten, waren es die deutschen Ritter allein, die, ungeduldig so unwürdige Fesseln sprengend, sich unerwartet neue Bahnen hieben und mit Kreuz und Schwert mitten in den nordöstlichen Wildnissen ein neues Deutschland eroberten, ohne dessen christliche Vormauer der ganze Norden Europas eine andere, jetzt kaum mehr berechenbare, geistige Gestaltung genommen hätte.« (HKA X, 3) Der Folgerung muß man zustimmen: Ohne das Eingreifen des Ordens hätte Nordosteuropa nicht nur eine andere geistige, sondern auch politische Entwicklung erlebt, deren Möglichkeiten beschreiben zu wollen heute ebenso unmöglich wie überflüssig ist. Man sollte hier bereits die scheinbare Nebensächlichkeit beachten, daß Eichendorff ausschließlich die geistige Entwicklung hervorhebt. Er denkt dabei vorzüglich an die Christianisierung, wie man an vielen Stellen seiner Abhandlung erkennen kann. Daß die Polen bereits Christen waren, vernachlässigt er. Fast ebenso wichtig ist ihm die Germanisierung. Gewiß geht er im späteren Teil des Essays auch auf die Herrschaft ein, die der König von Preußen dort ausübte, da ja Ostpreußen das Stammland der Monarchie war. Aber viel wichtiger sowohl im Essay als auch im Drama ist es für ihn, daß der Orden deutsche Sprache, deutsche Zivilisation und Kultur dort verbreitet habe.

Jedoch vollzog sich das Eingreifen des Ordens in Preußen keineswegs so spontan und von so idealistischem Tatendrang bestimmt, wie der Dichter das glauben machen will. Hermann von Salza, der Hochmeister zur Zeit Friedrichs II., war nicht nur ein vom Kaiser geschätzter Diplomat, sondern auch ein politischer Rechner. Der Aufforderung des Herzogs Konrad von Masovien im Jahre 1226, der Orden möge die bisher fehlgeschlagene Christianisierung Preußens übernehmen, folgte er trotz massiver kaiserlicher und päpstlicher Ermunterungen zunächst nicht. Es war ihm offenbar zu unbestimmt, was der Orden dabei gewinnen konnte. »Erst als Herzog Konrad im Jahre 1230 allen Anrechten auf das Kulmerland und das zu erobernde Preußen entsagte, griff Hermann von Salza zu«[24]. Die ersten Eroberungen wurden nicht nur von den Rittern des

24 Tumler/Arnold, s. Anm. 20, S. 15.

Ordens im engeren Sinne allein bestritten; sie wurden unterstützt von Kreuzfahrern, die »zuerst aus Polen und Norddeutschland, dann aus dem ganzen deutschen Mutterland und darüber hinaus aus dem heutigen Belgien und Holland, Frankreich und England« kamen[25]. Das Eingreifen des Ordens geschah also unter der Kreuzzugsidee, keineswegs unter nationalen Aspekten, und man kann es daher auch nicht als Ausdruck einer deutschen Charaktereigenschaft interpretieren. Man sollte im Gegensatz zu Eichendorffs Darstellung auch die idealistischen, rein christlichen Beweggründe nicht zu hoch einschätzen; Hermann von Salza griff erst in dem Augenblick zu, als dem Orden durch Landgewinn materielle Vorteile und politische Macht in Aussicht gestellt wurden.

Eichendorff deutet diese frühen Ereignisse aus dem Geist der nationalromantisch orientierten deutschen Überzeugung, wie ich sie anfangs skizziert habe. Unter diesem Aspekt kann er urteilen, daß die Ordensritter »ein neues Deutschland eroberten«. Solche Gedanken auf das 13. und 14. Jahrhundert zu übertragen, muß zu Fehlurteilen führen. Sie waren jener Zeit fremd. Hermann von Salza hatte sich wohl schon die Unabhängigkeit des zu erobernden Ordenslandes ausbedungen, und es gehörte »rechtlich nie zum Deutschen Reich«, wie Wippermann betont[26]. Diese politische Unabhängigkeit vom Deutschen Reich war im Jahre 1701 bekanntlich noch die Voraussetzung dafür, daß Friedrich, Kurfürst von Brandenburg, sich in Königsberg zum König *in* Preußen krönen konnte.

Eichendorff behauptet auch nicht, das Ordensland sei politisch ein Teil des Deutschen Reiches gewesen. Um so stärker hebt er den deutsch gewordenen Charakter des Landes hervor. Die Erschließung und Besiedlung geschah durch den Orden; so erwähnt er den Landmeister Meinhard von Querfurt, der Weichsel und Nogat eindämmen ließ, so daß, »von der Fruchtbarkeit und durch Freiheiten gelockt, fleißige Ansiedler deutscher Zunge« ins Land strömten. (HKA X, 5) Über Marienburg schließlich urteilt er: »Es bildete sich durch und um die Burg ein fester Kern christlicher Gesinnung, an dem die rohe Gewalt keine Macht mehr hatte.« (ebd.) Die rohe Gewalt, das ist »das wilde Volk der Sudauer und Litauer«, das »plündernd, mordend und sengend« durch das Land zieht, indem es

25 Ebd.
26 Wipperman, s. Anm. 19, Nr. 8, S. 40.

der Forderung der »alten heidnischen Götter« nach Rache gehorcht. (ebd.)

Eichendorff sieht zwischen den neuen Siedlern und der ursprünglichen Bevölkerung vor allem einen kulturellen Gegensatz: hier Heidentum, dort Christentum; hier Wildheit, dort Zivilisation und Kultur; hier rachelüsterne Zerstörung, dort Aufbau. Eichendorff sagt es zwar nicht wörtlich, läßt aber daran keinen Zweifel, daß die Deutschen den östlichen Völkern an Zivilisation und Kultur überlegen seien. Die deutschen Siedler haben das Land erst kultiviert und zu dem gemacht, was es noch zu Lebzeiten des Autors ist: »Wo ehemals meilenweite Sümpfe das Land bedeckten und die Luft verpesteten, wogen noch jetzt, in der Hut jener Dämme [aus der frühen Ordenszeit], unermeßliche Ährenfelder, weiden jetzt beim Abendgeläute zahlloser Dorfkirchen buntgefleckte Rinder, im hohen Grase kaum zu sehen, wie in einem unübersehbaren Garten, von tausendfarbigen wilden Blumen üppig geschmückt.« (HKA X, 5) Aber die deutsche Kultur habe sich nur festigen und entwickeln können, weil sie basiert auf dem Christentum, das der Orden in den heidnischen Osten gebracht habe. An der oben zitierten Stelle wird das mit dem Satz deutlich, mit dem Eichendorff die Schilderung beschließt und dabei auch seine eigene religiöse Anschauung mitsprechen läßt: »So waltete die heilige Jungfrau von den Zinnen der ihr geweihten Burg segnend über der jungen, christlichen Heimat.« (ebd.) Auch hier darf man wieder voraussetzen, daß der Dichter nicht nur metaphorisch spricht; das Marienbild an der Schloßkirche stellt den Augen dar, was unsichtbar wirklich geschehen ist. Der spätere Charakter des preußischen Landes, so muß man Eichendorff zustimmen, ist gewiß weitgehend von den deutschen Siedlern geprägt worden; wenn er aber die Pruzzen und Litauer, später auch die Polen lediglich als wilde, zerstörungswütige Horden schildert, ist das Bild ebenso gewiß korrekturbedürftig.

Die Germanisierung und damit die Kultivierung der Ostgebiete, so kann man es Eichendorffs Darstellung entnehmen, war eine Folge der ersten Aufgabe des Ordens, und die bestand in der Christianisierung der Heiden und im Kampf gegen die, die widerstrebten. Das heben die Chronisten des 13. und 14. Jahrhunderts hervor, und deshalb vergleichen sie die Ordensbrüder häufig mit den Makkabäern[27]. Der Kampf des

27 KLUGE, s. Anm. 19, Nr. 7, S. 18ff.

Ordens gegen die heidnischen Pruzzen gilt ihnen als eine von Gott gestellte Aufgabe. So urteilt auch noch Eichendorff; er steht ganz in dieser Tradition. An einer Stelle seiner Schrift spricht er von der »Mission des deutschen Ordens, die ihm die Vorsehung auferlegt.« (HKA X, 7) Einige der frühen Chronisten verweisen auf das rücksichtslose Vorgehen des Ordens[28]. Die meisten aber sehen in den Heiden vom Teufel besessene Wesen, die ausgerottet werden müssen, wenn sie das Christentum nicht annehmen wollen[29]. Eichendorff als Vertreter einer aufgeklärteren Zeit geht so weit in seinen Äußerungen nicht. Aber an der gewaltsamen Christianisierung der Pruzzen durch den Orden nimmt er auch keinen Anstoß; im Gegenteil, sie erscheint bei ihm als zivilisatorische, kulturfördernde und damit schließlich segenbringende Notwendigkeit. Daß der Orden »bestimmt hart, grausam und rücksichtslos« vorgegangen ist[30], übersieht Eichendorff ebenso wie die meisten mittelalterlichen Chronisten. Diese freilich kannten zumeist nur die im Mittelalter gültige Alternative: Bekehrung der Heiden oder ihre Ausrottung. Wenn auch Eichendorff den Kreuzzugsgedanken nicht so zuspitzt, an der Berechtigung, das Christentum mit Gewalt zu verteidigen und zu verbreiten, äußert er keinen Zweifel. Schon im Einleitungsabschnitt seiner Schrift über Marienburg spricht er ganz selbstverständlich von den Eroberungen »mit Kreuz und Schwert«. (HKA X, 3) Der Ordensritter besitzt für ihn geradezu Vorbildcharakter, wie man dem Urteil in der *Geschichte der poetischen Literatur Deutschlands* entnehmen kann[31]. Sein Urteil über den Deutschen Orden und seine Leistung beruht auf drei Werten, die er verwirklicht sieht: Christentum, Rittertum, Deutschtum. Diese Werte machen die Ordensritter den Pruzzen nicht nur überlegen, sie rechtfertigen auch die Unterwerfung des Volkes und die Eroberung des Landes. Eichendorff charakterisiert die ursprünglichen Einwohner nicht ausführlich; aber was er anführt, sind meist negative Eigenschaften und Verhaltensweisen. Die ersten Christianisierungsversuche, die der Herzog von Masovien unternommen hatte, beantworteten die Pruzzen nur mit »schrecklichen Verwüstungen der Nachbarländer«, und »das Heidentum der kaum gebändigten Preußen brach unwillig immer wieder in die alte Freiheit hinaus

28 Z.B. Heinrich von Teichner: s. dazu KLUGE, Anm. 19, Nr. 7, S. 19.
29 Z.B. Peter von Dusberg und Nicolaus von Jeroschin: bei KLUGE, ebd.
30 KLUGE, ebd.
31 Siehe dazu Seite 420f. dieser Arbeit.

und rang in wilder Empörung mit dem neuen Lichte« (HKA X, 4), so heißt es von der Frühzeit des Ordens in Preußen. Äußert sich in dieser Formulierung auch eine gewisse Anerkennung – Eichendorff kann sich einem Freiheitsbemühen auch dann nicht versagen, wenn es sich nach seiner Überzeugung um eine falsch verstandene Freiheit handelt –, die Metapher des neuen Lichtes macht doch deutlich, auf welcher Seite die eigentlichen Werte zu suchen sind. Die Burg, »die der Mutter Gottes geweiht und *Marienburg* [Hervorhebung im Original] benannt wurde« (ebd.), hielt schließlich »die wüste Horde« ab, als »das wilde Volk der Sudauer und Litauer von Kulm her plündernd, mordend und sengend vorbrach.« (HKA X, 5) Im ganzen also werden die früheren Einwohner nicht positiv, wenigstens nicht als gesittete Menschen geschildert; sie entsprechen den ungezähmten Elementen, die ebenfalls »in ungemessener Willkür die Gauen überfluteten« (ebd.), ehe der Landmeister Weichsel und Nogat eindämmen ließ.

Bei diesen Urteilen stimmt Eichendorff mit Historikern seiner Zeit überein, insbesondere mit dem Königsberger Johannes Voigt. Auch dieser äußert ein gewisses Verständnis für den Widerstand der Pruzzen, rechtfertigt aber doch das Vorgehen des Ordens. Seine Meinung faßt Wippermann so zusammen: »Man dürfe schließlich nicht vergessen, daß die Pruzzen doch ziemlich ›roh‹ gewesen seien, zumal sie noch nicht einmal über ein ›allgemeines Oberhaupt‹ verfügt hätten. Aus diesem Grunde wären sie so oder so irgendwann unterworfen worden. Wenn der Orden nicht gekommen wäre, hätten sicherlich die Polen oder die Russen und Litauer diesen Volksstamm besiegt. Der Deutsche Orden habe aber immerhin die Kultur ins Land gebracht«[32]. Die Einführung des Christentums betont Eichendorff stärker als Voigt, aber übereinstimmend rechtfertigen beide den Orden als Kulturbringer, und wenn Wippermann in dem Zusammenhang hervorhebt, daß der Orden von Voigt »mit dem Deutschen schlechthin fast gleichgesetzt wird«[33], so kann man dasselbe auch von Eichendorff sagen. Gewiß sind Voigts Geschichtsdarstellungen eine Quelle für Eichendorffs Text, aber er hätte die Ansichten nicht übernommen, wenn sie nicht auch die seinen gewesen wären.

Daß zur Zeit der Aufklärung die Urteile über den Orden sehr viel

32 Wippermann, s. Anm. 19, Nr. 8, S. 122.
33 Ebd. S. 123.

negativer lauten[34], hat Eichendorff wahrscheinlich nicht zur Kenntnis genommen. Mit den aufklärerischen Ideen ließen sich die mönchischen Lebensvorschriften und die Einrichtungen des Ritterordens ebensowenig in Einklang bringen wie die Unterwerfung der Menschen, in deren Heimat der Orden einbrach, und ihre gewaltsame Bekehrung zum Christentum. Das Wirken des Ordens vom nationalen Aspekt aus zu untersuchen, lag den Historikern des 18. Jahrhunderts in der Regel ebenfalls fern. Im Zeitalter des Absolutismus waren Grenzverschiebungen und Eroberungen Angelegenheiten der Fürsten; die zahlreichen Erbfolgekriege legen davon Zeugnis ab. Das Nationalbewußtsein entwickelte sich in Europa besonders im Zuge der Französischen Revolution und in Deutschland insbesondere als Folge der napoleonischen Eroberungen. Davon und im Zusammenhang damit von romantischen politischen Ideen ist auch Eichendorff geprägt. Sollte er die Stellungnahmen der Aufklärer gekannt haben, konnten sie ihn gewiß nicht beirren. Seine Einstellung zur christlich-ritterlichen Welt des Mittelalters – und der Deutsche Orden galt ihm als ein wichtiger Repräsentant dieser Zeit – war der der Aufklärung ohnehin insgesamt entgegengesetzt.

Die Ansichten des Dichters erweisen sich damit als dem 19. Jahrhundert angehörig; freilich muß man einschränken: einer geistigen Strömung des 19. Jahrhunderts, der andere auf politischem wie auf religiösem, philosophischem, kulturellem und speziell auf literarischem Gebiet entgegenstanden[35]. Zwar wendet sich Eichendorff in seiner Schrift über *Preußen und die Konstitutionen* (HKA X, 295–330) gegen die veraltete Auffassung, »daß alle Gewalt im Staate von Gott und daher, wie dieser, notwendig absolute Einheit sei, welche von oben herab, gleichsam als göttliche Offenbarung, allem Besonderen erst Recht, Bedeutung und Richtung, alter [sic] Persönlichkeit, im Wege der Delegation, erst Geltung verleihe.« (HKA X, 298) Aber er betont doch, daß »die Regenten von Gottes Gnaden berufen« seien, über dem politischen Streit zu stehen und ihn ausgleichend zu lenken, einen Streit, in dem das Freiheitsbedürfnis der

34 Vgl. dazu WIPPERMANN, ebd. S. 104–119.

35 Zu den Auseinandersetzungen Eichendorffs mit aufklärerischen Richtungen vgl.: Alfred RIEMEN, Heines und Eichendorffs literarhistorische Schriften. Zum geistesgeschichtlichen Denken in der Restaurationszeit. In: Zeitschrift für deutsche Philologie 99, 1980, 532–559. Und: DERS., Der »ungraziöseste aller deutschen Dichter«: Johann Heinrich Voß. In: Aurora 45, 1985, 121–136.

Menschen zu ihrem Pflicht- und Treueempfinden – Zentrifugal- und Zentripetalkraft der Weltordnung – im Widerspruch steht. (HKA X, 300) Indem Eichendorff auch hier von einer »höheren Weltordnung« und vom Gottesgnadentum der Herrschenden spricht, wenn auch nicht in dem o.a. starren Sinne der Reaktionäre, deutet er die gottgewollte Ordnung an, in der alles Geschehen einem Heilsplan entspricht, der von den Menschen befördert oder behindert, aber nicht verhindert werden kann. In diesen Zusammenhang stellt er offensichtlich das Wirken des Deutschen Ordens in Preußen. Denn als eine Entscheidung, die dem Plan der Vorsehung entspricht, deutet er die endgültige Verlegung des Hochmeistersitzes von Venedig nach Marienburg: »Es gibt Momente, wo dem Menschen, der immer nur einzelne Ringe der großen Kette zu überschauen vermag, plötzlich ein Blick in die geheime Werkstatt der Geschichte vergönnt zu sein scheint, und in den Übergängen und Wandlungen die verborgene Hand Gottes sichtbar wird. Zu diesen Wendepunkten gehört jener Entschluß Feuchtwangens, gleich folgenreich für den Orden, wie für Preußen und den Norden überhaupt.« (HKA X, 7f.) Hervorzuheben ist in diesem Zusammenhang wieder die Verbindung mit dem deutschen Nationalbewußtsein; denn der Ordensstaat habe, »deutsch wie er war, die Wurzeln deutscher Bildung und Gesittung weit über seine Grenzen hinaus zu verbreiten und Liefland, Esthland und selbst einen Teil Polens Deutschland geistig zu verbinden« vermocht. (HKA X, 8) Der Inhalt der Äußerung soll hier nicht debattiert werden; wichtig ist in unserem Zusammenhang der unterlegte Gedanke, daß auch hier »die verborgene Hand Gottes sichtbar wird«. Denn mit dem Hinweis auf Gottes Heilsplan sucht Eichendorff die Errichtung des Ordensstaates und die daraus abgeleitete Reklamation seiner Gebiete als deutsches Kulturland zu beglaubigen. Wenn man dem Dichter auch imperialistische Gesinnung nicht unterstellen kann, deutlich wird an solchen gedanklichen Zusammenhängen doch, wie leicht man von ihnen aus die Germanisierungstendenzen eines Flottwell und späterer Zeiten begründen und für rechtens erklären konnte, weil sie einer wie auch immer begründeten absoluten Lenkungsinstanz historischer Ereignisse entsprängen.

Ein zentrales Geschehen ist für Eichendorff die Niederlage des Ordens gegen die Polen bei Tannenberg im Jahre 1410. Sie ist ihm mit Recht das äußere, auffällige Zeichen des Niedergangs, der vordem schon eingesetzt hatte. Das Ereignis und was damit zusammenhängt tritt in der Darstellung um so schärfer hervor, weil es fast unmittelbar auf das ausführliche Gemälde der Festlichkeiten bei der Amtseinführung Winrichs von Kniprode folgt, dessen Amtszeit Eichendorff als die glänzendste des Ordens bewertet. Die Ursache für den Niedergang sieht der Dichter nicht in der verlorenen Schlacht, sondern in der Auflösung der alten Disziplin; der Orden hatte »in den Welthändeln seine ursprüngliche Unschuld verspielt, seine geistige Grundlage, die Gelübde der Keuschheit, der Armut und des Gehorsams, waren innerlich schon gebrochen«. (HKA X, 30f.) Das hätten die Feinde lediglich ausgenutzt. An dieser Stelle nennt Eichendorff mit dem »Polenkönig Jagjel« einen Gegenspieler des Ordens namentlich, immerhin ein Hinweis, daß dieser Mann bei den Ereignissen eine bedeutende Rolle gespielt hat. Die Eigenschaften, mit denen er ihn begabt, sind bereits negative Urteile. Er nennt ihn den »eifersüchtigen, kriegslüsternen Polenkönig [...], der die Vergrößerung der benachbarten Ordensmacht schon längst mit kaum verhaltenem Groll betrachtete«. (HKA X, 31) Er habe nach der Schlacht bei Tannenberg, »selbst erschrokken über den entsetzlichen Sieg« (HKA X, 32), zwei Tage lang entschlußlos gezögert; dann sei er gegen Marienburg gezogen, »brennende Dörfer, Mord, Raub und unübersehbarer Jammer bezeichneten die Straße«. (HKA X, 33) Man braucht an solchen Auswirkungen des Kriegszuges nicht zu zweifeln, sind das doch allgemeine Erscheinungen, insbesondere wenn ein Heer im gegnerischen Land operiert.

Bezeichnend aber ist, daß Eichendorff die Brandschatzungen, Plünderungen und Greuel der Ordensgegner öfter erwähnt, während er die kriegerischen Unternehmungen des Ordens so pauschal anführt, daß für die leidvollen Auswirkungen, die auch sie insbesondere für die eingesessene Bevölkerung hatten, kein Platz bleibt. Der Aufbruch des Ordensheeres gegen die Litauer unter Winrich von Kniprode wird als erhebend frommes Geschehen dargestellt: »Die Führer, ehe sie aufsaßen, hatten in der Schloßkirche das heilige Abendmahl empfangen; unten im Hofe aber nickten in der Morgensonne hohe Helmbüsche, wieherten Rosse, glänzten und rasselten Schild und Schwert aneinander, während die Glockenklänge von der Kirche den Ausziehenden segnend das Geleit gaben und die Scharen draußen fromme Lieder zum Preise Marias anstimmten.« (HKA X, 30) Wären die Waffen nicht erwähnt, könnte so auch der Aufbruch zu einer friedlichen Pilgerfahrt geschildert werden. Von den Auswirkungen des Krieges erfährt der Leser nichts mehr, wenn anders

Eichendorff hier überhaupt einen ganz bestimmten Kriegszug im Auge hatte. Jedenfalls schwebt dem Autor immer noch der Gegensatz von christlicher Gesinnung auf der einen Seite und roher Gewalt auf der der Ordensgegner vor, wie er ihn schon im Zusammenhang mit der Gründung Marienburgs bezeichnet hat. (HKA X, 5) Nach der Schlacht bei Tannenberg sieht Eichendorff auch bei den Polen und ihrem König nur die rohe Gewalt[36]. »Ein billiger Friedensvorschlag Plauens war an dem Stolze Jagjels gescheitert, die siegestrunkenen Horden umzingelten rasch von allen Seiten die Burg.« (HKA X, 33) Die Wortwahl enthält wieder eindeutige Urteile. Auch die heidnischen Gegner zu Beginn der Ordensherrschaft hatte Eichendorff »die wüste Horde« genannt (HKA X, 5); zwischen ihnen und den christlichen Polen macht er keinen Unterschied. Auch der Stolz des Polenkönigs ist keine christliche Eigenschaft, und wenn Plauens Friedensvorschlag als billig bezeichnet wird, ist damit angedeutet, daß er für den König annehmbar gewesen sei, dieser aber den Krieg vorzog. Daß Jagiello während der Belagerung schließlich »auf List und Tücke« sinnt, um Plauen zu töten und dadurch die Burg in seine Gewalt zu bringen (HKA X, 34), vervollständigt das negative Bild. Der Vergleich dieser Abschnitte mit der Schilderung der ersten Tätigkeit des Ordens in Preußen läßt erkennen, daß Eichendorff die östlichen Völker geringer einschätzt als die Deutschen, wenn er es auch nicht ausdrücklich so formuliert. Dahinter steht, dem Autor vielleicht nicht einmal bewußt, die Rechtfertigung der Herrschaft Preußens über einen Teil des polnischen Volkes, ein Problem, mit dem ja Theodor von Schön als Oberpräsident konfrontiert gewesen ist. Auch mit diesen Urteilen erweist Eichendorff sich als Kind seiner Zeit und der politischen Konstellationen, die auch seine Beamtentätigkeit in den preußischen Provinzen beeinflußt haben dürften.

Es waren gewiß nicht nur Eifersucht und Groll über die Größe des Ordensstaates, die Jagiello in Konfrontation mit ihm geraten ließen. Seine

36 Daß es sich beim Kampf mit Polen nicht mehr um Christianisierung, sondern um rein politische Fragen handelt, läßt Eichendorff durchblicken, insbesondere wenn er Jagiellos Verhalten schildert. Dagegen betont Sienkiewicz in seinem Roman »Die Kreuzritter« immer wieder die christliche Gesinnung der Polen und die Frömmigkeit Jagiellos im Unterschied zum Hochmut und unchristlichen Verhalten der Ordensritter. Die national orientierte Ideologisierung des historischen Stoffes erfolgt auf der polnischen Seite ebenso wie auf der deutschen.

Gegnerschaft zum Orden ist zum Teil wohl ein Erbteil seiner litauischen Herkunft. Die Litauer, bis zum Ende des 14. Jahrhunderts ein heidnisches Volk, hatten in fortgesetzten kriegerischen Auseinandersetzungen mit dem Orden gestanden; sie bildeten für diesen die letzte Missionsaufgabe und lieferten damit den Beweis für die Existenzberechtigung des Staates. Jagiello war zum Christentum übergetreten, konnte sich aber trotzdem in seiner Gegnerschaft zum Orden bestätigt fühlen, weil dieser die inzwischen ebenfalls christianisierten Litauer als angeblich heimliche Heiden weiter bekämpfte. Denn mit dem Verlust seiner ursprünglichen Aufgabe, der Christianisierung jener Völker, hatte auch der Ordensstaat selbst eigentlich seine Existenzberechtigung eingebüßt. Es gab aber noch wichtigere Kontroversen auf machtpolitischem Gebiet. Der Ordensstaat versperrte dem aufstrebenden Polen den Zugang zur Ostsee[37], und um den Besitz von Pommerellen hatte es schon vorher Streitigkeiten gegeben. Daß Jagiello im Einsatz seiner Mittel nicht wählerisch war, deutete Heinrich von Plauen an, indem er an seinen Marschall Küchmeister, als dieser zu Verhandlungen aufbricht, schreibt: »So kennet Ir die Polen wol und wisset ouch wol, das In nicht ist czu gelewben«[38]. Die moderne Forschung verweist darauf, daß der Orden schon mit Rücksicht auf die zweifelhafte Unterstützung durch Kaiser und Papst zur Vertragstreue verpflichtet gewesen sei, während seine Gegner je nach Vorteil Vereinbarungen gehalten oder gebrochen hätten, wie es ja auch Eichendorff bei Jagiello andeutet. Tumler nennt vor allem Witold, den Großfürsten von Litauen, Vetter Jagiellos, einen »skrupellose[n] Mann, der zwischen Polen und dem Orden nicht weniger als 15mal hin- und herwechselte«[39]. Jagiello hielt sich nicht an die Vereinbarungen des Thorner Friedens, als er trotz der pünktlichen Ratenzahlungen des Lösegeldes die Gefangenen zurückhielt, so daß Heinrich von Plauen mit Recht die Zahlung der dritten Rate zunächst verweigerte[40]. So holzschnittartig das Bild auch wirkt,

37 So Tumler/Arnold, s. Anm. 20, S. 49. – Das Argument bestreitet Gotthold Rhode: Kleine Geschichte Polens. Darmstadt, 1965, S. 125. Die Überlegung, daß Jagiello ungestörter am Ostseehandel teilhaben wollte, erscheint mir zutreffender.

38 Zitiert nach Wilhelm Nöbel, Michael Küchmeister. Hochmeister des Deutschen Ordens. 1414–1422. Bad Godesberg, 1969, S. 51.

39 Tumler/Arnold, s. Anm. 20, S. 49.

40 Polnische Vertragsbrüche erwähnt Nöbel, s. Anm. 38, S. 46 und 56.

das Eichendorff von Jagiello zeichnet, es entbehrt nicht der historischen Fakten.

Auffällig ist aber, daß der Dichter den Litauerfürst Witold nicht erwähnt, obwohl dieser mit seinem undurchsichtigen Wechselspiel zwischen Polen und dem Orden zweifellos eine Schlüsselrolle spielte[41]. Die Litauer erwähnt er nur flüchtig als Hilfstruppen im polnischen Heer. Berücksichtigt man jedoch, daß Eichendorff bei der historischen Darstellung auch seine eigene Zeit im Auge hat, so ist das Verhältnis Preußens zum polnischen Teil seiner Bevölkerung wichtiger als das zu den Litauern, folglich Jagiello in der Erzählung wichtiger als Witold. Dessen vorzeitiger Rückzug von der Belagerung Marienburgs war wohl eine der Ursachen, die Jagiello das Unternehmen abbrechen ließen[42]. Freilich hätte Eichendorff mit der Erwähnung dieses Faktums den Ruhm seines bevorzugten Helden, Heinrichs von Plauen, geschmälert. Zwar nennt er den Einfall König Sigismunds, des späteren deutschen Kaisers, in Südpolen und das Herannahen des Livländischen Meisters, beides jedoch Sukkurs gewissermaßen von deutscher Seite. Daß Sigismund eine äußerst zwiespältige Rolle gespielt hat, indem er je nach Vorteil den Orden oder Polen unterstützte, bleibt unerwähnt[43]. Als Feind des Ordens, als Gegner der christlich-deutschen Kultur erscheint einzig der Polenkönig Jagiello, und man geht wohl nicht fehl, wenn man darin einen Reflex der Einstellung sieht, mit der manche preußischen Regierungsvertreter damals den polnischen Bevölkerungsteilen des Staates entgegentraten[44].

Jedoch ist bei diesen Überlegungen auch ein künstlerischer Aspekt zu berücksichtigen. Eichendorff hat in dem Essay die Ereignisse des Jahres 1410 dramatisch aufgebaut. Heinrich von Plauen ist der Held, Jagiello der Antagonist; seine Rolle im dramatischen Geschehen müßte verkümmern und der Glanz des Helden verblassen, wenn Witolds und Sigismunds

41 TUMLER/ARNOLD, s. Anm. 20, S. 49.

42 Vgl. RHODE, s. Anm. 37, S. 129f.

43 Dazu NÖBEL, s. Anm. 38, S. 46ff. und 85ff. – Man muß allerdings berücksichtigen, daß Eichendorff weniger die wechselhafte Geschichte des Ordens selbst als vielmehr die des Ordensschlosses Marienburg darstellen wollte. Trotzdem sind die Gewichtsverteilungen unübersehbar.

44 Über Eichendorffs Verhältnis zu Polen informiert materialreich Hermann BUDDENSIEG, s. Anm. 19, Nr. 5. – Der Kritik Wippermanns, daß Buddensieg Eichendorffs antipolnische Haltung relativiert habe, muß man zustimmen: s. Anm. 19, Nr. 8, S. 146 Anm. 51.

Ränkespiele in das Geschehen hineingeholt würden. Je eifersüchtiger, je listiger, kurz je negativer Jagiello erscheint, um so heller erstrahlt Plauen. Verantwortlich für den Krieg macht Eichendorff den Polenkönig. Er ist eifersüchtig und kriegslustig, er hat »immer unverhohlener [...] die Hand am Schwert« (HKA X, 31), und wenn auch Ulrich von Jungingen schließlich den Krieg beginnt, er tut, was nicht mehr zu vermeiden ist: »Ungeduldig brach er bald nach seiner Wahl [zum Hochmeister] die Stille, die freilich nicht mehr zu halten war.« (HKA X, 31) Trotz der Niederlage in der Schlacht bei Tannenberg betont Eichendorff noch einmal die ritterliche Gesinnung des Ordens: »Der Orden schien mit einem Schlage vernichtet, alles verloren, nur die Ehre nicht, denn sie war durch sechzigtausend erschlagene Polen blutig erkauft.« (HKA X, 32) Daß der Hochmeister selbst, fast alle Gebietiger und Ritter, die an der Schlacht teilgenommen hatten, dazu vierzigtausend Krieger auf der Ordensseite gefallen sind, trägt wohl auch zu der bewahrten Ehre bei[45]. Die fast aussichtslose Notlage des Ordens unterstreicht der Dichter mit markanten Einzelzügen: Jagiello, »selbst erschrocken über den entsetzlichen Krieg, besann sich zwei Tage lang«. Dann bricht er auf gegen Marienburg, »das der gefallene Meister, vor der Schlacht alle Geschütze und Vorräte an sich raffend, wehrlos gemacht. Das Grauen ging vor dem wilden Zuge her und übermannte alle Burgen und Städte. Ritter und Bürger huldigten ehrvergessen der Gewalt und gleißenden Verführung des Siegers«. (HKA X, 32) Gewiß werden Jagiello und sein Heer wieder negativ beurteilt; aber hier hält Eichendorff auch nicht mit Kritik an der übrigen Bevölkerung Preußens, doch wohl zumeist deutschen Ursprungs, zurück. Der Orden, so läßt die Darstellung vermuten, ist endgültig vernichtet; der größte Teil des Heeres ist bei Tannenberg aufgerieben, das Land fällt aus opportunistischen Überlegungen von ihm ab und dem Polenkönig zu, Marienburg, bisher materiell und ideell das Zentrum der Ordensherrschaft, ist vor der Schlacht wehrlos gemacht worden. Nachdem Eichendorff die Misere des Ordens so auf einen darstellerischen Höhepunkt gebracht hat, deutet das erste Wort des folgenden Abschnitts – »da« – den Umschwung an und leitet die heroische Dramatik, aber auch die Tragik Heinrichs von Plauen ein, wie Eichendorff das sieht: »Da, auf

45 Die Zahlen, die Eichendorff wohl den Chroniken entnommen hat, sind gewiß übertrieben. Aber hier kommt es nicht auf die Genauigkeit der Zahlenangaben an, sondern auf den Geist, der Eichendorffs Darstellung belebt.

die erste Kunde von dem unermeßlichen Unglück, sprengte ein Ordensritter mit seiner kleinen Schar in die Tore Marienburgs, eilig, staubbedeckt, einen Löwen im Schilde. Graf Heinrich von Plauen war's [...].« (HKA X, 32) Bei der scheinbar ungleichmäßigen Verteilung der Vorteile tritt der dramatische Charakter in der Darstellung der Ereignisse und Personen allenthalben hervor. Er läßt sich auf die Formel bringen, daß die Kräfte des Lichts gegen die der Finsternis ringen. Von seiner Einführung an erscheint Plauen als der heroische, zur Führung berufene – nicht von ungefähr die Betonung des Wappenbildes – und umsichtige Mann, der um des allgemeinen Wohls willen auch unliebsame Maßnahmen nicht scheut. Die Zerstörung der Stadt Marienburg, um die Burg verteidigen zu können, ist das zentrale Thema der ersten Szene des zweiten Akts in Eichendorffs Drama *Der letzte Held von Marienburg.* In der historischen Abhandlung spielt das Faktum nur eine untergeordnete, aber doch für die Umsicht Plauens bezeichnende Rolle. Jagiello war schon vorher als die dunkle Gestalt erschienen; nun zeichnet Eichendorff den Krieg auch in Einzelzügen als einen Zweikampf der beiden Hauptpersonen. Jagiello trachtet Plauen nach dem Leben und nimmt dabei keine Rücksicht auf christlich geheiligte Stätten. Denn natürlich trifft es ihn, wenn es von den Polen heißt: »Ihr Wurfgeschoß, das sie sogar auf der vom Stadtbrande verschonten Johanniskirche aufgepflanzt, hatte es vorzüglich auf das Mittelschloß und des Meisters Wohnhaus abgesehen.« (HKA X, 33) Schließlich, nach dem gotteslästerlichen Angriff eines polnischen Büchsenschützen auf ein Muttergottesbild, zielt Jagiello, indem er einen Diener des Verteidigers erkauft, unmittelbar auf Plauens Leben; mit einer Geschützkugel will er bei einer Versammlung der Gebietiger im Remter die Säule, auf der dessen Gewölbe ruht, zerstören, so daß alle Anwesenden und insbesondere Plauen unter den Trümmern begraben werden. Der Schuß geht fehl. (HKA X, 34) Eichendorff nutzt solche Überlieferung, um den Höhepunkt der Auseinandersetzung zwischen Plauen und Jagiello mit steigernden Einzelzügen zu versehen. Denn von nun an geht die Entwicklung des dramatischen Geschehens für den Polenkönig abwärts, bis er endlich das Ordensland räumen muß.

Aber Plauen ist bei Eichendorff eine tragische Gestalt. Er scheitert im Essay wie im Drama nicht etwa an seinem außenpolitischen und kriegerischen Gegner, sondern an den inneren Zwistigkeiten des Ordens, den er, um ihn gegen den äußeren Feind zu rüsten, nach seinen alten Statuten, wie er sie versteht, erneuern will. »Da aber wurde es auf einmal furchtbar klar, daß der Orden sich selbst nicht mehr begriff; ein Schrei des Mißmuts ging durch das ganze Land, die Gemeinheit scharte sich überall um ihre Fleischtöpfe.« (HKA X, 36) Der materielle Eigennutz der Ordensmitglieder, so deutet Eichendorff die Entwicklung, verhindert die innere und äußere Regeneration der Gemeinschaft und ihres Staates, die Plauen anstrebt. Seine Absetzung im Jahre 1413 und sein Tod im Jahre 1429 – »arm und vergessen in der einsamen Burg zu Lochstädt«, wie Eichendorff schreibt (HKA X, 36) – bezeichnen nur die äußeren Merkmale seines tragischen Scheiterns. Was aber Polen und seinen König angeht, so spielen sie bei Plauens Mißlingen nicht einmal eine sekundäre Rolle. Im Gegenteil, Eichendorff verweist im folgenden noch einmal darauf, daß der Orden seine Aufgabe – eine gottgegebene, wie wir sahen – erfüllt habe: »[...] das Land war bekehrt und deutsch.« (HKA X, 36) Wenn auch etwas verklausuliert, so deutet der Verfasser in dem Zusammenhang jedoch auch an, daß der Orden in Preußen unzeitgemäß geworden sei, weil er keine Christianisierungsaufgaben mehr zu erfüllen hatte. Aber am deutschen Charakter des Ordensgebietes läßt Eichendorff keinen Zweifel. Zwar kritisiert auch er wie vor ihm schon Schenkendorf die preußische Verwendung der Ordensburg nach der ersten polnischen Teilung im Jahre 1772; aber die Zeit zwischen der Aufgabe des Schlosses als Sitz des Hochmeisters und der Angliederung des Gebietes an Preußen stellte er unter die vielsagende Überschrift »Die polnische Wirtschaft«. Darin spiegelt sich wohl eine Ansicht des 19. Jahrhunderts überhaupt; man überträgt die Zustände, die im 18. Jahrhundert in Polen das staatliche Leben gelähmt und zu den Teilungen geführt haben, auf den polnischen Staat des Mittelalters und der frühen Neuzeit, ein Verfahren, das den historischen Fakten nicht gerecht wird. Freilich stellt Eichendorff die verwaltungstechnischen Einzelheiten der verschiedenen ost- und westpreußischen Gebiete ziemlich genau dar, und so wird dem aufmerksamen Leser seiner Schilderung deutlich, daß die ›polnische Wirtschaft‹ weniger dem Volk selbst anzulasten ist als vielmehr der unglücklichen Lage, in die das Land im Streit um die wirtschaftspolitische Ausnutzung des Ostseeraumes geriet. Dem Orden aber bescheinigt Eichendorff zum wenigsten bis zu der Zeit Plauens, daß er ritterliche, christliche und deutsche Ideale verfochten habe. Im späten 19. und in der ersten Hälfte des 20. Jahrhunderts hat man in der deutschen Literatur den Ordensstaat fast ausschließlich unter dem

Aspekt beurteilt, daß er mit der Verbreitung deutscher Kultur den Anspruch deutscher Hegemonie über einen großen Teil Osteuropas begründet habe. Bei Treitschke erreicht diese Interpretation einen ersten Höhepunkt[46]. Im Vergleich dazu wirkt Eichendorffs Beurteilung des Ordensstaates keineswegs chauvinistisch, wenn man sie auch von spätromantischer Geschichtsidealisierung, die spätere Deutungen vorbereiten half, nicht freisprechen kann.

Dasselbe gilt von seinem Drama *Der letzte Held von Marienburg*. Er hat es noch während seiner Tätigkeit in Königsberg geschrieben; 1830 ist es erschienen, also etwa in der Mitte der Zeit zwischen dem Ende der Befreiungskriege und der Abfassung des Essays über die Wiederherstellung der Marienburg. Einerseits ist diese Zeit ruhiger als die der vierziger Jahre, andererseits liegt sie den Befreiungskriegen und damit den Idealen der damaligen Jugend, zu der auch Eichendorff gehörte, näher. Das hat auch deutliche Spuren in dem Werk hinterlassen. Trotzdem unterscheiden sich Intention und Haltung des Dichters nicht wesentlich von denen, die er im Essay einnimmt.

Das zeigt sich schon an dem Raum, den Eichendorff auch in seinem Essay dem Thema einräumt, das im Zentrum des Dramas steht; Heinrich von Plauen ist für ihn der ideale Vertreter des Ordensritters. Die Struktur des Dramas hat sich anscheinend auf die Prosadarstellung ausgewirkt. Auch diese könnte man wie das Drama in fünf Akte einteilen: die Niederlage bei Tannenberg; Plauens Vorbereitung zur Verteidigung der Marienburg; der Sieg über die Polen; Plauens Versuch, den Orden zu reorganisieren; sein Scheitern und sein Tod. Im Drama allerdings liegen die Akzente etwas anders. Der eigentliche Gegenspieler ist nicht Jagiello, sondern Küchmeister, und der dritte Akt bringt den Gegensatz zwischen ihm und Plauen auf den Höhepunkt – ganz im Sinne des klassischen Dramenaufbaus. Küchmeister verkörpert im Drama die Partei, von der Eichendorff in seinem Essay sagt, daß sie sich aus materiellem Egoismus gegen die harten, aber einzig wirkungsvollen Reformmaßnahmen Plauens stemmte: »Die Gemeinheit scharte sich überall um ihre Fleischtöpfe.« (HKA X, 36) Zwar läßt der dritte Akt des Dramas den unvereinbaren Gegensatz zwischen Plauen und Küchmeister sichtbar werden; aber noch

46 Dazu ganz allgemein WIPPERMANN, s. Anm. 19, Nr. 8. Zu Treitschke besonders S. 154 ff.

wendet dieser sich nicht offen gegen den Hochmeister. Erst als ihn die Nachricht erreicht, daß Plauen alle Wertgegenstände der Ordensmitglieder konfiszieren will, um den geplanten Krieg gegen Polen zu finanzieren, wird Küchmeister als Antagonist aktiv[47]. Er ist also die dramatische Personifikation der Gruppe, die Eichendorff im Essay als die Gemeinheit bezeichnet, und daran läßt er auch in seinem Drama Plauens Politik scheitern. Aber am Ende siegt dieser doch noch über seinen Gegenspieler, und das verbindet der Dichter mit den Polen und Jagiello, die gewissermaßen die Folie bilden, vor der sich Plauens und Küchmeisters Aktion und Bedeutung abheben.

Ehe wir diesem Strang des Dramas nachgehen, ist es erforderlich, das Bild, das Eichendorff von den beiden wichtigsten Ordensvertretern der Zeit nach Tannenberg in seinem Drama entwirft, mit den Ergebnissen der modernen Forschung zu vergleichen. Die Freiheit des Dichters, seiner Intention gemäß historische Fakten zu verändern, soll damit nicht bestritten werden. Aber seine Intention zeigt sich gerade im Vergleich mit dem, was die Forschung über die Ereignisse ermittelt hat. Eichendorff häuft auf Plauen alle die Eigenschaften, die er als ritterliche, christliche und deutsche versteht, Eigenschaften, die bis zur Selbstaufopferung gehen. Denn dazu führt Schwarzburgs Weigerung, mit seinen Truppen Marienburg zu umstellen und die dort versammelten Gebietiger gefangen zu nehmen. Statt dessen führt Schwarzburg sein Heer gegen Polen. (V, 1; 825–827) Plauen mißachtet die tradierten Ordensregeln, jedoch um den Orden gegen die materiell denkenden Gebietiger zu retten. Schwarzburg folgt diesen tradierten Regeln und mißachtet Plauens Aufforderung, jedoch in der Überzeugung, den ideellen Traditionen zu gehorchen; nicht gegen den Orden selbst, sondern gegen den äußeren Feind will er sein Heer führen. (ebd.) Damit wird Plauens Tragik deutlich. Um den Orden zu retten, mußte er – immer nach Eichendorffs dramatischer Darstellung – seine Kompetenzen als Hochmeister überschreiten; eben diese Kompetenzüberschreitung akzeptiert Schwarzburg nicht: »Wer darf je sagen von sich selbst, er habe / Recht gegen seine Zeit?« (V, 1; 820) Eine ebenso uneinsichtige wie ehrenhafte Haltung, an der Plauen scheitert; aber sie

47 IV. Akt, 3. Szene. – Winkler I, 814–817. – Im folgenden die Quellenangaben in runden Klammern unmittelbar im Text, und zwar zunächst Akt- und Szenenbezeichnung, danach die Seitenzahl des Bandes I der Winkler-Ausgabe; für die hier angegebene Stelle also (IV, 3; 814–817)).

wird in der Schlußszene vom abgesetzten Hochmeister selbst sanktioniert. (V, 4; 836) Auch an dem historischen Plauen mag man wie an dem des Dramas etwas Revolutionäres sehen. Aber die Ereignisse, die zu seiner Absetzung führten, verliefen anders. Er hatte seinem Ordensmarschall Küchmeister den Befehl gegeben, das Heer gegen Polen zu führen; dieser aber weigerte sich, den Auftrag auszuführen, weil er den von Plauen gewünschten Präventivkrieg für verderblich hielt[48]. Im Drama gehorcht auch Schwarzburg dem Befehl des Meisters nicht, aber gerade in umgekehrter Weise. Es kommt dem Dichter offenbar darauf an, den Hochmeister vordergründig am kleinlichen, materiell bedingten Widerstand der Ordensmitglieder scheitern zu lassen, letztlich aber an seinem tragischen Versuch, den Orden zu retten, indem er gewaltsam gegen einen Teil seiner Mitglieder vorgeht, und zwar in einer Weise, die den Kompetenzen des Hochmeisters nicht gemäß ist.

Die moderne Forschung sieht die Situation erheblich anders. Plauens Verdienste nach der Schlacht von Tannenberg stehen in der Regel außer Zweifel: »Plauen meisterte in den nächsten Jahren die schwere Geldnot und vereinzelte Widerstandsgelüste im Lande mit harter Hand, aber mit bewundernswerter Einsicht und Tatkraft. Auch für die Sicherung des Landes geschah viel«[49]. Aber seine rigorose Gesinnung scheint ihn die innen- und außenpolitischen Verhältnisse, ebenso seine eigene Position falsch haben einschätzen lassen. Nöbel spricht den Ordensmarschall Küchmeister nicht frei von dem Odium des Widerstands gegen den Hochmeister; jedoch billigt er ihm die realistischere Einstellung zu: »Wie die Opposition Küchmeisters auch zu verurteilen ist, sie wuchs erst allmählich, sie stieg gleichsam mit der mehr und mehr das Recht überschreitenden Haltung Plauens. Auch hat dieser Hochmeister von der Geschichte einen weit größeren Namen erhalten – ob zu Recht oder Unrecht, sei vorerst dahingestellt – als er zu seinen Lebzeiten Autorität besaß. [...] Plauens radikale und ordensfremde Einstellung verhalf dem Widerstand aus den Reihen des Ordens erst zum Durchbruch«[50]. Der historische Küchmeister hat wohl nicht wie der in Eichendorffs Drama von Beginn an eine oppositionelle Haltung gegen Plauen eingenommen; jedenfalls hat er als Marschall anfangs mit dem Hochmeister zusammen-

48 Vgl. Nöbel, Anm. 38, S. 61.
49 Tumler/Arnold, s. Anm. 20, S. 53.
50 Nöbel, Anm. 38, S. 57.

gearbeitet. Auch ist seine Opposition nicht primär aus materiellen Ursachen zu erklären. Dennoch dürften persönliche Einfluß- und Machtinteressen eine Rolle gespielt haben. Denn Küchmeister wurde nach Plauens Absetzung selbst Hochmeister; er war zweifellos der Führer einer gegnerischen Partei. Daß Plauen nicht die hehre Gestalt war, die Eichendorff von ihm in seinem Drama zeichnet, beweist der Kontakt, den er nach seiner Absetzung mit Polen, dem Ordensgegner, aufnahm. Sein Bruder ging darin offenbar noch weiter und traf konspirative Abmachungen mit Jagiello, historisch gesicherte Fakten[51], die Eichendorff, falls er sie kannte, weder im Drama noch in der Prosaabhandlung verwenden durfte, wenn er dem Bild seines Helden im nachhinein nicht allen Glanz nehmen wollte.

Diese Vorbehalte dürfen nicht als Einwand gegen die dichterische Darstellung mißverstanden werden; eine poetische Erzählung ist auch der Essay über Marienburg zum mindesten in der Beschreibung der hier betrachteten Ereignisse. Es sei an Lessings Argumente erinnert, daß der Dichter mit historischen Fakten nach seinem Gutdünken umgehen dürfe, solange er sich damit nicht in Widerspruch setze zu den einmal konzipierten Charakteren, ja daß er diesen zuliebe die Fakten sogar ändern müsse[52]. So handelt auch Eichendorff. Von diesem Aspekt aus ist Wippermanns Pauschalbehauptung zu bezweifeln, »daß die Verfasser von historischen Romanen und Dramen durchaus die Intention hatten, unbeschadet ihrer in Anspruch genommenen dichterischen Freiheit, die historischen Verhältnisse objektiv und zeitgetreu zu beschreiben«[53]. Für Eichendorff ist

51 Ebd. S. 65 f.

52 LESSING, Hamburgische Dramaturgie. Hg. von Otto MANN. Stuttgart: Kröner, 2. Aufl., 1963, 33. und 34. Stück, S. 134 ff.

53 WIPPERMANN, s. Anm. 19, Nr. 9, S. 192. – Der Aufsatz zeichnet sich durch Stoffkenntnis und Materialfülle aus; jedoch kommen die Einzelbetrachtungen eben wegen der Materialfülle über Pauschalurteile nicht hinaus. Diese hätten auch ohne den anfänglichen ›ideologiekritischen‹ Aufwand nicht anders lauten können. Im übrigen darf man die historische Treue, die viele Schriftsteller verfolgten, nicht mit dem Streben nach objektiver und zeitgetreuer Darstellung gleichsetzen, wie Wippermann das zu tun scheint. Vielmehr interpretieren sie von ihrem Gegenwartsstandpunkt aus die historischen Ereignisse; ihre ›Objektivität‹ setzt damit eine ›subjektive‹ Basis voraus. Ihre ›dichterische Freiheit‹ – um Wippermanns Ausdruck zu verwenden – ist daher nicht von den Ergebnissen der Geschichtsforschung eingegrenzt, sondern an die grundsätzliche Intention ihres Werks gebunden. Die ›ideologische‹ Tendenz eines Autors zeigt sich im Unterschied zwischen seiner Interpretation der Ereignisse, mit der er sich möglicherweise bewußt gegen überlieferte Fakten stellt, und den – mit

Plauen eine Symbolgestalt seiner romantischen Geschichtsutopie und schon deshalb mit dem historischen Plauen nicht identifizierbar, auch wenn der Dichter den historisch überlieferten Fakten folgt, solange sie sich der Grundidee seiner Darstellungen fügen.

Von seinem ersten Auftreten an ist Plauen bei Eichendorff derjenige, der die christlich-ritterliche und im Zusammenhang damit deutsche Idee verkörpert. Den Gebietigern des Ordens, die ihn nach der Niederlage von Tannenberg darauf hinweisen, daß Marienburg verteidigungsunfähig und der Hochmeister tot sei, antwortet er: »Der hohe Meister stirbt nicht!« (I, 2; 761) Mit dem Wortspiel ist schon angedeutet, daß hier ein Meisteramt gemeint ist, das nicht an Personen gebunden ist. Es geht vielmehr um die Verteidigung einer Idee. Daß sie christlich inspiriert ist, erklärt Plauen wenig später auf Schwarzburgs peinliche Befragung, wieso er das Recht besitze, Widerstand mit Verhaftung zu entgelten. Plauen darauf:

> *Frag mich nicht drum – ich weiß es nicht, doch, so mir*
> *Gott helfen mag, ich kann nicht anders!* (ebd.)

Die Worte klingen unüberhörbar an die Überlieferung der Szene Luthers vor dem Reichstag in Worms an. Eichendorffs Plauen ist ebenfalls ein Reformator; sähe man ihn als einen Revolutionär im engeren Sinne, würde man ihn mißverstehen. Er will die Gemeinschaftswerte des Ordens wiedererwecken, selbst wenn er dabei äußerlich revolutionär vorgehen muß. Die Fortsetzung der oben zitierten Äußerung macht das bereits deutlich:

> *Eins*
> *Muß Seel und Leib hier sein, und wo ein Glied*
> *Abtrünnig, faul – haut's ab, bevor sein Gift*
> *Das frische Blut verstört.* (ebd.)

Diesmal sind im Neuen Testament überlieferte Worte Christi die Quelle der Rede. Kurz, schon von seinem ersten Auftreten an wird Plauen als der vorbildliche Ritter geschildert, der auf dem Boden des Christentums von seiner Sendung überzeugt ist, aber sich auch demütig der

Vorbehalt so bezeichneten – ›objektiven‹ Ergebnissen historischer Forschung. Die eigene, auch von der historischen Forschung abweichende Interpretation muß man dem Autor zunächst zubilligen, was aber nicht heißen muß, daß man damit auch seine Tendenz gutheißen kann.

gestellten Aufgabe unter anderer Führung weihen will; denn als Schwarzburg ihn prüfend dazu auffordert, ist er bereit, diesem den Oberbefehl abzutreten, wenn das zweckdienlich ist. (I, 2; 762) Diese Einführungsszene schließt denn auch im religiösen Sinne mit einem Marienlied.

Die Gegner Plauens haben allerdings verschiedene Gesichter. Innerhalb des Ordens sind es diejenigen, die ihren materiellen Vorteil verteidigen, angeführt von Küchmeister. Er verkörpert zudem den Ehrgeizigen, der auf weltliche Stellung bedacht ist und daher Plauen die Wahl zum Hochmeister mißgönnt. (III, 1; 789f.) Deutlich religiöse Akzente besitzt die Konfrontation Plauens mit dem Polenkönig Jagiello. Dieser trägt auffällig hybride Züge. Er wirft sich, wie der Herold es vor Plauen verkündet, zu einem Richteramt auf, das ihm nicht zusteht:

> *So kommt der König – um auf dieser Burg,*
> *Den letzten Trümmern eures trotz'gen Hochmuts,*
> *Gericht zu halten über alle Frevel.* (II, 1; 768)

Im Kontrast zu diesen Worten macht Plauens Antwort die Gesinnung des christlichen Ritters deutlich. Im Kontext des Dramas – so zeigt es die Schlußvision, von der noch zu sprechen ist – trägt sie zu der Utopie einer christlich-deutschen Gemeinschaft bei:

> *[...] so sag ihm das:*
> *Wie Flut und Feuer woll ich mit ihm ringen,*
> *Und keinen Richter kennt ich über mir,*
> *Als den allmächt'gen Gott, der hier entscheide.* (ebd.)

Die unterschiedlichen Worte vom Gericht machen die unterschiedliche Haltung der Gegner deutlich. Jagiello setzt sich gewissermaßen an die Stelle Gottes, indem er das Richteramt, das Gott zukommt, usurpiert. In solchen kleinen Szenen erweist es sich, wie Eichendorff den historischen Stoff in seinem Sinne aktualisiert. Der König wird zum Repräsentanten der verwerflichen menschlichen Entwicklung, die Eichendorff insbesondere in seinen literaturkritischen Schriften unter dem Begriff des Subjektivismus anprangert. Der Mensch, von seiner Ratio verführt, entfernt sich von Gott und setzt sich schließlich an seine Stelle. Den Höhepunkt dieser hybriden Entwicklung sieht Eichendorff in der Aufklärug, danach in gesellschaftlichen, kulturellen und politischen Strömungen seiner Gegenwart, die von der Aufklärung ausgehen. Möglicherweise entspringt die

Gestalt Jagiellos dem Bild, das Eichendorff sich von Napoleon gemacht hatte. Auch dieser, hervorgegangen aus der Großen Revolution und damit der Aufklärung, hatte sich das Richteramt über Europa angemaßt; als Beispiel für seine Anmaßung, an der er scheitern sollte, trägt Eichendorff in seiner Schrift *Halle und Heidelberg* die Schließung der Universität Halle und die Vertreibung der Studenten vor, und er fügt hinzu: »Wunderbarer Gang der Weltgerichte! Dieselben vom übermütigen Sieger in den Staub getretenen Jünglinge sollten einst siegreich in Paris einziehen.« (HKA X, 420) Ähnlich beendet er in dem Essay über Marienburg die Franzosenzeit mit dem Urteil über den Rußlandfeldzug: »[...] es war auf die Eroberung eines Weltteils abgesehen. – Doch Gott hatte es anders beschlossen.« (HKA X, 68) Ob nun ein Abbild Napoleons oder nicht, jedenfalls ist Jagiello im Drama ein solcher hybrider Subjektivist, ein moderner Heide, wogegen sich Plauen demütig als Vertreter der göttlichen Ordnung bekennt. Eichendorff hat damit das Motiv des Heidenkampfes, unter dem der Orden angetreten war, in seinem Drama auf eine neue Ebene gehoben. Daß die Polen längst christianisiert waren, weiß der Dichter natürlich.

Der Krieg zwischen ihnen und dem Orden ist historisch eine politische Machtprobe. Indem aber Eichendorff den Polenkönig zum modernen Heiden macht, wird Plauen wieder zum religiösen Streiter, zum Vertreter eines modernen Kreuzzugsgedankens. Seine demütige Haltung erweist sich noch einmal in der Todesszene, als er im Traum die Erkenntnis gewinnt, daß auch er in dem Bestreben, den Orden zu erneuern, seine Grenzen überschritten hat:

> *Vermessen richtet ich mich auf ob allen*
> *Und in die Wolken griff ich über mir,*
> *Des Herren Blitze wollt ich strafend schwingen*
> *Ich – Staub vom Staub – im Zorn die Welt bezwingen.* – (V, 4; 836)

Aus anderen Ursachen als Jagiello, gewissermaßen aus Übereifer unterliegt auch der religiöse Streiter den Gefahren der Anmaßung. Das Gottesurteil jedoch, das Plauen anfangs gegenüber dem Herold des Polenkönigs beschwört, spricht im Drama zweimal für ihn. Zunächst verjagt der Hochmeister bei seinem Ausfall aus der belagerten Burg die Polen (II, 4), und statt Gericht zu halten, ist der König gezwungen, Frieden zu schließen[54]. Bestätigt wird das Gottesurteil bei der zweiten – unhistorischen – Belagerung der Burg nach der Absetzung des Hochmeisters Plauen. Während dieser todkrank in Lochstädt liegt und Küchmeister die Belagerer nicht abzuwehren vermag, fliehen die Polen plötzlich, weil sie auf den Zinnen der Burg Plauens Gestalt zu sehen glauben. Diese überirdische Erscheinung, die das Geschehen noch einmal wendet, ist nur als göttlicher Eingriff zu verstehen und damit als endgültige Bestätigung der Haltung Plauens gegenüber dem Herold des Polenkönigs.

Eichendorff wollte mit seinem Bühnenstück gewiß kein bloßes zeitgetreues Bild der Vergangenheit liefern, sondern eine Aussage für seine Gegenwart machen. Da ist die subjektivistische Haltung des Polenkönigs als moderne Zeitkrankheit; die Widersacher Plauens im Orden huldigen offenem Materialismus, den Eichendorff auch bei seinen Zeitgenossen anprangert[55]. Küchmeister könnte als ein Vertreter der liberalen Richtung gelten, der Eichendorff vorwirft, sie mache Politik um ihres Eigennutzes und Ehrgeizes willen. Plauen verkörpert im Zusammenhang der historischen Aktualisierung die utopische Idealgestalt des ritterlichen deutschen Christen. Seine Politik ist auf die Verwirklichung ideeller Werte gerichtet, das auch unter dem Einsatz des Lebens und mit dem festen Willen, Widerstand auf dem als richtig erkannten Weg zu brechen, jedoch auch bereit, eigene Fehlentscheidungen demütig einzugestehen. Sein einzig, aber auch absolut anerkannter Richter ist Gott. Plauen scheitert mit seinen Absichten; am Ende des Dramas muß er erkennen, daß die Zeit des

54 Eichendorff stellt den Kampf um Marienburg als einen vollständigen Sieg Plauens dar. Warum der Orden trotzdem unehrenhafte Friedensbedingungen und Tributzahlungen akzeptieren muß, wird im Drama nicht erklärt. Hier ist es dem Dichter offenbar nicht gelungen, seine eigene Intention und die historischen Fakten in Einklang zu bringen; denn er brauchte beides. Der glorreiche Sieg bestätigt die Überlegenheit des gottesfürchtigen Helden über den hybriden Gegner. In der Einstellung zu den unehrenhaften Friedensbedingungen stoßen Plauens ideelle Bestrebungen und die materiellen Interessen seiner Gegner innerhalb des Ordens aufeinander, und diesen Konflikt brauchte er für Plauens tragisches Scheitern.

55 Materialistische Aspekte unterschiedlicher Art verbindet Eichendorff gewöhnlich mit der Wegwendung von Gott und diesseitiger Gesinnung, so beispielsweise bei Johann Heinrich Voß, dessen aufgeklärtes Christentum er als verwässerte Religion zugunsten reiner Diesseitigkeit ablehnt und den er als Vermittler einer solchen Einstellung an Jüngere verurteilt. Vgl. dazu meinen in Anm. 35 genannten Aufsatz.

Ordens vorüber ist, er also in dem Bestreben, ihn gewaltsam zu erneuern, der göttlichen Weltlenkung zuwiderhandelte. Ähnliches will Eichendorff damit zweifellos auch von seiner eigenen Zeit aussagen. Die Restauration ist der falsche Weg. So sehr Eichendorff die alten Adelsinstitutionen als ritterliche Einrichtungen verehrt, nach der Revolution haben sie sich überlebt, wie man seiner Schrift *Der Adel und die Revolution* entnehmen kann. Die Haltung Plauens aber wird durch überirdische Erscheinungen als die richtige bestätigt. Sie bestätigen Plauens Vision, die Jahrhunderte übergreift: »Ewig ist das Rittertum.« (V, 4; 837) Gefordert sind nicht die alten Institutionen, sondern der Geist, der sie belebte und weiterwirkt, solange er lebendig erhalten wird.

Andeutungsweise enthält Plauens Zukunftsvision ein Bild, das Eichendorff zu der Zeit, als er das Drama schrieb, wenigstens zu einem Teil als verwirklicht ansehen konnte:

Die Helden all aus ihren Gräbern gehn;
Die richten schweigend auf den stillen Höhn
Ein wunderbares Kreuz empor von Eisen
In der gewitterschwarzen Einsamkeit. –
Da geht ein Schauer durch das Volk der Preußen
Und noch einmal gedenkt's der großen Zeit. (V, 4; 837)

Kein Zweifel, daß Plauens Zukunftsvision auf die Befreiungskriege anspielt, aber ebenso wenig zweifelhaft dürfte es sein, daß Eichendorffs Vision darüber hinausgeht. Gewiß spricht Plauen vom »Volk der Preußen«, und an dieser Stelle sind darunter im Gegensatz zur Ordenszeit die Bewohner des Königreichs Preußen zu Eichendorffs Lebenszeit zu verstehen. Wenn man berücksichtigt, daß die politischen Aspekte des Dramas gerade die deutsche Funktion des Ordens betonen, klingt in Plauens Vision die Idee an, die man gerade in der ersten Hälfte des 19. Jahrhunderts als die deutsche Aufgabe Preußens bezeichnet hat, die Wiederherstellung der deutschen Einheit, in der Preußen dann aufzugehen hätte, eine Idee, die wohl dem damaligen preußischen Kronprinzen, aber später auch den Vertretern der Frankfurter Nationalversammlung, die ihm die Kaiserkrone antrugen, nicht fremd war. An der deutschen Bedeutung dieser Vision jedenfalls läßt Eichendorff keinen Zweifel, wenn er Plauen fortfahren läßt:

Das flatternde Panier hoch in der Hand,
Zieh ich der Schar voran durchs deutsche Land,
Am Rheine pflanzen wir's zu Gottes Ruhm –
Was zagt ihr? – Ewig ist das Rittertum! – (ebd.)

Die drei Werte, die Eichendorff dem Orden beimißt, erscheinen – nun in allgemeinerer Bedeutung – auch in Plauens Vision: Rittertum, Christentum, Deutschtum. Sie sollen zukunftsträchtig sein. Die Ausweitung wird geographisch und zeitlich versinnbildlicht: Plauen stirbt im äußersten Osten des deutschsprachigen Gebiets, und in seiner Vision pflanzt er das Banner des Ordens an der Westgrenze auf; wenn das Rittertum ewig ist, dann auch die zu ihm gehörigen Werte Christentum und Deutschtum. Der Geist, aus dem die Trias lebt, ist überzeitlich.

Gewiß spielt der Dichter zunächst auf die Befreiungskriege an, wie die sprachliche Wendung vom »Kreuz [...] von Eisen« deutlich genug beweist. Schinkel hatte ja zu Beginn der Befreiungskriege das Eiserne Kreuz in Anlehnung an das Kreuz der Ordensritter entworfen. Davon geht Max von Schenkendorf in seinem Gedicht »Das eiserne Kreuz« aus[56]. Wieder erweist er sich als Vorläufer Eichendorffs, indem er im Ordenskreuz wie im Eisernen Kreuz ritterliche, christliche und deutsche Werte symbolisiert sieht; das schwarze Kreuz der Ordensritter bezeichnet er in dem Gedicht ausdrücklich als »deutsches Kreuz«, wie es »nach seinem tiefsten Wesen« genannt worden sei. Im Unterschied zu seinem früheren Essay und in Übereinstimmung mit Eichendorff setzt Schenkendorf in dem Gedicht preußisches Streben mit dem nationalen deutschen Enthusiasmus der Befreiungskriege gleich. Es zeigt sich damit, daß Eichendorffs Deutung des Ordensstaates aus einer zeitgebundenen Idee heraus entstanden ist. Neben dem Eisernen Kreuz gibt es weitere Verbindungslinien zum Deutschen Orden. Das Ordensland wurde nach seiner Säkularisation die Wiege der preußischen Monarchie; die preußischen Farben schwarz und weiß erinnern an das Kennzeichen der Ordensritter, die auf einem weißen Mantel das schwarze Kreuz trugen; während der napoleonischen Besetzung war Königsberg, die jüngere Hauptstadt des Ordensstaates, Residenz des Königs. Die Verbindungen sind vielfältig und mußten die Phantasie der Dichter anregen.

56 Gedichte von Max von Schenkendorf. Hg. von August HAGEN, 5. Aufl., Stuttgart, 1878, S. 52f.

Jedoch sind sie in gewisser Weise konstruiert. Denn der Orden bestand auch nach der Säkularisation des Landes Preußen weiter und hat dessen Umwandlung in ein weltliches Herzogtum nie akzeptiert. Von diesem Gesichtspunkt aus kann sich die preußische Monarchie nicht auf den Ordensstaat berufen. Ihre frühen Vertreter haben das auch nicht getan. Friedrich II. begründete 1772 bei der ersten Teilung Polens den »Anspruch auf Pommerellen mit den früheren Bindungen an Pommern«, wie Theodor Schieder erklärt, und er fährt fort: »Die ehemalige Zusammengehörigkeit des Polnischen Preußen mit Ostpreußen im Rahmen des Deutschen Ordensstaates wurde nirgends erwähnt«[57]. Erst im 19. Jahrhundert hat man sich auf den Ordensstaat als einen Vorläufer Preußens besonnen, und dieser ›romantischen‹ Idee huldigte besonders Friedrich Wilhelm IV. Einem Historiker wie Ranke waren jedoch die Probleme zwischen der preußischen Monarchie und dem Deutschen Orden offenbar bewußt, wenn er »etwas verlegen«, wie Schieder bemerkt, die im Jahre 1772 fehlende Berufung auf die Zusammengehörigkeit West- und Ostpreußens im Ordensstaat damit begründet, man habe darauf wohl keinen besonderen Wert gelegt[58]. Folgerichtig hat die Wiederherstellung Marienburgs unter der Leitung Theodor von Schöns bei den damaligen Vertretern des Ordens kein Echo gefunden; sie galt eben nicht dem Orden speziell, sondern wurde mit Recht als nationale preußisch-deutsche Demonstration angesehen. Die Ansichten Schöns und die romantischen Vorstellungen vom Mittelalter konnte Eichendorff in seinem Drama und in seinem Essay verbinden. Aber es fällt auf, daß der Dichter den Ordensstaat nicht einzig und allein mit der preußischen Monarchie schlechthin in Verbindung bringt, sondern seinen deutschen Charakter – freilich ahistorisch – immer wieder hervorhebt. Den Übertritt Albrechts von Brandenburg-Anhalt zum Lutherischen Glauben und die Umwandlung der geistlichen Herrschaft in ein weltliches Herzogtum unter der Lehenshoheit Polens (1525) erwähnt er mit keinem Wort; allerdings war Marienburg damals schon vom Orden aufgegeben, und die Geschichte dieses Ortes und der Burg, nicht eigentlich die des Ordens, wollte er schreiben.

Was in Eichendorffs Darstellung im engeren Sinne preußischer, was im

57 Theodor Schieder, Friedrich der Große. Ein Königtum der Widersprüche. Berlin: Ullstein, o.J., S. 253.

58 Ebd.

weiteren deutscher Gesinnung entspringt, läßt sich nicht genau trennen. Er selbst hat gewiß, wie die beiden Werke beweisen, die deutschen Interessen den preußischen übergeordnet; aber in den dreißiger und frühen vierziger Jahren war das wohl auch für die Zeitgenossen nicht genau zu trennen. Trotzdem scheinen sich die preußischen Probleme der Zeit in einer erstaunlichen antipolnischen Haltung, die man in dem Essay antrifft, zu spiegeln. Erstaunlich, weil Eichendorff nicht dazu neigt, Fremdländisches von vornherein negativ einzustufen. In diesem Falle aber wertet er eindeutig. Daß er den polnischen Staat unter Jagiello zumindest dichterisch zur antichristlichen Kraft zu stilisieren sucht, gehört auch in diesen Rahmen. Ordnung, Zucht und Gesittung kann er offensichtlich bei den Polen nicht finden. Ein Zitat aus dem Essay, das ein Ereignis aus dem frühen 18. Jahrhundert beschreibt, mag das demonstrieren: Im Jahre 1705 dringt eine polnisch-sächsische Armee in das von Schweden besetzte Marienburg ein: »dann stürmten die Polen, von den besonneneren Sachsen vergeblich auseinandergepeitscht, die Häuser [...].« (HKA X, 49) Auch darin zeigt sich wieder, daß Eichendorff den polnischen gegen den deutschen Nationalcharakter setzt; denn die Sachsen stehen hier wohl für die Deutschen schlechthin. Daß in der Einstellung spezielle preußische Probleme mit den östlichen Provinzen ihr Echo finden, kann man als sicher annehmen, zumal Eichendorff als Beamter zehn Jahre lang mit ihnen konfrontiert war. Die Anspielungen vor allem im Drama, weniger deutlich im Essay, wenn man die Rekapitulation historischer Ereignisse nicht zu hoch anschlägt, lassen das erkennen. Gemeinsam aber ist beiden Werken, daß dem Orden nach Eichendorffs Ansicht eine christlich-deutsche Mission auferlegt war, deren kulturelle und politische Konsequenzen er in seiner Gegenwart wirksam sieht und mehr noch für die Zukunft erwartet.

Es wäre ungerecht, Eichendorff chauvinistische Tendenzen zu unterstellen. Es wäre ebenso falsch, ihn von nationalistischen Äußerungen völlig freizusprechen. Seine Beurteilung des Deutschen Ordens und seine Sicht der historischen Entwicklung, so verständlich sie von seiner national-romantischen Überzeugung und von den Umständen der damaligen preußischen Situation im Osten des Königreichs auch sein mögen, bilden einen Ansatz für radikale, chauvinistische Deutungen jüngerer Zeit. Aber für diese späteren Auswüchse kann man Eichendorff selbst nicht verantwortlich machen.

Eichendorff-Bibliographie (1959–1986)

Bearbeitet von ECKHARD GRUNEWALD

Vorbemerkung

Die nachfolgende Literaturübersicht schließt sich an die 1960 von Wolfgang Kron herausgegebene Eichendorff-Bibliographie im Sammelband »Eichendorff heute« [vgl. Nr. 4.1] an und berücksichtigt neben den umfassenden Werkausgaben die wesentlichen Forschungsbeiträge zu Leben und Werk des Dichters von 1959 bis 1986. Auf eine Vervollständigung der Bibliographie W. Krons wird verzichtet; unerwähnt bleiben außerdem die Nachdrucke der vor 1959 erschienenen Veröffentlichungen sowie die in »Eichendorff heute« publizierten Aufsätze. Dagegen werden die von W. Kron 1966 im (sehr knapp gehaltenen) Nachtrag [vgl. Nr. 2.2] zur 2. Auflage des Sammelbandes gebotenen Titel – soweit sie in den Berichtszeitraum fallen – aufgenommen und vermerkt.

Die thematische Struktur der Bibliographie W. Krons kann aufgrund der in den letzten Jahrzehnten vollzogenen Verlagerung der Forschungsschwerpunkte nicht konsequent beibehalten werden. Die übergeordneten Gliederungspunkte bleiben jedoch im großen und ganzen bewahrt, um möglichst viele Schnittstellen mit der voraufgegangenen Literaturübersicht zu erreichen. Innerhalb der einzelnen Abschnitte werden die Texte in chronologischer Ordnung geboten; in den Kapiteln 21, 22, 23, 25 und 26.2 werden zudem Zwischentitel gesetzt, um die Literatur zu Einzelwerken, Motivbereichen etc. für den raschen Zugriff bereitzustellen.

Die Eichendorff-Bibliographie strebt wie ihre Vorgängerin keine Vollständigkeit an: Verzichtet wird u. a. auf die Mitteilung von Examensarbeiten, Magisterarbeiten, Rundfunkmanuskripten etc., die nicht über den Leihverkehr der öffentlichen Bibliotheken bezogen werden können. Darüber hinaus bleiben vorwiegend fachdidaktisch ausgerichtete Schriften sowie (in Anlehnung an W. Kron) die Untersuchungen zur musikalischen Rezeption ausgeklammert. In diesen Fällen sei der Leser auf die jährlich erscheinende Eichendorff-Bibliographie in »Aurora. Jahrbuch der Eichendorff-Gesellschaft« [vgl. Nr. 3.1] verwiesen, die um möglichst vollständige Verzeichnung der Ausgaben, Untersuchungen und Vertonungen der Werke des Dichters bemüht ist.

Der Herausgeberin der »Aurora«-Bibliographie, Irmela Holtmeier (München), möchte ich an dieser Stelle für zahlreiche weiterführende Hinweise danken, zugleich Margret Diehl (Ratingen) für die sorgfältige Einrichtung des Typoskripts und meiner Frau für die unermüdliche Mitarbeit bei den zeitraubenden Recherchen.

Düsseldorf, im Juli 1987 E. G.

INHALTSÜBERSICHT

1. *Werkausgaben. Umfassende Sammlungen*

1.1 Sämtliche Werke des Freiherrn Joseph von Eichendorff. Historisch-kritische Ausgabe. Begr. von Wilhelm Kosch und August Sauer. Fortgef. und hg. von Hermann Kunisch [seit 1962] und Helmut Koopmann [seit 1978]. – Regensburg [bis 1970], Stuttgart/Berlin/Köln/Mainz [seit 1975].

- 3. Ahnung und Gegenwart. Hg. von Christiane Briegleb und Clemens Rauschenberg. 1984.
- 8.1 Literarhistorische Schriften 1: Aufsätze zur Literatur. Auf Grund von Vorarbeiten von Franz Ranegger hg. von Wolfram Mauser. Mit einem Vorwort von Hermann Kunisch. 1962.
- 8.2 Literarhistorische Schriften 2: Abhandlungen zur Literatur. Auf Grund von Vorarbeiten von Franz Ranegger hg. von Wolfram Mauser. 1965.
- 9. Literarhistorische Schriften 3: Geschichte der poetischen Literatur Deutschlands. Hg. von Wolfram Mauser. 1970.
- 16. Übersetzungen 2: Unvollendete Übersetzungen aus dem Spanischen. Hg. von Klaus Dahme. 1966.
- 18. Joseph von Eichendorff im Urteil seiner Zeit. Hg. von Günter und Irmgard Niggl. 1975–1986.
- 18.1 Dokumente 1788–1843. 1975.
- 18.2 Dokumente 1843–1860. 1976.
- 18.3 Kommentar und Register. 1986.

1.2 Joseph von Eichendorff: Werke 1–5. Textredaktion: Jost Perfahl [1970], Marlies Korfsmeyer [1976], Klaus-Dieter Krabiel und M. K. [1980]. – München 1970ff.

- 1. Gedichte. Versepen. Dramen. Autobiographisches. Mit einer Einführung und einer Zeittafel sowie Anmerkungen von Ansgar Hillach. 1970.
- 2. Romane. Erzählungen. Mit Anmerkungen von Ansgar Hillach. 1970.
- 3. Schriften zur Literatur. Mit Anmerkungen von Klaus-Dieter Krabiel. 1976.
- 4. Nachlese der Gedichte. Erzählerische und dramatische Fragmente. Tagebücher 1798–1815. Mit Anmerkungen und Register von Klaus-Dieter Krabiel. 1980.

1.3 Joseph von Eichendorff: Werke in sechs Bänden. Hg. von Wolfgang Frühwald, Brigitte Schillbach und Hartwig Schultz. – Frankfurt a. M. 1985ff. (Bibliothek deutscher Klassiker).

- 2. Ahnung und Gegenwart. Erzählungen 1. Hg. von Wolfgang Frühwald und Brigitte Schillbach. 1985 (Bibliothek deutscher Klassiker 8).

2. *Bibliographien. Forschungsberichte*

2.1 Eichendorff-Bibliographie. Hg. von Hans M. Meyer (1953–1977). Ab 1978 bearb. von Irmela Holtmeier. – In: Aurora [vgl. Nr. 3.1] 1–46 (1953–1986 [wird fortgesetzt]).

2.2 Kron, Wolfgang: Eichendorff-Bibliographie. – In: Eichendorff heute [vgl. Nr. 4.1], S. 280–329 (2. Aufl. 1966: Nachtrag, S. 330).

2.3 Mauser, Wolfram: Eichendorff-Literatur 1959–1962. – In: Der Deutschunterricht 14 (1962), H. 4, Beilage, S. 1–12.

2.4 Müller, Joachim: Der Stand der Eichendorff-Forschung. – In: Forschungen und Fortschritte 37 (1963), S. 155–157.

2.5 Mauser, Wolfram: Eichendorff-Literatur 1962–1967. – In: Der Deutschunterricht 20 (1968), H. 3, Beilage, S. 1–24.

2.6 Linduschka, Heinz, und Franz Heiduk: Gesamt-Inhaltsverzeichnis für Aurora 1–30/31 (Jahrgang 1929–70/71). – In: Aurora 30/31 (1970/71), S. 151–188.

2.7 Deutsches Literatur-Lexikon. Biographisch-bibliographisches Handbuch. Begr. von Wilhelm Kosch, fortgef. von Bruno Berger. 3. Aufl. Bd. 3. Bern/München 1971 [zu E.: Sp. 1019–1047].

2.8 Krabiel, Klaus-Dieter: Joseph von Eichendorff. Kommentierte Studienbibliographie. – Frankfurt a. M. 1971.

2.9 Linduschka, Heinz, und Franz Heiduk: Gesamt-Inhaltsverzeichnis für Eichendorff-Kalender 1–19 (Jahrgang 1910–1929/30). – In: Aurora 34 (1974), S. 123–136.

2.10 Heiduk, Franz: Oberschlesisches Literatur-Lexikon. Ein bio-bibliographisches Werk in Vorbereitung. [Artikel:] Joseph Freiherr von Eichendorff. – In: Unser Oberschlesien 1979, Nr. 2–6, 8–10, 12–15 (jew. S. 3).

2.11 Heiduk, Franz: Eichendorff-Bibliographie: Selbständige Veröffentlichungen. – In: Joseph Freiherr von Eichendorff [vgl. Nr. 4.4], S. 238–250.

2.12 Heiduk, Franz, und Wolfgang Kessler: Der Wächter und Eichendorff-Kalender. Gesamt-Inhaltsverzeichnis. – Sigmaringen 1985 (Aurora-Buchreihe 4).

3. *Periodika der Eichendorff-Forschung*

3.1 Aurora. Eichendorff-Almanach. Jahresgabe der Eichendorffstiftung e. V. Eichendorffbund. Hg. von Karl Schodrok 13–29 (1953–1969). Fortgesetzt u. d. T.: Aurora. Jahrbuch der Eichendorff-Gesellschaft. Hg. von Franz Heiduk (seit 1978 von Wolfgang Frühwald, F. H. und Helmut Koopmann; seit 1984 von W. F., F. H., H. K. und Peter Horst Neumann) 30/31–46 (1970/71–1986 [wird fortgesetzt]).

3.2 Aurora [Organ der japanischen Eichendorff-Gesellschaft Tokio] 1–6 (1978–1983 [wird fortgesetzt]).

3.3 Nachrichten-Blatt der Eichendorff-Gesellschaft. Hg. von Franz Heiduk (und Margarete Arndt: 2–10 [1976–1984]) 1–12 (1975–1986 [wird fortgesetzt]).

4. *Sammelbände. Ausstellungskataloge. Kommentare*

4.1 Eichendorff heute. Stimmen der Forschung mit einer Bibliographie. Hg. von Paul Stöcklein. – München 1960; 2. Aufl. Darmstadt 1966.

4.2 Seidlin, Oskar: Versuche über Eichendorff. – Göttingen 1965; 2. Aufl. 1978; 3. Aufl. 1985.

4.3 Hillach, Ansgar, und Klaus-Dieter Krabiel: Eichendorff-Kommentar: 1. Zu den Dichtungen (1971). 2. Zu den theoretischen und autobiographischen Schriften und Übersetzungen (1972). – München 1971/72.

4.4 Joseph Freiherr von Eichendorff. 1788–1857. Leben, Werk, Wirkung. Eine Ausstellung der Stiftung Haus Oberschlesien und des Landschaftsverbandes Rheinland, Rheinisches Museumsamt Abtei Brauweiler, in Zusammenarbeit mit der Eichendorff-Gesellschaft. 1983. – Köln/Dülmen 1983 (Schriften des Rheinischen Museumsamtes 21).

4.5 Eichendorff und die Spätromantik. Hg. von Hans-Georg Pott. – Paderborn/München/Wien/Zürich 1985.

4.6 Köhnke, Klaus: »Hieroglyphenschrift«. Untersuchungen zu Eichendorffs Erzählungen. – Sigmaringen 1986 (Aurora-Buchreihe 5).

5. *Nachlaßverzeichnisse. Neuentdeckte Handschriften*

5.1 Perlick, Alfons: Eichendorff-Handschriften in Nordrhein-Westfalen. – In: Aurora 20 (1960), S. 64–74.

5.2 Stöcklein, Paul: Ein unbekannter Brief Eichendorffs. – In: Aurora 20 (1960), S. 91–93.

5.3 Uhlendorff, Franz: Neue Eichendorffiana. – In: Aurora 24 (1964), S. 21–35.

5.4 Kron, Wolfgang: Verschollene Eichendorff-Handschriften. – In: Aurora 26 (1966), S. 104; 27 (1967), S. 111 f.

5.5 Kunisch, Hermann: Die Frankfurter Novellen- und Memoiren-Handschriften von Joseph von Eichendorff. – In: Jahrbuch des Freien Deutschen Hochstifts 1968, S. 329–389.

5.6 Döhn, Helga: Der Nachlaß Joseph von Eichendorff. – Berlin 1971 (Handschrifteninventare der Deutschen Staatsbibliothek 2).

5.7 Moser, Karl Willi: Die Eichendorff-Handschriftensammlungen. – In: Neisser Heimatblatt 33 (1980), Nr. 152, S. 13 f.; Nr. 153, S. 8.

5.8 Steinsdorff, Sibylle von: Eichendorffiana im Privatnachlaß des preußischen Kultusministers Freiherrn von Stein zum Altenstein. – In: Aurora 40 (1980), S. 35–51.

5.9 Steinsdorff, Sibylle von, und Wolfgang Frühwald: »...jene Influenza religiöser Zerfahrenheit« [vgl. Nr. 15.14].

5.10 Frühwald, Wolfgang, und Franz Heiduk: Zu Joseph von Eichendorffs Gedicht »Trennung« [vgl. Nr. 21.41].

5.11 Bönisch, Anna: Die Auffindung der Handschriften des Dichters Joseph von Eichendorff im Sedlnitzer Schlosse. – In: Nachrichten-Blatt der Eichendorff-Gesellschaft 9 (1983), S. 1–7.

5.12 Verweyen, Theodor: Eine verschollene Eichendorff-Handschrift. – In: Aurora 44 (1984), S. 16–22.

6. *Biographien. Abhandlungen zu Leben und Werk. Porträts*

6.1 Gesamtdarstellungen

6.1.1 Kesten, Hermann: Joseph von Eichendorff. – In: H. K.: Meine Freunde die Poeten. München 1959, S. 461–474.

6.1.2 Hagelstange, Rudolf: Joseph von Eichendorff. – In: R. H.: Huldigung. Droste, Eichendorff, Schiller. Wiesbaden 1960 (Insel-Bücherei 719), S. 30–46.

6.1.3 Mollenauer, Robert Russell: Three »Spätromantiker« on romanticism: Hoffmann, Heine, and Eichendorff. – Phil. Diss. Bloomington, Indiana 1960.

6.1.4 Rodger, Gillian: Joseph von Eichendorff. – In: German men of letters. Twelve literary essays. Ed. by Alex Natan. London 1961, S. 59–78.

6.1.5 Edschmid, Kasimir: Joseph von Eichendorff. – In: K. E.: Portraits und Denksteine. Wien/München/Basel 1962, S. 71–88.

6.1.6 Schneider, Gerhard: Studien zur deutschen Romantik. – Leipzig 1962 [zu E.: S. 131–159].

6.1.7 Brion, Marcel: L'Allemagne romantique 2: Novalis, Hoffmann, Jean Paul, Eichendorff. – Paris 1963 [zu E.: S. 305–365, 381–383].

6.1.8 Hohoff, Curt: Eichendorff. – In: C. H.: Schnittpunkte. Gesammelte Aufsätze. Stuttgart 1963, S. 133–145.

6.1.9 Stöcklein, Paul: Joseph von Eichendorff in Selbstzeugnissen und Bilddokumenten. – Reinbek bei Hamburg 1963 u. ö. (rowohlts monographien 84).

6.1.10 Hoffmann, Ernst Fedor: Joseph von Eichendorff. – In: Einführung in die deutsche Literatur. Hg. von John Geary und Willy Schumann. New York 1964, S. 119–125.

6.1.11 Kosler, Alois Maria: Eichendorff, Joseph Freiherr von. – In: Lexikon der Marienkunde 1, Regensburg 1967, Sp. 1525–1529.

6.1.12 Schaefer, Klaus, und Dietrich Grohnert: Joseph Freiherr von Eichendorff. – In: Romantik. Erläuterungen zur deutschen Literatur. Red. und bearb. von Johannes Mittenzwei u. a. Berlin 1967 u. ö., S. 359–396.

6.1.13 Faltus, Hermann: Ahnung und Gegenwart. Joseph Freiherr von Eichendorff. Leben, Werk und Wirkung. Eichendorff und unsere Zeit. – In: Jahrbuch der Schlesischen Friedrich-Wilhelms-Universität zu Breslau 13 (1968), S. 141–192.

6.1.14 Kosler, Alois Maria: Joseph Freiherr von Eichendorff. 1788–1857. – In: Große Deutsche aus Schlesien. München 1969; 2. Aufl. 1979, S. 109–118.

6.1.15 Koopmann, Helmut: Joseph von Eichendorff. – In: Deutsche Dichter der Romantik. Ihr Leben und Werk. Hg. von Benno von Wiese u. a. Berlin 1971, S. 416–441; 2. Aufl. 1983, S. 505–531.

6.1.16 Heselhaus, Clemens: Die romantische Gruppe in Deutschland. – In: Die europäische Romantik. Mit Beiträgen von Ernst Behler u. a. Frankfurt a. M. 1972, S. 44–162 [zu E.: S. 118–126].

6.1.17 Schwarz, Egon: Joseph von Eichendorff. – New York 1972 (Twayne's World Authors Series 163).

6.1.18 Kohlschmidt, Werner: Geschichte der deutschen Literatur von der Romantik bis zum späten Goethe. – Stuttgart 1974 (Geschichte der deutschen Literatur von den Anfängen bis zur Gegenwart 3) [zu E.: S. 501–539].

6.1.19 Brion, Marcel: L'Allemagne romantique 3: Le voyage initiatique. – Paris 1977 [zu E.: S. 75–109, 270].

6.1.20 Frühwald, Wolfgang: Eichendorff-Chronik. Daten zu Leben und Werk. – München/Wien 1977 (Reihe Hanser 299).

6.1.21 Lubos, Arno: Schlesisches Schrifttum der Romantik und Popularromantik. – München 1978 [zu E.: S. 35–74 et pass.].

6.1.22 Brosche, Barbara: Das Leben Joseph Freiherr von Eichendorffs. – In: B. B.: Schlesisches Mosaik. Bilder einer Landschaft. Leichlingen o. J. (1980), S. 63–75.

6.1.23 Eichner, Hans: Joseph von Eichendorff. – In: Handbuch der deutschen Erzählung. Hg. von Karl Konrad Polheim. Düsseldorf 1981, S. 172–191, 578–581.

6.1.24 Sorg, Norbert: Ein romantischer Kritiker der Romantik. – In: Wetzel, Christoph: Joseph von Eichendorff [vgl. Nr. 6.1.25], S. 114–127.

6.1.25 Wetzel, Christoph: Joseph von Eichendorff. – Salzburg 1982 (Die großen Klassiker. Literatur der Welt in Bildern, Texten, Daten 13).

6.1.26 Koopmann, Helmut: Joseph von Eichendorff. – In: Joseph Freiherr von Eichendorff [vgl. Nr. 4.4], S. 11–24.

6.1.27 Ohff, Heinz: Joseph Freiherr von Eichendorff. – Berlin 1983 (Preußische Köpfe. Literatur).

6.1.28 Rosendorfer, Herbert: Leben und Wirken von drei Dichter-Juristen (E. T. A. Hoffmann, Joseph Freiherr von Eichendorff, Franz Kafka). – In: Neue Juristische Wochenschrift 36 (1983), S. 1158–1164.

6.1.29 Heiduk, Franz: Joseph Freiherr von Eichendorff. Wandern über Grenzen. – In: Frieden durch Menschenrechte. Festschrift für Herbert Czaja. Hg. von Waldemar Zylla. Dülmen 1984, S. 101–105.

6.2. Einzelaspekte

6.2.1 Buddensieg, Hermann: Vom unbekannten Eichendorff. Eichendorff sprach auch Polnisch. – In: Mickiewicz-Blätter 1961, H. 17, S. 81–131; H. 18, S. 178–235; 1962, H. 19, S. 1–46.

6.2.2 Reiprich, Walter: Es weiß und rät doch keiner. Liebe und Verzicht im Leben von Joseph Freiherr von Eichendorff. – In: Jahrbuch der Schlesischen Friedrich-Wilhelms-Universität zu Breslau 15 (1970), S. 318–328.

6.2.3 Böttcher, Kurt, und Johannes Mittenzwei: Dichter als Maler. – Leipzig 1980; Stuttgart/Berlin/Köln 1980 (Lizenzausgabe) [zu E.: S. 99–101, 373].

6.2.4 Kaschnitz, Marie-Luise: Florens. Eichendorffs Jugend. – Düsseldorf 1984.

6.3 Bildnisse

6.3.1 Schodrok, Karl: Familie Eichendorff, sechs Wachsbossierungen, Lubowitz 1800. – In: Aurora 24 (1964), S. 108 f.

6.3.2 Dziallas, Paul: Eichendorff auf Medaillen und Plaketten. – In: Schlesien 16 (1971), S. 163–165.

6.3.3 Franzke, Andreas: Adolf Neumann, der Stecher des Eichendorff-Porträts von 1858. – In: Aurora 34 (1974), S. 44–51.

6.3.4 Scheyer, Ernst: Die Eichendorff-Porträts von Franz Kugler. Zur Problematik der Eichendorffdarstellungen. – In: Aurora 35 (1975), S. 58–72.

6.3.5 Heiduk, Franz: Nachträge und Ergänzungen. Zur Problematik der Eichendorffdarstellungen. – In: Aurora 35 (1975), S. 73–77.

7. *Beziehung zu Familienangehörigen. Vorfahren*

7.1 Schodrok, Christine: Wilhelm von Eichendorff, des Dichters Bruder. – In: Aurora 26 (1966), S. 7–21.

7.2 Schönberg, Brita von: Das Verhältnis der Brüder Eichendorff, dargelegt an biographischen und dichterischen Zeugnissen, insbesondere dem Novellenfragment »Das Wiedersehen«. – In: Aurora 28 (1968), S. 36–44.

7.3 Lampert, Ulrich: Joseph von Eichendorffs evangelische Vorfahren und seine hessische Blutsverwandtschaft. – In: Aurora 36 (1976), S. 61–69.

7.4 Lampert, Ulrich: Verwandte Joseph von Eichendorffs in Schlesien und Hessen. – In: Genealogisches Jahrbuch 16/17 (1977), S. 139–169.

7.5 Schindler, Karl: Fouqués »Die Familie Hallersee« als Schlüsseldrama der Familie Eichendorff? – In: Aurora 38 (1978), S. 122–126.

7.6 Heiduk, Franz: Über das Geburtsdatum und den Geburtsort von Luise Freifrau von Eichendorff. – In: Aurora 39 (1979), S. 239f.

7.7 Heiduk, Franz: Zur Selbstbiographie Rudolf von Eichendorffs. – In: Aurora 44 (1984), S. 153–158 [Textabdruck: S. 147–152].

7.8 Stutzer, Dietmar: Die Landeshauptleute Jakob und Hartwig Erdmann von Eichendorff. – In: Schlesien 30 (1985), S. 9–18.

8. *Beziehung zu Bekannten*

8.1 Hyckel, Georg: Eichendorff und Henriette Herz. – In: Aurora 20 (1960), S. 40–43.

8.2 Uhlendorff, Franz: Eichendorffs »Kleine Morgenröte«. – In: Aurora 21 (1961), S. 36–49.

8.3 Scheyer, Ernst: Franz Theodor Kugler, der musische Geheimrat. – In: Aurora 22 (1962), S. 45–73.

8.4 Herrmann, Joachim: Eichendorff und die Familie Mendelssohn. – In: Aurora 25 (1965), S. 85–88.

8.5 Münch, Gotthard: Der Gymnasialdirektor Joseph Zacharias Müller. 1782–1844. Ein Mitschüler Eichendorffs. – In: Aurora 26 (1966), S. 22–39.

8.6 Zedlitz-Neukirch, Conrad Dieter Freiherr von: Joseph Christian Freiherr von Zedlitz. Leben und Schaffen eines Schulkameraden Eichendorffs. – In: Aurora 29 (1969), S. 70–91.

8.7 Schindler, Karl: Anton Rathsmann aus Bad Reinerz. Lehrer des jungen Eichendorff. 1764–1812. – In: K. S.: So war ihr Leben. Bedeutende Grafschafter aus vier Jahrhunderten. Leimen/Heidelberg 1975, S. 50–54.

8.8 Heiduk, Franz: Daniel Nickel. Diener, Gärtner und Glockengießer zu Lubowitz. – In: Nachrichten-Blatt der Eichendorff-Gesellschaft 7 (1981), S. 5–8.

8.9 Lissek, Thomas: Eichendorffs letzter Brief an den Breslauer Fürstbischof Heinrich Förster (18. 9. 1857). – In: Schlesien 27 (1982), S. 11–16.

8.10 Feilchenfeldt, Konrad: Eichendorffs Freundschaft mit Benjamin Mendelssohn und Philipp Veit. Aus teilweise unveröffentlichten Quellen. – In: Aurora 44 (1984), S. 79–99.

8.11 Rosendorfer, Herbert: Lebrecht Dreves. Lebenslauf eines juristischen Nebenerwerbsliteraten. – In: Rechtshistorisches Journal 3 (1984), S. 199–209.

9. *Beziehung zu Orten und Landschaften*

9.1 Schlesien. Mähren. Familienbesitz

9.1.1 Hyckel, Georg: Die Eichendorff-Besitzungen Slawikau (Bergkirch) und Summin 1814. – In: Aurora 20 (1960), S. 94f.

9.1.2 Bönisch, Anna: Die mährische Heimat Josephs von Eichendorff. Hg. von Fritz Eichler. – Leimen/Heidelberg 1961 (Brünner Buchring 46).

9.1.3 Enden, Hans: Eichendorff und das Coseler Land. – In: Aurora 21 (1961), S. 50–56.

9.1.4 Hyckel, Georg: Erinnerungen an Schloß Krawarn im Oppatale. – In: Aurora 22 (1962), S. 100–103.

9.1.5 Münch, Gotthard: Das Wiedersehen mit Breslau im Herbst 1809. – In: Aurora 23 (1963), S. 11–35.

9.1.6 Stadler, Willy: Erinnerungen an Schloß Tost? – In: Aurora 27 (1967), S. 44–52.

9.1.7 Heinz, Hans: Deutsch Krawarn. – In: Aurora 28 (1968), S. 33–35.

9.1.8 Stutzer, Dietmar: Das Eichendorff-Gut Sedlnitz in Mähren. 1655–1890. – In: Aurora 34 (1974), S. 39–43.

9.1.9 Stutzer, Dietmar: Die Güter der Herren von Eichendorff in Oberschlesien und Mähren. – Würzburg 1974 (Aurora-Buchreihe 1).

9.1.10 Stutzer, Dietmar: Die Eichendorff-Herrschaft Tost. 1791–1797. – In: Aurora 36 (1976), S. 70–74.

9.1.11 Stutzer, Dietmar: Der Eichendorff-Haushalt zu Krawarn 1699. – In: Schlesien 24 (1979), S. 215–218.

9.1.12 Stutzer, Dietmar: Die Ertrags- und Lohnverhältnisse in den landwirtschaftlichen Betrieben der Familie von Eichendorff in Oberschlesien um 1800. – In: Zeitschrift für Ostforschung 28 (1979), S. 1–27.

9.1.13 Stutzer, Dietmar (unter Mitarbeit von Harald Siebenbürger): Die Verwaltungsgeschichte, die wirtschaftlichen und sozialen Verhältnisse in Oberschlesien und im Fürstentum Troppau-Jägerndorf 1620–1820, dargestellt am Beispiel der Familie Eichendorff. – Dülmen 1983 (Stiftung Haus Oberschlesien 2).

9.1.14 Schindler, Karl: Der Leutnant Joseph von Eichendorff 1813 in Glatz. – In: Denk- und Merkwürdigkeiten der Grafschaft Glatz. Leimen/Heidelberg 1985, S. 127–130.

9.2 Deutschland und Österreich (allgemein)

9.2.1 Perlick, Alfons: Eichendorff und Nordrhein-Westfalen. Beitrag zu einer regionalen Eichendorff-Kunde. – Dortmund 1960 (Veröffentlichungen der Ostdeutschen Forschungsstelle im Lande Nordrhein-Westfalen. Reihe A, 1/2).

9.2.2 Buesche, Albert: Eichendorff und die Wiederherstellung der Marienburg. – In: Aurora 21 (1961), S. 64–70.

9.2.3 Wirth, Irmgard: Das Stadtbild von Berlin zur Zeit Eichendorffs. – In: Aurora 22 (1962), S. 7–12.

9.2.4 Köhler, Willibald: Kritik: Eichendorff in Königsberg. – In: Aurora 23 (1963), S. 101 f.

9.2.5 Schmidt, Arno: Eichendorffs Danziger Jahre. – In: Danziger Heimatkalender 16 (1964), S. 108–110.

9.2.6 Kordt, Walter: J. von Eichendorffs Beziehungen zu Neuss. – In: Neusser Jahrbuch 1965, S. 34–37.

9.2.7 Oschilewski, Walther Georg: Joseph von Eichendorff. – In: W. G. O.: Berühmte Deutsche in Berlin. Berlin 1965, S. 129–142.

9.2.8 Worbs, Erich: Eichendorff in Hamburg. – In: Aurora 25 (1965), S. 74–84.

9.2.9 Wache, Karl: Eichendorff in Wien. – In: K. W.: Jahrmarkt der Wiener Literatur. Wien 1966, S. 43–50.

9.2.10 Reiprich, Walter: Eichendorff in Heidelberg. Das Erleben von Landschaft, Menschen und einer großen Liebe. – In: Heidelberger Jahrbücher 12 (1968), S. 112–134. – Erneut: Heidelberg/New York 1971.

9.2.11 Worbs, Erich: Eichendorffs Harzreise und ihre Spiegelung in seiner Dichtung. – In: Aurora 28 (1968), S. 45–52.

9.2.12 Mühlher, Robert: Eichendorff in Wien. – In: Aurora 41 (1981), S. 55–74.

10. *Eichendorff als Beamter*

10.1 Pörnbacher, Hans: Joseph Freiherr von Eichendorff und Westfalen. Zu einem unbekannten Aktenstück aus Eichendorffs Berliner Beamtentätigkeit. – In: Westfälische Zeitschrift 112 (1962), S. 186–190.

10.2 Pörnbacher, Hans: Melchior von Diepenbrock als Domdechant zu Regensburg und Joseph Freiherr von Eichendorff. Zu einem bisher unbekannten Dokument aus Eichendorffs Beamtentätigkeit. – In: Der Zwiebelturm 17 (1962), S. 214–217. – Erneut in: Unser Bocholt 14 (1963), S. 6–11.

10.3 Pörnbacher, Hans: Joseph Freiherr von Eichendorff als Beamter. Dargestellt auf Grund bisher unbekannter Akten. – Dortmund 1963 (Veröffentlichungen der Ostdeutschen Forschungsstelle des Landes Nordrhein-Westfalen. Reihe A, 7).

10.4 Webersinn, Gerhard: Eichendorff und die Preßgesetzgebung. – In: Aurora 23 (1963), S. 36–54.

10.5 Pörnbacher, Hans: Die Ausmalung der Gurtbogenfelder im hohen Chore des Domes zu Köln. Nach den von Eichendorff bearbeiteten Akten. – In: Aurora 26 (1966). S. 40–49.

10.6 Frühwald, Wolfgang: Der Regierungsrat Joseph von Eichendorff. Zum Verhältnis von Beruf und Schriftstellerexistenz im Preußen der Restaurationszeit. Mit Thesen zur sozialhistorischen und wissenssoziologischen Perspektive einer Untersuchung von Leben und Werk Joseph von Eichendorffs. – In: Internationales Archiv für Sozialgeschichte der deutschen Literatur 4 (1979), S. 37–67. – Gek. in: Joseph Freiherr von Eichendorff [vgl. Nr. 4.4], S. 25–47.

11. *Eichendorff als Literarhistoriker*

11.1 Thurnher, Eugen: Joseph von Eichendorff und Friedrich von Schwarzenberg. Zur Frage der kritischen Maßstäbe Eichendorffs. – In: Anzeiger der Österr. Akademie der Wissenschaften. Phil.-hist. Kl. 97 (1960), S. 88–109.

11.2 Thurnher, Eugen: Eichendorffs »Geschichte des Romans«. – In: Stoffe, Formen, Strukturen. Studien zur deutschen Literatur. Festschrift für Hans Heinrich Borcherdt. Hg. von Albert Fuchs und Helmut Motekat. München 1962, S. 361–379.

11.3 Lüthi, Hans-Jürg: Joseph von Eichendorff und die Aufklärung. – In: Aurora 35 (1975), S. 7–20.

11.4 Hirai, Tadashi: Eichendorffs Stellung in der Geschichte der Literaturgeschichtsschreibung. – In: Doitsu Bungaku 1976, H. 57, S. 11–20.

11.5 Riemen, Alfred: Heines und Eichendorffs literarhistorische Schriften. Zum geistesgeschichtlichen Denken in der Restaurationszeit. – In: Zeitschrift für deutsche Philologie 99 (1980), S. 532–559.

11.6 Martens, Wolfgang: Zu Eichendorffs Nicolai-Bild. – In: Aurora 45 (1985), S. 106–120.

11.7 Neubauer, John: »Liederlichkeit der Gefühle«: Kritik der Subjektivität in Eichendorffs Studie zum deutschen Roman des achtzehnten Jahrhunderts. – In: Aurora 45 (1985), S. 149–162.

11.8 Riemen, Alfred: Der »ungraziöseste aller deutschen Dichter«: Johann Heinrich Voß. – In: Aurora 45 (1985), S. 121–136.

11.9 Rowland, Herbert: Eichendorff's critical view of Matthias Claudius in »Der deutsche Roman des achtzehnten Jahrhunderts«. – In: Michigan German Studies 11 (1985), S. 50–61.

12. *Eichendorff als Übersetzer*

12.1 Bodmer, Daniel: Eichendorffs Übertragung des »Conde Lucanor«. – In: Typologia litterarum. Festschrift für Max Wehrli. Hg. von Stefan Sonderegger, Alois M. Haas und Harald Burger. Zürich 1969, S. 325–333.

13. *Eichendorff als Märchensammler*

13.1 Schau, Albrecht: Märchenformen bei Eichendorff. Beiträge zu ihrem Verständnis. – Freiburg i. Br. 1970.

13.2 Schau, Albrecht: Eichendorffs oberschlesische Märchen- und Sagensammlung. – In: Aurora 30/31 (1970/71), S. 57–59.

13.3 Paulsen, Wolfgang: Das Märchen vom Faulpelz in der Spiegelung durch Wieland und Eichendorff. – In: Aurora 36 (1976), S. 39–46.

13.4 Schau, Albrecht: Eichendorff, Joseph Freiherr von. – In: Enzyklopädie des Märchens. Handwörterbuch zur historischen und vergleichenden Erzählforschung 3. Hg. von Kurt Ranke. Berlin/New York 1981, Sp. 1121–1124.

14. *Eichendorff und seine Verleger*

14.1 Steinsdorff, Sibylle von: »...wiewohl ich gestehe, daß ich gegenwärtig keinen sehr großen Erfolg davon erwarte.« Eichendorff und seine Verleger. – In: Aurora 41 (1981), S. 35–54.
14.2 Steinsdorff, Sibylle von: Gesamtausgaben der Werke Eichendorffs. – In: Joseph Freiherr von Eichendorff [vgl. Nr. 4.4], S. 219–231.

15. *Persönlichkeit. Glaube. Weltsicht*

15.1 Benz, Richard: Eichendorffs mythischer Grund. – In: Medium aevum vivum. Festschrift für Walther Bulst. Hg. von Hans Robert Jauß und Dieter Schaller. – Heidelberg 1960, S. 321–339. – Erneut in: R. B.: Widerklang. Vom Geiste großer Dichtung und Musik. Düsseldorf 1964, S. 74–102.
15.2 Schuh, Berthold: Die Auffassung Eichendorffs von der Pädagogik der Aufklärung und seine eigenen pädagogischen Ansichten. – Phil. Diss. [masch.] Heidelberg 1960. – Tw. Nachdruck in: Aurora 21 (1961), S. 86–88 [u. d. T.: Eichendorffs Weltbild und unsere Zeit].
15.3 Häckel, Manfred: Der patriotische Gedanke im Frühwerk Joseph von Eichendorffs. – In: Das Jahr 1813. Studien zur Geschichte und Wirkung der Befreiungskriege. Berlin 1963, S. 177–205.
15.4 Seidlin, Oskar: »Des Lebens wahrhafte Geschichte«. – In: O. S.: Versuche [vgl. Nr. 4.2], S. 193–237.
15.5 Avni, Abraham Albert: The Bible and romanticism. – The Hague/Paris 1969 [zu E.: S. 82–95].
15.6 Krüger, Peter: Eichendorffs politisches Denken. – In: Aurora 28 (1968), S. 7–32; 29 (1969), S. 50–69.
15.7 Münch, Gotthard: Eichendorffs Marienverehrung. Zu Alois M. Koslers Eichendorff-Artikel im Lexikon der Marienkunde. – In: Aurora 29 (1969), S. 92–97.
15.8 Friessem, Heidrun: Tradition und Revolution im Werk Joseph von Eichendorffs. – Phil. Diss. Marburg 1972.
15.9 Heer, Friedrich: Der Konservative und die Reaktion. – In: Die Neue Rundschau 1958, S. 490–527. – Erneut in: Aurora 32 (1972), S. 30–58.
15.10 Koopmann, Helmut: Heines »Millenium« und Eichendorffs »Alte schöne Zeit«. Zur Utopie im frühen 19. Jahrhundert. – In: Aurora 37 (1977), S. 33–50.
15.11 Martin, Alfred von: Romantischer »Katholizismus« und katholische »Romantik«. – In: Romantische Utopie. Utopische Romantik. Hg. von Gisela Dischner und Richard Faber. Hildesheim 1979, S. 14–36.
15.12 Neumann, Peter Horst: Restauration der Zukunft? Über Eichendorff und den heutigen Gleichstand linker und rechter Ratlosigkeit. – In: Aurora 39 (1979), S. 16–27. – Erneut in: Neue Rundschau 91 (1980), S. 165–182.
15.13 Langner, Ilse: Eichendorff, die Revolution, die Revolte und die Fahrenden Gesellen. – In: Frankfurter Hefte 36 (1981), H. 7, S. 53–64.

15.14 Steinsdorff, Sibylle von, und Wolfgang Frühwald (Einführung): »...jene Influenza religiöser Zerfahrenheit«. Eine unbekannte Streitschrift Joseph von Eichendorffs gegen den Deutschkatholizismus und seine Folgen. – In: Aurora 42 (1982), S. 57–79.

15.15 Riemen, Alfred: Eichendorffs Verhältnis zum Katholizismus in der Restaurationszeit. – In: Joseph Freiherr von Eichendorff [vgl. Nr. 4.4], S. 49–60.

15.16 Lüth, Christoph: Arbeit und Bildung in der Bildungstheorie Wilhelm von Humboldts und Eichendorffs. Zur Auseinandersetzung Humboldts und Eichendorffs mit dem Erziehungsbegriff der Aufklärung. – In: Eichendorff und die Spätromantik [vgl. Nr. 4.5], S. 181–201.

16. *Dichtung und Dichtungstheorie (allgemein)*

16.1 Möbus, Gerhard: Der andere Eichendorff. Zur Deutung der Dichtung Joseph von Eichendorffs. – Osnabrück 1960.

16.2 Seidlin, Oskar: Eichendorffs zeitliche Perspektiven. – In: Deutsche Vierteljahrsschrift für Literaturwissenschaft und Geistesgeschichte 34 (1960), S. 402–427. – Erneut in: O. S.: Versuche [vgl. Nr. 4.2], S. 99–128 [u. d. T.: Zeitliche Perspektiven].

16.3 Mühlher, Robert: Natursprache und Naturmusik bei Eichendorff. – In: Aurora 21 (1961), S. 12–35.

16.4 Pellegrini, Alessandro: Joseph von Eichendorff e la crisi del Romanticismo. – In: A. P.: Dalla »Sensibilità« al Nihilismo. Milano 1962, S. 211–233.

16.5 Günther, Anna Dorothea: Zur Parodie bei Eichendorff. – Phil. Diss. Berlin 1968.

16.6 Kohlfürst, Günter: Romantische Ironie und Selbstironie bei Joseph von Eichendorff. – Phil. Diss. Graz 1968.

16.7 Rodrigues Iriarte, Rita: Das Bild des Dichters bei Eichendorff. – Phil. Diss. Köln 1968.

16.8 Bormann, Alexander von: Natura loquitur. Naturpoesie und emblematische Formel bei Joseph von Eichendorff. – Tübingen 1968 (Studien zur deutschen Literatur 12).

16.9 Engelen, Bernhard: Zu einer Stileigentümlichkeit Eichendorffs. – In: Aurora 29 (1969), S. 29–37.

16.10 Ramstein, Martha: Das Diminutiv als Stilmittel in neuerer deutscher Prosa. Untersuchungen zu den Ausdruckswerten des Diminutivs in Werken von Thomas Mann, Hermann Hesse, Robert Musil, E. T. A. Hoffmann, Joseph von Eichendorff und Eduard Mörike. – Phil. Diss. Bern 1969.

16.11 Schwarz, Peter Paul: Eichendorffs Poetik. – Bad Homburg 1969.

16.12 Radner, Lawrence: Eichendorff: The spiritual geometer. – Lafayette, Indiana 1970 (Purdue University Studies).

16.13 Brenner, Gerhard, und Hans-Bernd Spies: Verwendung und Funktion der Temporalpartikel bei Eichendorff. – In: Aurora 30/31 (1970/71), S. 84–93.

16.14 Lüthi, Hans Jürg: Joseph von Eichendorff und das Tragische. – In: Aurora 30/31 (1970/71), S. 7–22.

16.15 Hillmann, Heinz: Bildlichkeit der deutschen Romantik. – Frankfurt a. M. 1971 [zu E.: S. 207–328].

16.16 Zernin, Vladimir: The abyss in Eichendorff: A contribution to the study of the poet's symbolism. – In: The German Quarterly 35 (1962), S. 280–291.

16.17 Scheibe, Friedrich Carl: Symbolik der Geschichte in Eichendorffs Dichtung. – In: Literaturwissenschaftliches Jahrbuch N. F. 6 (1965), S. 155–177.

16.18 Seidlin, Oskar: Bleib wach und munter! – In: O. S.: Versuche [vgl. Nr. 4.2], S. 238–280.

16.19 Engelen, Bernhard: Die Synästhesien in der Dichtung Eichendorffs. Mit einem Anhang über die sog. »Audition colorée« und über Synästhesien in der Dichtung des französischen Symbolismus. – Phil. Diss. Köln 1966.

16.20 Lüthi, Hans Jürg: Dichtung und Dichter bei Joseph von Eichendorff. – Bern 1966.

16.21 Gasser, Maria: Bedeutungsgehalt des Wortes Poesie bei Joseph von Eichendorff. – Phil. Diss. [masch.] Graz 1967.

16.22 Schmidt-Henkel, Gerhard: Mythos und Dichtung. Zur Begriffs- und Stilgeschichte der deutschen Literatur im 19. und 20. Jahrhundert. – Bad Homburg 1967 [zu E.: S. 56–88].

16.23 Seidlin, Oskar: Eichendorff und das Problem der Innerlichkeit. – In: Festschrift für Bernhard Blume. Aufsätze zur deutschen und europäischen Literatur. Hg. von Egon Schwarz, Hunter G. Hannum und Edgar Lohner. Göttingen 1967, S. 126–145. – Erneut in: Aurora 29 (1969), S. 7–22. – Auch in: O. S.: Klassische und moderne Klassiker. Göttingen 1972, S. 61–82.

16.24 Braun, Peter: Zahlen und Vergleiche zum adjektivischen Wortschatz der Romantik. – In: Wirkendes Wort 18 (1968), S. 155–167.

16.25 Weigand, Karlheinz: Offenbarung oder Chaos? Anmerkungen zum Naturverhältnis in Tiecks »William Lovell«. Mit einem Ausblick auf Eichendorff. – In: Jahrbuch des Wiener Goethe-Vereins 75 (1971), S. 41–56.

16.26 Immerwahr, Raymond: Romantisch. Genese und Tradition einer Denkform. – Frankfurt a. M. 1972 (Respublica Literaria 7) [zu E.: S. 185–195 et pass.].

16.27 Schild, Samuel: Die Poesie der innern Landschaft. Verwirklichung und Auflösung. Eine Studie zu Eichendorff. – Phil. Diss. Bern 1972.

16.28 Krabiel, Klaus-Dieter: Tradition und Bewegung. Zum sprachlichen Verfahren Eichendorffs. – Stuttgart/Berlin/Köln/Mainz 1973 (Studien zur Poetik und Geschichte der Literatur 28).

16.29 Riemen, Alfred: Die reaktionären Revolutionäre? oder romantischer Antikapitalismus? – In: Aurora 33 (1973), S. 77–86.

16.30 Trautmann, Werner: »Sag, wo meine Heimat liegt?« Eine Deutung Eichendorffscher Bildsymbole. – In: Sudetenland 15 (1973), S. 266–270.

16.31 Alewyn, Richard: Eichendorffs Symbolismus. – In: R. A.: Probleme und Gestalten. Essays. Frankfurt a. M. 1974, S. 232–244.

16.32 Görtz, Heinz-Jürgen: Zur Struktur Eichendorffscher Dichtung. – In: Philosophisches Jahrbuch 81 (1974), S. 105–120.

16.33 Mog, Paul: Aspekte der »Gemütserregungskunst« Joseph von Eichendorffs. Zur Appellstruktur und Appellsubstanz affektiver Texte. – In: Literatur und Leser. Stuttgart 1975, S. 196–207.

16.34 Frühwald, Wolfgang: Der Philister als Dilettant. Zu den satirischen Texten Joseph von Eichendorffs. – In: Aurora 36 (1976), S. 7–26.

16.35 Karutz, Guido: Eichendorffs Anschauungen vom Wesen der Poesie. – In: Deutsche Ostkunde 22 (1976), S. 15–21.

16.36 Hillach, Ansgar: Dramatische Theologie und christliche Romantik. Zur geschichtlichen Differenz von calderonianischer Allegorik und Eichendorffscher Emblematik. – In: Germanisch-romanische Monatsschrift N. F. 27 (1977), S. 144–168.

16.37 Nehring, Wolfgang: Eichendorff und der Leser. – In: Aurora 37 (1977), S. 51–65.

16.38 Hillach, Ansgar: Eichendorffs romantische Emblematik als poetologisches Modell und geschichtlicher Entwurf. – In: Emblem und Emblematikrezeption. Vergleichende Studien zur Wirkungsgeschichte vom 16. bis 20. Jahrhundert. Hg. von Sibylle Peukert. Darmstadt 1978, S. 414–435.

16.39 Naumann, Meino: Fabula docet. Studien zur didaktischen Dimension der Prosa Eichendorffs. – Würzburg 1979 (Aurora-Buchreihe 3).

16.40 Pikulik, Lothar: Romantik als Ungenügen an der Normalität. Am Beispiel Tiecks, Hoffmanns, Eichendorffs. – Frankfurt a. M. 1979.

16.41 Riemen, Alfred: Der gesellschaftsbezogene Mythos in Eichendorffs Spätwerk. – In: Mythos und Mythologie in der Literatur des 19. Jahrhunderts. Hg. von Helmut Koopmann. Frankfurt a. M. 1979 (Studien zur Philosophie und Literatur des 19. Jahrhunderts 36), S. 173–184.

16.42 Bormann, Alexander von: »Die ganze Welt zum Bild«. Zum Zusammenhang von Handlungsführung und Bildform bei Eichendorff. – In: Aurora 40 (1980), S. 19–34.

16.43 Sims-Gunzenhauser, William D.: The treacherous forest of symbols: Dualità and anti-self-consciousness in Eichendorff and Baudelaire. – In: Comparative Literature Studies 17 (1980), S. 305–315.

16.44 Hanke, Amala Maria: Spatiotemporal consciousness in English and German romanticism. A comparative study of Novalis, Blake, Wordsworth, and Eichendorff. – Bern/Frankfurt a. M./Las Vegas 1981 (European University Studies XVIII, 25).

16.45 Sims-Gunzenhauser, William D.: Eichendorff, Verlaine and the secularization of symbolist poetics. – In: Neophilologus 65 (1981), S. 200–213.

16.46 Goodbody, Axel: Natursprache. Ein dichtungstheoretisches Konzept der Romantik und seine Wiederaufnahme in der modernen Naturlyrik (Novalis – Eichendorff – Lehmann – Eich). – Neumünster 1984 (Kieler Studien zur deutschen Literaturgeschichte 17).

16.47 Koopmann, Helmut: Von der Wahrheit der Dichter bei Eichendorff. – In: Literatur und Religion. Hg. von H. K. und Winfried Woesler. Freiburg i. Br./Basel/Wien 1984, S. 150–169.

16.48 Heidenreich, Joachim: Natura delectat. Zur Tradition des locus amoenus bei Eichendorff. – Konstanz 1985 (Konstanzer Dissertationen 62).

16.49 Nolte, Cornelia: Symbol und historische Wahrheit. Eichendorffs satirische und dramatische Schriften im Zusammenhang mit dem sozialen und kulturellen Leben seiner Zeit. – Paderborn/München/Wien/Zürich 1986.

17. *Lyrik (allgemein)*

17.1 Vellani, Giovanni Ercole: Lirica e mistica di Eichendorff. – In: Convivium 27 (1959), S. 161–178. – Dt. in: Aurora 20 (1960), S. 7–12 [u. d. T.: Lyrik und Mystik Eichendorffs].

17.2 Rodger, Gillian: Eichendorff's conception of the supernatural world of the ballad. – In: German Life and Letters N. S. 13 (1959/60), S. 195–206.

17.3 Born, Gertraude: Verskunstprobleme bei Eichendorff. Unter Berücksichtigung von Kompositionen. – Phil. Diss. [masch.] Hamburg 1962.

17.4 Friederici, Hans: Untersuchungen zur Lyrik Joseph von Eichendorffs. – In: Weimarer Beiträge 8 (1962), S. 85–107.

17.5 Haller, Rudolf: Eichendorffs Balladenwerk. – Bern/München 1962.

17.6 Gössmann, Wilhelm: Eichendorffs Naturlyrik und das japanische Haiku. – In: Aurora 23 (1963), S. 77–84.

17.7 Klussmann, Paul Gerhard: Über Eichendorffs lyrische Hieroglyphen. – In: Literatur und Gesellschaft vom 19. ins 20. Jahrhundert. Festschrift für Benno von Wiese. Hg. von H. J. Schrimpf. Bonn 1963, S. 113–141.

17.8 Krummacher, Hans-Henrik: Das »als ob« in der Lyrik. Erscheinungen und Wandlungen einer Sprachfigur der Metaphorik von der Romantik bis zu Rilke. – Köln/Graz 1965 (Kölner germanistische Studien 1) [zu E.: S. 55–77].

17.9 Jäger, Dietrich: Über Zeit und Raum als Formen lyrischer Welterfahrung, besonders bei Eichendorff und Keats. – In: Literatur in Wissenschaft und Unterricht 1 (1968), S. 169–189, 221–250.

17.10 Szarota, Elida Maria: Zur modernen Interpretation Eichendorffscher Lyrik. – In: Kwartalnik neofilologiczny 15 (1968), S. 371–390.

17.11 Nitschke, August: Energieübertragung, Ströme, Felder und Wellen. Beobachtungen zur Lyrik von Goethe, Novalis und Eichendorff. – In: Gestaltungsgeschichte und Gesellschaftsgeschichte. Literatur-, kunst- und musikwissenschaftliche Studien. Festschrift für Fritz Martini. Hg. von Helmut Kreuzer und Käte Hamburger. Stuttgart 1969, S. 201–223.

17.12 Ruf, Gaudenz: Wege der Spätromantik. Dichterische Verhaltensweisen in der Krise des Lyrischen. – Bonn 1969 (Abhandlungen zur Kunst-, Musik- und Literaturwissenschaft 83) [zu E.: S. 8–64].

17.13 Szyrocki, Marian: Deutsche Lyrik von der Romantik bis zur politischen Dichtung. – In: M. S. und Mieczyslaw Urbanowicz: Deutsche Lyrik des 19. Jahrhunderts. Warszawa/Wroclaw 1969 [zu E.: S. 36–46].

17.14 Schlawe, Fritz: Die deutschen Strophenformen. Systematisch-chronologisches Register zur deutschen Lyrik 1600–1950. – Stuttgart 1972 [zu E.: S. 37–43, 578].

17.15 Wilke, Jürgen: Das »Zeitgedicht«. Seine Herkunft und frühe Ausbildung. – Maisenheim 1974 (Deutsche Studien 21) [zu E.: S. 246–305].

17.16 Schultz, Hartwig: Zur Form der romantischen Lyrik. Beobachtungen am Vers Eichendorffs. – In: Romantik in Deutschland. Ein interdisziplinäres Symposion. Hg. von Richard Brinkmann. Stuttgart 1978, S. 600–610.

17.17 Oberembt, Gert: Eichendorffs künstliche Natur. Überlegungen zu einem didaktischen Ansatz (Eichendorff, Heine, Brecht). – In: Literatur für Leser 3 (1980), S. 94–115.

17.18 Schultz, Hartwig: Form als Inhalt. Vers- und Sinnstrukturen bei Joseph von Eichendorff und Annette von Droste-Hülshoff. – Bonn 1981 (Gesamthochschule Wuppertal. Schriftenreihe Literaturwissenschaft 13).

17.19 Peucker, Brigitte: Poetic descent in Eichendorff's lyric. – In: The Germanic Review 57 (1982), S. 98–106.

17.20 Bormann, Alexander von: Romantik. – In: Geschichte der deutschen Lyrik vom Mittelalter bis zur Gegenwart. Hg. von Walter Hinderer. Stuttgart 1983, S. 245–278 [zu E.: pass.].

17.21 Frenzel, Elisabeth: Stufen der deutschen Naturlyrik von Brockes bis Eichendorff. Erkenntnis und poetische Erfassung der außermenschlichen Umwelt. – In: Motive und Themen romantischer Naturdichtung. Textanalysen und Traditionszusammenhänge. Hg. von Theodor Wolpers. Göttingen 1984 (Abhandlungen der Akademie der Wissenschaften in Göttingen. Phil.-hist. Kl. III, 141), S. 190–200.

17.22 Scheitler, Irmgard: Joseph von Eichendorff: Geistliche Gedichte. – In: Literatur und Religion. Hg. von Helmut Koopmann und Winfried Woesler. Freiburg i. Br./Basel/Wien 1984, S. 170–183.

18. *Versepik (allgemein)*

18.1 Köhnke, Klaus: »... der Mensch in der Welt«: Untersuchungen zu Eichendorffs Versepen. – In: Aurora 37 (1977), S. 7–20. – Überarb. in: K. K.: »Hieroglyphenschrift« [vgl. Nr. 4.6], S. 192–210.

18.2 Bormann, Alexander von: Kritik der Restauration in Eichendorffs Versepen. – In: Eichendorff und die Spätromantik [vgl. Nr. 4.5], S. 69–90.

19. *Roman und Erzählung (allgemein)*

19.1 Riley, Thomas: Die Erzähltechnik des jungen Eichendorff. – In: Aurora 20 (1960), S. 30–35.

19.2 Voerster, Erika: Märchen und Novellen im klassisch-romantischen Roman. – Bonn 1964; 2. Aufl. 1966 (Abhandlungen zur Kunst-, Musik- und Literaturwissenschaft 23) [zu E.: S. 276–315].

19.3 Kunz, Josef: Die deutsche Novelle zwischen Klassik und Romantik. – Berlin 1966. (Grundlagen der Germanistik 2) [zu E.: S. 104–116, 121 f.].

19.4 Sörensen, Bengt Algot: Zum Problem des Symbolischen und Allegorischen in Eichendorffs epischem Bilderstil. – In: Aurora 26 (1966), S. 50–56. – Auch in: Zeitschrift für deutsche Philologie 85 (1966), S. 598–606.

19.5 Köhler, Dietmar: Wiederholung und Variation. Zu einem Grundphänomen der Eichendorffschen Erzählkunst. – In: Aurora 27 (1967), S. 26–43.

19.6 Wendler, Ursula: Eichendorff und das musikalische Theater. Untersuchung zum Erzählwerk. – Bonn 1969 (Abhandlungen zur Kunst-, Musik- und Literaturwissenschaft 75).

19.7 Nef, Ernst: Der Zufall in der Erzählkunst. – Bern/München 1970 [zu E.: S. 29–40].

19.8 Siara, Norbert Georg Michael: Szenische Bauweise des Erzählers Eichendorff nach dem Opernvorbild Glucks und Mozarts. – Phil. Diss. Frankfurt a. M. 1973.

19.9 Kunisch, Dietmar: Zur genetischen Struktur und Poetologie der Prosaentwürfe Eichendorffs. – In: Literaturwissenschaftliches Jahrbuch N. F. 15 (1974), S. 135–143.

19.10 Schuller, Marianne: Romanschlüsse der Romantik. Zum frühromantischen Problem von Universalität und Fragment. – München 1974 [zu E.: S. 158–187].

19.11 Greaves Crawford, Elizabeth: Dualism in the shorter prose works of Eichendorff. – Phil. Diss. [masch.] Buffalo, N. Y. 1975.

19.12 Mair, Franz: Die Gestaltung des Raumes in den Erzählungen Eichendorffs. – Phil. Diss. [masch.] Innsbruck 1975.

19.13 Wettstein, Martin: Die Prosasprache Joseph von Eichendorffs. Form und Sinn. – Zürich/München 1975 (Zürcher Beiträge zur deutschen Literatur und Geistesgeschichte 43).

19.14 Köhnke, Klaus: Zum Gebrauch des Konjunktivs in Eichendorffs Erzählungen. – In: Akten des V. Internationalen Germanisten-Kongresses Cambridge 1975. Jahrbuch für Internationale Germanistik 8 (1976), Reihe A: Kongreßberichte 2, S. 287–293.

19.15 Purver, Judith Olive: A study of structural techniques in the novels of Eichendorff, in the context of the theory and practice of the novel in the German romantic movement. – Phil. Diss. [masch.] Cambridge 1976.

19.16 Schumacher, Hans: Narziß an der Quelle. Das romantische Kunstmärchen. Geschichte und Interpretation. – Wiesbaden 1977 [zu E.: S. 157–168 et pass.].

19.17 Schwarz, Egon: Der Erzähler Eichendorff. – In: Romantik. Ein literaturwissenschaftliches Studienbuch. Hg. von Ernst Ribbat. Königstein/Ts. 1979 (Athenäum-Taschenbuch 2149) S. 163–191.

19.18 Eichner, Hans: Zur Integration der Gedichte in Eichendorffs erzählender Prosa. – In: Aurora 41 (1981), S. 7–21.

19.19 Elliott, Fiona: The function of verse in the prose works of Joseph von Eichendorff. – Phil. Diss. [masch.] Edinburgh 1982.

19.20 Riemen, Alfred: »Da fiel ihr ein Lied dabei ein«. Gedichte als Strukturkennzeichen in Eichendorffs Erzählungen. – In: Aurora 42 (1982), S. 7–23.

19.21 Blackall, Eric A.: The novels of the German romantics. – Ithaka/London 1983 [zu E.: S. 242–262, 293–295].

19.22 Post, Klaus-Dieter: Der spätromantische Roman. – In: Handbuch des deutschen Romans. Hg. von Helmut Koopmann. Düsseldorf 1983, S. 302–322, 627 f.

19.23 Wührl, Paul-Wolfgang: Das deutsche Kunstmärchen. Geschichte, Botschaft und Erzählstrukturen. – Heidelberg 1984 (Uni-Taschenbücher 1341) [zu E.: S. 115–121, 126–129, 251–254 et pass.].

20. *Drama (allgemein)*

20.1 Seidlin, Oskar: Eichendorffs Blick in die Geschichte. – In: Publications of the Modern Language Association 77 (1962), S. 544–560. – Erneut in: O. S.: Versuche [vgl. Nr. 4.2], S. 129–160 [u. d. T.: Blick in die Geschichte].

21. *Einzelne Gedichte*

»Abschied« (»O Täler weit, o Höhen«)

21.1 Vogt, Alfred H.: Begegnung mit einem älteren Gedicht. – In: Besinnung 51 (1976), S. 100–103.

»An A...«

21.2 Kunisch, Hermann: Finstere Rheinfahrt (Joseph von Eichendorff: »An A...«). – In: Frankfurter Anthologie. Hg. von Marcel Reich-Ranicki. Bd. 8. Frankfurt a. M. 1984, S. 75–78.

»An die Freunde«

21.3 Kron, Wolfgang: Eichendorffs Gedicht »An die Freunde«. Zum Faksimile der Handschrift. – In: Aurora 24 (1964), S. 7–13.

»Auf einer Burg«

21.4 Faucher, Eugène: Deux poèmes de Eichendorff. Conjectures sur le langage poétique. – In: Etudes Germaniques 23 (1968), S. 202–211.

»Das zerbrochene Ringlein«

21.5 Kron, Wolfgang: Zur Überlieferung und Entstehung von Eichendorffs Romanze »Das zerbrochene Ringlein«. – In: Unterscheidung und Bewahrung. Festschrift für Hermann Kunisch. Hg. von Klaus Lazarowicz und Wolfgang Kron. Berlin 1961, S. 185–195.

21.6 Seeber, Kurt: »In einem kühlen Grunde«. Die sonderbare Geschichte eines Volksliedes. – In: Mitteilungen des Justinus-Kerner-Vereins und des Frauenvereins Weinsberg 12 (1975), S. 31–33.

»Der Abend«

21.7 Fussenegger, Gertrud: Selbstsucht, melodisch (Joseph von Eichendorff: »Der Abend«). – In: Frankfurter Anthologie [vgl. Nr. 21.2] 5 (1980), S. 79–81.

21.8 Pikulik, Lothar: Abendliche Erfahrungen. Zu einem Gedicht Eichendorffs und seinem Zusammenhang mit der Tradition. – In: Aurora 44 (1984), S. 7–15.

»Der alte Garten«

21.9 Seidlin, Oskar: Eichendorffs alter Garten. – In: Euphorion 54 (1960), S. 242–261. – Erneut in: O. S.: Versuche [vgl. Nr. 4.2], S. 74–98 [u. d. T.: Der alte Garten].

21.10 Jäger, Dietrich: Meditation und Kunst als Beschwörung des Verlorenen. Darstellung und Bedeutung der eingehegten Natur in Marvells »The Garden« und Eichendorffs »Der alte Garten«. – In: Aurora 30/31 (1970/71), S. 34–49.

»Der Riese«

21.11 Körber, Ferdinand: Der Gefangene. Versuch über ein lyrisches Motiv bei Eichendorff und Rilke. – In: Lebendige Tradition. 400 Jahre Humanist. Gymnasium in Würzburg. Würzburg 1961, S. 285–297.

»Der Soldat«

21.12 Maier, Hans: Attacke auf das Himmelstor (Joseph von Eichendorff: »Der Soldat«). – In: Frankfurter Anthologie [vgl. Nr. 21.2] 2 (1977), S. 41–43.

»Der stille Grund«

21.13 Gilby, William R.: Eichendorffs »Der stille Grund« – eine Interpretation. – In: Seminar 9 (1973), S. 127–133.

»Die Engel vom Kölner Dom«

21.14 Uhlendorff, Franz: Nochmals Eichendorffs »Engel vom Kölner Dom«. – In: Aurora 22 (1962), S. 89–96.

»Die Heimat«

21.15 Lennert, Rudolf: »Still durch die Einsamkeit«. Betrachtungen zu Eichendorffs Gedicht »Die Heimat«. – In: Zeitwende 38 (1967), S. 546–549.

21.16 Bormann, Alexander von: »Tief Verlangen nach beßrer Lust«. Zu Eichendorffs Gedicht »Die Heimat. An meinen Bruder«. – In: Gedichte und Interpretationen 3: Klassik und Romantik. Hg. von Wulf Segebrecht. Stuttgart 1984 (Reclams Universal-Bibliothek 7892), S. 452–462.

21.17 Frenzel, Elisabeth: In Eichendorffs thematischer Mitte. Über den Motivkomplex des Gedichts »Die Heimat«. – In: Motive und Themen romantischer Naturdichtung [vgl. Nr. 17.21], S. 201–228.

»Die Lerche«

21.18 Stopp, Elisabeth: Eichendorff's »Die Lerche, 2«: A textual problem. – In: Modern Language Review 64 (1969), S. 808–817. – Dt. in: Aurora 30/31 (1970/71), S. 73–83 [u. d. T.: Eichendorffs »Die Lerche, 2«: Ein Textproblem].

»Die zwei Gesellen«

21.19 Seidlin, Oskar: Eichendorffs »Zwei Gesellen«. – In: Germanic Review 38 (1963), S. 66–90. – Erneut in: O. S.: Versuche [vgl. Nr. 4.2], S. 161–192 [u.d.T.: »Die zwei Gesellen«]. – Auch in: Deutsche Lyrik von Weckherlin bis Benn (Interpretationen 1. Hg. von Jost Schillemeit). Frankfurt a.M./ Hamburg 1965 u.ö., S. 173–197.

21.20 Klose, Werner: Eichendorffs Gedicht »Die zwei Gesellen«. – In: Schlesien 20 (1975), S. 229–232.

»Es wandelt, was wir schauen«

21.21 Ayren, Armin: Den Himmel schauen (Joseph von Eichendorff: »Es wandelt, was wir schauen«). – In: Frankfurter Anthologie [vgl. Nr. 21.2] 7 (1983), S. 77–80.

»Familienähnlichkeit«

21.22 Kunisch, Hermann: Deutschenschelte (Joseph von Eichendorff: »Familienähnlichkeit«). – In: Frankfurter Anthologie [vgl. Nr. 21.2] 10 (1986), S. 123–126.

»Frische Fahrt«

21.23 Koopmann, Helmut: Romantische Lebensfahrt. – In: Gedichte und Interpretationen 3 [vgl. Nr. 21.16], S. 294–305.

21.24 Schwarz, Egon: Vergangenes Lebensgefühl (Joseph von Eichendorff: »Frische Fahrt«). – In: Frankfurter Anthologie [vgl. Nr. 21.2] 6 (1982), S. 65–68.

»Im Walde«

21.25 Bienek, Horst: Joseph von Eichendorff: »Im Walde«. – In: Kinder, Dichter, Interpreten. Zehn Minuten Lyrik. Vom angstfreien Umgang mit Gedichten. Hg. von Rudolf Riedler. München 1979, S. 93–95.

»In der Fremde«

21.26 Brode, Hanspeter: Einsamkeit, ganz gegenwärtig (Joseph von Eichendorff: »In der Fremde«). – In: Frankfurter Anthologie [vgl. Nr. 21.2] 7 (1983), S. 81–84.

»Mandelkerngedicht«

21.27 Bienek, Horst: Verwundert und verwundet (Joseph von Eichendorff: »Mandelkerngedicht«). – In: Frankfurter Anthologie [vgl. Nr. 21.2] 2 (1977), S. 37–40.

»Mondnacht«

21.28 Zimmermann, Werner: Joseph von Eichendorffs »Mondnacht«, Ingeborg Bachmanns »Anrufung des Großen Bären« und Paul Celans »Matière de Bretagne« als Beispiele religiöser Lyrik in Vergangenheit und Gegenwart. – In: Gestalt, Gedanke, Geheimnis. Festschrift für Johannes Pfeiffer. Hg. von Rolf Bohnsack, Hellmut Heeger und Wolf Hermann. Berlin 1967, S. 387–398.

21.29 Tontsch, Brigitte: Joseph von Eichendorff, »Mondnacht«. – In: Interpretationen deutscher und rumäniendeutscher Lyrik. Hg. v. B. T. Klausenburg 1971, S. 125–128.

21.30 Nemec, Friedrich: Zur »Trivialität« in Eichendorffs »Mondnacht«. – In: Literaturwissenschaftliches Jahrbuch N. F. 15 (1974), S. 123–134.

21.31 Frühwald, Wolfgang: Die Erneuerung des Mythos. Zu Eichendorffs Gedicht »Mondnacht«. – In: Gedichte und Interpretationen 3 [vgl. Nr. 21.16], S. 395–407.

21.32 Kleßmann, Eckart: Irdischer Spiegel (Joseph von Eichendorff: »Mondnacht«). – In: Frankfurter Anthologie [vgl. Nr. 21.2] 9 (1985), S. 63–65.

»Nachtblume«

21.33 Leonardy, Ernst: Eichendorffs »Nachtblume« als romantisches Gedicht. – In: Mélanges de linguistique et de littérature, offerts au Prof. Henri Draye. Ed. par Jacques Lerot et Rudolf Kern. Louvain 1978 (Université de Louvain. Recueil de travaux d'histoire et de philologie 6, 14), S. 191–215.

»Nachts«

21.34 Lindken, Hans Ulrich: Ein Gedicht Eichendorffs. Betrachtungen zu zwei Fassungen eines Gedichtes. – In: Aurora 29 (1969), S. 38–49.

21.35 Storz, Gerhard: Wie aus Träumen (Joseph von Eichendorff: »Nachts«). – In: Frankfurter Anthologie [vgl. Nr. 21.2] 2 (1977), S. 45–48.

21.36 Heukenkamp, Ursula: Die ungewisse Natur. – In: Neue Deutsche Literatur 29 (1981), H. 10, S. 87–95.

21.37 Petri, Walther: Ruheloser Grund für Träume. – In: Neue Deutsche Literatur 29 (1981), H. 10, S. 100–102.

21.38 Rosenlöcher, Thomas: Zwiespalt. – In: Neue Deutsche Literatur 29 (1981), H. 10, S. 95–100.

»Sehnsucht«

21.39 Gsteiger, Manfred: Schiller und Eichendorff: – In: Schweizer Monatshefte für Politik, Wirtschaft, Kultur 45 (1965/66), S. 592–596. – Erneut in: M. G.: Poesie und Kritik. Betrachtungen über Literatur. Bern/München 1967, S. 23–28.

21.40 Frühwald, Wolfgang: Die Poesie und der poetische Mensch. Zu Eichendorffs Gedicht »Sehnsucht«. – In: Gedichte und Interpretationen 3 [vgl. Nr. 21.16], S. 381–393.

»Trennung«

21.41 Frühwald, Wolfgang, und Franz Heiduk: Zu Joseph von Eichendorffs Gedicht »Trennung«. – In: Aurora 42 (1982), S. 233–238.

»Vesper«

21.42 Lindemann, Klaus: Deutschland 1825. Joseph von Eichendorff: »Vesper«. – In: europaLyrik 1775 – heute. Gedichte und Interpretationen. Hg. von K. L. Paderborn/München/Wien/Zürich 1982 (Modellanalysen Literatur 5), S. 144–153.

»Von fern die Uhren schlagen«

21.43 Harper, Anthony J.: Eine Analyse von Eichendorffs »Von fern die Uhren schlagen«. – In: Aurora 28 (1968), S. 80–85.

»Waldgespräch«

21.44 Wijsen, Louk M. P. T.: Cognition and the synthetic text: An interpretation of Eichendorff's »Waldgespräch«. – In: Literature and Psychology 39 (1979), S. 185–192. – Auch in: Germanic Notes 10 (1979), S. 20–27.

21.45 Bormann, Alexander von: »Das zertrümmerte Alte«. Zu Eichendorffs Lorelei-Romanze »Waldgespräch«. – In: Gedichte und Interpretationen 3 [vgl. Nr. 21.16], S. 307–319.

»Zwielicht«

21.46 Faucher, Eugène: Deux poèmes de Eichendorff [vgl. Nr. 21.4].

21.47 Exner, Peter: Natur, Subjektivität, Gesellschaft. Kritische Interpretation von Eichendorffs Gedicht »Zwielicht«. – In: Naturlyrik und Gesellschaft. Hg. von Norbert Mecklenburg. Stuttgart 1977 (Literaturwissenschaft – Gesellschaftswissenschaft 31), S. 88–101.

21.48 Pracht-Fitzell, Ilse: Ein Vergleich zwischen Mörikes »Um Mitternacht« und Eichendorffs »Zwielicht«. – In: Literatur in Wissenschaft und Unterricht 11 (1978), S. 211–221.

21.49 Kleßmann, Eckart: Stunde der Anfechtung (Joseph von Eichendorff: »Zwielicht«). – In: Frankfurter Anthologie [vgl. Nr. 21.2] 8 (1984), S. 71–74.

22. *Einzelne Romane und Erzählungen*

»Ahnung und Gegenwart«

22.1 Radner, Lawrence R.: The garden symbol in »Ahnung und Gegenwart«. – In: Modern Language Quarterly 21 (1960), S. 253–260.

22.2 Riley, Thomas: Joseph Görres und die Allegorie in »Ahnung und Gegenwart«. – In: Aurora 21 (1961), S. 57–63.

22.3 Killy, Walther: Der Roman als romantisches Buch. Über Eichendorffs »Ahnung und Gegenwart«. – In: Die Neue Rundschau 73 (1962), S. 533–552. – Erneut in: W. K.: Romane des 19. Jahrhunderts. Wirklichkeit und Kunstcharakter. Göttingen 1963 u. ö. (Kleine Vandenhoeck-Reihe 265), S. 36–58. – Auch in: Deutsche Romane von Grimmelshausen bis Musil. Frankfurt a. M./Hamburg 1966 u. ö. (Interpretationen 3. Hg. von Jost Schillemeit), S. 136–154.

22.4 Stein, Volkmar: Die Dichtergestalten in Eichendorffs »Ahnung und Gegenwart«. – Phil. Diss. Basel 1964. – Erneut u. d. T.: Morgenrot und falscher Glanz. Studien zur Entwicklung des Dichterbildes bei Eichendorff. Winterthur 1964.

22.5 Gundolf, Cordelia, und Paul Wolfgang Wührl: »Ahnung und Gegenwart«. – In: Kindlers Literatur Lexikon 1. München 1965, S. 288–290.

22.6 Hüseler, Horst: Erwin – eine »poetische Gestalt«. – In: Aurora 28 (1968), S. 70–79.

22.7 Ritter, Alexander: Darstellung und Funktion der Landschaft in den Amerika-Romanen von Charles Sealsfield (Karl Postl). Eine Studie zum Prosa-Roman der deutschen und amerikanischen Literatur in der ersten Hälfte des 19. Jahrhunderts. – Phil. Diss. Kiel 1969 [zu E.: S. 120–137].

22.8 Stöckli, Rainer: Die Rückkehr des romantischen Romanhelden in seine Kindheit. – Phil. Diss. Bern 1969 [zu E.: S. 93–104].

22.9 Anderegg, Johannes: Leseübungen. Kritischer Umgang mit Texten des 18. bis 20. Jahrhunderts. – Göttingen 1970 [zu E.: S. 11–20].

22.10 Meixner, Horst: Romantischer Figuralismus. Kritische Studien zu Romanen von Arnim, Eichendorff und Hoffmann. – Frankfurt a. M. 1971 (Ars poetica. Studien 13) [zu E.: S. 120–154].

22.11 Kafitz, Dieter: Wirklichkeit und Dichtertum in Eichendorffs »Ahnung und Gegenwart«. Zur Gestalt Fabers. – In: Deutsche Vierteljahrsschrift für Literaturwissenschaft und Geistesgeschichte 45 (1971), S. 350–374.

22.12 Schaefer, Heide-Lore: Joseph von Eichendorff: »Ahnung und Gegenwart«. Untersuchungen zum christlich-romantischen Gesinnungsroman. – Phil. Diss. Freiburg i. Br. 1972.

22.13 Jacobs, Jürgen: Wilhelm Meister und seine Brüder. Untersuchungen zum deutschen Bildungsroman. – München 1972 [zu E.: S. 143–147].

22.14 Riley, Thomas: Der Erbprinz in Eichendorffs »Ahnung und Gegenwart«. – In: Aurora 33 (1973), S. 34–42.

22.15 Worthmann, Joachim: Der spätromantische Zeitroman: Achim von Arnims »Gräfin Dolores« und Eichendorffs »Ahnung und Gegenwart«. – In: J. W.: Probleme des Zeitromans. Studien zur Geschichte des deutschen Romans im 19. Jahrhundert. Heidelberg 1974, S. 24–29.

22.16 Kayser, Brigitte: Joseph von Eichendorff: »Ahnung und Gegenwart«. Interpretation der Begegnung Friedrichs mit Rosa als Stadium vorübergehender Verblendung. – In: Aurora 35 (1975), S. 45–57.

22.17 Stutzer, Dietmar: Der Jochenstein in der Donau in »Ahnung und Gegenwart«. – In: Aurora 37 (1977), S. 66–70.

22.18 Meyer-Wendt, H. Jürgen: Eichendorffs »Ahnung und Gegenwart«: »Ein getreues Bild jener gewitterschwülen Zeit«? – In: Der deutsche Roman und seine historischen und politischen Bedingungen. Hg. von Wolfgang Paulsen. Bern/München 1977, S. 158–174.

22.19 Schumann, Detlev W.: Rätsel um Eichendorffs »Ahnung und Gegenwart«. Spekulationen. – In: Literaturwissenschaftliches Jahrbuch N. F. 18 (1977), S. 173–202.

22.20 Breuer, Dieter: Graf Leontin und die alte Freiheit. Zum Selbstverständnis des Adels bei Eichendorff. – In: Germanisch-romanische Monatsschrift N. F. 29 (1979), S. 296–310.

22.21 Naumann, Meino: Des Freiherrn von Eichendorff Leiden am Dialog. Untersuchung der Dialogverfahren in »Ahnung und Gegenwart«. – In: Aurora 41 (1981), S. 22–34. – Erneut in: Interaktionsanalysen. Aspekte dialogischer Kommunikation. Hg. von Gerhard Charles Rump und Wilfried Heindrichs. Hildesheim 1982, S. 80–97 [u. d. T.: Dialogdefekte im spätromantischen Roman].

22.22 Schwarz, Egon: Joseph von Eichendorff: »Ahnung und Gegenwart« (1815). – In: Romane und Erzählungen der deutschen Romantik. Neue Interpretationen. Hg. von Paul Michael Lützeler. Stuttgart 1981, S. 302–324.

22.23 Farquharson, Robert H.: Poets, poetry, and life in Eichendorff's »Ahnung und Gegenwart«. – In: Seminar 17 (1981), S. 17–34.

22.24 Schwering, Markus: Künstlerische Form und Epochenwandel. Ein Versuch über Eichendorffs Roman »Ahnung und Gegenwart«. – In: Aurora 43 (1983), S. 7–31.

22.25 Hoffmeister, Gerhart: Nachwort. – In: Joseph von Eichendorff: Ahnung und Gegenwart. Ein Roman. Hg. von G. H. Stuttgart 1984 (Reclams Universal-Bibliothek 8229), S. 383–403.

22.26 Riley, Thomas A.: Die Allegorie in »Ahnung und Gegenwart«. – In: Aurora 44 (1984), S. 23–31.

22.27 Hörisch, Jochen: »Larven und Charaktermasken«. Zum elften Kapitel von »Ahnung und Gegenwart«. – In: Eichendorff und die Spätromantik [vgl. Nr. 4.5], S. 27–38.

22.28 Zons, Raimar Stefan: »Schweifen«. Eichendorffs »Ahnung und Gegenwart«. – In: Eichendorff und die Spätromantik [vgl. Nr. 4.5], S. 39–68.

22.29 Schwering, Markus: Epochenwandel im spätromantischen Roman. Untersuchungen zu Eichendorff, Tieck und Immermann. – Köln/Wien 1985 (Kölner germanistische Studien 19) [zu E.: S. 12–83].

»Dichter und ihre Gesellen«

22.30 Hühold, Hildegard: Studien zum Romanschauplatz in Goethes »Wahlverwandtschaften«, Mörikes »Maler Nolten« und Eichendorffs »Dichter und ihre Gesellen«. – Phil. Diss. Kiel 1967.

22.31 Strauch, Christian: Satirische Elemente im Aufbau von Eichendorffs »Dichter und ihre Gesellen«. – In: Jahrbuch des Wiener Goethe-Vereins 72 (1968), S. 87–112.

22.32 Bernhard, Marianne: »Dichter und ihre Gesellen«. – In: Kindlers Literatur Lexikon 2. München 1966, Sp. 1218f.

22.33 Kindermann, Klaus: Lustspielhandlung und Romanstruktur. Untersuchungen zu Eichendorffs »Dichter und ihre Gesellen«. – Phil. Diss. FU Berlin 1973.

22.34 Hudgins, Esther: Joseph von Eichendorffs »Dichter und ihre Gesellen«. – In: E. H.: Nicht-epische Strukturen des romantischen Romans. The Hague 1975 (De proprietatibus litterarum 101), S. 134–169, 181f.

22.35 Offermanns, Ernst L.: Eichendorffs Roman »Dichter und ihre Gesellen«. – In: Literaturwissenschaft und Geschichtsphilosophie. Festschrift für Wilhelm Emrich. Hg. von Helmut Arntzen, Bernd Balzer, Karl Pestalozzi und Rainer Wagner. Berlin/New York 1975, S. 373–387.

22.36 Meder, A. E. M.: Essay on Joseph von Eichendorff's »Dichter und ihre Gesellen«. – Ilfracombe 1979.

»Auch ich war in Arkadien«

22.37 Hertrich, Elmar: Über Eichendorffs satirische Novelle »Auch ich war in Arkadien«. – In: Literaturwissenschaftliches Jahrbuch N. F. 2 (1961), S. 103–116.

22.38 Wesemeier, Reinhold: Zur Gestaltung von Eichendorffs satirischer Novelle »Auch ich war in Arkadien«. – In: Literaturwissenschaftliches Jahrbuch N. F. 6 (1965), S. 179–191.

22.39 Wührl, Paul Wolfgang: »Auch ich war in Arkadien«. – In: Kindlers Literatur Lexikon 1. München 1965, Sp. 1087 f.

»Aus dem Leben eines Taugenichts«

22.40 Hughes, Glyn Tegai: Eichendorff: »Aus dem Leben eines Taugenichts«. – London 1961 (Studies in German literature 5).

22.41 Mühlher, Robert: Die künstlerische Aufgabe und ihre Lösung in Eichendorffs Erzählung »Aus dem Leben eines Taugenichts«. Ein Beitrag zum Verständnis des Poetischen. – In: Aurora 22 (1962), S. 13–44.

22.42 Wiese, Benno von: Joseph von Eichendorff: »Aus dem Leben eines Taugenichts«. – In: B. v. W.: Die deutsche Novelle von Goethe bis Kafka. Interpretationen 1. Düsseldorf 1962, S. 79–96.

22.43 Gump, Margaret: Zum Problem des Taugenichts. – In: Deutsche Vierteljahrsschrift für Literaturwissenschaft und Geistesgeschichte 37 (1963), S. 529–557.

22.44 [Anonym]: »Aus dem Leben eines Taugenichts«. – In: Kindlers Literatur Lexikon 1. München 1965, Sp. 1125 f.

22.45 Tönz, Leo: Von Eduard Mörikes »Der Gärtner« zu Eichendorffs »Taugenichts«. – In: Jahrbuch des Wiener Goethe-Vereins 73 (1969), S. 82–93.

22.46 Schneider, Gerd: Das Vogelbild in Eichendorff's Novelle »Aus dem Leben eines Taugenichts«. – In: University of Dayton Review 7 (1970), S. 47–52.

22.47 Weber, Werner: Traum der Epigonen. Eichendorff: »Taugenichts«; Mörike: »Gärtner«. – In: W. W.: Forderungen. Bemerkungen und Aufsätze zur Literatur. Zürich/Stuttgart 1970, S. 124–128.

22.48 Bormann, Alexander von: Philister und Taugenichts. Zur Tragweite des romantischen Antikapitalismus. – In: Aurora 30/31 (1970/71), S. 94–112.

22.49 Möhrmann, Renate: Der naive und der sentimentalische Reisende. Ein Vergleich von Eichendorffs »Taugenichts« und Heines »Harzreise«. – In: Heine-Jahrbuch 10 (1971), S. 5–15.

22.50 Rodewald, Dierk: Der »Taugenichts« und das Erzählen. – In: Zeitschrift für deutsche Philologie 92 (1973), 231–259.

22.51 Scheyer, Ernst: Johann Erdmann Hummel und die deutsche Dichtung. Joseph von Eichendorff – E. T. A. Hoffmann – Johann Wolfgang von Goethe. – In: Aurora 33 (1973), S. 43–62.

22.52 Bauer Pickar, Gertrud: Spatial perspectives in Eichendorff's »Aus dem Leben eines Taugenichts«. – In: Studies in the 19th century and early 20th century German literature. Essays in honour of Paul K. Whitaker. Ed. by Norman H. Binger and A. W. Wonderley. Lexington, Kent. 1974 (Germanist. Forschungsketten 3), S. 131–137.

22.53 Koopmann, Helmut: Um was geht es eigentlich in Eichendorffs »Taugenichts«? Zur Identifikation eines literarischen Textes. – In: Wissenschaft zwischen Forschung und Ausbildung. Ansprachen und Vorträge anläßlich der Errichtung der Philosophischen Fachbereiche I und II der Universität Augsburg. Hg. von Josef Becker und Rolf Bergmann. München 1975, S. 179–191.

22.54 Löffel, Hartmut: Das Raumerlebnis bei Kafka und Eichendorff. Untersuchungen an Eichendorffs »Taugenichts« und Kafkas »Amerika«. – In: Aurora 35 (1975), S. 78–98.

22.55 Struck, Karin: [Eichendorff: »Aus dem Leben eines Taugenichts«]. – In: Erste Lese-Erlebnisse. Hg. von Siegfried Unseld. Frankfurt a. M. 1975 (suhrkamp taschenbuch 250), S. 133–144.

22.56 Hillach, Ansgar: Arkadien und Welttheater oder die Auswanderung des Märchens aus der Geschichte. – In: Joseph Freiherr von Eichendorff: Aus dem Leben eines Taugenichts. Frankfurt a. M. 1976 u. ö. (insel taschenbuch 202), S. 143–154.

22.57 Paulsen, Wolfgang: Eichendorff und sein Taugenichts. Die innere Problematik des Dichters in seinem Werk. Bern/München 1976.

22.58 Anton, Herbert: »Dämonische Freiheit« in Eichendorffs Erzählung »Aus dem Leben eines Taugenichts«. – In: Aurora 37 (1977), S. 21–32.

22.59 Haar, Carel ter: Joseph von Eichendorff. Aus dem Leben eines Taugenichts. Text, Materialien, Kommentar. München/Wien 1977 (Hanser Literatur-Kommentare 6).

22.60 Hesse, Walter G.: The equivocal Taugenichts. – In: Festschrift für Ralph Farrel. Ed. by Anthony Stephens, H. L. Rogers and Brian Coghlan. Bern/Frankfurt a. M./Las Vegas 1977, S. 81–95.

22.61 Bauer Pickar, Gertrud: »Aus dem Leben eines Taugenichts«: Personal landscaping in perception and portrayal. – In: Literatur in Wissenschaft und Unterricht 11 (1978), S. 23–31.

22.62 Swales, Martin: Nostalgia as conciliation. A note on Eichendorff's »Aus dem Leben eines Taugenichts« and Heine's »Der Doppelgänger«. – In: German Life and Letters N. S. 30 (1976), S. 36–45.

22.63 Zimorski, Walter: Eichendorffs »Taugenichts« – eine Apologie des Anti-Philisters? – In: Aurora 39 (1979), S. 155–175.

22.64 Daemmrich, Horst S. und Ingrid: Abenteuer als Daseinsgestaltung. Zur Wechselbeziehung von Figurenkonzeptionen und Themenführung bei Eichendorff und Alain-Fournier. – In: Aurora 40 (1980), S. 189–198.

22.65 Hotz, Karl: Joseph von Eichendorff: Aus dem Leben eines Taugenichts. – In: Klassiker heute. Zwischen Klassik und Romantik. Hg. von Hans-Christian Kirsch. Frankfurt a. M. 1980 (Fischer Taschenbuch 3024), S. 217–263.

22.66 Nygaard, Loisa: Eichendorff's »Aus dem Leben eines Taugenichts«: »Eine leise Persiflage« der Romantik. – In: Studies in Romanticism 19 (1980). S. 193–216.

22.67 Poser, Hans: Joseph von Eichendorff: »Aus dem Leben eines Taugenichts«. – In: Deutsche Novellen von Goethe bis Walser. Interpretationen für den

Deutschunterricht 1. Hg. von Jakob Lehmann. Königstein/Ts. 1980 (Scriptor Taschenbücher S 155), S. 105–124.

22.68 Wilpert, Gero von: Der ornithologische Taugenichts. Zum Vogelmotiv in Eichendorffs Novelle. – In: Elemente der Literatur. Beiträge zur Stoff-, Motiv- und Themenforschung. Festschrift für Elisabeth Frenzel. In Verb. mit Herbert A. Frenzel hg. von Adam J. Bysanz und Raymond Trousson. Stuttgart 1980, Bd. 1, S. 114–128.

22.69 Herzig, Walter: Joseph von Eichendorff, »Aus dem Leben eines Taugenichts«. – In: W. H.: Weltentwurf und Sprachverwandlung. Untersuchungen zu Dominanzverschiebungen in der Erzählkunst zwischen 1825 und 1950. Bern/Frankfurt a. M./New York (Europäische Hochschulschriften I, 442), S. 49–116.

22.70 Köhnke, Klaus: Homo viator. Zu Eichendorffs Erzählung »Aus dem Leben eines Taugenichts«. – In: Aurora 42 (1982), S. 24–56. – Erneut in: K. K.: »Hieroglyphenschrift« [vgl. Nr. 4.6], S. 72–104.

22.71 Bormann, Alexander von: Joseph von Eichendorff: »Aus dem Leben eines Taugenichts« (1826). – In: Romane und Erzählungen zwischen Romantik und Realismus. Neue Interpretationen. Hg. von Paul Michael Lützeler. Stuttgart 1983, S. 94–116.

22.72 Polheim, Karl Konrad: Neues vom »Taugenichts«. – In: Aurora 43 (1983), S. 32–54.

22.73 Riemen, Alfred: »Aus dem Leben eines Taugenichts« – Eine Erzählung in christlichem Geist. – In: Frieden durch Menschenrechte. Festschrift für Herbert Czaja. Hg. von Waldemar Zylla. Dülmen 1984, S. 239–256. – Erneut in: Oberschlesisches Jahrbuch 1 (1985), S. 207–230.

22.74 Anton, Herbert: Der »Geist des Spinozismus« in Eichendorffs »Taugenichts«. – In: Eichendorff und die Spätromantik [vgl. Nr. 4.5], S. 13–26.

22.75 Bohm, Arnd: Competing economies in Eichendorff's »Aus dem Leben eines Taugenichts«. – In: The German Quarterly 58 (1985), S. 540–553.

22.76 Walter-Schneider, Margret (unter Mitarbeit von Martina Hasler): Die Kunst in Rom. Zum 7. und 8. Kapitel von Eichendorffs Erzählung »Aus dem Leben eines Taugenichts«. – In: Aurora 45 (1985), S. 49–62.

»Das Marmorbild«

22.77 Radner, Lawrence R.: Eichendorff's »Marmorbild«: »Götterdämmerung« and deception. – In: Monatshefte 52 (1960), S. 183–188.

22.78 Uhde, Gerhard: Treue dem Genius. »Das Marmorbild«, ein Blick in die seelische Entwicklung von Joseph Freiherr von Eichendorff. – In: Die Kommenden 14 (1960), S. 6.

22.78a Beller, Manfred: Narziß und Venus. Klassische Mythologie und romantische Allegorie in Eichendorffs Novelle »Das Marmorbild«. – In: Euphorion 62 (1968), S. 117–142.

22.79 Frühwald, Wolfgang: »Das Marmorbild«. – In: Kindlers Literatur Lexikon 4. München 1968, Sp. 2114–2116.

22.80 Lindemann, Klaus: Von der Naturphilosophie zur christlichen Kunst. Zur Funktion des Venusmotivs in Tiecks »Runenberg« und Eichendorffs

»Marmorbild«. – In: Literaturwissenschaftliches Jahrbuch N. F. 15 (1974), S. 101–121.

22.81 Hubbs, Valentine: Metamorphosis und rebirth in Eichendorff's Marmorbild. – In: The Germanic Review 52 (1977), S. 243–259.

22.82 Pikulik, Lothar: Die Mythisierung des Geschlechtstriebes in Eichendorffs »Das Marmorbild«. – In: Euphorion 71 (1977), S. 128–140. – Erneut in: Mythos und Mythologie in der Literatur des 19. Jahrhunderts. Hg. von Helmut Koopmann. Frankfurt a. M. 1979 (Studien zur Philosophie und Literatur des neunzehnten Jahrhunderts 36), S. 159–172.

22.83 Mornin, Edward: »Der goldene Topf« and »Das Marmorbild«: A comparison. – In: Die Unterrichtspraxis 11 (1978), S. 32–38.

22.84 Seidel, Käthe: Naturmagie und christliches Weltbild bei Eichendorff oder die Erzählung »Das Marmorbild«. – In: Zum Beispiel. Zeitschrift für die Praxis des christlichen Unterrichts 14 (1979), S. 46–51.

22.85 Köhnke, Klaus: Mythisierung des Eros: Zu Eichendorffs Novelle »Das Marmorbild«. – In: Acta Germanica 12 (1980), S. 115–141. – Überarb. in: K. K.: »Hieroglyphenschrift« [vgl. Nr. 4.6], S. 50–71.

22.86 Böhme, Hartmut: Romantische Adoleszenzkrisen. Zur Psychodynamik der Venuskult-Novellen von Tieck, Eichendorff und E. T. A. Hoffmann. – In: Literatur und Psychoanalyse. Vorträge des Kolloquiums am 6. und 7. Oktober 1980. Hg. von Klaus Bohnen, Sven-Aage Jörgensen und Friedrich Schmöe. Kopenhagen/München 1981 (Kopenhagener Kolloquien zur deutschen Literatur 3 = Text und Kontext. Sonderreihe 10), S. 133–176.

22.87 Breuer, Dieter: Marmorbilder. Zum Venus-Mythos bei Eichendorff und Heinse. – In: Aurora 41 (1981), S. 183–194.

22.88 Fink, Gonthier-Louis: Pygmalion und das belebte Marmorbild. Wandlungen eines Märchenmotivs von der Frühaufklärung bis zur Spätromantik. – In: Aurora 43 (1983), S. 92–123.

22.89 Marks, Hanna M.: Joseph von Eichendorff: »Das Marmorbild«. Erläuterungen und Dokumente. Stuttgart 1984 (Reclams Universal-Bibliothek 8167).

22.90 Paulus, Rolf: Tag und Nacht – Motive in Eichendorffs Novelle »Das Marmorbild«. Betrachtungen zu einem Schlüsselwerk schlesischer Romantik. – In: Wolfgang Schulz: Große Schlesier. Berlin 1984, S. 197–200.

22.91 Rowland, Herbert: Überwindung des Irdischen bei Eichendorff und Matthias Claudius: Betrachtungen über eine Stelle im »Marmorbild« und »Ein Lied hinterm Ofen zu singen«. – In: Aurora 44 (1984), S. 124–129.

22.92 Polheim, Karl Konrad: Marmorbild-Trümmer. Entstehungsprozeß und Überlieferung der Erzählung Eichendorffs. – In: Aurora 45 (1985), S. 5–32.

22.93 Steinsdorff, Sibylle von: Joseph von Eichendorff: »Das Marmorbild«. – In: Meistererzählungen der deutschen Romantik. Hg. und komm. von Albert Meier, Walter Schmitz, S. v. St. und Ernst Weber. Mit Beiträgen von Friedhelm Auhuber und Friedrich Vollhardt. München 1985 (Deutscher Taschenbuch Verlag 2147), S. 420–435.

22.94 Weinhold, Ulrike: Erotik und Literatur. – In: Annäherungen. Studien zur deutschen Literatur und Literaturwissenschaft im 20. Jahrhundert. Festschrift für Johannes Maassen. Hg. von Hans Ester und Guillaume van Gemert. Amsterdam 1985, S. 209–225.

22.95 Woesler, Winfried: Frau Venus und das schöne Mädchen mit dem Blumenkranze. Zu Eichendorffs »Marmorbild«. – In: Aurora 45 (1985), S. 33–48.

22.96 Behütuns, Georg: Romantische Raum- und Zeitstruktur in Eichendorffs »Marmorbild«. Ein Interpretationsversuch. – In: Jahresbericht 1985/86 des Kronberg-Gymnasiums Aschaffenburg, S. I–XXIV.

22.97 Polheim, Karl Konrad: Das »Marmorbild«-Fragment Eichendorffs im Freien Deutschen Hochstift. – In: Jahrbuch des Freien Deutschen Hochstifts 1986, S. 257–292.

22.98 Polheim, Karl Konrad: Zu Eichendorffs »Marmorbild«. Ein Fragment aus der Universitätsbibliothek Breslau. Erstmals hg. und komm. – In: Schlesien 1986, S. 141–151.

»Das Schloß Dürande«

22.99 Koopmann, Helmut: Eichendorff, das Schloß Dürande und die Revolution. – In: Zeitschrift für deutsche Philologie 89 (1970), S. 180–207.

22.100 Köhnke, Klaus: Eichendorffs »Schloß Dürande«: Wirklichkeits- und Symbolcharakter. – In: Aurora 34 (1974), S. 7–23. – Überarb. in: K. K.: »Hieroglyphenschrift« [vgl. Nr. 4.6], S. 133–158 [u. d. T.: Liebesgeschichte oder politisches Bekenntnis? »Das Schloß Dürande«].

22.101 Lindemann, Klaus: Verdrängte Revolutionen? Eichendorffs »Schloß Dürande« und Karl Mays Klekih-petra-Episode im »Winnetou«-Roman. – In: Aurora 34 (1974), S. 24–38.

22.102 Schumann, Detlev W.: Betrachtungen über zwei Eichendorffsche Novellen. »Das Schloß Dürande« – »Die Entführung«. – In: Jahrbuch der deutschen Schillergesellschaft 18 (1974), S. 466–481.

22.103 Lindemann, Klaus: Eichendorffs »Schloß Dürande«. Konservative Rezeption der Französischen Revolution. Entstehung – Struktur – Rezeption – Didaktik. Paderborn/München/Wien/Zürich 1980 (Modellanalysen: Literatur 1).

22.104 Madland, Helga Stipa: Revolution and conservatism in Eichendorff: »Das Schloß Dürande« and »Der Adel und die Revolution«. – In: Neue Germanistik 1 (1980), S. 35–48.

22.105 Steinsdorff, Sibylle von: Joseph von Eichendorff: »Das Schloß Dürande«. – In: Deutsche Erzählungen des 19. Jahrhunderts. Von Kleist bis Hauptmann. Hg. und komm. von Joachim Horn, Johann Jokl, Albert Meier und S. v. St. München 1982 (Deutscher Taschenbuch Verlag 2099), S. 542–552.

22.106 Post, Klaus-Dieter: Hermetik der Häuser und der Herzen. Zum Raumbild in Eichendorffs Novelle »Das Schloß Dürande«. – In: Aurora 44 (1984), S. 32–50.

22.107 Hartmann, Regina: Eichendorffs Novelle »Das Schloß Dürande«. Eine gescheiterte Kommunikation. – In: Weimarer Beiträge 32 (1986), S. 1850–1867.

»Das Wiedersehen«

22.108 Kunisch, Hermann: Joseph von Eichendorff, »Das Wiedersehen«. Ein unveröffentlichtes Novellenfragment aus der Handschrift mitgeteilt und erläutert. – In: Aurora 25 (1965), S. 7–39. – Erneut in: H. K.: Kleine Schriften. Berlin 1968, S. 273–301.

»Die Entführung«

22.109 Müller, Joachim: Das Gedicht in Eichendorffs Erzählung »Die Entführung«. – In: J. M.: Von Schiller bis Heine. Halle/S. 1972, S. 175–189.

22.110 Schumann, Detlev W.: Betrachtungen über zwei Eichendorffsche Novellen [vgl. Nr. 22.102].

22.111 Köhnke, Klaus: Die Inkarnation des Mythos. Zu Eichendorffs Novelle »Die Entführung«. – In: Aurora 40 (1980), S. 7–18. – Überarb. in: K. K.: »Hieroglyphenschrift« [vgl. Nr. 4.6], S. 159–172.

»Die Glücksritter«

22.112 [Anonym]: »Die Glücksritter«. – In: Kindlers Literatur Lexikon 3. München 1967, Sp. 901 f.

22.113 Köhnke, Klaus: Flucht in die Innerlichkeit? Zu Eichendorffs Novelle »Die Glücksritter«. – In: Acta Germanica 15 (1984), S. 17–40. – Überarb. in: K. K.: »Hieroglyphenschrift« [vgl. Nr. 4.6], S. 173–191.

22.114 Nolte, Cornelia: Die Glücksritter. Magie und alter Garten in einer vergessenen Novelle Eichendorffs. – In: Oberschlesisches Jahrbuch 2 (1986), S. 198–207.

»Die Zauberei im Herbste«

22.115 Mühlher, Robert: Die Zauberei im Herbste. Aus der Werkstatt des jungen Eichendorff. – In: Aurora 24 (1964), S. 46–65.

22.116 Köhnke, Klaus: Eichendorffs »Zauberei im Herbste«. Abkehr von der Frühromantik. – In: Akten des VI. Internationalen Germanisten-Kongresses Basel 1980, S. 439–445. – Erweitert in: K. K.: »Hieroglyphenschrift« [vgl. Nr. 4.6], S. 38–49 [u. d. T.: Rezension der Poesie durch Poesie: »Die Zauberei im Herbste«].

»Eine Meerfahrt«

22.117 Janitza, Rudolf: Joseph von Eichendorff »Eine Meerfahrt«. – Phil. Diss. Marburg 1960.

22.118 Gillespie, Gerald: Zum Aufbau von Eichendorffs »Eine Meerfahrt«. – In: Literaturwissenschaftliches Jahrbuch N. F. 6 (1965), S. 193–206.

22.119 Schwan, Werner: Bildgefüge und Metaphorik in Eichendorffs Erzählung »Eine Meerfahrt«. – In: Sprachkunst 2 (1971), S. 357–389.

22.120 Köhnke, Klaus: Zeit und Über-Zeit in Eichendorffs Erzählung »Eine Meerfahrt«. – In: Aurora 33 (1973), S. 7–33. – Überarb. in: K. K.: »Hieroglyphenschrift« [vgl. Nr. 4.6], S. 105–132.

22.121 Maler, Anselm: Die Entdeckung Amerikas als romantisches Thema. Zu Eichendorffs »Meerfahrt« und ihren Quellen. – In: Germanisch-romanische Monatsschrift N. F. 25 (1975), S. 47–74. – Erneut in: Deutschlands literarisches Amerikabild. Neuere Forschungen zur Amerikarezeption der deutschen Literatur. Hg. von Alexander Ritter. Hildesheim/New York 1977 (Germanistische Texte und Studien 4), S. 226–253.

22.122 Krahé, Peter: Eichendorffs »Meerfahrt« als Flucht vor dem »praktischen Abgrund«. – In: Aurora 44 (1984), S. 51–70.

22.123 Steinsdorff, Sibylle von: »Das Gantze noch einmal umarbeiten!«. Notizen Eichendorffs zur geplanten Überarbeitung seiner Novelle »Eine Meerfahrt«. – In: Aurora 44 (1984), S. 71–78.

»Erlebtes« (Autobiographische Schriften)

22.124 Kunisch, Dietmar: Die Memoirenfragmente Joseph von Eichendorffs. Eine ungedruckte Handschrift aus dem Nachlaß Wilhelm Kurrelmeyers. – In: Sprache und Bekenntnis. Festschrift für Hermann Kunisch. Berlin 1971, S. 185–205.

22.125 Madland, Helga Stipa: Revolution and conservatism [vgl. Nr. 22.104].

22.126 Kunisch, Dietmar: Joseph von Eichendorff. Fragmentarische Autobiographie. Ein formtheoretischer Versuch. – München 1985.

»Unstern«

22.127 Kunisch, Dietmar: Textkritische Studien zu Eichendorffs Novellenfragment »Unstern«. – In: Literaturwissenschaftliches Jahrbuch N. F. 2 (1961), S. 69–102.

»Viel Lärmen um Nichts«

22.128 Strauch, Christian: Romantische Ironie und Satire. Interpretationsbeiträge zu Eichendorffs »Krieg den Philistern« und »Viel Lärmen um Nichts«. – In: Jahrbuch des Wiener Goethe-Vereins 70 (1966), S. 130–145.

22.129 Heimrich, Bernhard: Fiktion und Fiktionsironie in Theorie und Dichtung der deutschen Romantik. – Tübingen 1968 (Studien zur deutschen Literatur 9) [zu E.: S. 78–88].

22.130 Anton, Bernd: Romantisches Parodieren. Eine spezifische Erzählform der deutschen Romantik. Bonn 1979 (Abhandlungen zur Kunst-, Musik- und Literaturwissenschaft 285) [zu E.: S. 163–200, 287–303].

23. *Einzelne Dramen*

»Die Freier«

23.1 Kluge, Gerhard: Spiel und Witz im romantischen Lustspiel. Zur Struktur der Komödiendichtung der deutschen Romantik. – Phil. Diss. Köln 1963 [zu E.: S. 132–156].

23.2 Mauser, Wolfram: »Die Freier« von Joseph von Eichendorff. – In: Der Deutschunterricht 15 (1963), H. 6, S. 45–58.

23.3 Kempf, Edith: Die Freier. – In: Kindlers Literatur Lexikon 3, München 1967, Sp. 270–272.

23.4 Kluge, Gerhard: Das Lustspiel der deutschen Romantik. – In: Das deutsche Lustspiel 1. Hg. von Hans Steffen. Göttingen 1968, S. 181–203 [zu E.: S. 198–200].

23.5 Catholy, Eckehard: Das deutsche Lustspiel. Von der Aufklärung bis zur Romantik. Stuttgart/Berlin/Köln/Mainz 1982 (Sprache und Literatur 109) [zu E.: S. 269–285, 302–304].

»Krieg den Philistern«

23.6 Strauch, Christian: Romantische Ironie und Satire [vgl. Nr. 22.128].

23.7 Frühwald, Wolfgang: »Krieg den Philistern«. – In: Kindlers Literatur Lexikon 4. München 1968, Sp. 761–763.

»Wider Willen«

23.8 Demuth, Otto: »Wider Willen« als Baustein in Eichendorffs Kunst. – In: Aurora 21 (1961), S. 71–77.

24. *Literarische Beziehung zu Vorgängern und Zeitgenossen*

24.1 Deutsche Literatur

24.1.1 Mc Glashan, L.: A Goethe reminiscence in Eichendorff. – In: Monatshefte 51 (1959), S. 177–182.

24.1.2 Schindler, Karl: Eine Eichendorff-Droste-Parallele. – In: Aurora 21 (1961), S. 83–85.

24.1.3 Thurnher, Eugen: Eichendorff und Stifter. Zur Frage der christlichen und autonomen Ästhetik. – Graz 1961 (Sitzungsberichte der Österr. Akademie der Wissenschaften. Phil.-hist. Kl. 236,5).

24.1.4 Fuerst, Norbert: Heine and Eichendorff. – In: N. F.: The Victorian age of German literature. University Park/London 1966, S. 80–84.

24.1.5 Schumann, Detlev W.: Friedrich Schlegels Bedeutung für Eichendorff. – In: Jahrbuch des Freien Deutschen Hochstifts 1966, S. 336–383.

24.1.6 Lüthi, Hans Jürg: Joseph von Eichendorff und Goethe. – In: Aurora 27 (1967), S. 15–25.

24.1.7 Schumann, Detlev W.: Eichendorffs Verhältnis zu Goethe. – In: Literaturwissenschaftliches Jahrbuch N. F. 9 (1968), S. 159–218.

24.1.8 Riley, Thomas A.: Der Anfang von Eichendorffs Abneigung gegen die Weimarer. – In: Jahrbuch der Schlesischen Friedrich-Wilhelms-Universität zu Breslau 17 (1972), S. 311–324.

24.1.9 Riley, Thomas A.: Das Verhältnis des jungen Eichendorff zu Friedrich Schlegel in Wien (1810–1813). – In: Aurora 32 (1972), S. 24–29.

24.1.10 Kastinger Riley, Helene M.: Eichendorff versus Schiller, oder: Die unästhetischen Folgen einer ästhetischen Erziehung. – In: Aurora 38 (1978), S. 113–121.

24.1.11 Köpke, Wulf: Eine Jean Paul-Parodie im »Taugenichts«? Bemerkungen zu Eichendorffs Jean Paul-Rezeption. – In: Aurora 41 (1981), S. 172–182.

24.1.12 Arndt, Margarete: Hermann Kletke, ein schlesischer Lyriker, und seine Beziehungen zu Eichendorff. – In: Schlesien 28 (1983), S. 76–86.

24.1.13 Köhnke, Klaus: Eichendorff und Novalis. – In: Aurora 45 (1985), S. 63–90. – Erneut in: K. K.: »Hieroglyphenschrift« [vgl. Nr. 4.6], S. 11–37 [u. d. T.: Der Weg zur eigenen Poetik: Eichendorff und Novalis].

24.1.14 Nehring, Wolfgang: Eichendorff und E. T. A. Hoffmann: Antagonistische Bruderschaft. – In: Aurora 45 (1985), S. 91–105.

24.1.15 Sammons, Jeffrey L.: »Welch ein vortrefflicher Dichter ist der Freyherr von Eichendorff«. Betrachtungen zu Heines Eichendorff-Urteil. – In: Aurora 45 (1985), S. 137–148.

24.1.16 Frühwald, Wolfgang: Repräsentation der Romantik. Zum Einfluß Achim von Arnims auf Leben und Werk Joseph von Eichendorffs. – In: Aurora 46 (1986), S. 1–10.

24.2 Spanische und englische Literatur

24.2.1 Richthofen, Bolko Frhr. von: Eichendorff und die spanische Literaturgeschichte. – In: Schlesische Studien. München 1970, S. 125–128.

24.2.2 Stopp, Elisabeth: Eichendorff und Shakespeare. Festvortrag zur Jahresversammlung der Eichendorff-Gesellschaft, 7. April 1972. – In: Aurora 32 (1972), S. 7–23.

24.2.3 Hoffmeister, Gerhart: Spanien und Deutschland. Geschichte und Dokumentation der literarischen Beziehungen. – Berlin 1976 (Grundlagen der Romanistik 9) [zu E.: pass.].

24.2.4 Hillach, Ansgar: Calderón und Eichendorff. Zur geschichtlichen Differenz ihrer poetischen Verfahrensweisen. – In: Aurora 37 (1977), S. 71–76.

24.2.5 Hillach, Ansgar: Teologia dramática y romanticismo cristiano (Calderón y Eichendorff). Una consideración histórico-filosófica. – In: Hacia Calderón. Cuarto Coloquio Anglogermano. Wolfenbüttel 1975. Berlin/New York 1979 (Hamburger Romanistische Studien. Ibero-amerikanische Reihe 42 = Calderoniana 13), S. 41–45.

24.2.6 Varela Martinéz, María Jesús: Presencia de España en la obra de Joseph von Eichendorff. – Salamanca 1983.

24.2.7 Mendez, Antonio: Eichendorff and Spain: Some affinities. – Phil. Diss. Austin, Texas 1984.

24.2.8 Varela, María Jesús: Der junge Eichendorff und die spanische Welt. – In: Oberschlesisches Jahrbuch 2 (1986), S. 184–197.

25. *Themen. Stoffe. Motive*

Natur. Landschaft. Garten

25.1 Brinkmann, M.: Eichendorff und die Natur. – In: Mitteilungen des Beuthener Geschichts- und Museumsvereins 21/22 (1960), S. 136–188.

25.2 Rehm, Walther: Prinz Rokoko im alten Garten. Eine Eichendorff-Studie. – In: Jahrbuch des Freien Deutschen Hochstifts 1962, S. 97–207. – Erneut in: W. R.: Späte Studien. Bern 1964, S. 122–214.

25.3 Ruland, Josef: Der Garten. Ein Beitrag zur Deutung des Symbols bei Eichendorff. – In: Revue des langues vivantes 29 (1963), S. 24–44.

25.4 Riley, Thomas: Eichendorffs Rheinbeschreibung. – In: Aurora 24 (1964), S. 42–45.

25.5 Stockmann, Friedrich: Die Landschaft in Eichendorffs Romanen und Erzählungen. – Phil. Diss. [masch.] Wien 1964.

25.6 Worbs, Erich: Eichendorff und das Meer. Erlebnis und Gestaltung. – In: Aurora 26 (1966), S. 57–65.

25.7 Schäfer, Hans Dieter: Residenz des Prinzen Rokoko. Eichendorffs verlorenes Schloß. – In: Der Monat 19 (1967), H. 230, S. 67–71.

25.8 Stockmann, Friedrich: Die Darstellung der Landschaft in Eichendorffs erzählender Prosa. – In: Aurora 28 (1968), S. 53–65.

25.9 Riemen, Alfred: Eichendorffs Garten und seine Besucher. – In: Aurora 30/31 (1970/71), S. 23–33.

25.10 Schulze, Joachim: O Bächlein meiner Liebe. Zu einem unheimlichen Motiv bei Eichendorff und Wilhelm Müller. – In: Poetica 4 (1971), S. 215–223.

25.11 Pikulik, Lothar: Bedeutung und Funktion der Ferne bei Eichendorff. – In: Aurora 35 (1975), S. 21–34.

25.12 Wülfing, Wulf: Jungdeutsche Landschaft 1833/35. – In: Euphorion 71 (1977), S. 141–153.

25.13 Iehl, Dominique: Über einige Aspekte der Landschaft bei Friedrich und Eichendorff. – In: Aurora 43 (1983), S. 124–133.

25.14 Thum, Reinhard H.: Cliché and stereotype: An examination of the lyric landscape in Eichendorff's poetry. – In: The Philological Quarterly 62 (1983), S. 435–457.

25.15 Schwering, Markus: Eichendorff und C. D. Friedrich. Zur Ikonographie des romantischen Landschaftsbildes. – In: Aurora 44 (1984), S. 130–146.

25.16 Lindemann, Klaus: »Deutsch Panier, das rauschend wallt«. Der Wald in Eichendorffs patriotischen Gedichten im Kontext der Lyrik der Befreiungskriege. – In: Eichendorff und die Spätromantik [vgl. Nr. 4.5], S. 91–131.

Tiere. Pflanzen

25.17 Worbs, Erich: »Kaiserkron' und Päonien rot«. Eichendorffs Verhältnis zu den Blumen. – In: Aurora 24 (1964), S. 66–70.

25.18 Strenzke, Günter: Zum Motiv der grüngoldenen Schlange bei Eichendorff. – In: Aurora 36 (1976), S. 27–38.

25.19 Doebele-Flügel, Verena: Die Lerche. Motivgeschichtliche Untersuchung zur deutschen Literatur, insbesondere zur deutschen Lyrik. – Berlin/New York 1977 (Quellen und Forschungen zur Sprach- und Kulturgeschichte der germanischen Völker N. F. 68) [zu E.: pass.].

Tageszeiten

25.20 Schwarz, Peter Paul: Die Bedeutung der Tageszeiten in der Dichtung Eichendorffs. Studien zu Eichendorffs Motivik, Erzählstruktur, Zeitbegriff und Ästhetik auf geistesgeschichtlicher Grundlage. – Phil. Diss. Freiburg i. Br. 1964. – Auch u. d. T.: Aurora. Zur romantischen Zeitstruktur bei Eichendorff. Bad Homburg/Berlin/Zürich 1970 (Ars poetica. Studien 12).

25.21 Spinner, Kaspar Heinrich: Der Mond in der deutschen Dichtung von der Aufklärung bis zur Spätromantik. – Bonn 1969 (Abhandlungen zur Kunst-, Musik- und Literaturwissenschaft 67) [zu E.: S. 91–98].

25.22 Blackall, Eric A.: Moonlight and moonshine: A disquisition on Eichendorff's novels. – In: Seminar 6 (1970), S. 111–127.

25.23 Brown, Marshall: Eichendorff's times of day. – In: The German Quarterly 50 (1977), S. 485–503.

Heimat. Fremde

25.24 Arnoldner, Alois: Die Motivgruppe des heimatlosen Helden bei Eichendorff. – Phil. Diss. [masch.] Wien 1961.

25.25 Pettermann, Gloria: Das Motiv der Trennung und des Wiedersehens in den Romanen Eichendorffs. – Phil. Diss. Wien 1972.

25.26 Hajek, Siegfried: Der Wanderer, der Philister, der Scheiternde. Grundfiguren bei Eichendorff. – In: Jahrbuch der Raabe-Gesellschaft 1975, S. 42–65.

25.27 Ritter, Naomi: House and individual. The house motif in German literature of the 19th century. – Stuttgart 1977 (Stuttgarter Arbeiten zur Germanistik 42) [zu E.: S. 106–113 et pass.].

25.28 Perraudin, Michael: The »Doppelgänger« poem and its antecedents: A short illustration of Heine's creative response to his romantic precursors. – In: Germanisch-romanische Monatsschrift N. F. 35 (1985), S. 342–348.

Italien. Dämonische Antike

25.29 Lucks, Hermann: Wesen und Formen des Dämonischen in Eichendorffs Dichtung. – Phil. Diss. Köln 1962.

25.30 Requadt, Paul: Die Bildersprache der deutschen Italiendichtung von Goethe bis Benn. – Bern/München 1962 [zu E.: S. 107–125].

25.31 Lent, Dieter: Die Dämonie der Antike bei Eichendorff. – Phil. Diss. Freiburg i. Br. 1964.

25.32 Merivale, Patricia: The raven and the bust of Pallas: Classical artifacts and the Gothic tale. – In: Publications of the Modern Language Association 89 (1974), S. 960–966.

25.33 Wolff, J.: Romantic variations of Pygmalion motifs by Hoffmann, Eichendorff, and Edgar Allen Poe. – In: German Life and Letters 33 (1979/80), S. 53–59.

25.34 Kastinger Riley, Helene M.: Das Bild der Antike in der deutschen Romantik. – Amsterdam 1981 (German Language and Literature Monographs 10) [zu E.: S. 29–68, 177–215, 231–240, 267–271].

Frau

25.35 Sauter Bailliet, Theresia: Die Frau im Werk Eichendorffs. Verkörperungen heidnischen und christlichen Geistes. – Bonn 1972 (Abhandlungen zur Kunst-, Musik- und Literaturwissenschaft 118).

25.36 Becker-Cantarino, Barbara: »Frau Welt« und »Femme Fatale«: Die Geburt eines Frauenbildes aus dem Geiste des Mittelalters. – In: Das Weiterleben des Mittelalters in der deutschen Literatur. Hg. von James F. Poag und Gerhild Scholz-Williams. Königstein/Ts. 1983, S. 61–73.

Kirche. Priester. Eremit

25.37 Möbus, Gerhard: Die Gestalt des Priesters in der Dichtung Eichendorffs. – In: Schlesisches Priesterjahrbuch 1 (1960), S. 42–65.

25.38 Fitzell, John: The hermit in German literature (from Lessing to Eichendorff). – Chapel Hill 1961 (University of North Carolina. Studies in the Germanic languages and literatures 30) [zu E.: S. 114–118].

25.39 Riemen, Alfred: Die Kirche in Eichendorffs Werken. – In: Literatur und Religion. Hg. von Helmut Koopmann und Winfried Woesler. Freiburg i. Br./Basel/Wien 1984, S. 184–197.

Musik

25.40 Radner, Lawrence R.: The instrument, the musician, the song: An introduction to Eichendorff's symbolism. – In: Monatshefte 56 (1964), S. 236–248.

25.41 Worbs, Erich: Waldhornruf und Lautenklang. Musikinstrumente in der Dichtung Eichendorffs. – In: Aurora 22 (1962), S. 74–81.

Sonstige Themen und Motive

25.42 Rassem, Mohammed: Der Student als Ritter. Eine Skizze nach Eichendorff. – In: Studium Generale 16 (1963), S. 274–279. – Erneut in: M. R.: Stiftung und Leistung. Essais zur Kultursoziologie. Mittenwald 1979, S. 83–96, 250–254.

25.43 Stopp, Elisabeth: The metaphor of death in Eichendorff. – In: Oxford German Studies 4 (1969), S. 67–89.

25.44 Strenzke, Günter: Die Problematik der Langeweile bei Joseph von Eichendorff. – Hamburg 1973 (Geistes- und sozialwissenschaftliche Dissertationen 28).

25.45 Fisher, John Charles: Das Verkleidungsmotiv in den Prosawerken von Joseph Freiherrn von Eichendorff. – Phil. Diss. Princeton 1976.

26. *Wirkungsgeschichte*

26.1 Rezeption (allgemein)

26.1.1 Schindler, Karl: Eichendorff-Parodien. – In: Aurora 22 (1962), S. 97–99; 30/31 (1970/71), S. 146 f.

26.1.2 Lämmert, Eberhard: Zur Wirkungsgeschichte Eichendorffs in Deutschland. – In: Festschrift für Richard Alewyn. Hg. von Herbert Singer und Benno von Wiese. Köln/Graz 1967, S. 346–378. – Erneut in: Die deutsche Romantik. Poetik, Formen und Motive. Hg. von Hans Steffen. Göttingen 1967 u. ö. (Kleine Vandenhoeck-Reihe 250), S. 219–252 [u. d. T.: Eichendorffs Wandel unter den Deutschen. Überlegungen zur Wirkungsgeschichte seiner Dichtung]. – Auch in: Romantikforschung nach 1945. Hg. von Klaus Peter. Königstein/Ts. (Neue wissenschaftliche Bibliothek 93), S. 203–228.

26.1.3 Cheng, S. L.: Eichendorff im Freien China. – In: Aurora 35 (1975), S. 141 f.

26.1.4 Schindler, Karl: Zur Eichendorff-Rezeption der Spätromantik. – In: Aurora 35 (1975), S. 142 f.

26.1.5 Steininger, Hans: Materialien zu einer Rezension der Übertragung des »Taugenichts« ins Chinesische. – In: Aurora 37 (1977), S. 221–223.

26.1.6 Togawa, Keiichi: Eichendorff in Japan. – In: Aurora 39 (1979), S. 120–124.

26.1.7 Vogel, Günther: Vergnügliches vom Reisnapf. Anmerkungen zu einer chinesischen Übersetzung des »Taugenichts« von Eichendorff. – In: Schlesien 25 (1980), S. 207–224.

26.2 Rezeption durch einzelne Autoren

Horst Bienek

26.2.1 Dimter, Walter: Kontrastierung und Mitexistenz. Zur Bedeutung Eichendorffs bei Bienek. – In: Aurora 40 (1980), S. 199–212.

26.2.2 Hay, Gerhard: »Die tausend Stimmen im Grund«. Eichendorff bei Horst Bienek. – In: Bienek lesen. Hg. von Michael Krüger. München 1980, S. 78–87.

Jacob Burckhardt

26.2.3 Rehm, Walther: Jacob Burckhardt und Eichendorff. – Freiburg i. Br. 1960. – Erneut in: W. R.: Späte Studien. Bern 1964, S. 276–343.

Günter Eich

26.2.4 Neumann, Peter Horst: Die Rettung der Poesie im Unsinn. Der Anarchist Günter Eich. – Stuttgart 1981 [zu E.: S. 54–59 et pass.].

Brüder Grimm

26.2.5 Rölleke, Heinz: Ein Eichendorff-»Zitat« in den »Kinder- und Hausmärchen« der Brüder Grimm. – In: Aurora 42 (1982), S. 239 f.

Gerhart Hauptmann

26.2.6 Schindler, Karl: Gerhart Hauptmann und Eichendorff. – In: Aurora 24 (1964), S. 79–84.

Hermann Hesse

26.2.7 Schindler, Karl: Hermann Hesse huldigt Eichendorff. – In: Aurora 23 (1963), S. 112 f.

26.2.8 Arndt, Margarete: Hesse und Eichendorff. Zusammenstellung und Auswertung von Äußerungen Hermann Hesses über Joseph von Eichendorff. – In: Schlesien 25 (1980), S. 22–31.

Franz Kafka

26.2.9 Sauer, Roland: Eichendorff und Kafka. Ein Nachtrag zum Beitrag von H. Löffel in Aurora 35 (1975) [vgl. Nr. 22.54]. – In: Aurora 37 (1977), S. 134–140.

26.2.10 Köhnke, Klaus: Eichendorff und Kafka. – In: Aurora 41 (1981), S. 195–208. – Erneut in: K. K.: »Hieroglyphenschrift« [vgl. Nr. 4.6], S. 211–223 [u. d. T.: Variationen nach hundert Jahren: Eichendorff und Kafka].

Gertrud von Le Fort

26.2.11 Schindler, Karl: Eichendorffs dichterische Gestalt bei Gertrud von Le Fort. – In: Aurora 29 (1969), S. 98–102.

Wilhelm Lehmann

26.2.12 Bauer, Günter E.: Er war kein Enkel Eichendorffs. Zum Eichendorff-Bild im unveröffentlichten Frühwerk Wilhelm Lehmanns. – In: Literatur in Wissenschaft und Unterricht 6 (1973), S. 1–22.

Wolf von Niebelschütz

26.2.13 Heiduk, Franz: Wolf von Niebelschütz und Eichendorff. – In: Aurora 30/31 (1970/71), S. 149f.

Peter Rühmkorf

26.2.14 Verweyen, Theodor, und Gunther Witting: Die Parodie in der neueren deutschen Literatur. Eine systematische Einführung. – Darmstadt 1979 [zu E.: S. 176–187].

26.2.15 Hinck, Walter: Des Mühltals Idylle in Moll (Peter Rühmkorf: »Auf eine Weise des Joseph Freiherrn von Eichendorff«). – In: Frankfurter Anthologie [vgl. Nr. 21.2] 10 (1986), S. 239–242.

Georg Trakl

26.2.16 Metzner, Ernst Erich: Trakl, die moderne Lyrik und Eichendorff. Zum Thema Traditionsbestimmtheit im Spätwerk Georg Trakls – im Hinblick auf unerkannte Eichendorff-Anverwandlung. – In: Aurora 36 (1976), S. 122–150.

Robert Walser

26.2.17 Heiduk, Franz: Robert Walser, Würzburg und Eichendorff. – In: Aurora 30/31 (1970/71), S. 148f.

26.3 Rezeption in der bildenden Kunst

26.3.1 Redslob, Edwin: Eichendorff im Spiegel der bildenden Kunst. – In: Aurora 19 (1959), S. 7–14.

26.3.2 Buesche, Albert: Eichendorff-Illustration an der Wende. – In: Aurora 20 (1960), S. 55–58.

26.3.3 Heiduk, Franz: Die »Taugenichts«-Lithographien von H. W. Scheller. – In: Aurora 32 (1972), S. 127f.

26.3.4 Grunewald, Eckhard: Adolf Schrödter. 1805–1875. Zu Leben und Werk des ersten »Taugenichts«-Illustrators. – In: Aurora 37 (1977), S. 87–106.

26.3.5 Wackermann, Erwin: Der illustrierte Taugenichts. Eichendorffs Meisternovelle »Aus dem Leben eines Taugenichts« in illustrierten Ausgaben. – In: Illustration 63. Zeitschrift für die Buchillustration 16 (1979), S. 43–55.

26.3.6 Heister, Bernhard: Aus dem Leben eines Taugenichts. Zu einer Bildfolge von Charlotte Heister. – In: Elbinger Briefe 33 (1982), S. 27–34.